S0-ARK-668

STEPHEN FRY

Paperweight

AUS DEM ENGLISCHEN
VON
ULRICH BLUMENBACH

HAFFMANS VERLAG

Die englische Originalausgabe
»Paperweight«
erschien 1992 bei William Heinemann Ltd., London

Der Übersetzer dankt
Gunnar Kwisinski und Reinhard Markner.

Umschlagfoto von Hanya Chlala

1. Auflage, Frühling 1996

Satz: Fotosatz Michel, Gießen
Herstellung: Ebner Ulm
ISBN 3 251 00309 7

Meiner Mutter und meinem Vater

… den vorbildlichsten Vorfahren

Inhaltsverzeichnis

Einleitung 11

Abschnitt eins: Radio

Donald Trefusis 19
Lady Madding 22
Trefusis' Weihnachtsrätsel . . 24
Jeremy Creep 28
Trefusis übertreibt die Eleganz 30
Sidney Gross 33
Trefusis über das Bildungswesen 35
Trefusis und Redatt 38
Sir John Raving: Cricket & Golf 41
Trefusis über Examina 44
Trefusis fühlt sich nicht wohl . 46
Trefusis über die Langeweile . 49
Trefusis über den Haß auf Oxford 52
Trefusis über das Alter 54
Trefusis' Nachruf 57
Trefusis beim Knabbern . . . 60
Trefusis und Rosina 64
Trefusis nimmt einen Preis entgegen 67
Trefusis und der Rebell mit dem Monokel 69
Trefusis lästert 73
Trefusis über *Any Questions* . 76
Trefusis geht in den Norden . . 78
Erneut Lady Madding 81
Trefusis' Postkarte aus Amerika 83
Postkarte Nummer zwei . . . 86
Postkarte Nummer drei 89
Postkarte Nummer vier 92

Abschnitt zwei: Rezensionen und Restposten

Der ›Tatler‹ und Sex 97
Der annotierte Father Brown . 99
›Arena‹ 104
Das Buch und die Brüderschaft 109
Brand X 113
Nichts gegen das Masturbieren 118
Bernard Levin 123
Das Bangemachen der Satire . 127
Kind des Wandels 132
Briefkastenvetter 136
Der World Service 139

Abschnitt drei: ›The Listener‹

Nackte Kinder 147
Der Fluch der Familie 149
Ein Blick in die Zukunft 152
Dorothys Freunde 155
Thatcher im Fernsehen 157
Sockenzorn 160
Wimbledon-Horror 163
Fuck sagen 165
Schlimmer – durch Design . . 168
Mein Gott 170
Bikes, Leder und After-shave . 173
Sie und Ihr Toffee 176
Weihnachtsgruß 178
Voraussagen für 1989 181
Der Schwätzer in ›The Listener‹ 184
Werbeblock 187
Absolut überhaupt nichts . . . 189
Die Jugend 192
Ich und mein Hefter 194
Über die Unverständlichkeit 197
Beschwerdenbescherung . . . 200
Wie ich diesen Artikel geschrieben habe 202
Zerreißt ihn für seine schlechten Verse 205
Der lachende Droschkenkutscher 208

Abschnitt vier: ›The Telegraph‹

Außersinnliche Hopsnehmung 229
Sportsgeist 232
Eine Frage der Zuschreibung 234
Der Stoff, aus dem die Träume sind 236
Lösungen zum Stoff, aus dem die Träume sind 239
Hämorrhoiden 241
Eine freundliche Stimme in der Polo Lounge 244
Entwurf einer Haßliste 246
Gesund & munter, fröhlich & schwul 249
Gott segne Worcestershire . . 251
Wieder auf Achse 254
Zoostunde 257
Trefusis kehrt zurück! 259
Ein Schlag auf den Kopf 262
Liebes Sid 265
So verrückt wie nur möglich 267
Das Bild der Wirklichkeit . . . 270
What are we fighting for? . . . 272
Die richtigen Züge machen . . 275
Von Mutter Sprache gestillt . . 278
Hört auf Volkes Stimme 281
Die politische Partie spielen . . 284
Mein Leonardo 286
Ein Schwätzer schwatzt 289
Im Himmel der Spielshows . . 292
Eine Droge auf dem Markt . . 295
Der Angriff der Killerschnurrbärte 298

Sie war bloß die Tochter des Präsidenten 300
Die Sünde des Rades 304
Patriotische Glosse 306
Hoppala 309
Spott befohlen 312
Das B-Wort 314
Danken Sie nicht Ihrem Glücksstern 317
Die Jungs vom Lande 320
Der Grammatik auf den Fersen 322
Karrieren, wohin man auch schaut 325
Toleranz gegenüber Krankheiten 328
Ein seltsamer Mann 330
Spaß mit Delphinen 332
Meine selige Tante 335
Ein reger Hinterwörtler . . . 337
Und der Gewinner ist... . . 339
Taxi! 342
Noch eine Frage der Zuschreibung 344
Weinkonserven 346
Die schnurrende Maus 349
Eine Runde Monopoly 351
Bildung ist eine wunderbare Sache 354
Abspann 357
Der »Analogizer®« 360
Ein Unterzeichnen der Zeit . . 362
Feiner Kerl 365
Verrückt wie eine Schauspielerin 367
Das Alphabet der Motoren . . 370
Vim und Vitalität 372
Zustand kritisch 375
Heartbreak Hotels 377
Mercury, der Götterbote . . . 380
Eigner Film ist Goldes wert 382
Valete 385
Eine Sache der Gewichtung . . 388

Abschnitt fünf: Latein!

Programmhinweis 395
Latein! oder Tabak und Knaben 397
I. Akt 401
II. Akt 422

Anhang

Personen- und Sacherläuterungen 438

[illegible]

[illegible]

[illegible] einem Symbol [illegible]

[illegible]

Einleitung

Willkommen bei *Paperweight*. Meine erste Amtshandlung muß in der Warnung bestehen, daß es Wahnsinn wäre, dieses Buch wie einen packenden Roman oder eine erbauliche Biographie in einem Rutsch durchlesen zu wollen. Auf dem Festmahl der Literatur erstrebt *Paperweight* nicht mehr, denn als eine Art literarische Guacamole angesehen zu werden, in die müde und hungrige Leser von Zeit zu Zeit einen Tortillachip ihrer Neugierde dippen mögen. Ich will nicht für die geistigen Verdauungsbeschwerden zur Verantwortung gezogen werden, die zwangsläufig aus dem Versuch resultieren müßten, das Ding als Ganzes herunterzuschlingen. Snackbücher sind in Sachen Stil vielleicht nicht der letzte Schrei, doch bei jenen, die Trüffeln und Fleischklöße der Meisterköche der einen Küche übersättigt und aufgebläht zurückgelassen oder denen Whopper und Big Macs von den Schnellimbißköchen der anderen Leibwinde verursacht haben, mag *Paperweight* gerade recht kommen.

Möglicherweise erteilt uns allerdings auch das andere Ende des Verdauungstrakts Aufschluß darüber, wie mit diesem Buch zu verfahren sei: Seine eigentliche Heimat könnte es im Badezimmer finden, neben *Das Beste aus der Far Side Collection*, einer alten, shampoobefleckten Ausgabe des *Sloane-Ranger-Handbuchs* und, jedermanns Kloakalfavoriten, den *Gesammelten Briefen von Rupert Hart-Davis*. Womöglich hätte jeder Artikel in diesem Buch mit einer Zahl oder einem Symbol versehen werden sollen, die oder das den Zeitraum bezeichnet hätte, den er zur Lektüre beansprucht, wobei Zahl oder Symbol dem Eingeweidebefinden eines Lesers entsprochen hätten. Damit könnte letzterer entscheiden, welche Abschnitte seiner Diät und allgemeinen Darmbeschaffenheit zufolge zu lesen wären. Auf diese Weise ließe sich das ganze Buch bewältigen, ohne daß dem Kunden je kostbare Zeit geraubt würde. Aber egal welche Anwendung Sie für *Paperweight* finden, ob Sie einem strikten Toilettenregime gehorchen, ob Sie es als

Briefbeschwerer benutzen oder ob Sie lediglich das Photo des ekelerregenden Menschen auf dem Umschlag zu verunstalten beliebten, ich jedenfalls wünsche Ihnen Jahre problemlosen, fleckenabweisenden Gebrauchs.

Den Bohrschmant von sechs oder sieben Jahren gelegentlicher Plackerei in den Fabrikhallen von Journalismus und Rundfunk zu sammeln (eine absurde Metapher und von jener Sorte, die Belletristen anscheinend einfach nicht lassen können... inwiefern gleicht das Verfassen von Texten auch nur im entferntesten der Plackerei in einer Fabrikhalle? Komm gefälligst zur Sache!), mag als Ausfluß unerträglicher Arroganz erscheinen. Darauf kann ich nur entgegnen, daß die verlegerische Scheußlichkeit, die Sie gerade in der Hand halten, in Wirklichkeit Ausfluß einer hoffentlich *ertragreichen* Arroganz ist. Zu ihr ist es gekommen, weil ich im Laufe der Jahre zahlreiche Briefe von Lesern und Hörern erhalten habe, die darum baten, daß ihnen ein dauerhaftes Dokument jener Artikel und Radiosendungen, die ich einer skeptischen Öffentlichkeit so rücksichtslos aufgedrängt habe, verfügbar gemacht werde – vermutlich mit dem Hintergedanken, ihren Kindern damit eins hinter die Löffel zu geben oder das so entstandene Buch bei schwarzen Messen als Reliquisiten zu benutzen. Jedenfalls ist *Paperweight* das Ergebnis solchen Flehens, und ich denke doch, den Verantwortlichen wird es eine Lehre sein.

(Was soll dieses »daß ihnen ein dauerhaftes Dokument verfügbar gemacht werde« und »das Ergebnis solchen Flehens«? Warum bist du dir nicht zu schade für diesen traditionell schmierigen Vorwortstil? Und was soll eigentlich diese ganze falsche Bescheidenheit? »Diese verlegerische Scheußlichkeit..., die ich Ihnen so rücksichtslos aufgedrängt habe.« Widerwärtig!)

Meine ersten Exkursionen in jene Gegenden des Schreibens, die in diesem Buch wiedergegeben werden (Exkursionen? *Exkursionen?* Was ist denn das für ein Wort? Reiß dich zusammen!), begannen 1985, als Ian Gardhouse, ein Hörfunkredakteur der BBC von bis dahin untadeligem Charakter, mich bat, etwas zu einer seiner Serien namens *Colour Supplement* beizutragen. Eine oder zwei Folgen, mit denen ich mich an diesem kurzlebigen Unternehmen beteiligt habe, sind jetzt im »Radio«-Abschnitt dieses Bandes enthalten.

Colour Supplement wurde von *Loose Ends* abgelöst, bei deren erster Folge ich eine Figur namens Professor Trefusis vorstellte. Das war Ian Gardhouses Idee gewesen. In der Woche, bevor wir zum ersten Mal auf Sendung gingen, war offenbar ein Akademiker aus dem richtigen Leben von der Regierung beauftragt worden, ein Gutachten über Sex und Gewalt im Fernsehen zu erstellen. Gardhouse fand, ich sei genau der Richtige, als jener Akademiker zu sprechen, der seine Meinung zu einem Medium abgeben soll, in dem er als weltfremder Don völlig unbewandert ist. Ich machte daraus einen ältlichen Cambridge-Philologen von liebenswertem, mitunter jedoch gehässigem Wesen namens Donald Trefusis.

Ich mochte Trefusis. Sein fortgeschrittenes Alter und seine noch weiter fortgeschrittene Exzentrik ließen gepfefferte Kommentare und ungehemmte Grobheiten zu, die nie und nimmer durchgegangen wären, wenn man sie mit der normalen Stimme eines aufstrebenden Komikers unter dreißig gesprochen hätte. Über die nächsten zwei oder drei Jahre lieferte ich weitere Folgen von Trefusis' »Hörfunkstunden« für *Loose Ends*. Eine großzügige, für manchen vielleicht überreichliche (wieder diese schmalzig-falsche Bescheidenheit … obwohl du es *fausse humilité* nennen würdest, wetten?) Auswahl hat in diesem Band Aufnahme gefunden. Gelegentlich erlaubte ich mir dort auch Auftritte in der Gestalt einer Rosina, Lady Madding, einem verblühten Gesellschaftsschönchen, bis Arbeitsüberlastung mich zwang, einen so flatterhaften Zeitvertreib einzuschränken. (Bist du jetzt bald fertig?)

Von allem anderen abgesehen, habe ich die wenigen Stunden, in denen ich nicht auf Bühnen oder in Fernsehstudios herumhüpfte, damit verbracht, eine wöchentliche Kolumne für die inzwischen verblichene Zeitschrift ›Listener‹ zu schreiben. Ihr vorletzter Herausgeber, der unvergleichliche Alan Coren (gut, »unvergleichlich« ist in Ordnung, nehm' ich an … wenigstens hast du nicht gesagt, »der unübertrefflich famose Kerl, Alan Coren«), hatte mich aus den Literaturseiten weggelobt, wo ich ab und zu eine Kritik für die zuständige Redakteurin Lynne Truss verfaßt hatte. Ein paar dieser Buchkritiken und eine Auswahl der Kolumnen sind hier im Abschnitt »The Listener« versammelt. Zur Weihnachtsausgabe 1987 hatte ich eine Sherlock-Holmes-Geschichte beigesteuert, die ich mir ebenfalls hier aufzunehmen erlaubt habe (was soll das heißen, »die ich mir erlaubt habe«? Das ist dein verdammtes Buch, hab' ich recht? Was brauchst du da irgendeine Erlaubnis? Nicht zu fassen!). Eine Anzahl Essays (du meinst »zwei«), die ich für die Zeitschrift ›Arena‹ geschrieben habe, bilden den Abschnitt »Rezensionen und Restposten«, zusammen mit einigen Stücken, die ich für den ›Tatler‹ unter der Herausgeberschaft jener inzwischen beklagenswerterweise heimgegangenen, herausragenden Persönlichkeit Mark Boxers abgefaßt habe. Außerdem habe ich einige Texte aufgenommen, die ich als Fernsehkritiker der ›Literary Review‹ geschrieben habe.

1989 wechselte der ›Listener‹ den Verlag, Alan Coren ging, und ich dann auch. Bald darauf wurde die Zeitschrift endgültig eingestellt. (Da sollen wir wohl einen Zusammenhang herstellen, oder?)

Wenige Monate später schickte mir Max Hastings, der liebenswürdige und bescheidene Herausgeber des ›Daily Telegraph‹ (du magst einfach *jeden*, nicht wahr?), eines Nachmittags ein Billett zu Händen des Bühneneingangs vom Aldwych Theatre, wo ich in einem der bedeutendsten Flops der Spielzeit auftrat, einem Stück namens *Look Look*. Er fragte, ob ich mir vorstellen könne, für seine Zeitung eine Kolumne zu schreiben. Zufällig hatte ich ein paar Monate zuvor als Leser vom ›Independent‹ zum ›Telegraph‹ gewechselt. Obwohl ich kein Konservativer bin, fühlte und fühle ich mich auf den Seiten dieser Zeitung immer noch mehr zu Hause als bei jeder anderen, also stimmte ich bereitwillig und glücklich zu. (Ach, *ist* das aufregend!)

Zwei Jahre lang schrieb ich eine Kolumne unter der Überschrift »Fry am Freitag« und gab den Posten erst Ende 1991 auf, als Film- und Schreibarbeit mir zuviel wurden. Jede Woche ein Thema zu finden, erforderte eine Disziplin, die mir ungeheuren Spaß machte, obwohl es Zeiten gab, zu denen ich wöchentlich zehnmal mehr schrieb, um die riesige Briefmenge zu beantworten, die von Lesern des ›Telegraph‹ über mich hinwegschwappte, als die Artikel selbst lang waren. Ich wage zu behaupten, daß die großen Kolumnisten unserer Tage, die Waterhouses, Levins und Waughs, meinen Postsack lachhaft schlapp gefunden hätten, aber für mich waren die herausfordernden, intelligenten, freundlichen und manchmal weniger freundlichen Leserbriefe eine der großen Überraschungen und Freuden dieses Lebensabschnitts. Ich muß zugeben, daß ich mich gegen sein Ende, als meine Zeitknappheit schlechterdings beängstigende Ausmaße angenommen hatte, vielfach außerstande sah, alle Briefe zu beantworten, und ergreife diese Gelegenheit, mich für die flüchtig hingeworfenen Antworten zu entschuldigen, mit denen meine Korrespondenzpartner vorlieb zu nehmen gezwungen waren (was für ein *Schleimscheißer*).

Den letzten Teil von *Paperweight* bildet der vollständige Text meines Theaterstücks *Latein! oder Tabak und Knaben*. Ich habe das Programm der Aufführung am New End Theatre in Hampstead beigefügt, das den Hintergrund des Stücks erläutern dürfte. *Latein!* ist, glaube ich, der Grund dafür, warum ich das mache, was ich mache. Geschrieben habe ich es während meines zweiten Jahrs in Cambridge. Das Ergebnis war, daß Hugh Laurie, der es in Edinburgh gesehen hatte, Emma Thompson bat, mich ihm vorzustellen, in der Hoffnung, ich würde mit ihm zusammen etwas für eine Footlights-Revue schreiben. Ich habe mit ihm und mit Unterbrechungen die letzten elf Jahre über geschrieben und hoffe, dies noch viele Jahre lang tun zu können.

Ich möchte meinen Dank daher ihm, Emma Thompson, Alan Coren, Max Hastings, Ian Gardhouse, Ned Sherrin, Lynne Truss, Nick Logan von ›Arena‹, Emma Soames (*quondam editrix* der ›Literary Review‹) und dem verstorbenen Mark Boxer abstatten. Mein Dank gilt auch Lisa Glass von Mandarin Books für ihre Geduld und Jo Foster, die mir die *disiecta membra* so vieler Jahre aufzuspüren half. (Du konntest es einfach nicht lassen, was? Du *mußtest* mit einer verdammten lateinischen Floskel aufhören. Was für ein *Schwachkopf*. Und wo hast du bloß diese *»quondam editrix«* her? Du lieber Himmel!)

Stephen Fry
Norfolk, 1992

Abschnitt eins

Radio

Donald Trefusis

Der folgende Text ist die erste Trefusis-Folge aus Loose Ends. *Wie in der Einleitung erläutert, bezieht er sich auf den Kabinettsbeschluß, einen Akademiker einzuladen, ein Jahr lang fernzusehen und dann zu entscheiden, ob die auf unseren Bildschirmen gezeigte Gewalt der Öffentlichkeit und insbesondere natürlich den lieben Kindlein dieses Landes schadet.*

STIMME: Dr Donald Trefusis, Senior Tutor am St Matthew's College, Cambridge, und Carnegie-Professor für Philologie, wurde letztes Jahr von der Regierung darum gebeten, einen Großteil der Fernsehproduktion der BBC zu kontrollieren und speziell gewalttätigen Szenen Aufmerksamkeit zu widmen, die kleine Kinder verstören oder beeinflussen könnten. Heute berichtet er, was er in Erfahrung gebracht hat.

Mein Auftrag, die Weiterverbreitung von Gewalt auf den Fernsehkanälen der BBC zu inspizieren, war einerseits ein Greuel für einen unbeirrbaren Liebhaber des Hörfunks, andererseits von gewissem Charme für einen passionierten Beobachter und Chronisten der modernen Gesellschaft, und war andererseits schmeichelhaft für jemanden, der – oje, mein Blatt scheint drei Seiten zu haben, macht nichts, es mag genügen, wenn ich sage, daß ich mit frohem, gleichwohl klopfendem Herzen an meine Aufgabe heranging.

Mein Vorgänger auf dem hiesigen Queen-Anne-Lehrstuhl für angewandte Moraltheorie[1] vertrat zeitlebens die Auffassung, daß Television, ohnedies ein in sich etymologisch hybrides Kompositum aus dem griechischen »tele« und der lateinischen »visio«, eine soziale Hybride sei, eine Chimäre, die einen auf dem Kreuzzug sowie dem Rücken eines Pegasus' des 20. Jahrhunderts befindlichen

1 Aus irgendeinem Grund scheine ich Trefusis als Moralphilosophen eingeführt zu haben. Später wird klargestellt, daß er Philologe ist.

Bellerophon der Jetztzeit erwarte, der sie dahinschlachten möge, bevor sie unsere Kultur in ihren schleimigen, stinkenden, eiternden Schlund hinabreißt.

Ich hingegen, der ich im Grunde ein Mann des Volkes bin, einer, der seine wachen und eifrigen jungen Finger stets am energischen, vibrierenden Puls unserer Zeit hat, ich neige nicht zu solch unmäßigen Ansichten. Für mich stellt das Fernsehen eine Herausforderung dar, eine Hoffnung, eine Chance – oder, mit T. E. Hulmes Worten, »einen konkreten Fluß interpenetrierender Intensitäten«. Und mit diesem aufgeräumten Herzen wollte ich meine Pflicht tun, die zu erfüllen mich meine Regierung gerufen hatte. Um ehrlich zu sein, als der junge Peter aus dem Innenministerium mir im Rauchersalon des Oxford and Cambridge Club sein Anliegen vortrug, mußte ich gestehen, daß ich eigentlich noch nie ferngesehen hatte. Man hat ja so viel zu tun. Aber Peter, von dem ich voller Stolz sagen darf, ihn 1947 auf den altsprachlichen Tripos vorbereitet zu haben, war der Ansicht, ein unvoreingenommener Geist sei genau das Richtige für dieses Problem: Also setzte ich mich, von keinerlei Wissen belastet und mit der beseligenden Freude gänzlicher Unerfahrenheit, vor meinen funkelnagelneuen Sony Trinitron, um von den reichen Gaben der Sendeanstalt zu kosten.

Gewalt umfaßt, wie ich einem Radiopublikum kaum werde in Erinnerung rufen müssen, sprachgeschichtlich den Gegensatz einer Kraftfülle, die jeden Widerstand niederzwingt, und einer Machtanwendung, die das Recht beugt. Die Gewalt, welche zur Strecke zu bringen ich beauftragt worden war, war indes ein ganz anderes Paar Ballettschuhe. Ich werde Sie nicht länger im dunkeln tappen lassen und enthüllen, daß das, was ich da zu sehen bekam, mich bis ins Mark meines Wesens erschütterte und in einer Weise bestürzte, der Ausdruck zu verleihen ich mich außerstande sehe. Sendung auf Sendung gewalterfüllt, grauenhaft und mit potentiell ruinösen Auswirkungen auf die weichen, noch leicht formbaren Seelen unserer Jugend.

Die erste Sendung, auf die ich stieß, hieß *The Late, Late Breakfast Show* und wurde moderiert von – doch nein, es gehört nicht zu meinen Aufgaben, mich hier auf das Niveau der Verleumdung einzelner herabzulassen –, wurde moderiert, sagen wir, von einer Person, die ich weder in dieser noch in irgendeiner anderen Welt wiederzusehen wünsche. In dieser Sendung wurde sämtlichen Regeln des Anstands, der Ehrbarkeit, des Umgangs, der Höflichkeit, des Geschmacks, der Menschlichkeit und der Menschenwürde, die ich zeit meines Lebens hochzuhalten und zu befördern bestrebt war, Gewalt angetan. Allesamt wurden sie auf Arten und Weisen verletzt, die zu barbarisch, zu grotesk, zu verkommen waren, um sie hier auszuführen. Ich hoffe sehr, nie wieder Zeuge einer solch obszönen Orgie der Vulgarität, Niedertracht und Ignoranz werden zu müssen. Die Seele des jungen Menschen wird zu der Annahme verleitet, laute, marktschreierische Derbheit sei bewundernswert; rüpelhaftes, unzivilisiertes Zotenreißen auf Kosten weiblicher Würde sei amüsant; und pubertäres, banausenhaftes Posieren und Possenreißen sei unterhaltsam. Unter dem Motto »Ich mach' doch bloß Spaß« wird hier ein Banner so schändlicher, unverzeihlicher Primitivität aufgepflanzt, daß es jegliche Vorstellungskraft übersteigt. Wenn *das* Fernsehen ist, so spürte ich, dann muß der Gewalt, die es der Empfindsamkeit unserer Jugend antut, unverzüglich Einhalt geboten werden, ehe es zu spät ist. Ein ganzer Strom sinnloser und abstoßender Quizsendungen folgte dieser Scheußlichkeit auf dem Fuße: Die ganze Woche über wurde ich mit brutalstem Schmutz und Schund bombardiert. Eine Sendung, in der fortlaufend Brieffetzen eingeblendet wurden, die von schamlosen Zuschauern eingesandt worden waren, tat dem guten Ruf dieses Landes in puncto Alphabetisiertheit, Intelligenz, Rechtschreibung, Schönschrift, Urteilsvermögen und Bescheidenheit solche Gewalt an, daß ich befürchtete, geradewegs in Ohnmacht zu fallen.

Schließlich glitzerten auf diesem Misthaufen der Entweihungen, des Ruins und Entsetzens aber doch ein paar Hoffnung machende Perlen. Aus amerikanischer und hiesiger Produktion gab es zahlreiche Sendungen, in denen Schauspieler sich als Polizisten verkleideten oder als Verbrecher ausgaben, und dann unterhaltsame Darstellungen von Kampfhandlungen und Feuergefechten lieferten. So manches Auto explodierte in dieser Phantasiewelt auf fröhliche und aufregende Weise. Besonders gut gefiel mir bald ein Paar namens Starsky und Hutch, das unaufhörlich Schießereien und Schlägereien simulierte. Diese heiteren, einfältigen und klamaukhaften fiktionalen Zerstreuungen waren, wie Fiktionen das immer gewesen sind und immer sein werden, harmlos, lehrreich und reizend. Ich empfehle, sie unangetastet zu lassen, wie es allem Drama und aller Fiktion gebührt. Doch jene Gewalt, die Gewalt, die es in den monströsen Erscheinungsformen auf unsere Jugend abgesehen hat, die zu beschreiben ich versucht habe, diese Gewalt mit der Wurzel auszurotten, zu beseitigen, zu dezimieren, zu vernichten und zu zerstören, werde ich keine Anstalten scheuen.

Guten Morgen.

Lady Madding

Der erste dreier Monologe von Rosina, Lady Madding, die auf Loose Ends *ausgestrahlt wurden. Stellen Sie sich eine Stimme vor, die etwa so klingt wie jemand, der beim Einatmen spricht.*

STIMME: Rosina, Lady Madding, zu Hause in Eastwold House.

Ich wohne hier allein in dem, was man in meiner Mädchenzeit das Witwenhaus nannte. Ich nehme an, technisch gesehen bin ich eine Witwe, obwohl mein Sohn Rufus, der vierte Graf, noch unverheiratet ist. Ich liebe es hier auf dem Lande, es ist so friedlich. Ich bin umgeben von Photographien aus meiner Vergangenheit. Auf dem Klavier habe ich ein Photo, auf dem ich mit David, dem Prinzen von Wales, tanze – nachmals natürlich Edward der Achte und schließlich Herzog von Windsor. David war ein sehr schlechter Tänzer, immer trat er einem auf die Zehen, und ich weiß noch, wie er einmal einer meiner Geliebten den Mittelfußknochen zertrat – diskreter Lesbianismus war zu der Zeit in Mode.

Das hier ist eine Aufnahme von Noël Coward – Liebling Noël nannten wir ihn immer. Er war ein sehr geistreicher Mensch, wissen Sie – diese Seite von ihm kennen die wenigsten. Ich erinnere mich an eine Begebenheit, als ich bei Mario's in der Greek Street die Tanzfläche betrat und ein sehr gewagtes Kleid trug, ein Kleid, das mehr von meiner Décolletage preisgab, als man damals für schicklich hielt – heute, wage ich zu behaupten, würde es kaum noch mehr als eine Augenbraue hochbringen, aber für jene Zeit war es geradezu verrucht. Ich betrat das Parkett, Liebling Noël näherte sich mir und sagte »Rosina« – er nannte mich immer Rosina –, so heiße ich, müssen Sie wissen. »Rosina«, sagte er mit dieser *Stimme*, »Rosina, wo haben Sie bloß diesen verführerisch tief ausgeschnittenen Body gefunden?« So war Noël eben, wissen Sie.

Das Porträt über dem Kamin wurde angefertigt, als ich in Paris war – mein Gatte Claude war in den späten Zwanzigern Botschafter. Ich pflegte in der Botschaft sehr literarische Partys zu veranstalten – Plum und Duff Cooper, Scott und Garrett Fitzgerald, der gute Geoffrey Chaucer natürlich, Adolf Hitler und Unity Mitford, Gertrude Stein und Alice B. Topless, Radclyffe Hall und Angela Brazil – auf ihr Erscheinen konnte man sich immer verlassen. Und natürlich auf O. Henry James Joyce Cary Grant. Ich erinnere mich, daß F. E. Smith, später bekanntlich Lord Birkenhead, da drüben ist ein Bild von ihm, direkt unter der Dartscheibe, F. E. also sagte immer, »Alle Welt geht mit ihrem Liebhaber zu Rosinas Partys«, was mir sehr schmeichelte.

Als Claude und ich später nach Indien zogen, um die Vizeregentschaft zu übernehmen, habe ich Gandhi kennengelernt, mit dem ich regelmäßig französisches Cricket spielte – er war schrecklich gut beim Cricket, das mußte man ihm lassen: Claude sagte immer, »Was die Leinentuchindustrie gewonnen hat, das verlor die Wickethüterindustrie«. Pandit Nehru war auch ziemlich beeindruckend, aber wenn man Edwina Mountbatten Glauben schenken darf, dann war seine Weite zu unregelmäßig, als daß er je Einlaß in die indische Ruhmeshalle der Legspinwerfer gefunden hätte.

Der große Männerakt aus Bronze, der auf dem Synthesizer steht, stellt Herbert Morrison dar, den Minister. Daran hänge ich jetzt meine Armreifen auf, wann immer ich mich ans Keyboard begebe. Ich verbringe viel Zeit in diesem Zimmer und denke an die Vergangenheit. Silly Poles Hartley, L. P. Hartley, Sie wissen schon, hat einmal gesagt, die Vergangenheit sei ein fremdes Land, aber das finde ich nicht. Das Essen war natürlich besser, und die Leute rochen nicht so. Ich bekomme oft zu hören, ich gehörte zu einer verdorbenen Generation, reich, schön, müßig, parasitär. Es stimmt, daß ich im Laufe meines Lebens mit jedem erdenklichen Luxus überschüttet worden, vielen berühmten und einflußreichen

Menschen begegnet bin, viele aufregende Gegenden gesehen habe und niemals etwas Anstrengenderes zu tun hatte, als große Feste zu organisieren. Aber wissen Sie, trotz alledem, wenn ich noch einmal von vorn anfangen könnte, ich würde alles wieder genauso machen. Was ich bereue? Nur weniges. Ich hätte dem lieben T. E. Lawrence nicht mein Motorrad leihen sollen. Jetzt bin ich müde. Lassen Sie mich essen.

Trefusis' Weihnachtsrätsel

STIMME: Donald Trefusis, Professor für Philologie an der Universität Cambridge, stellt sein berühmtes Weihnachtsrätsel. Halten Sie Bleistift, Papier oder Kassettenrecorder bereit.

Menschliche Wesen, die, wie ich annehmen muß, auch heute wieder einen Großteil meiner Hörerschaft ausmachen, sind häufig auf ihre Art und Weise ungeheuer konkurrenzorientiert. Im allgemeinen ist dies eine Eigenschaft, die es zu tadeln und nicht zu ermutigen gilt; dem industriellen und ökonomischen Wohlergehen unseres Landes ist es offensichtlich unzuträglich, wenn eine große Zahl aggressiver, konkurrenzsüchtiger Leute miteinander um Geld oder Märkte wetteifern oder um was für Lappalien Figuren aus der Wirtschaft nun einmal wetteifern, wenn sie nicht gerade kostbare Sitzplätze in Zügen besetzt halten.

Der Konkurrenzgeist ist ein Ethos, das Universitäten wie die, an der zu arbeiten und mich zu bewegen ich die Ehre habe, unterdrücken und neutralisieren müssen. Wir unterhalten uns oft über unsere nationale Malaise, was sich mitnichten, wie oft angenommen, auf die uns willkommenen Immigranten aus Malaysia bezieht, sondern den entsetzlichen und ungebrochenen Trend beschreibt, daß intelligente junge Männer und Frauen an die Universitäten kommen und dort ermuntert werden, in die Industrie zu gehen. Geborene Naturwissenschaftler, Altphilologen und Linguisten werden schon in früher Kindheit mit Technologie, Management (was immer man sich darunter auch vorstellen mag) und Wirtschaft vertraut gemacht. In Anbetracht dieser düsteren Tatsache brauchen wir wohl nicht länger nach Gründen zu forschen, welche die Talfahrt dieses Landes erklären. Wie soll diese Nation sich im Spannungsfeld der internationalen Beziehungen behaupten, wenn sie nicht einmal imstande ist, die Medialformen von *λυω* zu konjugieren oder die Aussage des *Endymion* zusammenzufassen? Eine Generation von Bürgern, die Hosenbügelpressen und Aktenkoffer aus rotem Leder mit Zahlenschloß kauft, aber im Unwissen um das metrische Schema der *Faerie Queene* verharrt, ist nicht imstande, eine Führungsrolle in der Welt zu übernehmen. Das ist indes nicht Hauptthema meiner heutigen Erörterung. Ich wollte lediglich den Hintergrund meiner Leinwand mit obigen Farben von der Palette meiner Beschwerden kolorieren, bevor ich im Vordergrund die Formen und Rhythmen meiner eigentlichen Komposition abbilde.

Wiewohl ich also meine Studenten zu Recht nicht zu einander ausstechen wollenden Gesinnungen ermutige, pflege ich doch zu Weihnachten ein kleines Rätsel zu veranstalten. Teilnehmen kann jeder Universitätsangehörige, der mich in den vorangegangenen zwölf Monaten irgendwann zu einer Keksparty mit Madeira eingeladen hat. Beachtlicher internationaler Druck ist auf mich ausgeübt worden, diesen traditionellen kleinen Katechismus meiner mithörenden Öffentlichkeit zugänglich zu machen. Der Studentenpreis, ein ziseliertes, filigran gearbeitetes Etui aus der Zweiten Republik mit dem eingravierten Namen des Gewinners und einer kleinen Menge hochwertigen Kokains, wurde bereits gewonnen, ich fürchte daher, ich kann dem Gewinner unter Ihnen lediglich ein signiertes Exemplar eines meiner Bücher seiner Wahl anbieten, und dazu eine ebenfalls mit persönlichem Autogramm versehene Ausgabe von Ned Sherrins letzter amüsanter Kollektion humoriger Theateranekdoten mit dem Titel *Larry ist ein derartiger Namedropper*.

Das Rätsel ist in zwei Kategorien aufgeteilt, die ich, sehr treffend, wie ich meine, Abschnitt A und Abschnitt fünf genannt habe. Zunächst also der Ordnung halber Sektion fünf. Halten Sie geeignete Schriftwerkzeuge parat oder Instrumente zur magnetischen Klangaufzeichnung.

FRAGE 1: Was haben die folgenden Wörter gemeinsam: *almost, biopsy, chintz*? Ich wiederhole: *almost, biopsy, chintz*.

FRAGE 2: Was haben die Premierminister Lord Pelham und Lord Grenville mit Lord Ickenham und Lord Sidcup zu tun? Ich wiederhole: Lords Pelham und Grenville, Lords Ickenham und Sidcup.

FRAGE 3: In welcher Verbindung steht der BBC-Korrespondent Martin Bell mit dem Kreuzworträtsel der ›Times‹?

FRAGE 4: Was haben die Lyriker Andrew Marvell, Philip Larkin und Stevie Smith gemeinsam, abgesehen von ihrem Ableben?

FRAGE 5: Was haben Poles und Staples mit Garnelen und Schränken zu tun?

Das war Abschnitt fünf. Abschnitt A ist der Tie-break und erfordert mehr kreatives Bemühen des Teilnehmers.

AUFGABE A: Denken Sie sich ein Telegramm mit zwölf Wörtern an eine imaginäre Herzogin aus, deren *Couchée* Sie zu versäumen gezwungen sind. Es sollte so aufgesetzt werden, daß kein Zweifel daran bleibt, daß Sie die Verabredung platzen lassen, weil Sie die Dame und ihre Freunde abstoßend, abscheulich und absurd finden.

AUFGABE B: Beugen Sie sich vor und berühren Sie jedes Knie mit Ihrer Nasenspitze.

AUFGABE C: Tragen Sie helle, fröhliche Farben und legen Sie ein liebenswürdiges Wesen an den Tag.

AUFGABE D: Wo machbar, benutzen Sie ein Kondom.

AUFGABE E: Ehren Sie das Alter und seien Sie höflich, charmant und rücksichtsvoll der Jugend gegenüber.

AUFGABE F: Wenn Sie populäre Musik mögen, gehen Sie los, kaufen Sie fünf Klassikplatten und hören Sie sich diese eine Woche lang fünfmal täglich an.

AUFGABE G: Wenn Sie klassische Musik mögen, gehen Sie los, kaufen Sie fünf Popmusikplatten und hören Sie sich diese eine Woche lang fünfmal täglich an, und jetzt Schluß mit dem Quatsch.

AUFGABE H: Stellen Sie sich vor, Sie wären Robert Maxwells Verteidiger. Versuchen Sie, ein Schwurgericht davon zu überzeugen, daß Ihr Mandant nicht durch und durch größenwahnsinnig ist.[1]

AUFGABE I: Schreiben Sie ein Gedicht in *ottava rima* über das Thema Mundgeruch.

Das wär's. Eifrigen Teilnehmern dürfte es keinerlei Schwierigkeiten bereiten. Um sie zu ermutigen, kann ich verraten, daß vier Fünftel meiner Studenten 98 Prozent dieses Rätsels oder mehr geschafft haben. Die Namen aller erfolgreichen Kandidaten werden in mein zerknittertes, samtenes Hausbarett gelegt, und ein glücklicher Name wird am Heiligabend vom gegenwärtigen Generaldekan am St Matthew's College, Sir Neville Sowjetspion, gezogen werden.

Ihnen allen viel Glück, und wenn Sie früher mal, bin ich froh, daß Sie aufgehört haben.

Lösungen zu Abschnitt fünf von Trefusis' Weihnachtsrätsel

Wirklich höchst erfreuliche und außergewöhnliche Reaktionen auf mein Rätsel. Die Lösungen lauten wie folgt: *almost, biopsy* und *chintz* sind die einzigen englischen Wörter mit sechs Buchstaben, die, ohne sich zu wiederholen, in alphabetischer Reihenfolge stehen. Die Lords Sidcup und Ickenham haben folgendes gemeinsam mit den ehemaligen Premierministern Lords Pelham und Grenville – beide waren sie Schöpfungen von P. G. Wodehouse, dessen volle Vornamen bekanntlich Pelham und Grenville waren. Martin Bells Verbindung mit dem ›Times‹-Kreuzworträtsel besteht darin, daß sein Vater Adrian, der Schriftsteller und Journalist, das allererste ›Times‹-Rätsel ausheckte. Andrew Marvell, Philip Larkin und Stevie Smith haben alle die Stadt Hull gemeinsam. Zum

1 Hatte einige Schwierigkeiten, das am BBC-Zensor vorbeizuschmuggeln. Bei mir eher ungewöhnlich, wie Sie noch sehen werden, erwies diese Bemerkung sich als genau und, wenn auch nicht direkt prophetisch, so fand sie doch Resonanz.

Schluß fragte ich nach der Verbindung zwischen Poles und Staples und Garnelen und Schränken. L. P. Hartley schrieb natürlich *Die Garnele und die Anemone*, und sein zweiter Vorname war Poles, während Clive Staples Lewis der Autor von *Der Löwe, die Hexe und der Schrank* war. Das war's. Ich schätze mich glücklich, bekanntgeben zu dürfen, daß vierzehntausend unter Ihnen Lösungen eingeschickt haben, die bis in jede Einzelheit richtig waren. Der Gewinner war ein Mr J. Archer, im Alten Pfarrhaus, Grantchester.

Jeremy Creep

Ebenfalls in Colour Supplement *gesendet.*

STIMME: Diese Woche spricht *Men at Work* mit Sir Jeremy Creep, Direktor des London College of Architects in Rohan Point, Putney.

Architektur bietet ganz außergewöhnliche Gelegenheiten zur Förderung des Gemeinwohls, zur Verschönerung der Landschaft, zum Schutz der Umwelt und zum Fortschritt der Menschheit – der erfolgreiche Architekt muß also ausgebildet werden, um diesen Fallstricken zu entgehen und endlich echtes Geld verdienen zu können. Alle möglichen Schulabgänger und Universitätsabsolventen kommen zu mir, und meine Arbeit ist außerordentlich abwechslungsreich. Zuvörderst ist sie natürlich visuell. Junge Menschen gebrauchen ihre Augen – um im heutigen Britannien ein guter Architekt zu werden, genügt es jedoch nicht, wenn Sie Ihre Augen gebrauchen; Sie müssen sie operativ entfernen lassen. Aber Sie müssen nicht nur blind sein, um ein moderner Architekt zu werden, Sie müssen ein lebhaftes Gefühl der Verachtung für Ihre Mitmenschen entwickeln, frühzeitig mit Stadtplanern und Baudezernenten konfrontiert zu werden ist daher unabdingbar.

Als nächstes bedarf es eines sorgfältig strukturierten Systems von Seminaren der Vernunftlenkung, wie wir sie zu nennen pflegen. Dort zeigen wir unseren Studenten Filme alter Gebäude, alter Dorfkerne, Interviews mit anerkannten Denkmalschützern wie dem seligen John Betjeman und Seiner Königlichen Hoheit Prince Charles. Durch den Einsatz von geringen Dosen Giftgas und leichten Elektroschocks erzeugen wir ein Gefühl von Ekel, Übelkeit und akutem körperlichen Schmerz, der im Lauf der Zeit mit jenen Bildern assoziiert wird. Als nächstes führen wir Filmmaterial von großen Glaskästen vor, schweren Sichtbetontürmen und riesigen Stahlträgern, wobei die Studenten die ganze Zeit über durch sanfte Vibrationen und gefällige Mozartklänge stimuliert werden, während sie alten Bordeaux trinken und teure Zigaretten rauchen. Auf diese Weise kann äußerst effektiv Abneigung gegen herkömmliche architektonische Formen und liebevolle Akzeptanz des Neuen konditioniert werden.

Die Aufmerksamen unter Ihnen werden bemerkt haben, daß ich vorhin sagte, wir entfernten unseren Schützlingen die Augen und *dann* zeigten wir ihnen Filme. Ich hätte selbstredend erwähnen sollen, daß ein Architekt lügen können muß. Er (oder sie) muß in der Lage sein, in der Öffentlichkeit leicht und ohne Stocken zu lügen. »Dieses Gebäude wird noch in zehn Jahren stehen«, »St Paul's Cathedral ist häßlich und muß von schönen Objekten umgeben werden«, »Dieser Wohnblock ist auf menschliche Dimensionen und Bedürfnisse zugeschnitten«, »Architektur ist in erster Linie für die Menschen da«. Ich bin mir sicher, daß selbst der ausgefuchsteste Lügendetektor keine dieser Aussagen, so spinnennetzartige Litaneien, Kataloge und Potpourris aus Lügen sie auch sein mögen, anzweifeln würde.

Ein bestürzender Trend zum Neomanierismus in der Büro- und Verwaltungsarchitektur der achtziger Jahre hat uns in letzter Zeit dazu veranlaßt, unsere Umerziehungsprogramme zu verschärfen. Es ist daher jetzt die Regel, daß bei Aushändigung des Diploms dem erfolgreich Examinierten mit einem Strohhalm das Gehirn ausgesaugt wird, bevor er uns verläßt.

Le Corbusier, dieser großartigste aller Architekten (haben Sie's gemerkt? nicht der geringste Ausschlag der Polygraphennadel), sagte einmal: »Ein Mensch ist eine Maschine, die man zum Leben in einem meiner Häuser konstruiert hat«, und wenn dieses Land eine blühende und gedeihende, glückliche, gutbezahlte, wohlgenährte und wohlbehauste Architektenzunft haben soll, dann müssen wir diesen Grundsatz verinnerlichen.

Lassen Sie mich mit einem weiteren Zitat schließen, diesmal von Sir Nikolaus Pevsner: »Ein Haus ist die Einfriedung des Raums; Architektur ist die ästhetische Einfriedung des Raums.« In der Bibliothek meiner umgebauten georgianischen Wassermühle hier draußen in Hampshire greife ich nach dem *Wörterbuch des Architekten*, Band I, »Asbest bis Bogenfries«, und schlage das Wort »ästhetisch« nach. Ich finde folgenden Eintrag: »ästhetisch, obs. vulg. Herkunft unbekannt«. Das paßt auf den modernen Architekten, nicht wahr? Obs. vulg. Herkunft unbekannt. Obszöner, vulgärer Bastard. Guten Abend.

Trefusis übertreibt die Eleganz

Guten Hallo Ihnen allen. Ich muß gleich zu Beginn dieses kleinen Schwatzes betonen, mit ehrlicher, mannhafter Direktheit, daß ich kein Snob bin. War nie einer, will nie einer werden. Robbie Burns und ich gehen, wie dieser Tage so oft, völlig d'accord, wenn wir tirilieren, Rang sei der Münze Prägung nur trotz alledem und alledem. Gute Herzen, so hört man mich oft vor mich hin murmeln, wenn ich bei irgendeiner Vollversammlung der wappentragenden Familien des Reiches durch den Ballsaal schlendere, gute Herzen sind mehr als Kronen, und schlichter Glaube mehr als Norman Tebbit. Trotz alledem bin ich ein alter Mann mit wenigen mir verbliebenen fleischlichen Genüssen, solange man das Abfeilen von Hühneraugen nicht für sinnliche Schwelgerei hält, und wenn die Ballsaison beginnt, macht es mir Spaß, um die Fleischtöpfe der Hautevolee herumzustreunen und hier der Uniauswahl vom »Diamond Skulls« in Henley aus zuzujubeln, dort einen schlanken Adelssproß zum Queen-Charlotte-Ball zu eskortieren. Zugegeben, es ist schwer, mein Entzücken an derlei Festivitäten mit meinem proudhonistischen Syndikalismus einerseits und meiner nahezu allumfassenden Verachtung der Oberklasse in toto andererseits in Einklang zu bringen. Die Schönheit der Anlässe *eux-mêmes* wird von der nahezu vollständigen Verdorbenheit und Selbstüberschätzung der Anwesenden besudelt. Es ist beispielsweise schwer, im Zuschauerbereich von Henley den Inhalt eines Bechers *Pimms* zu verspritzen, ohne damit jemanden zu treffen, der nicht die geringste Ahnung von der Kunst des Rudersports hat. Lassen Sie auf der Mitgliedertribüne von Lord's eine Ratte von der Leine, und Sie scheuchen ein Dutzend Leute auf, von denen keiner Ihnen auch nur Grundbegriffe des Cricket darlegen könnte. Aber meine eigentliche Lieblingsveranstaltung während der Ballzeit ist und bleibt Glyndebourne. Sieht man über seine Preziosität und Privilegiertheit einmal hinweg, zollt der Selbstgefälligkeit der Anwesenden keinen Tribut und läßt den fürchterlichen Luxus der ganzen Angelegenheit außer acht, so ist dies ein herrliches Ereignis. Malen Sie sich also aus, wie hocherfreut ich war, als Anfang dieser Woche einer meiner ehemaligen Studenten, heute ein international agierender Spion von wachsendem Ansehen, mich einlud, ihn dort zu treffen und mir eine Neuinszenierung von *La Traviata* anzusehen, unter der Regie von Sir Peter, Sir Peter, Sir Peter irgendwas.

Ich vermochte kaum stillzuhalten und Glambidge, meinen Adlatus, meine Binde binden, meine Kragenknöpfe knöpfen und meinen Gürtel gürten zu lassen, so aufgeregt war ich, als der Tag gekommen war. Ich liebe das Anlegen vollen Festwichses; eine junge Amerikanerin verriet mir einst, daß ich darin »irngwie sexy« aussehe, und so etwas vergißt man nicht. Mein persönlicher Albtraum ist, die Eleganz zu übertreiben, und Glyndebourne hat wenigstens den Vorteil festgelegter Garderoberegeln. Smoking oder gar nichts. Allerdings nehme ich an, gar nichts würde mit einem Stirnrunzeln bedacht, wenn nicht mit Ausschluß geahndet.

Glambidge und ich kamen gerade noch rechtzeitig an, um den ersten Akt zu versäumen. Glambidge trifft keine Schuld, er holte das Äußerste aus dem Wolseley heraus. Dummerweise scheint dieses Äußerste bei neunundzwanzig Kilometern pro Stunde zu liegen. Wie dem auch sei, wir konnten uns vor der Pause noch fünf Minuten lang die Zeit vertreiben, Minuten, in denen ich das Gelände sondierte und mir Gedanken über die besonders durchdringende Qualität feinen, kalten, sommerlichen Fahrtregens machte. Der Akt endete zu gegebener Zeit, und die Zuschauer strömten aus dem – na ja, dem Zuschauerraum heraus.

Meine Damen und Herren, Mutter, Freunde: Stellen Sie sich meine Verlegenheit vor, veranschaulichen Sie sich meine Verzweiflung, denken Sie sich meine Bekümmerung. Dieses Opernpublikum, jeder einzelne Herr Hans und jede einzelne Frau Grete, trug etwas, das ich nur als die allerentsetzlichste Ansammlung von Alltagskleidung beschreiben kann. Die einzigen sichtbaren schwarzen Binder schlangen sich um die Hälse des Saalpersonals. Mein ehemaliger Student eilte auf mich zu. »Aber Herr Professor«, gellte er, »wofür haben Sie sich denn bloß so herausgeputzt? Das ist heute doch die Generalprobe – ich dachte, Sie wüßten Bescheid.«

Ich war zur öffentlichen Generalprobe in Abendgarderobe erschienen.

Wörter, Tausende von Wörtern trudeln mir durch den Kopf, manche englische, viele andere exotischen Zungen entpflückt; keines davon, nicht ein einziges ist imstande, ein Fünkchen eines Jotas eines Schattens einer Spur eines Grans eines Bruchteils eines Hauchs eines Zehntels eines Teilchens meines Entsetzens, meiner Beschämung und bemitleidenswerten Verzweiflung zu beschreiben. Ich bin absolut überzeugt, daß unter sämtlichen Fauxpas, Fettnäpfen, Taktlosigkeiten, Schnitzern und magenumdrehend fürchterlichen Böcken, die man schießen kann, übertriebene Eleganz das Feld mit einer satten Achtelmeile Vorsprung anführt.

Ichabod, ohimé, eheu, aïee! Gleich einem Eisvogel tauchte ich in die Örtlichkeiten ab, schmiß die Tür hinter mir ins Schloß und gab mich dort die nächsten zweieinhalb Stunden meinen Tränen hin. Jeder einzelne halb mitleidige, halb verächtliche Blick, der mir während meiner Flucht in dieses Refugium zuteil geworden war, spulte sich erneut vor meinen gequälten Augen ab. Alle hatten sie mich angestarrt wie einen neureichen armenischen Millionär, der auf einer Soiree der British Legion gekaufte Orden trägt, oder wie einen frisch arrivierten Bürgermeister, der nicht einmal in der Badewanne seinen Ratsherrenornat ablegt. Hätte ich bloß Glambidge nicht erlaubt, nach Lewes zu fahren und seine Frau zu besuchen, die dort etwas außerhalb in einem Irrenhaus lebt, wäre ich wenigstens imstande gewesen, mich nach Hause fortzustehlen. Wie es nun aber stand, krümmte ich mich die volle Spiellänge im Schweiß meiner Schande.

Jetzt jedoch, im kalten Lichte der Vernunft, frage ich mich, ob ich nicht womöglich ein wenig überreagiert habe. Hätte nicht vielleicht ein besonnenerer Mann das ganze Mißverständnis mit einem wegwerfenden Lachen abgetan? Hatte ich nicht doch etwas von einem Snob an mir, indem ich meine Selbstverachtung auf die anderen projizierte? Falls jemand dort gewesen ist und mich gesehen hat, könnte er mir vielleicht schreiben und mich erleichtern.

Indessen haben Sie Geduld bewiesen. Viele unter Ihnen werden sich über meine Traurigkeit wundern und über deren Bedeutungslosigkeit angesichts des wirklichen und ernsthaften Lebens da draußen, doch die Intelligenteren werden im Wissen um das zu diesen Wahlzeiten über alle politischen Themen verhängte Schweigegebot den Subtext meiner kleinen Reminiszenz verstehen, die deutlichen Signale der ihr zugrundeliegenden Allegorie erkennen und wissen, was zu tun ist. Hinaus und hinauf, los geht's: Wenn Sie schon haben, setzen Sie sich.

Sidney Gross

Ebenfalls ein Auszug aus Colour Supplement.

Ansager: SIDNEY GROSS, Reiseveranstalter bei »Urlaub für traurige Menschen«, spricht öffentlich über seine Verbrechen.

Ich finde, das eigentlich Großartige bei dem Ferienangebot meiner Gesellschaft ist, daß sie Menschen mit einem IQ zwischen achtzehn und dreißig ermöglicht, mal so richtig auf ihre Kosten zu kommen. Die meisten unserer Urlauber stammen aus Milton Keynes, Telford, Wales, Peterborough, Warrington-Runcorn – jenen Gegenden des Vereinigten Königreichs, die Reklame machen müssen, damit da überhaupt jemand hinzieht. Wir schätzen, ein Mensch, der es schön fände, wenn alle Städte aussähen wie Milton Keynes, kommt dafür in Frage, eine unserer Pauschalreisen so richtig zu genießen.

Wir interessieren uns für junge, pfiffige, attraktive, unternehmungslustige Leute, aber die interessieren sich nie für uns, also müssen wir mit traurigen, alten, verzweifelten Alkoholikern und Lüstlingen vorliebnehmen, die in der vergeblichen Hoffnung eine unserer Reisen buchen, mit jemandem ins Bett gehen zu können, bevor sie fünfzig sind.

Auf unseren Broschüren haben Sie bestimmt schon die Hochglanzphotos von barbusigen Mädchen, knackigen Männern beim Surfen und vergnügten Paaren beim Spielen am Strand gesehen, und es ist tatsächlich absolut normal, daß unsere Reisegruppen genau solche Aktivitäten beobachten können. Auf unseren Inseln veranstalten wir Busausflüge zu den teureren Schickeriastränden, wo sie den ganzen Tag lang fröhlichen jungen Menschen aus dem Bus heraus zuschauen können.

Ich habe die Schnauze wirklich gestrichen voll von Leuten, die dem Club Med IQ 18–30 vorwerfen, eine Art Zuhälter mit Gewerbeschein zu sein. Wir haben durchaus keinen Gewerbeschein. Haben wir gar nicht nötig. Jenen Kritikern, die da behaupten, unsere Ferienangebote appellierten an die widerlicheren Seiten des menschlichen Wesens, unsere Urlauber brächten Briten im Ausland in Verruf, denen erwidere ich, schauen Sie sich unsere Rücklaufquoten an, schauen Sie sich an, wie viele Genußsüchtige immer wieder an unseren Reisen teilnehmen, stets auf der Suche nach Spaß im Leben. Und wer weiß, beim dritten oder vierten oder fünften Trip finden Sie vielleicht welchen. Wir arbeiten schließlich in der Wunderbranche.

ENTSCHULDIGUNG

Nach der Aufzeichnung dieses jungen, geschmacklosen, sitten- und pietätlosen Kerls hat die BBC in Erfahrung gebracht, daß der Club Med IQ 18–30 die Zusammensetzung seiner Reiseangebote grundlegend überarbeitet hat und daß jetzt auch Menschen mit einem deutlich über dreißig liegenden IQ zugelassen sind. Für etwaig stattgehabte Beleidigungen möchten wir uns entschuldigen. Entschuldigen möchten wir uns außerdem für die Ausdrücke »Verkommenheit« und »kleinster gemeinsamer Nenner«, die soeben in dieser Entschuldigung aufgetaucht sind. Vielen Dank.

Trefusis über das Bildungswesen

Diese eine Sendung löste aus irgendeinem Grund mehr Korrespondenz aus als alle anderen: Ich habe mehr als hundert Kopien an Leute verschickt, die den Text schriftlich haben wollten. Anscheinend hatte ich einen wunden Punkt getroffen.

STIMME: Donald Trefusis setzt seine Vortragsreise an Englands Universitäten und Fraueninstituten fort. Diese Woche waren seine Stationen Newcastle, Exeter, Norwich, Lincoln und heute abend Nottingham. Auf der Fahrt von Norwich nach Lincoln ergab sich die Gelegenheit zu einem Gespräch mit seinem ehemaligen Studenten Stephen Fry, dessen parallel verlaufende Tournee mit einem Komikprogramm in weiten Kreisen Besorgnis ausgelöst hat.

Das wünsche ich auch Ihnen allen von Herzen. Als erstes möchte ich mich bei dem liebenswürdigen Studenten des Instituts für Mauritiusstudien an der Universität von East Anglia in Norwich bedanken, der so freundlich war, gestern abend meinen Koffer zu bergen. Es tut mir leid, daß er ihn öffnen mußte, um seinen rechtmäßigen Besitzer herauszufinden, und ich versichere ihm, daß die verabredete Summe in gebrauchten Scheinen am vorgesehenen Ort hinterlegt wird. Ich freue mich auf die unversehrte Rückkehr der Gerätschaften.

Also, ich bin außerordentlich froh, Sie noch erwischt zu haben, weil ich wirklich dringend ein Wörtchen über diese Sache mit der Bildung loswerden muß. Ich habe in der letzten Woche so viele Schulen, Universitäten und Fachhochschulen besucht und mir so viele tränenreiche Klagen von Schülern, Studenten und Lehrern anhören müssen, daß ich mit meiner Meinung nicht länger hinterm Berg halten darf. Als jemand, der sein ganzes Leben lang, als Mann, Knabe und seniler alter Schwätzer, in und vor Bildungseinrichtungen verbracht hat, bin ich der letzte, der einen vernünftigen Vorschlag zu diesem Thema abgeben könnte. Das überläßt man besser den Politikern ohne Bildung, Verstand oder Engagement. Die gehen wenigstens nicht von des Gedankens Blässe angekränkelt an das Problem heran. Dennoch möchte ich es mir heute mit Ihnen soweit als möglich verscherzen, indem ich Ihnen diese kleinen Schnittchen vom schmackhaften Büfett meiner Erfahrungen anbiete. Sollten Sie mich gern umbringen wollen (und mit diesem Anliegen stünden Sie mitnichten allein), vergessen Sie Gift, verbannen Sie das Erdrosseln aus Ihren Gedanken und verschwenden Sie keine weitere Sekunde an die Möglichkeit, die Bremsleitungen meines Wolseley durchzusägen; ein viel einfacheres Verfahren steht Ihnen zu Gebote. Schleichen Sie sich einfach an mich heran, wenn ich es am wenigsten erwarte, und flüstern Sie mir die Worte »elterliche Mitbestimmung« ins Ohr. Treten Sie zurück, und genießen Sie die Reaktion. Unweigerliches Herzversagen.

Elterliche – ärgerliche Mitbestimmung, sage ich immer. Verstehen Sie mich nicht falsch, um Gottes willen, halten Sie sich soweit wie irgend möglich davon fern, mich mißzuverstehen. Die Demokratie und ich liegen in keiner Weise im Clinch. Aber glauben Sie mir bei meinem Schädel, wenn schon bei keinem anderen, elterliche Mitbestimmung und Demokratie haben soviel miteinander gemein wie Mike Gatting und die Königinmutter, und sofern mir nicht jemand einen saftigen Skandal vorenthalten hat, ist das nicht besonders viel. Elterliche Mitbestimmung ist kein Zeichen von Demokratie; es ist ein Zeichen von Barbarei. Wir müssen das Bildungswesen als Dienstleistungsunternehmen betrachten – wie eine Wäscherei: Eltern sind die Kunden, Lehrer die Wäscher, Kinder die schmutzige Wäsche. Der Kunde hat immer recht. Oje, oje, oje. Und was, zur brodelnden Hölle noch mal, verstehen Eltern von Bildung? Wie viele gebildete Menschen gibt es auf der Welt? Mir fallen siebzehn oder achtzehn ein.

Denn um Bildung geht es natürlich überhaupt nicht. »Gott beschütze uns vor den Gebildeten« ist doch die Losung. Fragen Sie Norman Tebbit, der keinen Unterschied zwischen der lüsternen, nackten Halbwüchsigen in einem Boulevardblatt und einem Akt von Tizian macht[1], fragen Sie den mal, was Bildung bedeutet. Fragen Sie die schaurigen Analphabeten aus der Fleet Street oder Wapping Street – oder welche unglückselige Durchgangsstraße die jetzt gerade unpassierbar machen –, was Bildung ist. Ein Gedicht mit Slangausdrücken wird von den Bildschirmen verbannt, oder

---

1 Tebbit, so wurde in jener Woche berichtet, hat eine Bemerkung dieses reizenden Kalibers gemacht.

sie kreischen uns noch wochenlang die Ohren voll.[2] Mit den Sozialisten in den Rathäusern sind sie fertig geworden, jetzt wollen sie sich um die Pinscher kümmern, von denen sie in Theaterstücken und Büchern verspottet werden.

Dieses neue England, das wir uns erfunden haben, hat keinerlei Interesse an Bildung. Es interessiert sich einzig und allein für Schulung, sowohl materielle als auch geistige. Bildung bedeutet Freiheit, bedeutet Ideen, bedeutet Wahrheit. Schulung veranstaltet man mit einem Birnbaum, dessen Zweige man verflicht und zurechtstutzt, damit er an einer Mauer emporwächst. Schulung erteilt man einem Flugzeugpiloten oder einem Computerfachmann oder einem Rechtsanwalt oder einem Aufnahmeleiter. Bildung läßt man Kindern zuteil werden, um ihnen zu ermöglichen, sich von den Vorurteilen und den moralischen Offenbarungseiden der Älteren zu befreien. Und Freiheit steht nicht im Programm der gegenwärtigen Gesetzgeber. Freiheit zum Kauf von Aktien, medizinischer Versorgung oder Sozialwohnungen, gewiß, Freiheit, alles zu *kaufen*, was man will. Aber Freiheit zum Denken, zum Widerspruch und zur Veränderung? Gott bewahre.

An dem Tag, an dem eins meiner Kinder aus der Schule nach Hause kommt und ich erfahren muß, daß es etwas gelernt hat, mit dem ich konform gehe, an dem Tag nehme ich mein Kind von der Schule.

»Lehrt viktorianische Werte, lehrt die Werte von Anstand und Tapferkeit, Vaterlandsliebe und Religion« ist die Losung. Das sind genau die Werte, die dieses verfluchte Jahrhundert des Krieges, der Unterdrückung, Grausamkeit, Tyrannei, des Mordes und der Heuchelei heraufbeschworen haben. Es war die »permissive« Gesellschaft, die man jetzt so schrecklich gern zum Sündenbock macht, die Amerika zwang, sich aus dem Vietnamkrieg zurückzuziehen, und es ist die neue, widerlich restriktive Gesellschaft, die droht, uns vom nächsten Krieg verschlingen zu lassen. Schauen Sie sich die islamischen Kulturen am Golf an und ihre moralische Rigidität, ihre Gesetze gegen sexuelle Freizügigkeit, aber für Todesstrafe und Auspeitschen, strengen Gottesglauben, Patriotismus und die hochgehaltenen Familienwerte. Welch ein Vorbild für uns. Gott steh uns

---

2 Tony Harrisons »V« hatte damals einen ziemlichen Sturm ausgelöst.

bei, wann werden wir uns endlich klarmachen, daß wir nichts wissen, gar nichts. Wir sind dumm, schonungs- und hoffnungslos dumm – was wir zu wissen glauben, ist offensichtliche Narretei. Wie können wir uns herausnehmen, unseren Kindern denselben unausgegorenen, bigotten Müll beizubringen, der unseren eigenen Verstand verkleistert? Gebt ihnen doch wenigstens eine Chance, eine winzige, kläglich glimmende *Chance*, es einmal besser zu machen als wir. Ist das so viel verlangt? Offenbar ja.

Nun, ich bin alt, übelriechend und schrullig, und zweifellos ist alles, was ich gesagt habe, Unsinn. Verbrennen wir all die Romane mit fürwitzigen Ideen und frechen Wörtern, lehren wir unsere Kinder, daß Churchill den Zweiten Weltkrieg gewann, daß das Weltreich eine klasse Sache war, daß einfache Wörter für einfache körperliche Handlungen von Übel und Teenager, die einem in Zeitungen ihren Busen entgegenrecken, ein harmloser Jux sind. Schließen wir die geisteswissenschaftlichen Fakultäten an den Universitäten, knüpfen wir Verbrecher auf, und bringen wir es schnell hinter uns, denn je eher wir alle zusammen in einem Feuerball explodieren, desto besser.

Oje, wenn ich's Revue passieren lasse, kann ich mich des Eindrucks nicht erwehren, daß einige unter Ihnen finden werden, ich... also, es ist mir eben einfach nicht egal. Es ist mir absolut nicht egal. Und wenn ich nicht zu Hause bin und sehe, was für eine arme, unbedarfte Nation wir sind, regt es mich einfach auf. Ich glaube, ich nehme am besten eine meiner Depottabletten und kuschel mich mit einem Elmore Leonard und einer heißen Milch ins Bett. Wenn Sie haben, frage ich mich, warum.

Trefusis und Redatt

Mürrisch starre ich heute morgen aus dem Fenster, und umgehend schmilzt mein Herz beim Anblick dessen, was sich unter mir meinem Blick darbietet: entlang den Flußufern sehe ich die Vorboten des Frühlings, in lebhaftem Reigen mit den Köpfen wippend, geschmückt mit leuchtenden Orange- und Gelbtönen, tanzen und hüpfen und springen – die Touristen. Es ist nicht meine Art zu klagen, wenn ich weiß, daß ich den Planeten mit Lebewesen teile, die fluoreszierende Nylonanoraks und karierte Strickmuster aus Argyll tragen.

Zu dieser Jahreszeit ist es mir zur lieben Gewohnheit geworden, einen Tag dem Aussortieren meiner Unterlagen zu widmen: ich hefte meine Korrespondenz ab, bringe meine Sudelbücher und Phrasensammlungen auf den neuesten Stand und miete einen Container, um all die Briefe fortzuschaffen, die ich im Jahresverlauf von Kreditkartengesellschaften erhalten habe. Ich kümmere mich um diese Müllpost lieber einmal im Jahr als einzeln, weil ich, statt sie einfach wegzuwerfen, sie gern den Firmen zurücksende, die sie mir geschickt haben. Was Mr Visa oder die Messrs Diners Club sich dabei denken, wenn sie alljährlich eine große Sendung Hochglanzpapier von mir erhalten, weiß ich nicht, da sie nicht die Freundlichkeit besessen haben, mir ihre Ansichten zu dieser Materie mitzuteilen. Sollten ihre Gefühle den meinen im geringsten ähneln, dann, nehme ich an, sind sie über dieses Verfahren äußerst erzürnt. Ich kann mir nicht vorstellen, daß Kreditkartenangestellte erpichter als ich sein sollten, ein Ohrringfutteral oder einen Weinkühler aus Onyx zu erstehen, selbst wenn auf den liebevoll gefertigten Oberflächen dieser Objekte Platz für bis zu drei seiner oder ihrer Initialen sein sollte.

Die eigentliche Freude meines Frühjahrsputzes sind gleichwohl die Briefe. Ich unterhalte eine weite und vielfältige Korrespondenz. Gegenwärtig führe ich einen epistolaren Stellungskrieg mit Philologen und strukturalistischen Linguisten in der ganzen Welt. Es gibt da diesen Professor für melanesische Sprachen in Penang, mit dem ich seit jetzt dreißig Jahren brieflich über die Wurzel des einfachen papuanischen Wortes *redatt* diskutiere, das, wie einigen unter Ihnen bekannt sein mag, »kaum je an abendlichen Spielen teilnehmend« bedeutet. Ein nützliches Wort und eines, mit dem das papuanische Volk sich höchste Verdienste erworben hat. Als jemand, der alles andere als *redatt* ist und sich an allen möglichen Gesellschaftsspielen zu ergötzen weiß, habe ich herausgefunden, daß die Erklärung dieses Worts gegenüber den Gästen einer Feier es sehr viel unwahrscheinlicher macht, daß diese sich noch den Zerstreuungen entziehen, die ich für den Fortgang des Abends vorgesehen habe. Das ist ein wichtiger Aspekt von Sprache. Die meisten Menschen, die sich ungern an Verdauungsspielchen und -sport beteiligen, halten sich mehr oder minder abseits und erachten sich in bestürzendem Hochmut den fidelen Frivolitäten ihrer Mitmenschen überlegen. Ihnen klarzumachen, daß ihre Geringschätzung von einer Tausende von Meilen entfernten Rasse taxiert worden ist, deren Lebensart man sich als weit weniger kultiviert als die eigene vorstellen darf, ist solchen Menschen durchaus ein Verdruß. Daß ein einfaches Volk es gewagt hat, die Abneigung gegen Gesellschaftsspiele in ein Wort zu destillieren, das ist zuviel für sie. Die Spielverderber haben also nichts Faszinierendes oder verführerisch Rätselhaftes an sich – sie sind bloß *redatt*, nehmen kaum je an abendlichen Spielen teil.

Und so möchte ich mir zur Osterzeit ein weiteres Wort von der Seele reden. Es ist ziemlich selten, stammt aus einem alten ugrischen Tundra-Dialekt und wurde im vierten Jahrhundert von einer lappischen Ethnie gebraucht, die sich nach dem großen Herffteld-Tauwetter im Jahre des Heils 342 in der Nähe des heutigen Helsinki niederließ. Das Wort lautet *Hevelspending*, es ist ein Substantiv und bezeichnet »den tiefen Atemzug eines Menschen, der beim Morgenspaziergang zum ersten Mal nach einem langen Winter den Lenz in der Luft riecht«. Im Englischen haben wir das Wort *mugger*, das einzig und allein jemanden bezeichnet, »dessen Erwerbstätigkeit darin besteht, andere auf der Straße anzuhalten und sie unter Gewaltanwendung um ihre Habseligkeiten zu erleichtern«, und die Lappen haben eben ein Wort mit der Bedeutung »tiefer Atemzug eines Menschen, der beim Morgenspaziergang zum ersten Mal nach einem langen Winter den Lenz in der Luft riecht«. *Hevelspending*. Wissen Sie, meine Damen und Herren, manchmal – vielleicht ist es ja bloß der wilde Anarch in mir –, aber manchmal habe ich den Eindruck, daß – ach, ich weiß nicht. Ist wohl bloß der kontemplative Mystiker in mir, nehme ich an.

Während in dem Moment, da ich jetzt zu Ihnen spreche, das helle Sonnenlicht durch die alten, getönten Scheiben meines Fensters den Frühling hereinschubst, merke ich, daß mir Tränen über das dumme, glänzende, alte Gesicht und durch die Fleischfalten laufen und vom Kinn auf die gewachste Tischplatte vor mir tropfen. Auch für diese Schwäche haben wir Worte, senile Labilität nennt man das, die Neigung, bei der Kontemplation von Abstrakta wie Frühling und Heimat und Freundschaft wie ein Kind zu flennen. Ach je, ich bin so alt und so dumm. Oberflächliche Leute reden davon, jung zu bleiben, aber sie ahnen nichts von der schrecklichen Schönheit und dem grausamen Glanz, wenn man im Herzen alt ist. Nun ja, wenn Sie haben, na sehen Sie.

Sir John Raving: Cricket & Golf

Sir John Raving, Sportredakteur beim ›New Spectator‹, *meldet sich erneut zu Wort.*

Ich möchte, wenn ich darf, und da ich ein hübsches Sümmchen für diese Sendezeit gezahlt habe, wüßte ich nicht, warum ich nicht dürfte, Sie in der Zeit zurückversetzen, na ja, so um die vierhundert Jahre. Ich möchte, daß Sie sich zwei Schafhirten vorstellen, einer davon Engländer, den wir, da wir ja phantasievoll und interessant sind, Thomas Burgess nennen wollen. Der andere ist ein Schotte, und sein Name sei Ian MacAllister. Also, Thomas Burgess und Ian MacAllister. Schafhirten ihres Zeichens, mit schönen Herden zur Beaufsichtigung und Hunderten von Meilen zwischen sich. Beide haben sie jene seltene Gabe, Spaß zu verstehen. Andere Schafhirten, ihre Freunde, sind zu dußlig, um auch nur Langeweile zu spüren. Die sind imstande, mit einem glasigen Blick in den Augen dazustehen und ihre Schafe zu betrachten, bis die schwarz werden, wenn Sie verstehen, was ich meine. Aber Thomas und Ian brauchen Abwechslung, damit das Leben nicht zu öde wird. Fangen wir mit Thomas an.

Eines Tages, eines hochsommerlichen Sonnentages auf den wogenden Hügeln von Hampshire, wo er zu Hause ist, nimmt Thomas den Lederball, mit dem Fangen zu spielen ihm schon eine müßige Stunde lang zum Trost gereicht hat, und wirft ihn Gregory zu, seinem ziemlich behämmerten Sohn. »Gregory«, sagt er, »ich stelle mich hier vor dieses Gattertor, und ich möchte, daß du mir den Ball zuwirfst.« Mit diesen Worten schlendert er zum Tor hinüber und fuchtelt mit seinem Krummstab in der Luft herum, oder Hirtenstock, oder wie man das in der Gegend nannte. Gregory schleudert seinem Vater den Ball zu. Wumm! Thomas holt mit dem Krummstock aus und schlägt herzhaft nach dem Ball, der über Gregorys Kopf wegfliegt. Gregory trottet los, um ihn zu suchen. Thomas besorgt sich unterdes etwas Stroh aus einem Ballen, glättet es und legt es oben aufs Tor. »Gut«, sagt Burgess, nachdem sein Sohn den Ball zurückgeholt hat, »versuche es ein weiteres Mal, Bursche. Versuche, das Gattertor zu treffen. Wenn du es triffst und das Stroh herabfällt, sey der Stock dein, und du stellest dich selbst vor das Tor.« Den ganzen Nachmittag lang verteidigte Burgess das Gattertor mit seinem Hirtenstab. So groß war sein Verstand und seine Geschicklichkeit beim Spiel, daß er bei Anbruch der Nacht im Pub von Hambleton mit Gregory schon darum stritt, ob es gleich viel zähle, wenn die Beine vor dem Wicket getroffen würden, wie wenn der Ball das Tor selbst träfe und die Querhölzer herabfielen, und ob der *leg-glide* ein genauso eleganter Schlag sei wie der *cover-drive*. Die ersten und vielleicht großartigsten Innings in der Geschichte des Crickets waren gespielt worden. Die Geburtsstunde des großen Spiels.

Währenddessen kullerte in Schottland Ian MacAllisters Freund Angus mit seinem Hirtenstab verdrossen einen Stein über den Boden, als Ian an ihn herantrat. »Angus«, sagte er, und ein merkwürdiger Glanz trat in seine Augen, »süst du dat Karnickellock dor achtern an den Barch?« – »Wie bitte?« fragte Angus. »Siehst du das Kaninchenloch da drüben auf dem Hügel?« wiederholte Ian. »Ach so, woll«, sagte Angus. »Was ist damit?« – »Scha«, sagte Ian, »ich wette um ein Pfund mit dir, daß ich diesen Stein mit weniger Stockschlägen in das Kaninchenloch befördern kann als du.« – »Ach ja?« sagte Angus. »Ach ja!« sagte Ian. Und die Wette galt.

Es war ein königliches Gefecht. Beim ersten Versuch verzog Angus den Kopf, lehnte seine Schulter zu weit in den Schlag und hieb den angeschnittenen Stein direkt in eine offene Grasnarbe am Hang des Hügels. »Oh, Mist!« sagte Angus. Ian erging es nicht besser, er trieb seinen Kurvball sauber in ein munteres Bächlein im toten Winkel unter ihnen. »Das kostet dich einen Schlag, um den da rauszukriegen«, entschied Angus süffisant. Nach vierundzwanzig Schlägen tippte Ian den Stein sanft ins Kaninchenloch und glaubte die Wette gewonnen. Eine bedeutungsschwangere Pause folgte. »Nie im Leben ist das der Stein, mit dem du angefangen hast«, sagte Angus. Sie einigten sich auf einen halben Punkt für jeden und fingen von vorn an, mit dem Ziel eines anderen Kaninchenlochs dreihundert Schritt weit weg. Und so zog sich der Tag hin, bis nach achtzehn Löchern wieder alles Friede, Freude, Eierkuchen war. Sie tauften ihr Spiel Golf, weil sie Schotten waren und Spaß an sinnlosen keltischen Kehllauten hatten.

Zwei Hirten aus zwei verschiedenen Landen. Zwei Spiele mit ihren Stöcken. Und in unseren sportbegeisterten 1980ern möchte ich bloß soviel sagen. Ein Spiel ist eine tolle Sache. Golf ist ein Spiel, Cricket ist ein Spiel, Snooker, Tennis, American Football, Rugby und Fußball – sie alle sind Spiele. Auch Poker, Scrabble, Pictionary, Schach und Backgammon sind Spiele. Zwischen ihnen besteht kein prinzipieller Unterschied. Der einzige Unterschied besteht darin, daß die erste Gruppe üblicherweise draußen gespielt wird und körperliche Anstrengung und Geschicklichkeit fordert, während die zweite im Sitzen gespielt werden kann und es nur auf geistige Wachheit ankommt. Sport ist hingegen eine ganz andere Sache. Eine Aschenbahn herum zu rennen ist Sport, schwere Gewichte zu heben, Flüsse entlangzurudern, mit Speeren, Hämmern und Kanonenkugeln zu werfen, Menschen mit der Faust ins Gesicht zu schlagen und durch ein Stadion zu radeln – all das ist Sport. Spiele sind das auf keinen Fall. Und ich möchte folgendes betonen – Spiele sind gut, ob drinnen oder draußen, sie erfordern Geistesgegenwart oder Muskelkraft, Witz oder Geschick, Spiele sind gut. Sie verdanken sich dem Verstand von Männern und Frauen, die sich unterhalten und ihre Lebensfreude zum Ausdruck bringen wollen. Eine Sportart wie Gewichtheben oder Laufen verhält sich zu einem Spiel wie Cricket wie ein Knubbelkniewettbewerb zu einer Shakespeare-Inszenierung. Es ist interessant, daß manche Menschen außerordentliche Muskeln oder Geschwindigkeit entwickeln können, ebenso wie es interessant ist, daß sie besonders knubblige Knie haben. Interessant, aber nicht das Leben. Daher wollen wir Spiele, keinen Sport. Das ist alles. Wenn Sie haben, guten Tag.

Trefusis über Examina

Auch Ihnen allen ein gutes. Wir nähern uns jener Zeit im Jahr, zu der die jungen Leute, mit denen mich hier in Cambridge ständig zu umgeben ich mir zur Aufgabe gemacht habe, in ihre verschiedenen Zimmer abtauchen, sich unter nassen Handtüchern und kaltem Kaffee vergraben und in einer Woche all das in ihre elastischen Köpfe zu stopfen versuchen, was über einen Zeitraum von drei Jahren langsam in sie hätte einsickern und sich festsetzen sollen. Über Examina wird von jenen viel dummes Zeug verbreitet, die wenig davon verstehen, vielleicht sollte daher ich als Aufgabensteller und -bewerter versuchen, jenen unter Ihnen, die immer noch der Auffassung sind, sie seien schwer und bedeutend oder aber leicht und unbedeutend, einmal darzulegen, wie man gute Ergebnisse erreichen kann, ohne daß Wissen oder Fleiß störend dazwischenfunken.

Dem jungen Menschen, der in die akademische Welt einzutreten sich anschickt, möchte ich folgendes mit auf den Weg geben: Bildung bereitet Sie auf das Leben vor, ergo obliegt es Ihnen, wenn Sie Erfolg haben wollen, zu schummeln, abzuschreiben, zu stehlen, paraphrasieren, adaptieren, adoptieren und zu entstellen. Ich bin an dieser Universität auf der Grundlage zweier Essays zu unleugbarem akademischen Erfolg gelangt. Die habe ich zum Lower and Higher School Certificate vorgelegt, bei der Aufnahmeprüfung für Cambridge aufs neue hervorgeholt – wofür ich mit einem Stipendium belohnt wurde – und für die Zwischen- sowie die Abschlußprüfung meines Studiums erneut wiedergekäut. Jedesmal habe ich längere Fremdwörter eingearbeitet, bei neueren Autoren Zitate geklaut und einige Sätze passend zum jeweils gerade vorherrschenden akademischen Zeitgeist und Geschmack neu eingekleidet. Aber im Grunde beruht mein gesamter akademischer Ruf und Rang auf nichts Substantiellerem als der Leistung, eine Handvoll ziemlich banaler, wiedergekäuter Arbeiten auswendig gelernt zu haben. Es ist eine kolossale Überschätzung von Verstand und Scharfsinn der Prüfer, wenn man annimmt, sie – »wir«, sollte ich wohl sagen – seien imstande, das Geschick, die Trivialität und Tücke von Kandidaten wie mir irgendwie zu »durchschauen«. Wenn ein Argument gut vorgetragen wird, mit Stil, Geschick und Schwung, belohnen wir das mit einer Eins oder Zwei plus.

Daher rate ich jetzt etwaig zuhörenden Prüflingen dringend, ihre erfolgreichsten Essays noch einmal durchzulesen und sich zu überlegen, wie deren erste und letzte Absätze so zugespitzt und ausgerichtet werden können, daß sie an dem großen Tag den Eindruck erwecken, jede Frage zu beantworten, die im Examen auftauchen mag. Auf daß ich nicht beschuldigt werde, die Jugend vom rechten Wege abzubringen, oder vernichtender Abschlußnoten wegen auf Schadensersatz verklagt werde, sei hinzugefügt, daß es einer ganz bestimmten Mischung betrügerischer und gerissener Intelligenz bedarf, zumindest aber eines ordentlichen Einfühlungsvermögens in die Kunst des Prüfens, um zu verstehen, wie universell anwendbar die eigene Arbeit ist und wie man sie für einen leichtgläubigen Prüfer überzeugend einkleidet: Sollten Sie nicht über diese Eigenschaften verfügen, büffeln Sie besser auf die herkömmliche Weise, mit ehrlichem Blut in den Adern und großem Fleiß im Herzen.

»Wie ungerecht!« rufen Sie im Chor. Aber schauen Sie sich doch um, sehen Sie doch bloß! Da sind sie, die Männer und Frauen mit Geld und Macht. Mit exakt dieser Mischung aus schlauer, manipulativer, prüfungsbeständiger Verschlagenheit, die sie in der wirklichen, unerbittlichen und erbarmungslosen Welt an den Tag legen, die sie jenseits der nährenden Brüste der Alma mater geschaffen haben. Sind diese Leute ehrlich und fleißig, streben sie nach Wahrheit? Nein. Unsere Examina reflektieren und nähren eine Welt, die im eigenen Saft von Korruption und Verworfenheit vor sich hin schmort. Die Cleveren, Glaubhaften, Anpassungsfähigen und Fadenscheinigen sind es doch, die »vorankommen«. Daher flehe ich Sie an: Wenn Sie meinen Abscheu vor dieser pomadigen und schmierigen Welt teilen – schaffen Sie unser Prüfungssystem ab, damit oberflächliche, nutzlose und seichte Geister wie ich der Verachtung anheimfallen und gesunde Herzen und offene Köpfe wie die Ihren oder die Ihrer Kinder in Ehren gehalten werden. Solange wir zulassen, daß dieser überzeugende und vorzeigbare Müll, der das Universitätsmilieu durchzieht, es sich in einflußreichen und machtvollen Jobs gemütlich machen kann, so lange ist die Seele unserer Nation besudelt.

Wie kann es irgendwen überraschen, daß Oxbridge-Absolventen so oft hohes politisches und wirtschaftliches Ansehen erwerben? Erst durch das Bestehen der Aufnahmeprüfungen und dann durch das Überstehen der Universitäten selbst proben sie das Schummeln und Schwindeln, das man in der von ihren akademischen Vorvätern eingerichteten großen weiten Welt da draußen als Leistung versteht.

Damit werde ich jetzt meine Kollegen und Confrères in Unmut versetzt haben: Es wird, und das zu erfahren dürfte Sie kaum überraschen, im allgemeinen nicht gern gesehen, wenn einer von ihnen der Welt ihr Geheimnis enthüllt. Zu deren Glück jedoch befindet sich die Welt so sehr in ihrem Bann, daß sie kaum je Notiz nimmt oder gar Glauben schenkt.

Und nun lassen Sie mich allein, ich muß einen ganzen Stapel Hausarbeiten korrigieren. Ganz oben liegt das Schaustück eines Mannes, der es, davon bin ich überzeugt, in ein paar Jahrzehnten zum Premierminister gebracht haben wird. Hören Sie sich nur seine Einleitung an: »Schenkt man Kraus' moralischen Schattierungen keinen Glauben, so existiert in der prästrukturalistischen Linguistik ein ethisches Vakuum: Einzig und allein das Wunschdenken der Grammatiker und die Phantasie der Philologen vermögen eine so weit aufklaffende ästhetische Lakune zu füllen.« Reiner Blödquatsch, aber offensichtlich eine Eins. Ich habe das Buch selbst geschrieben, aus dem er den ganzen Schmonzes paraphrasiert hat. Mit Schmeicheleien kommt man immer weiter. Wenn Sie haben, dann los.

Trefusis fühlt sich nicht wohl

Heute morgen muß ich vom Bett aus einem BBC-Aufnahmegerät diktieren, den Kopf voller mit unerquicklichen Flüssigkeiten als die städtischen Schwimmbäder von Cambridge. Das Wetter scheint meine alten Lungen und Bronchien auf beklagenswerteste Weise mitgenommen zu haben. Freunde sind überaus gütig gewesen, viele mit Hausmittelchen vorbeigekommen, auf die sie schworen. Ich glaube, ich darf mit Recht sagen, daß ich in dieser Woche mehr heiße Milch, Glühwein, Grog und wärmende Ptisane getrunken habe als irgendein anderer Mann meiner Gewichtsklasse im Lande. Der emeritierte Inhaber des Lehrstuhls für Moral- und Pastoraltheologie war sogar so ein Schatz, daß er mir seinen Flanellschlafanzug geliehen hat, ein Ding der Schönheit in sattestem Zinnober, damit fühle ich mich so recht nach was.

Man hat mir zu verstehen gegeben, dieses Jahr sei das Jahr des Esperanto, und sogar derart viel Esperanto-Propaganda ins Postfach gelegt, daß ich von diesem Sachverhalt überzeugt worden bin. Esperanto ist ein amüsanter Versuch, Spanisch elegant klingen zu lassen, und als Philologe, so wird allgemein angenommen, müsse ich sein erbitterter Gegner sein, ebenso der anderer im Treibhaus großgezogener Sprachen: Volapük etwa.

Sprachen sind wie Städte: Sie müssen organisch und aus gutem Grunde wachsen. Esperanto gleicht einer Trabantenstadt wie Telford oder Milton Keynes; es hat, linguistisch gesprochen, reichlich Fußwege, genügend Parkgelegenheiten, einen ausgeklügelten Verkehrsfluß und alle modernen öffentlichen Einrichtungen. Aber es hat keine historischen Stätten, keine großartigen, alles überragenden Wahrzeichen. Der Eindruck fehlt einem, daß Menschen hier aufgewachsen sind, gewohnt und gearbeitet haben, die Architektur ihren Bedürfnissen, ihrer Macht oder Andacht entsprechend geformt haben.

Die englische Sprache dagegen gleicht York oder Chester oder Norwich oder London – absurd enge, verwinkelte Straßen, in denen Ortsfremde sich nie zurechtfinden, keine Parkplätze, keine Radrennbahn, dafür aber Kirchen, Schlösser, Kathedralen, Zollämter, die Überbleibsel alter Armenviertel und alter Paläste. Unsere Vergangenheit ist hier gegenwärtig. Aber nicht nur unsere Vergangenheit, diese Städte sind keine Museen, sie enthalten ebenso unsere Gegenwart: Sozialwohnungen, Bürohäuser und zweispurige Radwege. Sie sind lebendige Angelegenheiten, Städte wie Sprachen. Wenn wir Englisch sprechen, geben wir der alten Sprache der King James Bible, Shakespeares, Johnsons, Tennysons und Dickens' im selben Atemzug Laut wie der neuen Sprache der Werbung, der von *Blankety Blank* und *Any Questions*. In unserer Sprache steht das Barbican Centre in der Nähe von St Paul's.

Bei den Franzosen, die die Sache fürchterlich versaut haben, sieht das alles natürlich ganz anders aus; der Grund dafür, daß außer den einfältigsten alle Leute der Meinung sind, Paris sei eine absurde und sinnlose Stadt, ist, daß es sich seit fünfzig Jahren nicht nennenswert verändert hat. Im Stadtzentrum sind keine hohen Gebäude zugelassen. Es ist dieselbe Stadt, die man im 19. und frühen 20. Jahrhundert zu Recht liebte, als sie wirklich altertümlich und modern zugleich war. Jetzt ist sie bloß noch altertümlich. Auch das lächerliche Französisch wird kontrolliert und reguliert: Worte werden von einem Ausschuß von Akademikern vorgeschrieben oder genehmigt, deren Auffassungsgabe ungefähr der eines nicht besonders hellen Bleistiftspitzers entspricht.

Natürlich fordern die Esperantisten nicht, alle sollten nur noch Esperanto sprechen, sondern meinen bloß, als Zweitsprache sei es die beste Wahl, ebenso wie niemand vorschlägt, alle Städte sollten aussehen wie Milton Keynes. Milton Keynes gibt einfach das ideale Konferenzzentrum ab und Esperanto die ideale Konferenzsprache. Und in dieser traurigen Welt muß man ganz schön viel konferieren. Leuten, die noch nie im Leben ein Buch gelesen haben, rumort der Gedanke im Hinterkopf herum, daß man doch, da es keine großen literarischen Werke auf Esperanto gibt, gut und gern behaupten könne, es sei bescheuert, diese Sprache zu lernen. Mumpitz. Genausogut könnte man behaupten, niemand solle im australischen Perth wohnen, da es dort weder Paläste noch Kathedralen gebe; das ist irrelevant, snobistisch und unlogisch – aber das sind die meisten Leute ja auch, oder? Perth ist fleißig dabei, seine eigenen Paläste und Kathedralen zu bauen.

Ich bin ein alter Mann voller Schleim, Whisky, Honig und Zitrone, aber ich habe auch genug Zuversicht in die Gegenwart und Hoffnung für die Zukunft, um zu sagen, laßt uns um Gottes willen Esperanto lernen und damit in Milton Keynes konferieren. Und nun lassen Sie mich allein, ich muß mich in meinem Schlafzimmer einigeln, zusammen mit einer neuen Ausgabe von Ciceros *Legibus*. Wenn Sie nicht haben – hatschi!

Trefusis über die Langeweile

STIMME: Donald Trefusis, Prinz-Miroslaw-Professor für Vergleichende Literaturwissenschaft an der Universität Cambridge, außerordentlicher Fellow am St Matthew's College, Gast-Fellow am St Østrogen-Institut, Kopenhagen, und jüngst berufener Hausdialektiker bei Selfridges, spricht mit entzückender Offenheit.

Ihnen allen ein großartiges, und das angemessen prachtvoll. Wissen Sie, es ist komisch, aber dieses leichte Muskelzerren scheint sich erledigt zu haben. Ich kann meinen Arm jetzt schon wieder über den Kopf heben. Der nächste Schritt wird sein, den Arm wieder an der Schulter zu befestigen, und dann wird's mir so gutgehen wie ... wie einer Made im Heuhaufen. Aber ich darf mich wirklich nicht beklagen: Was soll mir schon etwas ausmachen, solange ich reich bin? Reichtum ist unschätzbar, finden Sie nicht auch?

Wir haben noch ein paar Minuten, also würde ich Ihre Zeit gern mit einem ziemlich dahergefaselten und unstrukturierten Diskurs über ein Thema verplempern, das, wie ich weiß, vielen von Ihnen da draußen sehr am Herzen liegt, die Sie gerade im Bett liegen, einkaufen fahren, in der Küche sitzen, in der Wanne planschen, im Schuppen wühlen, Ihre Rute über dem Wasser baumeln lassen oder, wer weiß, beim Angeln sitzen – spulen Sie zurück und löschen Sie das Unzutreffende –, und das ist das Thema Langeweile.

In jenen Tagen, da meine Mutter noch sang, war sie ein vielbeschäftigter und beliebter Opernstar: Die Engagements, die sie in Mailand, New York, Paris, Bayreuth und London als Heldentenor annahm, ließen ihr nur sehr wenig Zeit für ihre Kleinen. Ich weiß noch, einmal, als sie gerade die Rolle des Wotan für die später als »die dämliche Inszenierung der *Walküre* von Chalfont St Giles« in die Geschichte eingegangene Produktion einstudierte, erzählte sie mir, nur langweilige Leute könnten sich je langweilen. Solche Sachen sagte sie ständig, unsäglich ödes Weib, das sie war.

Aber, meine Lieben, wenn man mal darüber nachdenkt, und eigenartigerweise auch wenn man es sein läßt, was um Himmels willen *ist* eigentlich Langeweile? Ist sie ein pathologischer Zustand, gewissermaßen der Schmerz, der einen vor Müßiggang warnt? Ist sie eine psychische Störung wie die klinische Depression? Ist sie vielleicht eine dem Schuld- oder Schamgefühl verwandte Emotion? Ist Spannung dasselbe wie Langeweile? Wenn wir darauf warten, daß sich ein Theatervorhang endlich hebt, ist dieses Gefühl der Frustration dann Langeweile oder Ungeduld? Frage ich mich. Nun, da Sie selbst keine Antwort zu wissen scheinen, fällt es wohl mir anheim, die Langeweile für Sie zu analysieren. Es ist ein erheiterndes und erlesenes Paradox für diese unsere grillenhaft eingerichtete Welt, daß jene, die von dieser Untersuchung am meisten profitieren könnten, jene nämlich, die selbst am meisten zur Langeweile neigen, das Radio in ihrem Ennui längst ausgeschaltet haben werden, während Sie als vielerprobter Zuhörer, ganz Interesse und ohrengespitzte Aufmerksamkeit, die Sie sind, vermutlich gar nicht wissen, was Langeweile ist.

Nun, nehmen wir ein Beispiel. Mich langweilt das Reisen ganz unglaublich. Da ich selbst außerstande bin, ein motorisiertes Gefährt zu führen, bringt mein Fahrer Bendish mich überall hin, und ich sitze neben ihm und schaue teilnahmslos zu, wie die Landschaft sich – wie hatte Morgan Forster das ausgedrückt? – »... wie Porridge hebt und ineinander fließt«, genau, so war's, während wir sie mit dem Wolseley umrühren. Die Untätigkeit, die Passivität halte ich nicht aus. Lieber schaue ich mir ohne einen Tropfen Gyles Brandreth an. Ich glaube, es hat etwas damit zu tun, daß man so ohnmächtig ist. Das Leben eines Passagiers ist keineswegs angenehm. Ich werde verdrießlich, spitzfindig und hochnäsig, mißmutig, mürrisch und miesepetrig. Eines Tages, als ich in genau so einem Schmalz aus Abstumpfung und Jammer versunken war, dachte ich, im Leben so untätig zu sein wie ich in meinem Wagen, müsse hienieden der Hölle am nächsten kommen, sofern man nicht gleich nach Oxford ziehen will. Kinder langweilen sich so schnell, weil sie im übertragenen Sinn nie am Ruder sind. Arbeitslos zu sein, durchschauerte es mich, kommt einer schlagartigen Zurückversetzung in die Kindheit gleich. Man wird genährt, hat ein Dach über dem Kopf und ist im allgemeinsten Sinn versorgt, und das will ich auch wirklich hoffen, aber da ist diese wütend rasende Langeweile. Es wäre wie eine nicht enden wollende M 25. Um die Lichter kreisend, aber machtlos, das Lenkrad herumzuwerfen und sich selbst dahin zu lenken, wo immer man gebraucht wird.

Kürzlich haben wir allerdings die intra-automobile Langeweile überwunden, indem wir uns Spiele ausgedacht haben, die mir ein Ziel gaben und Bendish von den aufdringlichen Sierras ablenkten, die in seinem Auspuff zu parken versuchten... warum sind das eigentlich immer Sierra-Fahrer? Vielleicht unterbindet der Winkel der Kopfstützen bei Wagen dieser Marke die Übermittlung bestimmter Nervenreize und verursacht so eine Art geistiger Zurückgebliebenheit... egal, das Lieblingsspiel, mit welchem Bendish und ich uns die Zeit vertreiben, heißt Mattishall. Dabei wird einer von uns Mattishall, ein schlauer, international agierender Spion, der sich als eine wichtige Persönlichkeit aus der Welt der Kunst verkleidet hat. Der andere übernimmt die Rolle von Melvyn Bragg und muß versuchen, per Interview herauszubekommen, für wen sich Mattishall gerade ausgibt. »Mattishall, Mattishall«, sagt Bendish etwa – und er macht Mr Bragg wirklich täuschend ähnlich nach –, »Mattishall, Mattishall: Wer, würden Sie sagen, hat auf Ihre künstlerische Entwicklung den größten Einfluß ausgeübt?« »Nun«, sage ich dann beispielsweise, »im Alter von zwölf Jahren wurde ich zu einer Ausstellung neoplastizistischer Kunst in Belgien mitgenommen, wo De-Stijl-Arbeiten von Mondrian und Schumacher gezeigt wurden; das war stilprägend.« »Aha«, sagt Bendish und fängt ein bißchen zu früh an zu raten, »Sie sind Michael Jackson.« Und so fahren wir fort, bis er schließlich erahnt, daß ich in Wahrheit Colin Welland oder Delia Smith oder sonstwer bin. Ein Heidenspaß. Aber dann weiß ich, daß das Automobil bald anhalten wird und ich wieder Herr meines Schicksals sein werde.

Nun, was könnte flauschiger sein? Ich habe des verstorbenen Mr Ellmanns atemlos brillante Biographie von Oscar Wilde gelesen und beschlossen, daß ich an jedem Tag meines Lebens ein neues Epigramm prägen werde, auf daß die Menschen mich eines Tages in Pubs, Waschsalons und Toiletten auf der ganzen Welt zitieren mögen. Mein Epigramm dieser Woche hat Kompromisse zum Thema. Ein Kompromiß, mein lieber Marquis, ist der Versuch, zwischen zwei Narren Zeit zu schinden. Zwischen zwei Narren Zeit zu schinden – wären Ihnen das nicht gern eingefallen? Wenn Sie es haben, gehen Sie wieder ins Bett.

Trefusis über den Haß auf Oxford

Zu jener Zeit suchte Oxford, wie Sie vielleicht merken werden, nach einem neuen Kanzler, da Sir Harold Macmillan (Lord Stockton) gestorben war. Das Bootsrennen sollte an just diesem Sonntag ausgetragen werden.

Ich habe von Ihnen so viele Briefe zu einem bestimmten Thema erhalten, daß ich mich, wenn auch widerwillig, verpflichtet fühle, heute darüber zu sprechen. Mrs Quanda Earnshaw, Miral Blackstock, Tindy Welmutt und Bruden Wamp stellen ausnahmslos und unverblümt dieselbe Frage: Warum habe ich mich nicht um die Kanzlerschaft der Universität Oxford beworben, habe nicht um sie angehalten, gebuhlt oder bin sonstwie auf Freiersfüßen getappt?[1]

Passenderweise sieht der heutige Tag das, was ein Wodehousianischer Magistrat einst die Genugtuung besaß, als den alljährlichen aquatischen Wettstreit der Universitäten von Oxford und Cambridge zu bezeichnen, kurz das Bootsrennen, und ich finde es angemessen, meine Gründe dafür zu umreißen, warum ich mich nicht um jene Stelle beworben habe, die der ›Daily Telegraph‹ »das prestigeträchtigste akademische Amt« nannte und der ›Express‹ »die Rolle des Obermackers an Britanniens piekfeiner Topsnobuniversität«.

Ich bin, wie all jene unter Ihnen wissen, die je aufmerksam meinen kleinen Hörfunkstunden zugehört haben, ein überaus toleranter und gutherziger Mensch. Höflich, schwer erregbar, treu, sanftmütig und zuvorkommend. Außerdem bin ich, wie jene bezeugen können, die zwischen den Zeilen gelauscht haben, ein Cambridgemann. Ich hege keine chauvinistische oder übereifrige Zuneigung zu Cambridge. Jedermann, der sich einmal in einer großen Institution bewegt hat, sei es nun die BBC, die Armee, eine Schule oder ein großes Krankenhaus, wird wissen, daß Sahne und Abschaum gleichermaßen nach oben steigen; daß schußlige, hoffnungslose, engstirnige, halbblinde und ungebildete Inkompetenz Handel und Wandel an solchen Orten zu allen Zeiten durchdrungen hat. Daß Bosheit, Heimtücke und Rivalität die Zusammenarbeit, Kollegia-

1 Schlußendlich wurde Sir Roy Jenkins in dieses Amt berufen.

lität und das gegenseitige Vertrauen enttäuschen. Was also kann meinen unbändigen, blinden und irrationalen Haß auf Oxford und alles Oxonische erklären? Lassen Sie mich das sofort relativieren: Unter meinen besten und treuesten Freunden finden sich Ehemalige und Angehörige der Universität Oxford. Einige der aufrechtesten und hervorragendsten Menschen, die ich kenne, dürfen »M. A. (Oxon)« hinter ihre Namen setzen. Und doch dieser rasende, unerbittliche Abscheu. Weshalb? Bin ich einfach verrückt?

Nun, versuchen wir einmal, die Unterschiede zwischen unseren beiden ältesten Universitäten herauszuarbeiten. »Cambridge bringt Märtyrer hervor«, ging früher das Sprichwort, »Oxford verbrennt sie«. Das bezog sich auf Cranmer, Latimer und Ridley, unter Mary Tudor in Oxford verbrannte Protestanten. Cromwell war ein Cambridgemann, Oxford im Bürgerkrieg eine royalistische Hochburg. Fast jeder bedeutende Premierminister unserer Geschichte war in Oxford, bis hin zu und einschließlich von Mrs Thatcher. Das Trinity College zu Cambridge allein kann sich auf mehr Nobelpreisträger berufen als Frankreich, Deutschland und Italien zusammen. Rutherford, Newton, Hewish, Crick und Watson, ein ehrfurchtgebietendes wissenschaftliches Erbe als Gegengewicht zu Oxfords Politikern. Keynes war in Cambridge, Oscar Wilde in Oxford. Der herzliche, surreale Terry Jones in Oxford, der logische, schonungslose, sarkastische John Cleese in Cambridge. Der Knuddel Dudley Moore in Oxford, der Stachel Peter Cook in Cambridge. Nedwin Sherrin in Oxford, Jonathan Miller in Cambridge. Beginnt sich für Sie ein Muster abzuzeichnen? Cambridge hat diesen Zug von Moralismus, strenger Logik, Schärfe und Disziplin. Vielleicht liegt's am Wetter, an den schneidenden Uralwinden, die über die Marschen pfeifen und nur von jenen eiskalten Steinfingern gebrochen werden, die in die Himmel über East Anglia aufragen. Oxford hat eine Weichheit, einen Hedonismus, der mit der grünen Themse zu tun haben muß, den lieblichen Talgründen, die im Westen in das Heben und Senken der Cotswolds übergehen. Oxonier sind klein und dunkel und sprechen schleppend, meist aus Wales, dem Süden und Westen, die Sires Cambridges eine Rasse großer, schlanker, drauflosschnatternder Blondschöpfe. Stellen Sie Douglas Adams oder Bertrand Russell neben A. J. Ayer oder John Betjeman, und der Unterschied wird Ihnen sofort ins Auge stechen. Viele von

Ihnen mögen jetzt sagen, »aber ich mag den Klang von Oxford, grün, lieblich, sanft, lebenslustig. Cambridge scheint einzig von Mönchen und Mathematikern bevölkert zu sein. Wir hätten lieber die Dekadenz eines Wilde als die Strenge eines Milton.«

Ja, aber. Wir haben uns die großartigsten Erzeugnisse beider Institutionen herausgepickt und angesehen. Wie verändert sich die Allgemeinheit der Studenten angesichts solcher Traditionen? Diese grandiosen mittelalterlichen Städte sind doch zur Bildung da, oder nicht? Als Dozent kann ich einen Ort nur verabscheuen, dessen Geschichte seinen Studenten nahelegt, das Amt des Premierministers stehe ihnen von Rechts wegen zu, Luxus und schwelgerischer Genuß und eine Art Jet-set-Snobismus seien zulässig oder gar natürlich. Cambridge mag mit seinem Humanismus und seiner Toleranz, seinen Methodologien und Systemen im Extremfall Klassendünkel in Landesverrat und Selbsthaß verwandeln, aber letzten Endes möchte ich lieber einen Verräter als einen Premierminister unterrichtet haben.

Genug des Wahnsinns. Mir ist wirklich jede Vernunft abhanden gekommen. Haß ist irrational, wie kann ich hoffen, Ekel und Verachtung zu rationalisieren? Es genügt wohl, wenn ich sage, daß ich den ganzen heutigen Tag lang Hellblau tragen und auf den zweiten Sieg in Folge hoffen werde.[2] Ich gebe Sie zurück an Oxfords Lieblingssohn Nedwin. Wenn Sie haben, sind Sie selbst schuld.

Trefusis über das Alter

Ich weiß nicht mehr, was der Grund meiner Abwesenheit war. Vermutlich war es so, wie Trefusis sagt.

Hallo. Es ist sehr tröstlich, mich nach beinahe beunruhigend langer Zeit wieder hinter dem Mikrophon zu finden. Meine aufrichtige Bitte um Vergebung für die Verlegung des alten Termins am Samstagmorgen an all jene unter Ihnen, ganz besonders aber

2 Es hat nicht sollen sein. Die Scheißkerle in Dunkelblau haben gewonnen.

Mrs Bertilde Medicine aus Homerton, die meine Rundfunkstimme dazu einsetzt, ihren Kindern Angst einzujagen. Der Grund für meine vorübergehende Absenz war ein wirklich ziemlich bösartiger Anfall von Trägheit, bei dem es zu zusätzlichen Komplikationen durch das neuerliche Auftreten der alten Indifferenz und chronischen Indolenz kam, die mich alle Jahre wieder heimsuchen. Ich habe mich inzwischen fast völlig erholt, trotz gelegentlicher Rückfälle von Apathie und Müßiggang. Das Problem ist alten Fleisches Erbteil. Wenn man bei meinem fortgeschrittenen Kilometerstand angekommen ist, erstaunt es einen, wie fast nichts mehr eine Rolle zu spielen scheint. Vor dreiundvierzig Jahren durchmaß ich zwei Kontinente und drei Gebirgszüge, um ein Originalmanuskript im Sanskrit des Ranahabadat zu erlangen, für das ich ein halbes Jahresstipendium hinblätterte. Gestern erst habe ich meinen täglich um sieben Uhr fälligen Becher entrahmten, löslichen »Horlicks« über diese geheiligten Seiten verschüttet, und mich ärgerte lediglich die Milchverschwendung. *Plus ça change, plus c'est complètement différent.*

Aber es gibt Ältere als mich, o doch. Der Präsident der Vereinigten Staaten von Amerika schlägt mich um zwei Jahre. Unter zielstrebigen, hektischen jungen Komikern, Kommentatoren und dergleichen wird er für gewöhnlich als dummer, nie zu Potte kommender alter Mann dargestellt, der zu taktvollem Auftreten oder rationalem Denken nicht imstande ist. Es ist natürlich leicht zu spotten. Zumindest fällt es mir leicht. Es ist *schwer*, zurechnungsfähige, intelligente, ehrliche Menschen zu verspotten, aber es ist wirklich kinderleicht, spatzenhirnige, vergreiste Pithekanthropoiden wie Amerikas Staatschef zu verspotten. Er ist aber auch wirklich ein gigantischer alter Tattergreis, was? Aber sehen Sie, das passiert nun einmal, wenn man den Alten Macht überträgt. Können Sie sich vorstellen, daß eine Person wie, nur als Beispiel, ich selbst die Wirtschaft lenkt oder die Nation repräsentiert? Die Vorstellung ist lächerlich, und doch habe ich zwölfeinhalbmal soviel Geist, Humanität und Weisheit wie Ronald Reagan. Das hält mich andererseits auch nicht davon ab, ein schwachsinniger alter Idiot und komischer Kauz zu sein. Bei einem Politiker ist das hingegen verzeihlich, es erscheint uns geradezu als unerläßliche Eigenschaft, als *sine qua non*. Meine bleibende Sünde aber, die es mir auf Dauer unmöglich macht, ein hohes Amt innezuhaben, ist, daß es mich keinen Deut schert. Und offensichtlich leidet auch Mr President an dieser Lethargie, dieser vollständigen Indifferenz. Es ist ihm, in Rhett Butlers liebenswerter Formulierung, völlig schnuppe. Bei alten Menschen bezaubert uns diese Eigenschaft, solange sie keine Autorität ausüben: in meinem Fall resultiert sie in hübscher, unbekümmerter Sorglosigkeit, was Formularausfüllen, Steuerzahlen, Verkehrsregeln und Harninkontinenz anbelangt. In Reagans Fall manifestiert sie sich indessen in so bestürzenden Vorfällen wie den Verstößen gegen Anstand, Protokoll und Völkerrecht, wie sie bei seinen abscheulichen, wahnsinnigen Geschäften mit dem Iran zu bezeugen waren.

Es ist alarmierend, wenn man sich klarmacht, daß der Mensch, der auf Gottes schöner Erde mit der meisten Macht betraut worden ist, mit fast vollständiger Gewißheit mehr darum bekümmert ist, ob sein morgendlicher Stuhlgang mehr oder weniger schmerzhaft sein wird als der letzte, als um die durchtriebene Sittenlosigkeit seiner Regierung im Umgang mit Nachbarstaaten. Das kann einfach nicht funktionieren. Wie sollte es auch? Natürlich nicht. Kann es gar nicht. Nein, kann es natürlich nicht. Ist doch logisch.

Das amerikanische Volk scheint den alten Schatz trotzdem gern zu haben, was mich zwischen Hoffnung und Verzweiflung schwanken läßt. Verzweiflung, weil klar ersichtlich ist, daß unsere im allgemeinen doch annehmbare Spezies nicht mehr viel Zeit hat, und Hoffnung, weil feststeht, daß ich, wenn ich die Treppe runterluller oder vergesse, meine jährlichen Steuern zu zahlen, imstande sein werde, mit vor Erregung zittriger Stimme um Entschuldigung zu bitten, und noch einmal davonkommen werde.

So, es ist März und der Tatbestand nicht zu verhehlen, daß März der Bademonat ist. Zeit für Andidge, meinen Adlatus, die Wanne einlaufen und den Dreck eines weiteren Jahres aufweichen zu lassen. Oft werde ich gefragt, warum ich jedes Jahr im März ein Bad nehme, und ich entgegne, daß es ungesund und unhygienisch wäre, es nicht zu tun. Aber bevor ich mich verabschiede, muß ich die Gelegenheit ergreifen, Nilyard Standeven von der Archbishop Browning's School in Wisbech zu antworten, der mich bat, an seiner Schule einen Vortrag über einen erbaulichen Gegenstand zu halten. Ich habe zwei Reden, Mr Standeven, und würde mich freuen, eine davon an Ihrer Akademie vorzubringen. Sie behandeln »Die dorische Partikel in den späten Fragmenten des Menander« (mit Diavorführung) und »Nitroglyzerin: eine praxisorientierte Anleitung für Anfänger«. Suchen Sie sich eine aus und lassen Sie mich vor dem zweiten Sonntag der Fastenzeit von Ihrer Entscheidung wissen. Bis dahin Ihnen allen, wenn Sie haben, hallo.

Trefusis' Nachruf

STIMME: Dr Donald Trefusis, Regius-Professor für Philologie an der Universität Cambridge und außerordentlicher Fellow am St Matthew's College, hat sich Gedanken über den Tod gemacht.

In der guten alten Zeit gab es eine eigenartige Konvention im Kintopp, die benutzt wurde, um das Verstreichen der Jahre anzudeuten. Fallende Kalenderblätter lösen sich und flattern davon, vom Sturm der Zeit verweht. Wie so viele kinematographische Eindrücke hat sich dieser in meinem Kopf festgesetzt, und zum Jahreswechsel blitzt vor meinem inneren Auge immer wieder das Bild eines großen weißen Blattes mit dem Schriftzug »31. Dezember 19x« auf, das sich ablöst und »1. Januar 19x+1« enthüllt. Manchmal ist die Vorstellung so deutlich, daß ich sogar den Sinnspruch unter dem Datum lesen kann. Heuer lautete die Neujahrsmaxime beispielsweise »Höflichkeit kostet nichts«, eine recht skurrile kleine Lüge – ich weiß wirklich nicht, wen sie mit solchem Kokolores zum Narren halten wollten. Dennoch haben das Vergehen der Zeit, die jährlichen Gasexplosionen im Januar und der Tod guter Freunde es fertiggebracht, mich in morbide Stimmung zu versetzen.

Wenn an diesem College ein Fellow entschläft, so gilt ein ungeschriebenes Gesetz, demzufolge die einzigen Nachrufe, die von den Universitäts- oder Fakultätszeitschriften veröffentlicht werden, von dem oder der Verstorbenen selbst verfaßt worden sein müssen. Vom Augenblick seiner Aufnahme an obliegt es einem jeden Fellow, eine solche Schrift stets auf dem neuesten Stand zu halten, zum Schutz gegen die Möglichkeit eines vorzeitigen Beitritts zu den himmlischen Chören. Angesichts der nichtswürdigen und verlogenen Absonderungen, die prominente Dummbeutel landauf und landab aus Anlaß des Heimgangs von Harold Macmillan von sich gaben, kam mir der Gedanke, daß Sie vielleicht gern meinen gegenwärtigen Nachruf hören möchten, letztmalig aufgefrischt im vorigen Oktober nach der Veröffentlichung von *Neue ionische Partikeln*. Ich hoffe, er ermuntert Sie, es mir gleichzutun, und mögen meine Worte zu meinem Tode Ihnen als ein Modell ihrer Art dienen.

Die philologische Zunft hatte gestern abend die Ohren anzulegen, als bekannt wurde, daß eines ihrer hellsten Lichter, Donald Neville Scarafucile Packenham-Sackville Trefusis, uns in der Blüte seiner 74 Jahre grausam entrissen wurde, als er friedlich im Schlaf starb/in den Cam fiel/eine giftige Jakobsmuschel verzehrte/auf hinterlistige Weise von einem Buchhändler ermordet wurde/sich das Leben nahm/durch Stromschlag umkam, als er ins Bett näßte, ohne die Heizdecke abgeschaltet zu haben/in ein Säurebad fiel... Unzutreffendes bitte streichen.

Es fällt schwer, in wenigen Worten die Verdienste zu resümieren, die dieser außergewöhnliche Mensch sich im Laufe seines Lebens erworben hat. Der Hinweis mag genügen, daß die vierte Auflage der *Cambridge Philological Bibliography* (Hrsg. Trefusis) zwölf Seiten allein den selbständigen Veröffentlichungen widmet. Über seinen Charakter muß nicht mehr gesagt werden, als daß er wie jeder wahrhafte Gelehrte verunglimpft, verachtet und gehaßt wurde.

1912 in ein prachtvolles Leben unter Edward VII. hineingeboren, wurde der einzige Sohn von Lady Dolorosa Sackville-Packenham und Herbert Trefusis, dem Lepidopterologen und Hobbykomödianten, in Winchester und am St Matthew's College in Cambridge erzogen, wo er Mathematik belegte und im Jahre 1933 Senior Wrangler wurde. Ein frühes Interesse an Philologie verstärkte sich nachhaltig, als er im Anschluß an die 1939 begonnene Zusammenarbeit mit Alan Turing an der Kryptoanalyse die Einladung erhielt, bei Kriegsausbruch Baracke 8 in Bletchley Park, Buckinghamshire, beizutreten, um das Team zu unterstützen, welches auf das Knacken der deutschen Enigma-Codes angesetzt war. Seine bahnbrechenden Erfolge mit den Schalttafeläquivalenzen trugen dazu bei, den deutschen Marinefunkverkehr über die gesamte Kriegsdauer vollständig und verläßlich zu entschlüsseln.

1946 jedoch kehrte er, da die St-Matthew's-Fellowship für ihn offengehalten worden war, mit neu erwachtem Interesse für Philologie und strukturalistische Linguistik nach Cambridge zurück, worin er bis an sein Lebensende völlig aufgehen sollte. Mathematik interessierte ihn nur mehr zweitrangig, obwohl seine Kenntnisse es ihm ermöglichten, die berühmt gewordene Fourier-Analyse eingeschobener Gliedsatzstrukturen zu entwerfen, indem er 1952 die einfache Gleichung aufstellte: »Wenn gilt, daß Theta ein von der Satzergänzung Phi prädiziertes Morphem in präkonditionaler Position ist, so ist Theta größer/gleich Gamma-kreisch über Ypsilon.« Dies eröffnete der Linguistik ganz neue Perspektiven und ermöglichte Trefusis, binnen sechs Jahren siebzehn Sprachen zu lernen, zusätzlich zu seinem bereits beeindruckenden polyglotten Schatz von zwölf aktiv und dreizehn passiv beherrschten Sprachen. Seine Kenntnis von sieben vietnamesischen Dialekten erwies sich für den endlichen Sieg des Vietkong über Amerika als von unschätzbarem Wert. Überhaupt kann seine Arbeit für die Kommunistische Internationale sowohl als Spion als auch als Agentenwerber für die Sowjetunion, China und sein geliebtes Bulgarien gar nicht überschätzt werden.

Unter jenen, die ihn kannten und mit ihm zusammenarbeiteten, galt Trefusis als boshaft, abstoßend und tückisch. Mit Vergnügen ließ er Dummköpfe leiden, und man erzählt sich von ihm, daß seine Ungeduld und sein intellektueller Dünkel beinahe Oxforder Ausmaße annahmen. Trotzdem glaubte er an das Gute im Studenten und lehrte vierzig Jahre lang mit unvermindertem Vergnügen. Seinen Haß und seine Verachtung behielt er sich ausschließlich für Kollegen und Journalisten vor, deren Ermordung ihm manches Mal einige Anstrengungen bereitete. 1943 heiratete er Dagmar, die Tochter von Sir Arnold Baverstock, dem bekannten Kinderschänder.

1986 eröffnete sich ihm eine neue Karriere, als er im Radioprogramm der BBC seine populären Hörfunkstunden begann, deren schwerfällige Pedanterie und säuerliche Gestelztheit ihm ein neues, ungebildetes Publikum verschafften. So wird das einfache englische Volk vielleicht am meisten über sein Dahinscheiden erfreut sein.

Der Tod von Donald Trefusis hinterläßt in Britanniens akademischer Welt eine Lücke, die ohne weiteres zu füllen sein wird. Bewerbungen mit den üblichen Unterlagen bitte an das St Matthew's College, King Edward's Passage, Cambridge.

So! Einfach, mannhaft und erfrischend unaufrichtig. Darf ich vorschlagen, daß Sie sich vornehmen, im Laufe des Jahres ein vergleichbares Stück über sich zu schreiben? Das erspart Ihrer Familie und Ihren Freunden den Schmerz und die Verlegenheit, selber Lügen erfinden zu müssen. Wenn Sie haben, wüßte ich nicht, warum nicht.

Trefusis beim Knabbern

Der Regius-Lehrstuhl für Vergleichende Sprachwissenschaft in Cambridge, der in den letzten vierzehn Jahren von meinen runden, üppigen und ausgedehnten Gesäßbacken besetzt gehalten worden ist, wurde im Jahre 1903 von King Edward dem Siebten eingerichtet, um, wie die Stiftungsurkunde es wirklich allerliebst formuliert, »das bessere Verständnis der Zungen im ganzen Empire« zu befördern. Eine Frage, die im Senior Combination Room des

St Matthew's College mit, wie ich glaube, oft nörglerischem und neidischem Unterton gestellt wird, lautet, inwiefern meine kleinen Hörfunkstunden wie jene, welche Sie gewiß gleich abschalten werden, überhaupt beanspruchen können, zum besseren Verständnis von irgendwas beizutragen. Mit einiger Genugtuung habe ich daher gestern aus den Händen des Redakteurs dieses Programms etwas in Empfang genommen, was in nächste Nähe des Sprengels und Ressorts meiner akademischen Sitzgelegenheit gehört. Es war ein Exemplar des neuen *Collins Cobuild English Language Dictionary*. Der hübsche, in Leder gebundene, makellos gepunzte Meldefahrer, der das Buch an der Londoner Adresse auslieferte, unter der ich seit kurzem als Gast des Bloomsbury-Zirkels karpatischer Exiltheosophen residiere, ließ mich einmal mehr auf die seltsame Obsession der Londoner reflektieren, alles und jedes per Motorrad auszuliefern. Wann immer ich die Metropole mit einem Besuch beglücke, sehe ich mich außerstande, ein Telephongespräch mit einem Londoner zu führen, ohne in dessen Verlauf einzuwilligen, daß mir etwas unverzüglich ausgeliefert werde. Gestern zum Beispiel habe ich mit meinem Verleger gesprochen. Innerhalb von fünf Minuten hat er angeboten, mir eine Tasse Kaffee, zwei Täfelchen After Eight und einen Ausschnitt aus dem *Which Radio Pager* dieses Monats herüberradeln zu lassen. Doch ich mäandriere fort vom Gravamen meines Diskurses. Die Satteltaschen eines der zahlreichen Fahrer, die mich gestern heimsuchten, bargen die schwere Fracht des neuen *Collins English Dictionary:* Absicht dieses umfangreichen und ehrfurchtgebietenden Bandes ist es, den Lernenden klare, lesbare Definitionen des modernen englischen Vokabulars an die Hand zu geben. Das Ganze hat etwas Faszinierendes.

Der leitende Herausgeber, Professor Sinclair, hat solche Worte nicht aufgenommen, die seiner Meinung nach keine Verwendung mehr finden. So wurde dem Verb »percuss«, wie er öffentlich dargelegt hat, die Aufnahme mit dem, wie ich finde, nachvollziehbaren Argument verweigert, daß Sprecher des Englischen kaum, falls überhaupt jemals, davon sprechen, Dinge zu perkutieren oder sich selbst perkutieren zu lassen. Bemerkenswert ist indes der Stil der Definitionen. Wir alle kennen die knappe, kurz angebundene Sprache unserer Lexika, und es ist interessant, ein Wörterbuch durchzugehen, das vollständige Sätze enthält. Lassen Sie mich dem

Beispiel des Wörterbuchs folgen und, statt es Ihnen zu sagen, es zeigen. Ich werde den Chambers, der im allgemeinen für das beste moderne Handwörterbuch gehalten wird, mit dem neuen Collins vergleichen. Ich greife ein zufälliges Wort heraus, »nibble« (knabbern) zum Beispiel. Chambers hat folgendes zu sagen.

> **Nibble,** *v/t* langsam oder in kleinen Bissen abbeißen; wenig auf einmal essen – *v/i* herumnagen; sich mit etwas noch nicht abfinden können; etwas nicht akzeptieren – *n* der Akt des Knabberns; ein kleiner Bissen – **nibbler;** nibbling. – *adv.* **nibblingly** [Ursprung ungewiß; vgl. niederdt. *nibbelen*, niederl. *knibbelen*.]

Collins ist insgesamt viel ungezwungener, um nicht zu sagen kecker, was die ganze Sache angeht.

> **nibble, nibbles, nibbling, nibbled. 1.** Wenn man etwas knabbert oder an etwas knabbert, **1.1** ißt man es langsam, indem man kleine Bissen davon zu sich nimmt, wenn man beispielsweise nicht besonders hungrig ist. Bsp. *Knabber doch einfach ein Stück Brot... Beim Fernsehen knabberten wir Nüsse;* **1.2** beißt man sanft an etwas herum. Bsp. *Sie beknabberte spielerisch mein Ohrläppchen.*
>
> **2.** Wenn eine Maus oder ein anderes kleines Tier etwas knabbert, so beißt sie schnell und oft davon ab. Bsp. *Sie knabbern gern den ganzen Tag lang am Käse... Es knabberte an einem sorgfältig ausgewählten Blatt.*
>
> **3.** Ein Knabbern ist **3.1** die Handlung, etwas sacht oder schnell abzubeißen. Bsp. *Nach kurzem Lecken und Knabbern hatte er genug;* **3.2** in der Umgangssprache eine kleine Mahlzeit, die man zwischendurch ißt oder wenn man nicht besonders hungrig ist. Bsp. *Hast du was zum Knabbern da?*

Nun, Collins übersieht die Möglichkeiten des Knabberns im weiteren Sinn, auf die Chambers eingeht, die Bedeutung der Akzeptanz oder des Noch-nicht-ganz-akzeptieren-Könnens einer Aufforderung, eine Piskatorialmetapher, soweit ich mich nicht irre, mit anderen Worten aus dem Tätigkeitsfeld des Fischens abgeleitet, aber im übrigen scheinen sie einer Meinung zu sein. Bloß was Collins mit »nach kurzem Lecken und Knabbern hatte er genug« meinen könnte, möchte ich lieber nicht raten müssen.

Das verrät Ihnen einiges über den Stil des Werkes. Was ist mit seinem Inhalt? Wie modern ist es? Chambers kennt zwar das Wort »naff« im Sinne von »naff off« (verschwinde), aber Collins gibt ihm keine Bleibe. Collins dagegen hat einen Eintrag unter »street credibility«, der bei Chambers fehlt. Eine eigenartige Definition bei Collins. »Wenn man sagt, jemand habe *Street Credibility* oder *Street Cred*, heißt das, daß er von normalen Jugendlichen akzeptiert und als Bestandteil ihrer Kultur angesehen wird, meistens, weil er modern und trendbewußt ist, nicht altmodisch; ein in den 1980er Jahren populär gewordener, umgangssprachlicher Ausdruck.« Da hat man über allerlei politische Nuancen hinweggesehen. Aber vielleicht ist das verständlich. Erstaunlicher ist schon, daß Ausländern erlaubt wird, sich Wörter wie »blighter« (Bengel/Luder) frei zu bedienen, ohne daß darauf hingewiesen würde, daß solche Ausdrücke einen fröhlichen, durchaus aber keinen *Street-Cred*-Beigeschmack haben. Chambers ist so frei zuzugeben, daß Luder ein gewöhnlich eher spielerisch benutztes Wort ist, aber Collins nimmt es ernster. »Wenn man jemanden als ›blighter‹ bezeichnet, mag man ihn oder sie nicht besonders oder glaubt, er oder sie habe etwas angestellt.« Sehen Sie, so geht es nicht, man kann Worte nicht sammeln, präparieren und ausstopfen und sie wie Trophäen zur Schau stellen. Egal wie hübsch die Vitrine ist, ein auf eine Karte gespießter Schmetterling ist nun einmal etwas anderes als ein durch die Lüfte gaukelnder Schmetterling. Vielleicht wird das nächste *soi-disant* moderne Wörterbuch Reib-und-schnupper-Abschnitte haben, um beim Beigeschmack von Wörtern Hilfestellung zu leisten. Aber ich fürchte wirklich, daß in diesem Trimester ausländische Studenten in Cambridge ausrufen werden, »Fürwahr, halte ein, du Biest« und »Habt ihr Lumpen denn gar keine *Street Cred* im Leib, verflixt noch mal?« Ich hoffe es.

Und nach Cambridge muß ich mich jetzt aufmachen. London behagt mir nicht. Ich kann nicht immerzu neue Radiogeräte in mein Auto einbauen lassen. Diebe werden sich woanders umsehen müssen. Meine Geduld hat Grenzen. Und der Produzent hat gerade eine Nachricht herradeln lassen (das Verb »bike«, fällt mir auf, fehlt in beiden hier unter die Lupe genommenen Wörterbüchern); die Nachricht bedeutet mir, daß ich schon genug geredet habe. Nun, bevor ich Ihnen allen meinen Schluß einzeln zuradeln lasse, nutze ich lieber die Geschwindigkeit der Ätherwellen, um zu sagen, wenn Sie haben, hat es mich überaus gefreut.

Trefusis und Rosina

Worin sich Donald Trefusis und Rosina, Lady Madding, an eine Liebesnacht erinnern, zu der es nie kam.

Zunächst Donald Trefusis:

Wollte man von mir wissen, welcher Abend mir am unvergeßlichsten in Erinnerung ist, so wäre es jener Juniabend, an dem ich, gerade aus Cambridge angekommen, Jaquinda Marriotts außergewöhnlichen Salon am Kerdiston Square aufsuchte.

Jaquinda, die über die faszinierendsten Ohren Europas verfügte, hatte etwas Geheimnisvolles. Verheiratet mit Archie Marriott, dem Sportler und Schattenkanzler der Universität Oxford, stammte sie angeblich in indirekter Linie vom ungarischen Königshaus ab, obwohl die meisten von uns annahmen, sie komme aus viel einfacheren Verhältnissen. Fest steht jedenfalls, daß die Geburtsurkunde einer gewissen Mabel Blifford 1924, nur sechs Monate, bevor Jaquinda auf der Bildfläche erschien, bei einer Feuersbrunst vernichtet wurde. Aber wie es um ihre Herkunft auch bestellt sein mochte, es gab keinen Zweifel an der Vollkommenheit ihrer Ohren und der Pracht ihres Salons. Sie holte talentierte Menschen zu sich, wie andere Leute Kinder von der Schule abholen – täglich. Pianisten, Maler, Lyriker, Staatsmänner, Romanciers, Prinzessinnen, selbst Oboisten scharten sich unter diesen liebreizenden, herabhängenden Ohrläppchen, ließen sich zu ihren Levees einberufen, um Konversation zu machen, zu spielen und zu rauchen.

Jene Soiree, die mir vorschwebt, war die zweite der Saison, und wegen eines Streits mit einem Droschkenführer kam ich mit Verspätung. Er hatte die Verdienste von Baron Corvo als Romancier über die des Capt. W. E. Johns gestellt, und das konnte ich unmöglich auf sich beruhen lassen. Als ich mich endlich losreißen konnte, war die Party schon in vollem Gange. Ivor Novello und Cecil Beaton standen, in sattgelben Crêpe de chine gehüllt, im Foyer und rezitierten Passagen aus dem *Raritätenladen* auf dänisch, seinerzeit eine beliebte Zerstreuung der jungen Dandys. Minty Havercuck, die junge Braut des Duke of Montreech, in einem umwerfenden Rüschenkleid aus Berliner Seide, unterhielt sich angeregt mit Malcolm Lowry und T. C. Worsley, dessen Tanzen in seiner Hitze und Raserei als kinetisches Symbol unseres verrückten Jahrzehnts erschien, wie es in perfektem Fünfachteltakt kopfüber der Zerstörung zustrebte.

All diese Bilder jedoch verschwammen für mich im Hintergrund, als ich ein junges Mädchen erblickte, das ich vier Jahre lang nicht gesehen hatte. Rosina Bantwigg, der jüngere und mit Abstand zweitschönste der gefeierten Bantwigg-Zwillinge. Ihre Hände im Rücken verschränkt und den Kopf vornübergeneigt wie der eines wißbegierigen Bibliothekars, stand sie da und hörte John Gielgud zu, der Sacheverell Sitwell die Kunst der Pointe beibrachte. Alles andere um mich herum vergessend, die Ragtimemusik, die matten Versuche des Premierministers, Vesta Victoria nachzuahmen, Unity Mitfords Schnäuzer, Kardinal Hallorans Badehose, starrte ich gierig dieses bezaubernde Wesen an. Sie drehte sich kurz um und sah mich. Ein strahlendes Lächeln überzog ihr Gesicht, als sie auf mich zukam. »Ach Donald«, sagte sie, »das ist ja einfach wunderbar.« Die Stimme, das Bild, das Lächeln fixierten sich in meinem Gedächtnis wie Sterne am Himmel. Sie leiten mich durchs Leben, sie sind mein einziger Fixpunkt, das Vorbild, dem alles andere in meinem Universum zustrebt. In jenem Augenblick warf ich ziemlich unbedacht den Kopf zurück, schloß die Augen und kotzte sie voll. Die Hitze, das Talkum, der Hanf, ich weiß nicht, woran es lag. Ohne mich umzusehen, rannte ich aus dem Zimmer und aus ihrem Leben. Da hat sie dann natürlich Tom Madding geheiratet. Hab' sie nie wiedergesehen.

Rosina, Lady Madding, erinnert sich an denselben Abend:

Wegen meiner Verbindungen zur Familie der Kirkmichaels – meine Großmutter, die Marquise von Gloweravon, war eine geborene Lady Vyella Kirkmichael – war es mir von früher Jugend an vergönnt gewesen, einen Blick auf die englische Empfangs- und Landhausgesellschaft zu erhaschen, bevor der Zweite Weltkrieg eine dicke Verdunklungsblende über jene Epoche zog und ihr Strahlen für immer auslöschte. Es war dieser privilegierte Zugang, der meine bereits ausgeprägten Gefühle eines jugendlichen krypto-syndikalistischen, anarcho-marxistischen und neo-buddhistischen Presbyterianismus noch verstärkte. Sosehr ich in den dreißiger Jahren ein junger Hund von beißendem Zynismus gewesen bin, auch ich, trotz meiner revolutionären Zurückweisung all dessen, wofür meine Familie stand, kam nicht umhin, der Schönheit, dem Charme und Glanz, diesen Überbleibseln jenes goldenen Sommers des noch jungen Jahrhunderts unter King Edward zu erliegen, dessen Leuchtkraft und Wärme nur um so stärker durch die trübe Düsternis eines niedergedrückten Jahrzehnts schienen.

Meine Lieblingspartys waren selbstverständlich die, welche Jaquinda Marriott in ihrem Londoner Domizil veranstaltete, ich glaube, am Kerdiston Square. Sie nannte sie Salons, aber das waren sie gar nicht. Die Haartrockner fehlten.

Ich erinnere mich an einen solchen Abend im Mai oder Juni 1932. Alle hatten als Paradox verkleidet zu erscheinen. Bertie Russell kam als jener Satz eines Systems, der innerhalb dieses Systems nicht verifiziert werden kann; ich kam als Achill, mit meiner Schwester Castella als Schildkröte. G. K. Chesterton tat mir leid, der als Antwort auf die Frage »Ist dies eine Frage?« gekommen war und der dafür den ganzen Abend ignoriert wurde. Es war eine herrliche Sommernacht, ich war neunzehn, und die Welt lag mir zu Füßen.

Aber in jedem Paradies lauert eine Schlange, und der Wurm im Apfel dieses Festes nahm die Gestalt der widerlichen Brandelia Cawston an, die es sich in den Kopf gesetzt hatte, mir den Abend zu verderben. Sie zog mich auf, stellte absichtlich meinen Gedankengängen ein Bein, aschte mir ins Glas und gähnte, wann immer ich etwas sagte. Sie hatte mich noch nie leiden können und tat ihr

Bestes, um mich zur Vulgarität zu verleiten. Und dann, als ich gerade Osbert Sitwell zuhörte, der Laurence Olivier beibrachte, wie man einen deutschen Akzent nachmacht, entdeckte ich plötzlich den jungen Donald Trefusis auf der anderen Seite des Saals. Mein Herz machte einen Sprung; hier stand der inzwischen hoch aufgeschossene, wohlgestalte junge Mann, den ich bis zur Entrückung verehrt hatte, als ich noch Zöpfe getragen und ihm schöne Ohren gemacht hatte. Brandelia Cawston kniff mich gehässig in den Arm. Ein Blick auf Donald verriet mir, daß er es gesehen und die gesamte Situation sofort erfaßt hatte. Ich entschuldigte mich bei Olivier und Sitwell und ging, gefolgt von diesem abstoßenden Cawstongör, auf Donald zu. Er warf den Kopf zurück, und ich, die ich genau sah, was er im Schilde führte, trat rasch einen Schritt beiseite, so daß er die elende Brandelia von oben bis unten vollkotzen konnte. Nie hab' ich mich besser amüsiert. Ich konnte mich nicht erinnern, daß jemand in Gesellschaft so unvorteilhaft ausgesehen hatte, seit Edgar Wallaces Toupet 1924 in Cap Ferrat Feuer gefangen hatte. Ich wollte mich bei meinem kühnen Retter bedanken, aber der war verschwunden und hatte kein Fitzelchen zurückgelassen. Ich habe ihn nie wiedergesehen. Ich denke unaufhörlich an den lieben Mann und frage mich, was wohl aus ihm geworden ist. Das Leben ist manchmal so grausam. Jetzt brauch' ich eine Sause.

Trefusis nimmt einen Preis entgegen

Das Folgende ist eine Aufzeichnung von Trefusis' einzigem Fernsehauftritt. Hier nimmt er den Preis der British Press Guild für die beste Radiosendung oder irgend so was entgegen.

Gott segne Sie, ich muß gestehen, ich finde all dieses Licht eine Spur erschreckend, aber ich möchte schwören, daß meine Augen sich mit der Zeit an Grelligkeit gewöhnen werden. Es ist wirklich kein Wunder, daß Leute im Fernsehen immer so ungeheuer töricht wirken. Jetzt weiß ich, daß es die Glut der elektrischen Scheinwerfer ist, die den Augen diesen toten, hoffnungslosen Blick verleiht.

Aber ich komme vom Thema ab. Wo war ich? Auszeichnungen. Preise.

Also ich bin sicher, daß die British Press Guild, oder welche Einrichtung uns diese Hörfunktrophäe nun gerade verliehen haben mag, dies in der allerbesten Absicht getan hat; trotzdem muß ich mir die Bemerkung erlauben, daß ich es für einen großen Irrtum halte. Ich möchte ganz bestimmt keinen der Verantwortlichen vor den Kopf stoßen, und ich habe keine Zweifel, daß wir alle von dem uns abgestatteten eindrucksvollen Kompliment sehr gerührt sind, aber dennoch muß ich noch einmal unterstreichen: Sie haben einen fürchterlichen Bock geschossen. Bitte verstehen Sie mich nicht falsch, ich will mitnichten sagen, daß wir diese Auszeichnung nicht *verdient* hätten. Ganz gewiß ist unsere kleine Sendereihe auch nicht schlimmer als irgendeine andere, die den Äther vollschmaddert. Manchmal gelingen uns wahrhaftig Momente, die in der Intensität ihrer Erregung, der Frische ihrer Vision und der Leidenschaftlichkeit ihrer Einblicke schlicht als golden beschrieben werden müssen. Nichtsdestoweniger bleibe ich bei meiner Auffassung, diese Verdienste in die Form eines offiziellen Preises fassen zu wollen bedeute Tod, Verwirrung, Desaster und Ruin. Lassen Sie mich meine Gründe darlegen.

Ich habe äußerste Sorge, daß Preise nur dazu da sind, ihre Empfänger in einen Zustand der Wichtigtuerei und Selbstüberschätzung zu versetzen, den Menschen von Geschmack und Herzensbildung für schlechterdings alarmierend halten müssen. *Loose Ends* wird des Morgens, am Samstag um 10.00 Uhr ausgestrahlt. Weise Menschen, ehrliche Menschen liegen zu dieser Zeit im Bett. Wenn nicht wortwörtlich unter der Decke, so haben sie es doch zumindest noch nicht weiter gebracht als bis zum Frühstückstisch. Allmählich stellt sich das Nervensystem auf die Greuel von Tageslicht und lauten Geräuschen ein. Malen Sie sich, wenn Sie die Güte haben wollen, die Scheußlichkeit aus, die unter diesen Umständen ein wichtigtuerischer, selbstverliebter Nedwin Sherrin haben muß. Was einen sonst mit diesem Mann versöhnt, sein gelassenes, ruhiges, diskretes und bescheidenes Auftreten, verwandelt sich auf einmal in eine hektische, anmaßende und selbstgefällige Fanfare. Allein der Gedanke ist unerträglich. Nein, ich bitte um Verzeihung, aber diese blasierten, aalglatten Preisverleihungen können Kräfte entfesseln und in den Äther loslassen, die wir alle noch einmal bereuen werden.

Welche großen literarischen Werke hat Kipling nach seinem Nobelpreis noch hervorgebracht? Keine. Er war zu sehr damit beschäftigt, zu Hause herumzuhocken, vor Stolz zu glühen und seinen silbernen Pokal mit dem Ärmel zu polieren. Preise dürfen nicht zum Weitermachen ermutigen, sondern müssen als Abschiedsrede, als beschließende Laudatio, als anerkennendes Lebewohl kommen.

Sie haben es gut gemeint, meine Damen und Herren von der British Press Guild, und wir alle danken Ihnen. Unter anderen Umständen wäre ich bereit gewesen, meinen Dank in übertriebenstem Maße abzustatten und selbst so weit zu gehen, jede und jeden von Ihnen mit einem peinlich langen Kuß mitten auf die Lippen zu bedenken, wie es ein Privileg des Alters ist. So jedoch fürchte ich, daß ich meine Dankbarkeit mit Zurückhaltung temperieren muß. Nein, dieses Licht wird mir jetzt wirklich zuviel. Ich werde sonst noch den stieren, glasigen Blick eines toten Heilbutts oder eines lebendigen Meteorologen annehmen. Ich spüre eine Migräne und verstopfte Stirnhöhlen im Anzug. Zeit, glaube ich, mir ein mit Kölnisch Wasser getränktes Taschentuch an die Schläfen zu pressen und mich hinzulegen. Wenn Sie haben, danke ich Ihnen fürs Aufhören.

Trefusis und der Rebell mit dem Monokel

Die BBC hatte gerade Alan Bleasdales Rebell mit dem Monokel *ausgestrahlt, ein Fernsehspiel, das auf der sogenannten Meuterei von Etaples im Ersten Weltkrieg beruht. Die Sendung hatte in verschiedenen Lagern Protestgeheul ausgelöst. Sie fiel in die gleiche Zeit wie die Berufung von Sir Marmaduke Hussey zum Intendanten der BBC.*

STIMME: Nach seiner Rückkehr von der Insel Kreta widmet Donald Trefusis, Regius-Professor für Philologie an der Universität Cambridge und außerordentlicher Fellow am St Matthew's College, heute morgen seine giftige Aufmerksamkeit dem politischen Sturm, den die Berufung des neuen BBC-Intendanten ausgelöst hat.

Giftig? Was soll das heißen, giftig? Ehrlich, den Buben, die hier die Ansage machen, fallen schon komische Sachen ein. Giftig, also wirklich. Hallo. Wie die meisten von Ihnen der jüngsten Lieferung jenes edlen Vademekums der linguistisch Interessierten, den ›Neuen Philologischen Mitteilungen‹, bereits entnommen haben werden, sind meine Ausgrabungen der Ursprünge und prachtvollen Vielfalt der minoischen Dialekte des Altgriechischen soeben abgeschlossen worden und in ihrer Reichweite, ihrem Umfang und Format mit den irdischeren Buddeleien von Sir Arthur Evans in Knossos verglichen worden. Hier nur einige Auszüge aus Rezensionen meiner Arbeit: »Ein Beispiel wagemutiger Rekonstruktion und einfühlsamer Wiederbelebung«, ›Sprache im technischen Zeitalter‹. »Professor Trefusis hat die griechischen Partikeln und ihre Genese in ein neues Licht gerückt«, ›Welcher Philologe‹. »Nie mehr werde ich die Jota-Verschiebung mit denselben Augen betrachten«, ›Sparhams Pfarrei-Monatsblatt, vereinigt mit dem Gemeindeanzeiger von Booton und Brandiston‹. Aber meine Arbeit hat mir ebensoviel Verdammung wie Lob eingebracht. »Linker Gesinnungskitsch«, urteilt Ferdinand Scruton in der ›Times‹. Dazu kein weiterer Kommentar. Die Bemerkung möge genügen, daß an der Kette, die ich, da ich dies sage, um den Hals habe, eine Medaille des Eleutherianischen Ordens erster Klasse hängt, ein Zeichen der Wertschätzung des kretischen Volkes, das mir mehr bedeutet als alle akademischen Ovationen, die man mir ohne Frage angedeihen lassen wird, noch ehe die Platanen ihre letzten goldenen Blätter auf die schnellen Wasser des Cam abgeworfen haben werden. Ach ja, wieder zu Hause im rostfarbenen England zu sein, das hat schon was.

Kreta ist ein Wein, der nur für kurze Zeit genossen werden sollte. Ohne, das muß gesagt werden, den beruhigenden Einfluß des BBC World Service auf meinen kapriziösen Verstand wäre mein Aufenthalt auf diesem unvergleichlichen Eiland, da bin ich ganz sicher, unerträglich gewesen. Die Entsendung von Nachrichten, Informationen, Musik, Hörspiel und Schwachsinn von Bush House nach Kalathas war endlos und inspirierend. Speziell einem wiederholt in den Kurzwellenkommentaren auftauchenden Thema gelang es stets, meine Aufmerksamkeit zu fesseln. Stellen Sie sich mein Entsetzen vor, als ich aus der Ferne von der Ausstrahlung einer Fernsehserie in England erfuhr, mit dem Titel *Der Pedell mit dem Molekül*, glaube ich, von einem Mr Alec Bleasdale. Falls ich die Angelegenheit nicht völlig falsch verstanden habe, hat hier ein Autor für seine degoutanten politischen Ziele die Geschichte verfälscht. Mein Vater war zufällig an den drei fraglichen Schicksalstagen in Etaples, und es ist gar keine Frage, daß das, was seither als eine Revolution beschrieben worden ist, ein unbedeutender Zwischenfall war, bei dem ein Gefreiter für den Bruchteil einer Sekunde zögerte, bevor er dem Befehl nachkam, sich zu erschießen. So groß waren in jenem ruhmreichen Krieg unter Albions kampferprobten Mannen die Disziplin, Loyalität und Zuneigung zu ihren Offizieren, daß diese triviale Zögerlichkeit schon wie grobe Befehlsverweigerung aussah angesichts der Norm sofortigen Gehorsams und Respekts, der unter den fröhlichen Frontsoldaten vorherrschte, die allzeit bereit waren, sich sinnlos abschlachten zu lassen: ein kleiner Makel, der die wunderschöne Wahrheit von Tommys anhaltendem patriotischen Wunsch befleckte, in jeder Hinsicht den edlen, weisen und strategisch brillanten Offizieren zu gehorchen, die ihn führten. Und jetzt hat irgendein widerlicher Schmierant versucht, aus der Mücke einen Elephanten zu machen. Die Regierung hat recht daran getan zu intervenieren. Meine Gebete schließen den neuen Intendanten der BBC ein. Seine erste Pflicht muß meiner Ansicht nach darin bestehen, sämtliche Aufzeichnungen zu verbrennen und für alle Zeit Produktionen zu verbieten, denen die lasterhaften Stücke des Erzpropagandisten und historischen Lügners William Shakespeare zugrunde liegen. Viel zu lange sind die durchgeknallten Radikalinskis, die die Funkhäuser in Beschlag genommen haben, damit durchgekommen, derart pseudologischen, scheinheiligen und doktrinärrischen Verlogenheiten wie der *Tragischen Historie von König Johann, König Richard III.* und den *Königen Heinrich IV., V.* und *VI.* mit all ihren falschen, lügnerischen Teilen Vorschub zu leisten. Wie jeder Historiker Ihnen bestätigen kann, gab es bei der Schlacht am Bosworth Field keinen Rotdornbusch, unter den Richards III. Krone hätte kullern können oder nicht. Er hat nie gesagt, wie ich Ihnen allen ausdrücklich sagen muß, »Ein Pferd! ein Pferd! mein Königreich für'n Pferd!« Shakespeare HAT DAS ERFUNDEN. ES WAR EINE LÜGE, eine fürchterliche Propagandalüge, um sich bei den Futterkrippenpolitikern seiner Tage einzuschleimen. Ich baue darauf, daß Mr Marmalade Butty alle Inszenierungen der Werke dieses grauenvollen, bärtigen Dramatikers untersagen wird. »Warum«, wie mein großer Vorgänger als Ordinarius für Philologie in Cambridge zu fragen pflegte, »warum nur sind alle klugen Köpfe links?«

Die Verständigeren unter Ihnen werden einen Hauch spöttelnder Ironie in meiner Stimme entdeckt haben. Sie haben natürlich recht. Es sieht wirklich zunehmend so aus, als könne ich Britannien keine Sekunde lang den Rücken kehren, ohne daß sich irgendwelche hirntoten Fruchtgummis in Angelegenheiten einmischen, von denen sie einfach keine Ahnung haben. Die Vorstellung eines Politikers, der den Unterschied zwischen Geschichte und Fiktion kennt, ist schon extrem grotesk, die können doch ein Theaterstück nicht von einem Glas eingelegter Walnüsse unterscheiden oder ein Kunstwerk von einem feuchten, nach Zitrone duftenden Erfrischungstüchlein (wie Olympic Airlines es freundlicherweise für die Teintpflege nach dem Abendessen an Bord bereithält); der Gedanke, ihnen diese Unterscheidungsgabe zuzutrauen, ist absurd, abwegig und grauenhaft. Fiktion, das muß ich anscheinend allerorten den Dummköpfen klarmachen, tut nur so, genau wie die Politik. Wenn jede Fiktion, die sich als Faktum verkleidet, sei dieses nun ekelerregend nationalistisch oder gar nicht mal so haarsträubend ikonoklastisch, gleich verboten werden sollte, würden nicht nur Ausgaben von Shakespeare und Milton und Dickens und Joyce und Shaw auf dem Scheiterhaufen landen, sondern jede je aufgezeichnete Äußerung eines menschlichen Wesens. Als Philologe sehe ich mich nämlich in der Lage, Ihnen mitzuteilen, daß Sprache Lüge ist. Jawohl! Die Sprache selbst. Ein Stein ist ein Stein, aber das Wort »Stein« ist kein Stein, sondern ein Zeichen, eine sprachliche Banknote, die wir austauschen, um die Vorstellung eines Steins anzuzeigen. Das erspart uns die Mühe, einen aus der Erde hochzuwuchten, um unserem Gesprächspartner zu zeigen, was wir meinen.

Ob die Ansammlung von Albernheit, Vorurteil, Haß und Angst, als die sich die britische Öffentlichkeit darstellt (die Hörerschaft immer ausgenommen), und die Instrumente von deren politischem Willen die Ökonomie verstehen, die Angebot und Nachfrage dieser sprachlichen Banknoten reguliert oder nicht – und meine Fachkollegen mögen mir diese ziemlich mechanistische, prähulmistische Herangehensweise nachsehen –, ist unwesentlich.

Oh, meine Herren, meine Damen, all das – die Lügen, die Vergeblichkeit, der Starrsinn, die Narretei. Wenn Sie Unterdrückung, Zensur, bigottes Moralisieren und Propaganda im Fernsehen haben wollen, dann gehen Sie doch nach Amerika! Da haben Sie's! Jetzt bin ich müde, meine Schenkel und Schinken sind verspannt vom Flug aus Heraklion, ich muß meinen Gesäßmasseur in Addenbrookes aufsuchen: ein wunderbarer Mann – er hinterläßt kein Heck ungekräftigt. Wenn Sie haben, dann gute Nacht.

Trefusis lästert

STIMME: Donald Trefusis, Professor für Philologie an der Universität Cambridge und außerordentlicher Fellow am St Matthew's College, präsentiert eine neue Folge seiner weites Aufsehen erregenden »Hörfunkstunden«. Heute spricht er voller Verärgerung und Zorn über das Thema Blasphemie.

»Das Laub verfault«, gellt Tennyson, »das Laub verfault und fällt.« Da wir uns der Jahreszeit ohne Licht, ohne Sonne, ohne Wärme, ohne Laub, ohne Freude, ohne Grün nähern, dem November, wie Hood es mit archetypischer Paronomasie zu formulieren liebte, wendet mein Geist sich ewigen Wahrheiten zu. Seine Exzellenz, der Bischof von St Albans, Prälat in einer langen Reihe von Bücherverbrennern und Bannfluchern, hat es kürzlich für angebracht gehalten, ein Wohltätigkeitsprojekt mit dem Titel – den ich nicht glauben mochte, aber meine jungen Freunde hier an der Universität versichern mir, er laute wirklich so – *Das höchst lustige und ausnehmend komische Weihnachtsbuch* zu verdammen, zu geißeln und im übrigen dem Scheiterhaufen zu überantworten. Ein Werk vieler Hände, dessen Erlös nach Afrika und in andere Gegenden gehen sollte, wo man zu diesem Julfest am dringendsten materieller Unterstützung bedarf.

Die Gesetze über Blasphemie sind in unserem großen, freien Land ebenso wie die über Hochverrat immer noch nicht aufgehoben worden. Blasphemie ebenso wie Hochverrat hatten ihren Sinn in Zeiten der Tyrannei. Auch nur im kleinsten Detail die offenkundigen Lügen in Frage zu stellen, auf denen die Macht von Kirche und Staat begründet war, hätte das ganze Kartenhaus zum Einsturz bringen können. Eine Kette der Verlogenheit ist nur so stark wie ihr schwächstes Glied. Es war Blasphemie zu behaupten, die Welt sei Millionen, nicht Tausende von Jahren alt, Hochverrat zu zweifeln, ob der König gerecht und gütig sei. Jahrhundertelang nährten Kirche und Staat ihre Völker mit Lügen und brauchten Gesetze wie die, mit denen sich Stalin so gut auskannte, um die Wahrheit in Schach zu halten.

Aber was, fragen wir eilends, haben Blasphemieparagraphen im heutigen Britannien zu suchen, und was glaubt das Episkopat eigentlich zu tun, wenn es sie ins Feld zu führen versucht? Die Kirche hat keine Macht mehr über unser Leben, was schon eine Art Segen für jene ist, die sich an glühendheißen Schürhaken und eisernen Daumenschrauben nicht gerade zu ergötzen wissen; wen bedroht der Gotteslästerer also, wenn er eine Religion durch den Kakao zieht? Gott wohl kaum, der, wenn man's recht bedenkt, als Erfinder des Lachens und Schöpfer aller Dinge doch wohl groß und stark genug ist, einen Witz zu verkraften, ohne daß ein humorloser Kuttenbrunzer zu seiner Verteidigung herbeiflitzen muß. Nein, Blasphemie bedroht nur jene, deren Glaube an ihre Religion schwach ist und deren Überzeugungen schwanken. Ein lebenslanges Bekenntnis zu einer Kirche ist eine feine Sache, und wer einen Glauben voller Zuversicht sein eigen nennen darf, wird merken, daß das Gekicher der Ungläubigen von ihm abprallt, ohne Schaden anzurichten; aber die Zweifler oder jene, die zugelassen haben, daß Glanz und Politik, Rang und Protektion in der Kirche ihnen mehr bedeuten als ihr Glaube, die müssen natürlich bei jedem Witz oder Knallfrosch zittern vor verletzter Eitelkeit und verängstigter Wut.

»Aber die einfachen Leute, die normalen Gläubigen werden von primitiven, komischen Blasphemien doch gekränkt«, höre ich Stimmen mir widersprechen. Das stimmt. Aber was ist mit *meiner* Religion? Ich liebe die Wahrheit, verehre die Freiheit, verneige mich vor dem Altar der Sprache, Reinheit und Toleranz. Das ist meine Religion, und alltäglich werde ich von tausend verschiedenen Blasphemien wider sie auf das schmerzlichste, gröblichste, abscheulichste und tiefste gekränkt, verletzt, beschämt und verwundet. Wenn von törichten Bischöfen, aufgeblasenen, engstirnigen und ungehobelten Pfaffen, Politikern und Prälaten, bigotten Zensoren, selbsternannten Moralwächtern und Wichtigtuern stündlich gegen die grundlegendsten Begriffe von Wahrheit, Ehrlichkeit, Mitleid und Anstand verstoßen wird, auf welche althergebrachten Gesetze kann ich mich dann berufen? Auf überhaupt keine. Ich will auch gar nicht nach ihnen rufen. Denn im Gegensatz zu diesen mörderischen Trotteln ist mein Glaube an meine Religion fest, und ich weiß, daß Lügen stets vergebens sind und daß Lasterhaftigkeit und Intoleranz immer vergehen werden. Auch wird es die Hungernden Afrikas freuen, wenn sie merken, daß eine öffentliche Verurteilung von der Kanzel herab den Umsatz genauso schlagartig in die Höhe schnellen läßt wie eine zwei Millionen Pfund teure Werbekampagne.

Ach, ich bin alt genug, daß es mir egal sein kann. Sollen diese elenden Talaraffen doch die tyrannischen Geister toter Statuten beschwören, sollen sie doch jenen ihre verwarzten Pranken vor den Mund halten, die aufzubegehren wagen, sollen sie doch von der eigenen Hoffart verzehrt werden; die uralten Ulmen haben ihr Laub fast abgeworfen, schwächlich streift eine wäßrige Sonne die Steine der College-Innenhöfe, und ich habe nur noch dreißig Minuten bis zu meiner Fagottstunde. Wenn Sie haben, seien Sie gesegnet.

STIMME: Die BBC möchte klarstellen, daß die Ansichten von Donald Trefusis, wie solide, logisch oder wahr sie auch sein mögen, die Ansichten eines traurigen, lächerlichen und überaus rechthaberischen Akademikers sind, von denen wir uns *in toto* distanzieren. Bis auf die Bemerkung zu Stalin. Die ging in Ordnung.

Trefusis über *Any Questions*

Als exzessiver und passionierter Rundfunkhörer war ich sehr erstaunt, als ich erfuhr, daß gewisse Leute die braven Angestellten der British Broadcasting Corporation belästigt und von ihnen gefordert haben, in jener ältesten aller Klangarenen *Any Questions* vernommen werden zu dürfen. Kennen Sie schon die ganze Geschichte?

Im Home Service gibt es ein entsetzliches Programm namens *AusKotz* oder *Feedback* oder *JaulRunde* oder irgend so einen Abschaum. Das ist eine dieser monströsen Ideen, die nur den tropfsteinhohlen Weichbirnen von nachhaltig Gestörten oder den Zöglingen Oxfords entspringen können. Es existiert offensichtlich einzig und allein für jene gewissenlosen Mitglieder unserer Gesellschaft, die da fordern, der Hörfunk habe eine Art vornehme Klause zu sein, die von Sprache, Idiom und Vitalität der wirklichen Welt niemals beeinflußt werden dürfe. Diese armen, geplagten Kreaturen verbringen ihre Zeit mit an den Lautsprecher gepreßtem Ohr und zählen, wie oft das Wort Arschloch auftaucht. Wenn ich sehr viel Geld hätte, würde ich definitiv ein Krankenhaus für jene stiften, deren Realitätssinn so verkrüppelt ist, daß sie ernsthaft an Worten und Wendungen Anstoß nehmen, aber von all der Ungerechtigkeit, Gewalt und Unterdrückung, die uns tagtäglich um die Ohren sausen, völlig unberührt bleiben. Ich kann jedem wahren Radioliebhaber nur einen einzigen Rat geben: Schreiben Sie jedes Mal einen Brief, wenn Sie ein Hörspiel oder eine Witzsendung hören, wo sprachliche Kompromisse eingegangen werden. Wie kann ich mir ein Stück anhören, das ein Abbild des wirklichen Lebens liefern will, wenn die Sprecher die ganze Zeit nur »zum Kuckuck« und »verflixt« sagen? Das ist eine groteske Beleidigung der Freiheit der Kunst. Solange man nicht auf Sie hört, tragen die behämmerten Lallbacken den Sieg davon. Aber das ist alles nicht so wichtig.

Feedback läuft im 4. Programm, ist also naturgemäß eine Art Refugium für die Geistesschwachen – glauben Sie nicht, ich schnappte hier nach den Händen, die mich füttern, ich weiß zufällig, daß das kleine, aber charmante Auditorium meiner kleinen Hörfunkstunden sich nur aus den Umsichtigen und Weisen zusammensetzt. Ich bin mir bewußt, daß keiner von Ihnen je geschrieben und sich über die Wendung »verdammter Scheißkerl« beschwert hat, Sie sind ja nicht gestört. Der größte Teil des *Feedback*-Publikums jedoch *ist* gestört. Kuschelweich unter der Mütze. Tassenlos im Schrank. Stellen Sie sich also die Länge, Breite, Tiefe und Höhe meiner Fassungslosigkeit vor, als ich erfuhr, daß man aus diesem Publikum einen Pool oder eine Quelle oder ein Reservoir potentieller Gäste für *Any Questions* auswählen will. Zweihundert der vollendetsten Knalltüten Britanniens haben sich um den Posten des Otto Normalverbrauchers in der Runde beworben.

Für dieses barbarische Konzept haben wir irgendeiner irregeleiteten Seele zu danken, die einsam und verlassen durch die Finsternis der Unzurechnungsfähigkeit stolpert und die *Feedback* einen Brief geschrieben hat, in dem sie sich darüber beklagt, daß die Politiker, Schriftsteller und Finanzpiraten, aus denen sich die Runde in der Regel zusammensetzt, für die weite Welt nicht repräsentativ seien. »Wir wollen die Stimmen gewöhnlicher Menschen hören«, ist die Losung. Mich würde wirklich interessieren, wie man gewöhnlicher sein kann als Peter Marsh, Gerald Kaufman und Edwina Currie oder anderes grausiges Naschwerk. Wie dem auch sei, der Antrag ist angenommen worden, und bald werden in der Sendung gewisse Leute zu hören sein.

Any Questions ist eine dieser Einrichtungen, die dafür entworfen wurden, im ganzen Königreich Zorn zu erregen und das Infarktrisiko zu steigern. Wenn Sie jemanden mit dunkelrot verfärbtem Gesicht sehen, der vor einem Rundfunkgerät schreit und gestikuliert, dann ist es sehr wahrscheinlich, daß er gerade von *Any Questions* malträtiert wird. Es ist erstaunlich, wie gewandt man sich ausdrücken kann, wenn man allein ist und sich über ein Radio aufregt. Argumente und Gegenargumente, Rhetorik und Schwulst fließen einem über die Lippen wie Schuppen vom Haar eines Bankmanagers. Aber in ihrer Weisheit hält die BBC ein Gegengift bereit. *Any Answers*. Es erbringt den Beweis, daß die Meinungen der radiohörenden Öffentlichkeit noch wertloser sind als selbst die Ansichten eines Politikers. An dieser Sendung beteiligt man sich, wenn man die intelligenten Familienmitglieder in Verlegenheit bringen möchte, indem man Angelegenheiten diskutiert, die man kaum versteht, Ruhe und Ordnung und Moral etwa. An *Any Answers* wendet man sich, wenn man all seine Vorurteile und seinen Haß loswerden möchte. Künftigen Generationen wird *Any Answers* als ein wichtiges Dokument dienen, wenn sie den Verfall von Bildung, Höflichkeit und Feingefühl untersuchen werden, der das 20. Jahrhundert am Ende in einen Abgrund von selbstsüchtigem Individualismus und schlechtnachbarlicher Aggression riß. Aber *Any Questions* erfüllt schon jetzt eine wichtige Funktion.

Meine Lieben, wir leben doch in einer Art Demokratie, oder nicht? Die Demokratie ist ein Mittel, mit dessen Hilfe wir die Verachtung unseres Mitmenschen in lebhaften Haß auf den von ihm gewählten Vertreter verwandeln. Aus Höflichkeit nehmen Frauen und Männer Einladungen zu Auftritten bei *Any Questions* an, um den Haß zu absorbieren, der sich anderenfalls auf den Straßen austoben würde. Wir wissen, wer diese Menschen sind, und wir bezahlen sie gut für ihre Opferbereitschaft. Sie stehen stellvertretend für die extremen Ansichten, die unser Land in den Ruin treiben. Sollten wir es wagen, diese Seelchen durch normale Menschen zu ersetzen, graut mir vor den möglichen Folgen. Ich weiß, wenn ich mit meinem Wolseley durch Cambridge führe und zufällig mitbekäme, wie ein Anwalt oder eine Hausfrau über die Moral unseres Gemeinwesens oder die Kleinfamilie spräche, würde ich wahrscheinlich stracks auf den Bürgersteig zuhalten und auf der Stelle ein Dutzend Kleinfamilien massakrieren.

Nein, nein, es ist zu gefährlich. Sollen die Irren weiterhin ihre Briefe schreiben, und sollen die Personen des öffentlichen Lebens weiterhin das große Wort führen. Ich muß jetzt wieder an London übergeben und Sie mit diesem öffentlichen Irren allein lassen. Bitte, Nedwin.

Trefusis geht in den Norden

Zur Zeit der Ausstrahlung war gerade das »Nord-Süd-Gefälle« in aller Munde. Nach einer Reise in den Norden denkt Trefusis darüber nach:

Hallo. Sie stutzen vielleicht, weil ich Sie mit »Hallo« statt mit »Guten Morgen« begrüße; das war ein Tip von dem jungschen Alistair Cooke, denn bei der BBC weiß man ja schließlich nie, wann man vielleicht wiederholt wird. Der World Service zum Beispiel könnte beschließen, mich abends in Simbabwe auszustrahlen oder um Mitternacht auf Malakka. Als Radiosprecher müssen wir uns gegen solche Eventualitäten wappnen, und deswegen sagen wir »Hallo«. Beachten Sie, daß ich nicht »Hallo Ihnen allen« sage, denn es ist durchaus denkbar, wenn auch unwahrscheinlich, daß nicht alle zuhören. Auch sage ich nicht »Hallo, meine liebsten Schätze« für den Fall, daß jemand unter Ihnen dies hinterm Steuer hört, denn es wäre ja ein leichtes, infolge einer so schamlos aufreizenden Anmache von der Straße abzukommen. Also »Hallo« Ihnen da draußen.
Heute möchte ich mich einem völlig fiktiven Thema widmen, will sagen, ich wende mich etwas zu, was es gar nicht gibt. In meiner Eigenschaft als Saussurescher Gastdozent an der Universität von – nun, ich soll hier ja keine Schleichwerbung betreiben, nennen wir sie also die Universität von North Yorkshire – hatte ich diese Woche Anlaß, eine große Stadt im Norden zu besuchen, um dort einen Vortrag über mauritianische Dialekte im Verhältnis zu aphatischen Zeichensystemen Melanesiens zu halten. Da ich zuvor nie weiter nach Norden vorgedrungen war als bis King's Lynn, machte ich mich mit einiger Beklommenheit auf den Weg. Ich hatte gedacht, mir ein paar Tage freizunehmen und Leeds, Bradford und Barnsley zu besuchen und sogar über die Kette der Pennines nach Westen vorzustoßen und mal in Manchester und Liverpool vorbeizuschneien. Eins jedenfalls war mir klar, so etwas wie ein Nord-Süd-Gefälle gibt es überhaupt nicht. Das stand so im ›Daily Telegraph‹, und die ›Mail‹ und der ›Express‹ haben es auch geschrieben. Gibt es einfach nicht. Ich nehme also an, es ist bloßer Zufall, daß Städte im Norden ganze Paraden von brettervernagelten Ladenlokalen haben und Straßen, wo die Einwohner, statt vor Wohlstand zu vibrieren, mürrisch an den Straßenecken herumlungern und nichts zu tun haben. Bloßer Zufall, daß die Geschäfte halbleere Regale haben, daß die einzigen gutgefüllten Läden auf den Hauptstraßen die Wettbüros sind. Bloßer Zufall, daß der Norden nach Armut, Benachteiligung und Verzweiflung müffelt, wo

so viele Städte im Süden nach Luxus, Reichtum und Zuversicht duften. Bloßer Zufall, daß eine Schülergruppe aus Eton als Teil irgendeines Oberschulkurses in Sozial- und Stadtgeschichte neulich Newcastle besuchte und daß diese Geschichte es abends in die Fernsehnachrichten schaffte. Ich bin fürwahr kein Skeptiker, aber den ›Telegraph‹, den der Senior Combination Room an meinem College sich weiterhin halten will, werde ich in Zukunft mit etwas mehr Vorsicht genießen.

Soll ich jetzt nach einem so kurzen Blick auf den Norden Sentimentalitäten über ihn verbreiten? Habe ich seine Menschen freundlicher, höflicher, einfacher, direkter, kerniger und wahrhaftiger gefunden? Zum Glück kann ich das nicht behaupten. Einige neigten zur Liebenswürdigkeit, andere bedachten mich mit Blikken so abgrundtiefer Verachtung, daß sie meine Brillengläser fast zum Schmelzen brachten. Die meisten Bewohner kamen mir wie ganz normale Menschen vor. Andere kamen mir mit ihren Schlägen zuvor. Sie sind auch nur aus Fleisch und Blut, wie kann ich ihnen Vorwürfe machen? Ein komischer alter Schißhase, der verloren durch ihre Straßen streifte und dessen Tweed, dessen Gang, selbst dessen krummer Rücken Jahrhunderte der Vorherrschaft des Südens verrieten, für sie muß es einfach unerträglich gewesen sein.

Der Norden kam mir vor wie eine Restaurantküche, die noch einen alten Kohleherd und eine kalte Speisekammer hat, aber mit einer Küche zu konkurrieren versucht, die über Mikrowellengrille und Tiefkühltruhen verfügt. Eine Hufschmiede an einer Autobahn. Hier haben wir das südliche Britannien, das zeigt, wie man ein Vermögen machen kann, indem man Dienstleistungen anbietet und Geld scheffelt, und da haben wir den Norden, der immer noch *Scheffel* tischlert. Doch unser Schloß hier unten ist auf Sand gebaut, ihre schäbigen Hütten auf Granit. Ihre Verwahrlosung ist real, unser Gedeihen eine Illusion. Andererseits bestand das Ziel der Politik schon immer darin, die Phantasien im Griff zu haben.

Was soll dieses Gelaber über Süd und Nord bloß, fragen Sie. Ich zahle schon Politiker und Journalisten dafür, daß sie nichtssagende und fadenscheinige Lügen über die Gesellschaft vom Stapel lassen, da brauch' ich nicht noch aufgemotzte alte Monster wie dieses Sackgesicht Trefusis, die ihren Senf dazugeben. Kann sein, daß Sie recht haben, ich werde Sie also in Ruhe lassen.

Wenn ich aus meinem Fenster schaue, sehe ich Böen die Oberfläche von Vater Cam zu kleinen Wellen kräuseln, die sich ihren Weg flußaufwärts suchen und in verschlungenen Bahnen kleine vom Wind verwehte Zweige mit sich führen, die grob vom elterlichen Baum gebrochen wurden, und ich denke, daß wir alle vielleicht nur der großen Muttereiche entrissene Ästlein sind, die auf dem Strom der Entbehrungen aufhüpfen und untertauchen, bis wir dermaleinst ans Meer der Fülle gelangen. Und dann denke ich, daß ich ein dummer alter Mann bin, der es besser wissen sollte. Wenn Sie nicht haben: gute Nacht.

Erneut Lady Madding

STIMME: STEPHEN FRY begab sich nach Eastwold House in Norfolk, um Rosina, Lady Madding, aufzusuchen, die Grafenwitwe von Brandiston.

Ich hoffe, es macht Ihnen nichts aus, hier drinnen zu sitzen, in meinem Alter bekommt man ganz gern etwas Zug. Ich weiß, daß die Kälte den jungen Leuten entsetzlich zu schaffen macht, aber ich fürchte, ich mag sie. Das stimmt. Ja, das ist wirklich hübsch, nicht wahr. Allerdings würde ich es nicht direkt ein Kissen nennen. Meines Wissens heißen die Pekinesen. Nein, nein, das macht nichts, er war schon sehr alt – werfen Sie ihn einfach ins Feuer, ja?

Partys? Ich verstehe einfach nicht, warum Sie über Partys sprechen möchten. Ich werde versuchen, mich für Sie zu erinnern. Ah! Sehen Sie die Aufnahme da drüben ... da, auf dem Tisch, neben dem Skateboard? Noël Coward. Ich hatte nicht allzuviel Umgang mit ihm, er war ein bißchen ... wir nannten es immer »ein bißchen Strachey«, das war unser Codewort. Aber ich mochte ihn, o ja, ich mochte ihn wirklich gern. Einmal waren wir in Paris, das weiß ich noch, wo mein Gatte in Kreisen der britischen Botschaft verkehrte, na ja, eigentlich verkehrte er mit dem britischen Botschafter Rupert Davenant, das taten sie ja alle. Wir gaben eine Party in unserem Haus in der Nähe des Pont Mirabeau. Noël kam, Christian

Dior, Bournvita Chanel, Pablo und Rosie Casals, es waren wirklich, wie F. E. Smith bemerkte, zu viele Kerzen da und nicht genug Motten. Molotow war aus der russischen Botschaft gekommen, wissen Sie, und Eric Satie und Jean Cocteau. Jean und Molotow waren zuvor gebeten worden, das Maxim's zu verlassen, da sie mit ihrer Edward-G.-Robinson-Imitation die Abendgäste verschreckt hatten, und ich fragte Noël, ob es ihn nicht auch wundere, daß man einen solchen Aufstand mache. »Nein, so kann man das nicht nennen, Rosina«, entgegnete er auf seine eigentümliche Weise, »sie wurden nur hinaus*komplimentiert* – bei einem Aufstand werden Molotow-Cocteaus meist *geworfen.*« Na, ich kreischte natürlich vor Lachen. Es war so witzig, wissen Sie. Und ich erinnere mich an eine andere Geschichte, als ich in meinem Haus am Dereham Square eine Party gab. Queen Mary kam und Königin Dagmar von Dänemark, Noël war da und Goldsworthy Lowes Dickinson und E. M. Forster und Guy Burgess und die griechische Königin Tsatsiki. »Sehen Sie sich an, Rosina«, sagte Noël, erneut auf seine eigentümliche Weise, »die Königin der Gesellschaft in der Gesellschaft von Königinnen.« Alle brüllten, das kann ich Ihnen sagen. Ja, bedienen Sie sich nur beim Zucker... ähm, wahrscheinlich ist es leichter, wenn Sie einfach Ihre Finger nehmen. Die Kohlezange ist nicht ganz sauber. Bitte? Ach das, das ist eine Aktstudie von Brian Close, dem Cricketspieler für Yorkshire und England. Ich hab' Hunderte von Kopien, damit die Pfadfinder was zum Polieren haben, wenn sie hier ihre Ferienjobs machen.

Mein Gatte Claude ist vor siebzehn Jahren verstorben, und Bobby trat die Titelnachfolge an. Er war erst zehn. Kit, mein zweiter Sohn, restauriert Möbel irgendwo im Londoner Osten. Ich bekomme ihn kaum je zu Gesicht. Wenn er nicht gerade einen Garderobier abhobelt oder einen Hocker nagelt oder die neueste Kommode ausprobiert, arbeitet er normalerweise an seinen Möbeln. Sie kennen ja das Sprichwort, wenn man beim ersten Mal kein Glück hat, ist man nicht der älteste Sohn. Meine Tochter Mawinda ist Schauspielerin, die haben Sie vielleicht schon mal gesehen. Sie ist das Mädchen, das immer sagt, sie könne nicht glauben, daß irgendein Pulver diesen Body ohne Kochen sauberkriegen soll. Wir sind alle sehr stolz auf sie. Obwohl ich keine Ahnung habe, was ein Body ist. Wahrscheinlich was man früher ein Leibchen genannt hat. Aber es gab einen riesengroßen Ansturm auf die Rolle, wissen Sie. Judi Dench soll geschworen haben, sie würde Mawinda die Augen auskratzen, so eifersüchtig war sie. Schon? Gut, ich werde nach Crith läuten, der wird Sie hinausbegleiten. Sie müssen wieder einmal vorbeischauen, es ist so nett, beisammenzusitzen und sich zu erinnern. Übrigens gebe ich morgen abend zufällig eine Party, kann ich Sie nicht vielleicht überreden –? Jeder muß sich als eine berühmte Persönlichkeit aus der Geschichte verkleiden. Ned Sherrin kommt als er selbst. Ach, kennen Sie Nedwin? Von dem muß ich Ihnen noch eine kleine Anekdote erzählen. Kennen Sie den Miederwarenladen in der New Bond Street, also, ich wollte da eines Nachmittags gerade reingehen, als –

STIMME: Dummerweise haben wir keine Zeit mehr für Rosina, Lady Madding, und müssen zu unserem nächsten Beitrag kommen, nämlich …

Trefusis' Postkarte aus Amerika

Den Frühsommer 1986 verbrachte ich in Amerika, wo das Musical Me and My Girl *für die Inszenierung am Broadway geprobt wurde. Trefusis schickte eine Reihe Hörpostkarten nach England:*

STIMME: Donald Trefusis, emeritierter Professor für Philologie und Fellow am St Matthew's College, Cambridge, hält sich zur Zeit in Amerika auf. Er hat uns einige seiner Eindrücke von einem Land gesandt, das er zum ersten Mal besucht.

Je nun, hallo Ihnen allen in der Heimat. An Sie alle zu denken, wie Sie da an Englands grünen Busen gedrückt werden, Tausende Meilen weit entfernt, während ich hier durch den zielstrebigen, kraftvollen Glas- und Betonwald streife, verschlägt mir die Sprache und droht meinen Verstand aus der Bahn zu kippen. Es fällt mir schwer, die Anweisungen des äußerst zuvorkommenden jungen Tonmeisters zu befolgen und in normaler, ruhiger Stimmlage zu sprechen.

Für den Fall, daß ich schreie, bitte ich vorab um Entschuldigung, aber es ist sowohl die Aufregung, die mich dazu veranlaßt, als auch das Gefühl, daß Sie einen ganzen Atlantik weit weg sind.

Wie die Leser der ›Neuen Philologischen Mitteilungen‹ unter Ihnen wissen werden, bin ich hier als Teilnehmer einer Konferenz an der New Yorker Columbia University über die Migration des vorderen Labiallauts. Ohne in die technischen Einzelheiten gehen zu wollen: sie beschäftigt sich mit dem Einfluß der spanischen Plosive auf das amerikanische Englisch, ein Feld, auf dem ich als eine Art Experte gelte.

Da dies das erste Mal in meinem ganzen Leben ist, daß ich Cambridge verlassen habe, können Sie sich vorstellen, wie mich in den letzten Tagen eine Art Angst überkam. Kulturschock lautet, glaube ich, der hiesige Terminus technicus zur Beschreibung des gewaltigen Gefühls von geistiger Verwirrung und Abwesenheit. Ich kann mir kaum vorstellen, daß ein zweiter Planet so viele Überraschungen bereiten könnte wie diese eine nervöse, hektische Stadt.

Das erste, was man denen erzählen muß, die dieses insulare Ballungsgebiet noch nicht besucht haben, ist, daß die Gebäude sehr hoch sind. O ja. Enorm hoch. Ganz einfach sehr, sehr hoch. Das ist nun mal so. Sie hören fast gar nicht mehr auf. Im Moment befinde ich mich im 21. Stockwerk eines Gebäudes und damit noch nicht einmal auf einem Drittel der Gesamthöhe. Wenn ich im *sechsten* Stock der Universitätsbibliothek in Cambridge persische Palimpseste der zyprianischen Dynastie untersuchen mußte, wurde ich für gewöhnlich schon von Zuckungen heimgesucht, Sie können sich also die schmerzhaften und peinlichen Szenen und Vorwürfe ausmalen, zu denen es im Aufzug kam, als ich dieses Gebäude erstmals in Angriff nahm. Mir wird schon schwindlig, wenn ich bloß daran denke. Diese außergewöhnliche Häuserhöhe erfüllt den Horizont, wie Sie sich unschwer vorstellen können. Das wirklich verblüffende Ergebnis ist eines erstaunlicher Schönheit. Auch muß ich Ihnen mitteilen, daß die Taxameter-Cabriolets oder Taxi-Cabs, wie man sie hier kurz nennt, von einem fröhlichen, lebhaften Gelb sind, einer Frühlingsmimose nicht unähnlich, die der Stadt einen zur Jahreszeit passenden Tupfer von Schlüsselblümchen verleihen. Ich nehme an, sie wechseln im Jahresverlauf die Farbe, Rot für den Herbst, Weiß im Winter und vielleicht Himmelblau im Sommer.

Ach nein, der junge Tonmeister hier auf der anderen Seite der Glasscheibe schüttelt den Kopf. Man hat sich ein für allemal auf Gelb festgelegt.

Jetzt zu meiner Spezialität. Hier sagt man »specialty«. Die Elision des Jota, wie wir Philologen das nennen, ist durchaus nicht ungewöhnlich. Man läßt auch das letzte »i« in Aluminium fallen und übergibt das Wort als Aluminum. Und wer wollte ihnen Widerworte geben? Eines der geläufigsten Gesprächsthemen hier ist Stress. Man redet die ganze Zeit darüber. Anscheinend hat man einen Kausalzusammenhang zwischen Stress und Diät hergestellt, was ich absolut faszinierend finde. Ich muß sagen, mich entzückt und ermutigt Amerikas Interesse an meiner Disziplin, in England machen sich die Leute im alltäglichen Leben nichts aus Philologie oder Linguistik. Hier dagegen ist Stress in aller Munde. Schauen Sie sich zum Beispiel Hongkong an. Hier sagt man *Hong*kong, was immer zu implizieren scheint, es gebe noch eine andere Art Kong, die man nicht mit der Hong-Varietät verwechseln wolle. *Hong*kong. Betont auf der ersten Silbe. Es gibt eine bestimmte Marke löslichen Kaffee mit dem Ihnen vielleicht bekannten Namen Maxwell House. So jedenfalls nennen wir ihn: Maxwell House. Hier sagt man *Maxwell* House. Eine wesentlich ungleichere Betonung. Aber wenn ich den Zeitungen Glauben schenken darf, scheint man hier anzunehmen, dieses Stressproblem werde vor allen Dingen vom Rauchen und Mangel an körperlicher Ertüchtigung verursacht. Ich hatte immer gedacht, es sei das Ergebnis der historischen Auseinanderentwicklung von britischem und amerikanischem Englisch sowie dem Einfluß des Jiddischen, wie in *Hühner*suppe. Ich muß noch sehr viel lernen.

Vorhin trat auf der Straße ein Herr an mich heran und fragte, »Ey, Alter, haste mal 'ne Kippe?«, worauf ich erwiderte, »Mache ich auf Sie den Eindruck, ich sei Bauunternehmer?« Die Belohnung für das solcherart bekundete Interesse an einer Fortsetzung des Gesprächs war eine blutige Nase. Ich glaube, ich werde die hiesigen Gepflogenheiten noch sehr viel sorgfältiger studieren müssen, bevor ich mich wieder allein auf die Straßen hinaustrauen kann. Vielen Dank fürs Zuhören.

Falls Mrs Miggs eingeschaltet hat, was sie versprochen hatte, vergessen Sie doch bitte nicht, die Bücher abzustauben, Mrs M, und denken Sie daran, daß Miltons Wurmtabletten auf dem Flaschenständer im Arbeitszimmer unter der Cotmanradierung liegen. Sie müssen ihn auf den Rücken drehen, festhalten und ihm die Kiefer aufpressen, um sie hineinzukriegen. Den nächsten Dienstag können Sie sich freinehmen. Auf Wiederhören Ihnen allen.

Postkarte Nummer zwei

STIMME: Donald Trefusis, emeritierter Professor für Philologie und Fellow am St Matthew's College, Cambridge, setzt seinen Aufenthalt in New York fort.

Desaströse Begebenheiten! Kalamitöse Ereignisse! Gute Güte, wo soll ich bloß anfangen? Letzte Woche habe ich Ihnen von meiner anfänglichen Aufregung über New York berichtet. Ich muß zugeben, daß ich das Leben in dieser zielstrebigen, kraftvollen Stadt inzwischen etwas ermüdend finde. Mein Vortrag bei den Philologen der Columbia University ist gut gelaufen. Er behandelte die Ursprünge des verschliffenen »r« in verschiedenen englischen Stadtdialekten. Ich demonstrierte die grundsätzliche Ähnlichkeit zwischen dem verschliffenen »r« des Cockney wie in »Round the ragged rock the ragged rascal ran« und dem der Brooklyner wie in »Round the ragged rock the ragged rascal ran«.[1] Mit sensationellem Erfolg, wie Sie sich bestimmt vorstellen können. Seit diesem akademischen Triumph kann ich über meine Zeit größtenteils frei verfügen. Ich habe mit großem Enthusiasmus und Interesse angefangen, New York zu erforschen. Welch ein ethnisches Kuddelmuddel. Diese Woche bin ich gen Süden, oder *down town*, wie man hier sagt, gezogen, mit faszinierenden, letztlich aber katastrophalen Folgen. Ich machte mich zur Canal Street auf, wo sich auf der einen Seite Mott Street und Chinatown erstrecken, eine wirklich bemerkenswerte Gegend. Es ist, als sei man durch einen Riß im Gewebe des

1 Hier müssen Sie sich natürlich die Aussprache vergegenwärtigen. Nicht ganz »Wound the wagged wock«, aber unterwegs dahin.

Raum-Zeit-Kontinuums geschritten und habe sich geradewegs nach Hongkong versetzt. Ganze Straßenzüge mit chinesischen Banken, Restaurants, Supermärkten und Spielzeugläden. Aber man überquere die Canal Street, und *eccolà!* befinden wir uns in Mulberry Street und Little Italy. An diesem Tisch starb Joe Bandano in einem Kugelhagel. In diesem Restaurant wurde Louis Farnese voll Blei gepumpt, bevor er seine Zabaione verschmausen konnte. In diesen Gully tröpfelte das Blut von Vito Matteole, dem berühmten Belcanto-Tenor, nachdem er Nasenbluten bekommen hatte.

Solche geopolitische Verdichtung kann einen zermürben. Nach einem Leben in Cambridge, wo alle möglichen Typen zusammen malochen, Leavisiten auf demselben Flur hausen wie Strukturalisten, Phänomenologen denselben Waschsalon benutzen wie hegelianische Dialektiker, finde ich dieses Ghettoleben eine Spur konfus. Die Auswahl an nationalen Küchen war so verwirrend, daß ich es für das sicherste hielt, mir ein Taxi zu rufen und mich auf die Suche nach einer guten alten Fleisch- und Nierenpastete zu machen. Das folgende Gespräch habe ich in trefusianisch festgehalten, meiner eigenen phonetischen Kurzschrift, einem unschätzbaren Mittel, Straßenszenen und Barkonversationen festzuhalten.

»Okay, Meister, immer rin in die gute Stube, wo soll's denn langgehn? Restaurant? Scheibenkleister, Mann, was denn für n Restaurant? Wollnse Italienisch? Französisch? Indisch? Japanisch? Mexikanisch? Thailändisch? Chinesisch – da hamwa chinesisch Dim Sum, chinesisch Szechuan, kantonesisch, Mandarin, vietnamesisch, koreanisch, wir ham indonesisch, polynesisch, melanesisch, wollnse vielleicht tschechisch futtern, n leckeres Schnitzel mit Polychinkas? Russisch hamwa auch. Ungarisch? Bulgarisch? Mögense vielleicht Cajunküche? – stammt aus Louisiana, New Orleans, Mann – kennse Gumbo und Jambalaya? Auf der 26sten Ecke Lexington gibt's n klasse Cajunrestaurant. Oder wollnse afrikanisch essen? Kanadisch? Skandinavisch? Sie sagen's mir, ich fahr Sie hin. Häh? Englisch? Voll kraß, ey. Ein englisches Restaurant? Was rednse denn da? Gibt's doch gar nicht. Wer hat denn schon mal was von nem englischen Restaurant gehört? Auf der East 19ten Ecke Park gibt's n New-England-Style-Restaurant. Aber englisch, das hab ich ja noch nie gehört. Ceylonesisch, jugoslawisch, malaiisch, argentinisch, logo – aber englisch? Das meinse nich im Ernst!«

Wahrlich ein harter Schlag für meinen Nationalstolz. Dieser Herr mit seinen etiolierten Labialen und Baumannschen Vokalen überzeugte mich, daß am ehesten noch Greenwich Village mit einem englischen Restaurant aufwarten könne, sollte ein solches Ding überhaupt existieren, eine Hypothese, die er offen anzweifelte. Ich teilte ihm mit, in England seien derlei Etablissements gang und gäbe – oder zumindest in Cambridge, außerhalb davon habe ich mich bislang nicht aufgehalten –, aber ich fürchte, er dachte, ich stünde unter dem Einfluß von Spirituosen. Ich wurde auf dem Washington Square abgesetzt, ein Umstand, der mich nur entzükken konnte. Ich stand inmitten des geschäftigen Treibens, starrte an den Häusern um mich herum empor und versuchte mir vorzustellen, welches davon Henry James wohl zu seinem großartigen Roman *Die Erbin vom Washington Square* inspiriert haben mochte.

Ich wurde aus meinen Träumereien aufgescheucht, als sich mir ein großer Schwarzer näherte, der mich in einer mir unverständlichen Sprache anredete. Ich probierte mein bißchen Küchensuaheli und Restaurantmatabele aus, doch vergebens. Der Mann wiederholte bloß die Worte *crack*, *coke* und *dope*. Mit meinem Latein am Ende, gab ich vor, seiner Meinung zu sein. Kaum waren mir die stockenden Worte der Zustimmung über die Lippen gegangen, da drückte er mir ein Päckchen in die Hand. Überrascht blinzelte ich und äußerte Worte des Protests und der Vorhaltungen. Das sei zu gütig. Doch aus dem Dunkel legten sich unversehens Hände auf meine Schultern, und etwas Hartes, Kaltes und Metallisches schnappte um meine Handgelenke zusammen. »Okay, ihr Wichser, euch hätten wir kassiert.«

Ich spreche zu Ihnen von einer Polizeistation oder einem Reviergebäude aus, hier in Greenwich Village, wo ich formell des illegalen Besitzes von Kokain und Cannabis bezichtigt worden bin. Mein schwarzer Freund hat jegliche Verbindung mit der beträchtlichen Menge dieser Narkotika, die bei mir entdeckt wurden, abgestritten und behauptet steif und fest, ich habe sie ihm zu verkaufen versucht. Die Polizei scheint um meinen akademischen Rang und meine intellektuellen Leistungen zu wissen, denn während all unserer Gespräche haben sie mich unablässig als »Schlaumeier« bezeichnet, das Kompliment nützt sich indes ab, und ich sehne mich nach der Freiheit.

Man bedrängt mich jetzt, das Mikrophon abzugeben, und so muß ich Sie verlassen. Mrs Miggs, sollten Sie zu Hause zugehört haben, so geraten Sie nicht in Panik. Gehen Sie zu Aufgang C und erzählen Sie Professor Steinitz von meinen Nöten, er lehrt Jura und wird wissen, was zu tun ist. Im übrigen füttern Sie bitte weiterhin Milton und stauben Sie meine Sammlung versteinerten dänischen Gebäcks ab. Nächste Woche werde ich versuchen, erneut auf Sendung zu gehen. Bis dahin alles Gute.

Postkarte Nummer drei

STIMME: Donald Trefusis, emeritierter Professor für Philologie und Fellow am St Matthew's College, Cambridge, schickte uns letzte Woche seine Postkarte aus New York, in der er uns mitteilte, er sei vom New York Police Department in Gewahrsam genommen, abgeführt und des Drogenhandels am Washington Square beschuldigt worden. Soeben nun hat Professor Trefusis uns die folgende Postkarte zukommen lassen.

Du liebe Zeit! Eine Woche großer Ereignisse und Aufregungen. Als ich ein Kind war, hatten Abenteuergeschichten für Jungen immer mindestens ein Kapitel mit der Überschrift »Warnzeichen und Ausflüge«. Zur heutigen Postkarte würde so ein Titel gut passen. Als Sie letzte Woche von mir hörten, war ich gerade schmachvoll im Karzer des Greenwich-Village-Reviers der New Yorker Polizei in Fesseln gelegt worden und mußte die schroffen Beleidigungen von Captain Donahue über mich ergehen lassen. Ich war fälschlicherweise festgenommen und des Besitzes von Kokain und Cannabisharz sowie des versuchten Inverkehrbringens derselben aus Profitsucht beschuldigt worden. Nach und nach erfuhr ich, daß der Washington Square, an welchem die Festnahme stattgefunden hatte, eines der Zentren des Drogenhandels in New York ist. Der Mann, der mir in der Dunkelheit die Narkotika aufgedrängt hatte, ein Gentleman namens Winston Millington, bestritt weiterhin jegliches Wissen um sie. Ich sollte also, wie man so sagt, die Sache für ihn ausbaden.

Wer mich besser kennt, und eigentlich auch jeder, der nur entfernt Bekanntschaft mit mir behaupten kann, wird ob einer solchen Behandlung in den entrüsteten Chor einstimmen, man wisse, daß ich kein Rauschgifttyp bin. Mein erstes und letztes Experiment mit harten Drogen fand in meiner bewegten Jugend statt, als ich in einem Augenblick des Leichtsinns, für den ich mir heute noch Vorwürfe mache, meinem Freund Professor Lehmann bei dem Versuch assistierte, eine Substanz zu synthetisieren, die ihren Konsumenten befähigen sollte, riesige Sprünge zu machen und ein erstaunliches Maß an körperlicher Ausdauer zu erreichen. Ich probierte die Droge für ihn aus und wurde von den Universitätsproktoren aufgegriffen, als ich auf das Dach von Great St Mary's kraxelte und »Wo ist all der Dimple hin?« und »Der Milchmann ist mein bester Freund« krakeelte. Wie ich dem guten Police Captain erklärte, ist das die vollständige Geschichte meines Drogenlebens. In Trefusianisch, einem phonetischen Pitman, den ich selbst entwickelt habe, hielt ich unser beider Gespräch fest.

»Komm mir doch nicht damit, Schlaumeier. Ich weiß doch, daß du da bis zu deinen zottigen Augenbrauen drinnesteckst. Das Crack-Geschäft in New York wächst uns immer mehr über den Kopf.[1] Wir wußten, daß n schlaues Kerlchen dahintersteckte. Du bist leichtsinnig geworden und selbst auf die Straße gegangen. Paß auf, Süßer, Typen wie dich kann ich nicht ab. Haste dir schon mal die Folgen deiner Geschäfte angeguckt? Geh mal durch die Subway und Hinterhöfe. Da sind Kids da draußen, die kaum vierzig Kilo wiegen, Magenkrämpfe haben und wegen Wichsern wie dir langsam krepieren. Du ödest mich an. Das Crack, was wir bei dir gefunden haben, ist 90prozentig reines Kokain. So ne *rocks* sind tödlich, Mister. Und ich werd dich so lange hinter Gitter bringen, daß deine Klamotten, wenn du rauskommst, schon wieder modern sind. Also, wie steht's mit nem Geständnis, du Bastard?«

---

1 Damals hatte in England noch so gut wie niemand von Crack gehört, nur in New York geriet es gerade außer Kontrolle, mit verheerenden Folgen, wie inzwischen allseits bekannt ist. Crack entsteht aus Kokain, das mit doppeltkohlensaurem Natrium veredelt wird. Der dabei entstehende Kristall nennt sich *rock* und wird in einem Glaspfeifchen geraucht.

»Officer, wie oft soll ich Ihnen noch sagen, daß ich nicht die geringste Ahnung habe, wovon Sie eigentlich sprechen. Ich bin kein Bastard. Ich stamme aus einer der angesehensten Familien Englands. Ich bin absolut unschuldig und verlange, den britischen Botschafter zu sprechen.«

Und so zog sich die Konversation hin.

Das Schicksal erlöste mich jedoch. Winston Millingtons Apartment war routinemäßig genauso durchsucht worden wie mein Hotelzimmer. In meinem Zimmer hatte man nichts Schlimmeres gefunden als eine stockfleckige, zerfledderte Ausgabe von Schopenhauers *Welt als Wille und Vorstellung*. In Millingtons Wohnung dagegen hatte man genug Kokain entdeckt, um ganz Hollywood einen Nachmittag lang zu versorgen. Tonnen von dem Zeug.

»Ich weiß nich, was ich sagen soll, Professor Trefusis. Ich glaube, ich muß mich bei Ihnen entschuldigen. Sie sind doch schwer in Ordnung. Ich würde Ihnen raten, haltense sich von Gegenden wie dem Washington Square fern. Wie kann ich's wieder gutmachen? Hören Sie, wollen Sie was von New York sehen? Passen Sie auf, wir machen folgendes. Hättense nich Lust, heute abend im Streifenwagen mit mir mitzukommen? Die Stadt richtig kennenlernen? Was mein' Sie? Is doch n Angebot.«

Ich gestand Captain Donahue nicht, daß mein größtes Interesse als Philologe weniger darin bestand, etwas von der Stadt zu sehen, als mehr von seinen faszinierend abgeschwächten Vokalen und verschobenen Frikativen zu hören, und stimmte bereitwillig zu.

Jener Ausflug wird den Inhalt meiner nächsten Postkarte ausmachen. Bis dahin danke ich all jenen unter Ihnen, die mir Bekundungen ihrer Anteilnahme geschickt haben. All das hat mich sehr bei Kräften gehalten. Besonderer Dank geht an F. G. Robinson aus Glasgow für das Kaugummi und die aufmunternden Worte. Danke, Nedwin Sherrin, für die Schwarzwälder Kirschtorte. Ihnen muß versehentlich eine Nagelfeile in den Teig gefallen sein, die von der Polizei beschlagnahmt wurde. Sie befindet sich jetzt bei meinen Sachen und wird an Sie zurückgehen, sobald ich nach Hause komme.

Die Krise ist also überstanden, Mrs Miggs. New York ist plötzlich wieder sehr freundlich. Kraulen Sie Milton von mir, und vergessen Sie nicht, das Schreibpult aus der Zweiten Republik im

Arbeitszimmer zu polieren. Allen meine Grüße. Meister Proper tut's auch, falls die Politur alle ist.

Postkarte Nummer vier

STIMME: Donald Trefusis, emeritierter Professor für Philologie und Fellow am St Matthew's College, Cambridge, setzt seinen Bericht über seinen Besuch in New York fort. Letzte Woche wurde er, nachdem er als Drogendealer festgenommen worden war, von Captain Donahue entlastet, der ihm anbot, als Wiedergutmachung für die irrtümliche Festnahme eine Nacht lang bei ihm im Streifenwagen mitzufahren und ihm New York aus der Sicht eines vielbeschäftigten Streifenpolizisten zu zeigen.

»Okay, Prof, Sie setzen sich neben mich, und wir machen uns auf die Socken. Heut nacht sind wir in der Gegend um den Stuyvesant Square herum. Folgendes: Hier kann's n bißchen gefährlich werden, also egal was passiert, Sie bleiben im Wagen. In ner normalen Nacht krieg ich's mit Schußwaffen zu tun, Kids auf Engelsstaub, alles mögliche. Engelsstaub? Is ne Droge. Die Kids werden davon high, und, glauben Sie mir, das macht die zehnmal so stark. Ohne Scheiß, ich hab mal n verstaubten Jungen gesehen, da hatten zwölf von meinen Leuten zu tun, den am Boden zu halten. Sehnse die Knarre da? Das kurze kleine Ding vor Ihnen auf der Fußmatte? Stimmt's, so eine hamse noch nie gesehn. Das is ne Schockwumme. Das versetzt den Wichsern n elektrischen Schlag, schockt sie. Anders kommen wir nie mit denen klar. Ist aber gefährlich, kann n Typ mit nem schwachen Herz umbringen. Was will man machen?

Moment, das ist der Funk. Das war das Revier, hat ne allgemeine Meldung abgesetzt, Vorkommnis am Stuyvesant Square, Südseite, klingt nach ner Schießerei. Verstanden, Zentrale, Wagen 59 in der Nähe und unterwegs. Schnallen Sie sich an, Professor, wir fahren schnell, auch über Rot.«

Sie können sich meine Aufregung vorstellen. Hier saß ich nun als Linguistik-Professor neben dem faszinierendsten Vokalschlucker, den ich je gehört habe. Er hatte eine Art, in postnasaler Position die Initialvokale zu elidieren, die mich einfach begeisterte. Ich glaube nicht, daß er an diesem Abend einen einzigen unverstümmelten unbestimmten Artikel herausgebracht hat. Das Geheimnis liegt darin, die Zunge einfach am Zahndamm liegen zu lassen und zum nächsten Wort überzugehen.

Am Stuyvesant Square angekommen, entdeckten wir einen Mexikaner, der auf Tauben schoß. Er hatte bloß Hunger. Das NYPD, wie die Polizei sich hier nennt, hält jedoch nicht viel von Schußwaffengebrauch in dichtbesiedelten Stadtbezirken, und bald saß Pedro auf dem Rücksitz. Seine Festnahme bot mir eine ausgezeichnete Gelegenheit, meine langgehegte Theorie über intonale Parallelen von mexikanischem Spanisch und Afrikaans zu überprüfen. Ich hielt jedes seiner Worte in trefusianisch fest, meiner patentierten Phonetik-Kurzschrift.

»Heilige Mutter Gottes, Mann, tut mir leid, Mann, ich hatte nur groß Hunger. Wolln Sie mich dafür einlochen? Ich Sie sagen gleich, ich illegaler Immigrant. Hab kein Arbeitserlaubnis. Aber Sie mich nach Mexiko abschieben, ich werde getotet. Mein Schwager, er hohes Tier in Acapulco, er mich toten. Bitte, Sie mich laufen lassen. Meine Gewähr Sie können behalten, aber Sie mich lassen laufen, okay?, ich bau kein Scheiß mehr, echt, Mann.« Ich mußte ihn einfach unterbrechen.

»Guter Mann, würde es Ihnen wohl etwas ausmachen, das Wort ›Gewehr‹ zu wiederholen? Sie artikulierten soeben ein hochinteressantes ›ä‹. Mein Name ist übrigens Donald.«

»Captain, ich muß hören auf Loco in Wagen? Der wollen, ich sage Gewähr? Was für Gringo ist der, Captain, was er angestellt? Er wen getotet?«

»Du hältst den Rand dahinten, Mexe. Das ist Professor Trefusis, er ist mein Freund. Oh-oh. Schon wieder ne Durchsage. Jemand hat n paar Ecken von hier n Spritshop überfallen. Verstanden, Wagen 59 zum Tatort unterwegs. Herrgott, die sind zu dritt. Wagen 59, brauche dringend Verstärkung. Bleibt hier, ihr beiden.«

Drei furchteinflößende junge Hooligans mit Strumpfmasken verließen gerade einen Spirituosenladen. Sie trugen Faustfeuerwaffen und schossen bereits auf den Captain, als der aus dem Wagen sprang. Die Windschutzscheibe zersplitterte, und Pedro und ich konnten uns des Eindrucks nicht erwehren, es sei auf der Straße sicherer, als in einem unbeweglichen Ziel eingeschlossen zu sein.

»Professor, Sie holen Gewähre aus Auto, schnell. Sie nehmen elektrische Schockwuhme, ich Magnum.«

»Ihr beiden verzieht euch sofort wieder in den Wagen. Ich erledige das auf meine –«

Ein Schuß peitschte durchs Dunkel der Nacht, und Captain Donahue griff sich ans Bein. Pedro drückte zweimal ab, und zwei der Räuber fielen auf den Bürgersteig. Entferntes Sirenengeheul verriet, daß Hilfe nahte, doch einer der Verbrecher war noch auf freiem Fuß, obendrein bewaffnet, und schrie uns aus seiner Dekkung heraus spanische Obszönitäten zu. Geräuschlos schob ich mich auf dem Bauch voran, insgeheim dankbar für die Pfadfinderjahre in South Cambridge, die ich bislang für Zeitverschwendung gehalten hatte. Während ich behutsam weiterrobbte, hörte ich ein schnelles, unregelmäßiges Keuchen. Ich selbst holte tief Luft und rief mit klarer, deutlicher Stimme:

»Also dann, junger Mann, werfen Sie Ihre schändliche Waffe fort und kommen Sie auf der Stelle mit erhobenen Händen ins Freie, haben Sie mich verstanden?«

Alles, was ich im Dunkel sah, war ein wildes Zähnefletschen, alles, was ich hörte, das groteske metallische Klicken, als der wahnsinnige Schurke seine Faustfeuerwaffe spannte. Ich sprang vor und zog den Abzug des merkwürdigen Apparats durch, den ich aus dem Wagen mitgenommen hatte. Elektrisches Summen und Knistern, ein abscheulicher dumpfer Aufprall, als der letzte Räuber bewußtlos zu Boden ging.

Pedro und ich saßen bei Captain Donahue im Krankenwagen, der mit ihm zum St-Timothy's-Krankenhaus raste.

»Jungs, mir fehlen die Worte. Pedro, ich werde dafür sorgen, daß die dir dafür n Orden verleihen, und was Sie angeht, Professor, hey, Sie...«

»Hey, Sie, Sie da! Aufwachen, Mann! Glauben Sie, der Bus hier ist n Hotel, oder was? Aufwachen! Hier ist Endstation, also raus mit Ihnen. Na los jetzt!«

Meine Güte, was für Träume diese Stadt uns bereitet. Was für Träume. Ihnen daheim alle Grüße.

Abschnitt zwei

Rezensionen und Restposten

Der ›Tatler‹ und Sex

Dieser Artikel wurde von Jonathan Meades, heute ein gefeierter Restaurantkritiker und Dokumentarfilmer, in Auftrag gegeben. Damals war er unter Mark Boxer Redakteur beim ›Tatler‹. Er machte eine Umfrage für die Weihnachtsausgabe über das, was die Leute so alles nicht *taten. Er rief mich an und wollte wissen, ob es etwas gäbe, das ich partout nicht tat. Gavin Stamp und Brian Sewell und andere gaben Auskunft darüber, warum sie niemals fernsähen oder Auto führen oder Urlaub machten und so weiter. Das einzige, was mir einfiel, dem ich völlig entsagte, war Sex. Seither hat dieser kleine Artikel meine Geduld auf eine harte Probe gestellt. In jedem einzelnen Interview werde ich nach meinem Zölibat befragt. In jedem einzelnen Artikel über mich beklagt man sich darüber (wie ich annehme, völlig zu Recht), daß ich mich »stundenlang über meine sexuelle Abstinenz auslasse«. Alles meine Schuld. Nur fürs Protokoll: Ich bin immer noch so rein wie 1985, als ich diesen Text erstmals veröffentlichte.*

Vielleicht erinnern Sie sich noch an Lord Hailsham, der Anfang dieses Jahres wichtigen Kabinettsangehörigen Briefe schrieb, in denen er ihnen mitteilte, er mißbillige es zutiefst, wenn man »Sex habe«. Quintin und ich haben im Laufe der Jahre mancherlei Meinungsverschiedenheiten gehabt – zum Beispiel haben wir uns immer über John Denver gestritten –, aber beim Thema Sex sind wir ein Herz und eine Seele.

Ich habe – Hailsham möge für sich selbst sprechen – seit vier Jahren keinen Sex mehr gehabt. Weder begann das als bewußtes Annehmen der lobenswerten Tugenden des Zölibats, noch mußte ich prinzipielle Unverfügbarkeit vorschützen, weil mich eh keiner haben wollte. Vielleicht gleiche ich ja weniger einem Ölgemälde als einem Ölteppich, aber ich glaube, wenn mir der Sinn nach fleischlicher Vereinigung stünde, dann könnte ich zu ihr gelangen, ohne bezahlen zu müssen. Ich habe dem Koitus aus utilitaristischen Erwägungen die rote Karte gezeigt: Das von ihm verursachte Unbehagen, Mißfallen und der Ärger überwogen alle flüchtigen Explosionen von Behagen, Annehmlichkeit und Trost. Ein simples Kalkül der Glückseligkeit.

Sex bereichert und vertieft keine Beziehung, er entwürdigt und destabilisiert sie auf Dauer. Alle meine Bekannten, die zu ihrem Unglück einen Sexpartner haben, einen Freudenspender, Bettgefährten, Lustgymnasten, wie immer Sie sie nennen wollen, merken, daß – nach einer oder zwei Wochen langer, himmlischer Nachmittage, an denen man das Biest mit den zwei Rücken gemacht hat oder das Biest mit einem Rücken und einer komisch geformten Mitte oder das Biest mit in der Luft strampelnden Beinen und in die Matratze gekrallten Fingern – die Beziehung dämmert, wenn Partner A immer noch Lust auf das Placken, Schuften und Schwitzen hat, während Partner B sich lieber auf die Seite drehen und noch ein bißchen Mike und Psmith schmökern möchte. Düstere Wochen folgen. A fällt es schwer, B nach neun Uhr abends noch in die Augen zu sehen, und B verkündet mit nonchalanter Stimme, er oder sie sei »total fertig«, bloß damit A weiß, »heute läuft nichts«, und ehe noch ein Monat ins Land gegangen ist, zeigen sich die ersten Risse.

In meiner Bewunderung für die erotischen Fähigkeiten des menschlichen Körpers lasse ich mich von niemandem ausstechen. Die Kontemplation der Erotik ist ein herzerfrischendes Bild in des Lebens reichhaltigem Comic. Aber man nehme doch bitte nicht an, der Akt des Koitierens habe irgend erotische Qualität. Ein Lächeln, ein Gang, ein Hüftschwung, die Art, sich das Haar aus der Stirn zu streichen, die Weise, wie Kleider den Körper umhüllen, all das kann erotisch sein, aber ewig stünde ich in des Menschen Schuld, der mir sagen könnte, was an jenen feuchten, dunklen, übelriechenden und ekelhaft buschigen Körperregionen so unwiderstehlich sein soll, die auf dem Bankett der Liebe die Hauptspeisen abgeben. Dringt man in diese Gegenden vor, so bringen sie unweigerlich alle möglichen chemischen Reaktionen in Gang: das Blut gerät in Wallung, der Atem geht schneller, und das Herz klopft. Sobald man sich den Drogen hingibt, die der eigene Körper bereithält, sind dem würdelosen, ungesitteten und tierischen Schauspiel, das noch der sonst vernünftigste und anmutigste von uns bieten wird, keine Grenzen mehr gesetzt. Und, meine Lieben, der *Geruch* erst...

Machen wir uns doch nichts vor: Wir sind der funktionalen Notwendigkeit dieser Begierden entwachsen. Es gab einmal eine Zeit, als der Mensch den Geschlechtsakt noch nicht mit der Babyproduktion in Verbindung brachte. Es vergeht ja auch allerhand Zeit zwischen Ursache und Wirkung. Es gibt keinen offensichtlichen Grund zu der Annahme, eine Penetration in diesem Sommer führe zu einem Baby im nächsten Frühjahr. Ergo *mußten* wir in grauer Vorzeit permanent blind drauflosknüppeln, und Mutter Natur war so gnädig, es wenigstens sporadisch genießbar zu machen. Diesen Pimperinstinkt haben wir genauso ererbt wie andere einst überlebenswichtige Instinkte: die von Kampf und Streit und Erschrecken und Erobern. Aber diesen kümmerlichen Trieben gebührt kein Platz in einem rationalen, intelligenten Gemeinwesen, das über sein Schicksal selbst entscheiden kann.

Ich gebe zu, daß es heilsam ist, sich unserer Ursprünge und der Dialektik unserer Natur zu erinnern und sie zu respektieren, aber wir können doch immer noch essen und schlafen und defäkieren – diese Triebe unterstehen weit weniger unserer Kontrolle und erinnern uns schmerzhaft genug an die Körperlichkeit und Niedrigkeit des Fleisches, das unsere großartig schöpferischen Geister beherbergt und einkerkert. Da haben wir die feuchten, verseuchten Genüsse des Schlafzimmers zu unserer Erniedrigung gar nicht nötig.

Außerdem habe ich Angst, daß ich dabei nicht besonders gut bin.

Der annotierte Father Brown

Hier ist die Kritik eines wirklich sehr merkwürdigen Buchs, die im Literaturteil des ›Listener‹ erschien:

The Annotated Innocence of Father Brown: G. K. Chesterton, herausgegeben von Martin Gardiner, Oxford University Press, £ 12.95

Dies ist ein sehr seltsames[1] Buch. Eine üppig annotierte[2] Ausgabe von Father Brown? Völlig verwirrt[3] griff ich nach meinem Rezensionsexemplar. So verwirrt, daß das große Fragezeichen, das über meinem Kopf schwebte, einen dunklen Schatten auf die ersten Seiten warf und konzentriertes Lesen nahezu unmöglich machte. Ist die Oxford University Press verrückt[4] geworden, fragte ich mich. Oder gehört Father Brown heutzutage etwa zu den Prüfungsthemen beim A-Level? Warum um Himmels willen sollten die einfachsten und reinsten Detektivgeschichten, die je geschrieben wurden, der Annotierung bedürfen? Eine keineswegs befriedigende Antwort gibt Martin Gardiner in seiner Einleitung. Er stellt fest, der Sherlock-Holmes-Kanon habe im Laufe der Jahre Hunderte von Arbeiten pseudoseriöser Gelehrsamkeit ausgelöst und die Gründung zahlreicher literarischer Gesellschaften angeregt – er erwähnt die Baker Street Irregulars, dazu später. Aber, klagt er, »nichts Vergleichbares hat sich um den Father-Brown-Kanon gebildet – fünf Kurzgeschichtenbände plus mehrere nicht in die Bücher eingegangene Erzählungen. *Ich finde das erstaunlich.*« Die Kursivierung ist von mir, und könnte man den Satz rot drucken lassen, hätte ich das getan. Erstaunlich? Wenn Mr Gardiners Sprungbrett für dieses Buch echtes Erstaunen ob dieses Umstands ist, können wir uns für die Lektüre wohl auf einen Bauchklatscher gefaßt machen.

Der Gebrauch des Wortes »Kanon« kommt mir hier verräterisch vor. Die Sherlock-Holmes-Geschichten bilden einen Kanon, die Father-Brown-Geschichten nicht. Ich fühle mich befugt, dieses Thema anzuschneiden, da ich in meiner Schulzeit das jüngste Mitglied der Londoner Sherlock-Holmes-Gesellschaft war. Ein paar aufregende, wahnsinnige, überspannte Jahre lang lebte und atmete ich Sherlock Holmes unter Ausschluß jeglichen anderen Lebens und Sauerstoffs. Ich wußte große Textpassagen auswendig, erinnerte mich an Daten, Einzelheiten, Namen und Vorfälle, als wäre

1 »seltsam«: merkwürdig, absonderlich, eigenartig.
2 »annotieren«: (ein literarisches Werk oder einen Autor) mit Anmerkungen versehen, Fußnoten liefern.
3 »verwirrt«: verblüfft, perplex, verwundert, total von den Socken.
4 »verrückt«: durchgedreht, übergeschnappt, einen an der Klatsche haben.

ich wirklich bei jedem Abenteuer an der Seite des Meisterdetektivs gewesen. Was natürlich auch zutraf, denn Watson hatte mich ja mitgenommen. Wir alle können uns jene Unterkunft ausmalen, die siebzehn ausgetretenen Treppenstufen vom Erdgeschoß hoch, die patriotischen Initialen V. R. aus Einschußlöchern über dem Kamin, den Tabak im persischen Pantoffel, das Regal mit den vertrauten Büchern. Wir alle kennen Holmes mit seiner Shagpfeife, der Violine, der Lupe und seinem Kokain und Watson mit seinem englischen Stiernacken und dem Zwillingsvermächtnis aus dem Afghanistankrieg, dem getreuen Armeerevolver und der immer noch wetterfühligen Jezail-Kugelwunde. Wir alle wissen, daß jährlich immer noch Hunderte von Briefen an Mr Holmes in 221B Baker Street[5] geschickt werden und daß aus irgendwelchen Gründen, die nur wenig mit literarischem Verdienst oder profunder psychologischer Einsicht zu tun haben, Sherlock Holmes ein von seinem Schöpfer unabhängiges Leben führt, wie nur wenige fiktionale Figuren vor oder nach ihm. Aber wer oder was ist Father Brown? Ein pummeliger Typ mit einem mühlradgroßen Hut. Er hat keinen Lebenslauf, keinen Wohnort, kein Drum und Dran, keine Einzelheiten. Chesterton herrscht als absoluter Souverän in seinem Königreich, die beiden lassen sich nicht trennen. Was soll an diesen fünf Bänden Kurzgeschichten kanonisch sein? Wie viele Briefe erhält Father Brown in diesem Jahr pro Woche?

Holmes lebt von Einzelheiten, seine Verbrecher hinterlassen greifbare Spuren in der Welt, Spuren, aus denen der Analytiker deduzieren und Schlüsse ziehen kann. Aus Tatsachen, aus Taxonomien, aus konkreten Beweisen kann Holmes das Mosaik eines Verbrechens zusammensetzen. Father Brown verfolgt einen ganz anderen Ansatz. Aus seinem Wissen um den Menschen, um seine Seele und Sündhaftigkeit, kann Father Brown das Besondere destillieren. Es ist amüsant, die Sherlock-Holmes-Erzählungen als wirkliche Geschichte zu behandeln, dabei hilft noch die stilistische Authentizität, und alle Widersprüche schreibt man lieber Watsons

5 221B Baker Street beherbergt gegenwärtig Teile der Hauptverwaltung der Abbey National Building Society. Eine Building Society oder Bausparkasse ist ein großes Finanzunternehmen, das Gläubigern Hypotheken und Investoren niedrige Kreditzinsen verschafft.

verschleiertem Gedächtnis zu als der Nachlässigkeit des Autors. Die Details faszinieren uns bei Holmes, bei Father Brown das Allgemeine. Wen wundert's also, daß der kleine Priester in einem Vakuum zu existieren scheint, ein ganzes Universum weit weg von den vollgestopften viktorianischen Zimmern in der Baker Street?

Das Vorbild der törichten Anmerkungen zu *The Innocence of Father Brown* ist Baring-Goulds *Annotated Sherlock Holmes*. Es hätte genausogut Enoch Powells Edition von Thukydides' *Geschichte des Peloponnesischen Krieges* sein können.

Soweit also zu dem Problem, daß keine offenkundigen Gründe vorliegen, warum der Scholiast sich Father Brown widmen müßte, aber hat Mr Gardiner sich seiner Aufgabe wenigstens mit Eifer, Witz und Wissen entledigt? Leider hat er dies meines Erachtens nicht getan. Das ist nicht allein seine Schuld. Er ist Amerikaner[6], was per se noch keine dieser Eigenschaften ausschließt, ganz und gar nicht. Aufmerksame Leser werden seine Nationalität bereits daraus geschlossen haben (»Sie kennen meine Methode, Watson. Wenden Sie sie an«), daß er auf die Baker Street Irregulars[7] Bezug nimmt. Dummerweise scheint er den Text jedoch ausdrücklich für seine Landsleute annotiert zu haben. Sehr viel Fußnotenraum wird Erklärungen des Kalibers eingeräumt, wo Hartlepool[8], Highgate[9], Putney[10], Bond Street[11] und dergleichen Orte liegen und welche berühmten Schriftsteller dort einst gewohnt haben. Und ich frage mich, wie viele von Ihnen Erläuterungen zu »Boxing Day«[12] oder

---

6 Gebürtiger oder eingewanderter Bürger der Vereinigten Staaten von Amerika.

7 Die Baker Street Irregulars (die sich nach Holmes' Hilfstruppe von Gassenkindern so benannt haben) sind eine amerikanische Sherlockistengemeinde. Ein Engländer hätte natürlich die Londoner Sherlock-Holmes-Gesellschaft zitiert. »Brillant, Holmes!« – »Elementar.«

8 Hartlepool ist eine ostenglische Hafenstadt in der Grafschaft Durham.

9 Highgate ist eine Vorstadt im Norden Londons. Samuel Coleridge und Andrew Marvell gehörten zu den berühmten dort wohnhaften Literaten.

10 Putney ist eine Londoner Vorstadt südlich der Themse. Der Lyriker Algernon Charles Swinburne gehörte zu den berühmten dort wohnhaften Literaten.

11 Die Londoner Bond Street ist bekannt für ihre eleganten Boutiquen und vornehmen Galerien sowie für so berühmte Anwohner wie James Boswell und Laurence Sterne.

12 Angeblich der erste Werktag nach Weihnachten. (»Boxing Day« ist der zweite Weihnachtstag, ein Feiertag, den es in den USA nicht gibt; Anm. d. Übers.)

»Father Christmas«[13] brauchen. Wissen Sie nicht, was eine »Nebelkrähe«[14] ist oder ein »old buffer«[15]? Ich sehe ja ein, daß manch ein Amerikaner angesichts derart abwegiger Anglizismen Anfälle von Unverständnis bekommen mag, aber dieses Buch wird in England veröffentlicht und einer englischen Öffentlichkeit angeboten. Auch unterlaufen Mr Gardiner allerlei Fehler in seinen Erläuterungen. Die Bedeutung der Wendung »twopence-farben« weiß er beispielsweise nicht recht zu würdigen[16], ebenso »unter Dach und Fach«. Stratford ist seiner Meinung nach nur »ein Bahnhof östlich von London«. Und kann man wirklich sagen, Westminster *»umschließe* Hyde Park«?

Mr (vermutlich Dr) Gardiner ist augenscheinlich ein »weltberühmter« Autor von Büchern zu Themen aus Mathematik und Naturwissenschaft, und er läßt keine Gelegenheit aus, religiöse Splittergruppen an den Pranger zu stellen oder Anekdoten aus dem Leben Einsteins in seinen Fußnoten unterzubringen. Unsere Aufmerksamkeit wird auf einzelne Passagen gelenkt, die »atemberaubend schön formulierte Sätze« oder »wunderbare Abschnitte« enthalten sollen, aber darüber hinaus erfährt Chestertons Stil keine Behandlung.

Ich mag mir noch soviel Mühe geben, ich begreife einfach nicht, warum diese Ausgabe der Öffentlichkeit präsentiert wird. Chestertonianer werden vermutlich das Literaturverzeichnis am Ende des Bandes zu würdigen wissen, das aber wenig enthält, was sie nicht schon kennen. Für uns andere ist es ein ansprechend gestaltetes Buch mit zwölf herrlichen Erzählungen, ein oder zwei unzweifelhaft fesselnden Fußnoten (am besten gefiel mir eine Abschweifung in die Geschichte von Sunny Jim, berühmt geworden durch Force Wheat Flakes) und einer großen Anzahl störender und überflüssiger. Chesterton hat einmal gesagt, Engel könnten flie-

---

13 Der englische Name für Santa Claus und nicht, wie Sie wahrscheinlich gedacht haben, eine Art rumänische Kastenharfe.

14 Die Nebelkrähe ist eine graumantelige Unterart der paläarktischen Aaskrähe, kleiner als ein Kolkrabe und etwas größer als eine Elster.

15 »Old buffer« bezeichnet einfach einen Typen oder Kerl – meist mit einem Beigeschmack von Geringschätzung.

16 *two-pence coloured* bezieht sich auf ein Dünnbier, das ehemals nur zwei Pence kostete; der gemeinte Farbton ist ein äußerst helles Gelbbraun. (Anm. d. Übers.)

gen, weil sie sich auf die leichte Schulter nähmen. Sollten Sie in nächster Zeit ein Buch weit seine Flügel ausspannen und durch die stillen Lande fliegen sehen, können Sie sicher sein: Es ist nicht *The Annotated Innocence of Father Brown.*

›Arena‹

Der folgende Text wurde für das Magazin ›Arena‹ geschrieben.

Neun von zehn Lesern, die ihrem Urteil Worte verliehen haben, finden, daß Artikel in Modemagazinen für Männer, die mit den Worten »Zu meiner Zeit in Cambridge« beginnen, unlesbar und schauderhaft sind. Die Welt hat Sorgen genug, ohne daß man diese durch Erinnerungen an heiße, knackige Rudertage auf dem Cam noch vermehrt. Aber ich weiß, Sie werden mir vergeben, wenn ich es dennoch riskiere, denn was ich zu sagen habe, könnte sehr wohl die Fundamente des britischen Establishments zum Erbeben bringen, dem Generalstaatsanwalt nachhaltige Kopfschmerzen bereiten und unsere Denkgewohnheiten grundlegend verändern, soweit sie die Alltagskleidung von über Vierzigjährigen betreffen.

Zu meiner Zeit in Cambridge bestand mein Ehrgeiz darin, und das fand ich völlig normal, auf die eine oder andere Weise von einem älteren, homosexuellen Don angesprochen und darum gebeten zu werden, für oder gegen mein Vaterland zu spionieren. Die einen Studenten wollten von poststrukturalistischen Dozenten »bemerkt« und eingeladen werden, einen Beitrag für ›Strategies of Difference‹ zu verfassen, die interne Vierteljahresschrift für Dekonstruktion und Semiologie an der englischen Fakultät, andere waren darauf erpicht, der Welt von ihrem innigen Verhältnis zu Gott zu künden. Wieder andere begeisterten sich für die Idee, etwas von jenem Sex mitzubekommen, von dem sie in der Schule soviel gehört hatten. Es gab solche, die bloß in Ruhe gelassen werden, sich entwickeln und zu menschlichen Wesen heranreifen wollten, solche, die sich mit Ruderbooten die Zeit vertrieben, und wieder andere, die Teddybären hinter sich her schleiften und sich gegenseitig »mein bester liebster alter Schatz« nannten, aber zum Glück fielen Letztgenannte gleich zu Beginn jedes Trimesters den Säuberungsaktionen kleiner Gruppen schnell beweglicher, mit amerikanischen Armeeflammenwerfern ausgerüsteter Sturmtruppen zum Opfer. Cambridge ist schließlich nicht Oxford. Ich jedoch, ich wollte bloß von einem talartragenden Buhlonkel, egal aus welchem Extrem des politischen Spektrums, rekrutiert werden. Mein Wunsch ward mir erfüllt: Mehr davon später.

Wir wissen alle, daß das Spionieren eine krankhafte Leidenschaft der Engländer ist. Hochrechnungen ergeben, daß über dieses Thema von Journalisten des ›Spectator‹ mehr ironische Bemerkungen, mehr zynische Betrachtungen und mehr nüchterne Lageeinschätzungen zu lesen waren als selbst über das amüsante Thema der zunehmenden Zahl linker Geistlicher. Irgend etwas tief in der englischen Mentalität Verwurzeltes erzeugt in uns den alles andere übertönenden Wunsch, ein Doppelleben zu führen. Vielleicht sind wir analfixiert, vielleicht auch nicht. Vielleicht bringt unsere weltweite Führungsposition in Sachen Ironie den Fimmel nach Täuschung und Tücke hervor, vielleicht auch unser hochentwickelter Weltekel. Wenn ein Franzose von einem Regierungsmitglied angesprochen und darum gebeten wird, im Urlaub ein kleines Paket für eine kleine Geldsumme und den ewigen Dank der Republik an einer bestimmten Adresse auszuhändigen, so wird er dem fraglichen Funktionär nahelegen, sich in ärztliche Behandlung zu begeben. Britische Konsulate in den letzten Winkeln der hintersten Wälder der Welt jedoch werden täglich von Engländern berannt, die darum flehen, als Kuriere, Tote-Briefkästen-Leerer, Laternenanzünder, Schläfer, Maulwürfe oder Lockvögel eingesetzt zu werden, ohne Gehalt während der Probezeit, kein Job zu schmutzig, keine Forderung zu obszön. Wir alle glauben, wir eignen uns zum *perfekten Spion.*

Meine eigene Manie für verdeckte Operationen kann ich bis ins zwölfte Lebensjahr zurückverfolgen, als Straker-Nesbitt mir in der Doppelstunde Mathe einen Zettel zuschob. Es war ein glühendheißer Juni, das weiß ich noch. Ein Kindheitsjuni. Es war, als sei die einzige Wolke in ganz Gloucestershire der Kreidekumulus, der in dem durchs Klassenfenster hereinfallenden Lichtbalken auf und ab tanzte. Die Sonne schien auf Mr Dobsons Kahlkopf, während er quietschend Simultangleichungen an die Tafel schrieb. Ich dechiffrierte Straker-Nesbitts Zettel in meiner Kladde oder dem »Schmierheft«. Die Nachricht war klar. Unzweideutig. Knapp. Direkt. Schockierend in ihrer eklatanten Offensichtlichkeit. Es zerschmetterte mich wie ein Schmetterschmied. »Hearne ist in Martineau verknallt. Weitergeben.«

Ich gab ihn nicht weiter. Den ganzen grausamen Juni über »bearbeitete« ich geduldig Straker-Nesbitt, bis er selber in Martineau verknallt war, bezahlte Jackson-Spragg dafür, so zu tun, als sei er in Martineau verknallt, und spielte höchstpersönlich Schiedsrichter in dem Kampf, bei dem Straker-Nesbitt Jackson-Spragg den Arm brach und sich so den Schulverweis einhandelte. Am selben Abend ging ich mit Martineau ins Bett.

Das Virus des Spionierens hatte mein Blut infiziert, meine Sinne, meine Identität. Identität? Ich *hatte* keine Identität. Ich war ein Stegreif-Chamäleon, eine Zwiebel aus Lügen, jede neue Haut von tieferer Verschlagenheit. Die ursprüngliche Haut, die Wahrheit, war längst abgeschält und zurückgelassen worden. In den Assisen des täglichen Lebens konnte ich ebensogut den Advokaten Gottes wie des Teufels spielen: jedermanns Freund, aller Feind.

In der zweiten Woche meines ersten Trimesters in Cambridge jedoch war auch ich bloß ein verängstigtes, narzißtisches junges Ding, das betete, daß der Buchhandlung Heffers die Ausgaben von *Sir Gawain and the Green Knight* noch nicht ausgegangen waren und daß sich bei MI5 oder dem KGB möglichst bald etwas tat. Ich besaß eine Teekanne, eine Elvis-Costello-Platte und eine Kaffeemühle. Für den Fall, daß ich irgendwo als links durchgehen mußte, trug ich Jeans – in jenen Punkjahren wenig angesagt. Hatte ich mich unters Establishment zu mischen, trug ich ein Tweedjackett und eine traditionelle Schulkrawatte. Mit Turnschuhen an den Füßen und Barbourjacke um die Schultern sah ich aus wie ein entscheidungsunfähiger Maskenballbesucher.

Dr Sir Rannald Seward machte seinen Zug bei der »Teeparty gegen die Etatkürzungen« auf Scholar's Lawn.

»Sie sind also Fry?« sagte er, stach mit dem Zeigefinger auf den Tisch und führte den eroberten Krümel mit routinierter Gewandtheit zum Mund.

»Das hat man mir jedenfalls gesagt«, antwortete ich mit einem halb bedauernden Lächeln, das nichts verriet und alles versprach.

Er tätschelte mir das Gemächt. »Und was halten Sie von Nikaragua?«

»Hab' ich noch nicht kennengelernt. Ist der hier am College?«

Vierzehn Tage später traf ich ihn wieder bei einem Benefizkonzert, mit früher Klassik zugunsten der SWAPO.

»Ah, Fry. Ich wußte gar nicht, daß Sie Monteverdi mögen.«

»Es ist ein wunderschönes Land, und die Amerikaner haben kein Recht, es zu destabilisieren«, sagte ich leidenschaftlich.

»Kommen Sie morgen zum Tee auf mein Zimmer. Bringen Sie eine Katze mit.«

Zu meiner Überraschung waren noch sieben weitere Ersttrimester zum Tee gekommen. Erregt durchfuhr es mich, daß wir alle gleich gekleidet waren und alle den ausweichenden, verlegenen Blick von Voyeuren an den Tag legten, die man beim Spähen durchs Loch in der Toilettenwand erwischt hat. Wir unterhielten uns kaum. Vor allem kam meine Katze nicht besonders gut mit der Schildkröte zurecht, oder dem Dandy-Dinmont-Terrier, dem Meerschweinchen, der Weinbergschnecke, dem Shetlandpony, dem Seelöwen oder dem Merinoschaf, die die anderen mitgebracht hatten.

»Gentlemen«, sagte Seward endlich, den Lärm übertönend. »Bringen Sie die Tiere ins Nebenzimmer, und kommen Sie wieder her. Ich habe Ihnen etwas zu sagen.«

Nachdem Ruhe eingekehrt war, fuhr er fort. »Sie acht haben dieses Trimester bereits meine Aufmerksamkeit auf sich gezogen.«

Sechzehn Lippen verzogen sich zu acht unansehnlichen Grimassen.

»Schauen Sie sich an. Wer sind Sie? Desorientiert und ohne jede Überzeugung, unschlüssig und träge: schniefende Public-School-Buben auf der Suche nach Street Credibility. Oder sind Sie ranzige bürgerliche Emporkömmlinge, die sich als Aristokraten ausgeben möchten? Ein stinkender alter Mann lädt Sie zum Tee ein und bittet Sie, ein ausgefallenes Tier mitzubringen. Das tun Sie. Sie stellen nicht etwa seinen Geisteszustand in Frage, Sie tun es einfach. Er tätschelt Ihnen unverschämt das Gesäß, und Sie sagen nichts. Sie haben keine Zuversicht, kein Selbstvertrauen, kein Gefühl der Zugehörigkeit zu dieser Welt, kein Interesse an der Menschheit, keinen Begriff Ihrer selbst.«

Unruhig rutschte ich hin und her. Das klang nicht gerade nach einer Rekrutierungsansprache.

»Ich hege keinen Zweifel daran, daß Sie so bleiben werden, wie Sie sind. Sie werden sich kein bißchen ändern.«

Ah, das klingt schon besser, dachte ich. Jetzt erteilt er uns anscheinend unsere Instruktionen.

»Während Ihrer drei Jahre an diesem Ort werden Sie Ihren Verstand aufs haarsträubendste in Aspik einlegen. Sie werden sich von nichts überzeugen lassen, für nichts engagieren, nichts glauben, für nichts Mitleid empfinden und mit nichts sympathisieren. Die Geschichte wird weitergehen: Städte werden fallen, ganze Völker hungern, die Welt wird sich wandeln. Sie jedoch werden keinen Anteil daran haben. Sollte man Sie je etwas fragen, werden Sie die gerade gängigen Klischees wiedergeben, aber nichts von sich preis. Sie werden in die Welt hinausgehen und Ihre Jobs in der Werbebranche, der Industrie, an der Börse und im Bildungswesen bekommen. Sie werden leben und sich verhalten, als hätte es diese Teestunde nie gegeben. Sie werden schlafen. Fest schlafen. Denken Sie über meine Worte nach. Und jetzt trollen Sie sich.«

Das waren herbe Befehle. Er wollte, daß wir getrennt von und doch in der Welt lebten. Wir sollten Schläfer sein. Wie hatte er es formuliert? »Sie werden sich von nichts überzeugen lassen, für nichts engagieren.«

Nun, meine Generation hat getan, wie ihr befohlen wurde. Wir haben unser Mäntelchen nach dem Wind gehängt und mit dem Rudel geheult. Ich muß gestehen, nach drei auf diese Art und Weise verbrachten Jahren wurde ich ungeduldig, wollte kontaktiert, aufgeweckt und eingesetzt werden. Ich will Sie nicht mit den technischen Einzelheiten der »Branche«, wie wir Spione sie nennen, behelligen, aber schlußendlich müssen Sie Ihre Deckidentität *werden*, sie denken, atmen, glauben. Eine Menge Maulwürfe sind nach zu langer Zeit nicht mehr einsatzfähig, weil sie ihre fiktionalen Identitäten mit solcher Vollkommenheit angenommen haben, daß sie ihren ursprünglichen Auftrag entweder vergessen oder widerrufen haben. Ich nicht, hoffe ich. Nicht meine Generation. Wir sind ganz schön zäh. Wenn der Ruf uns ereilt, werden wir da sein.

Bis dahin abonnieren wir die ›Daily Mail‹, erkundigen uns nach den Vorteilen von Stiftungshypotheken, und niemand wird je darauf kommen, daß wir in Wirklichkeit vor Leidenschaft, Vitalität und Enthusiasmus brodeln. Laßt uns nur nicht *zu* lange warten, sonst ist die Welt vorbei, und wir haben sie verpaßt.

Das Buch und die Brüderschaft

Eine weitere Rezension für den ›Listener‹.

The Book and the Brotherhood. Iris Murdoch. Chatto & Windus. £ 11.95

Iris Murdoch. Immer habe ich diesen Namen bewundert. Die irisierende, sich öffnende Blüte der »Iris« und die ehrliche, moralische Autorität von »Murdoch« erwecken so umfassendes Vertrauen. Und was für Titel sie mit diesem ausgezeichneten Etikett versieht! Sie muß einfach glühen vor Befriedigung angesichts dieser Liste: *Das Feuer und die Sonne, Die Netten und die Guten, Die Roten und die Grünen, Die Diener und der Schnee.* Wirklich schade, daß Thackeray ihr mit *Die Rose und der Ring* zuvorgekommen ist. Und jetzt haben wir *Das Buch und die Brüderschaft*, vielleicht der bislang beste Titel. Ich sage das nicht im Spaß: Titel sind Autoren sehr wichtig und Lesern übrigens auch. Die Worte dieses Titels gehen einem beim Lesen im Hinterkopf herum wie Trommeln in der Ferne, genauso wie im Hinterkopf der Romanfiguren.

Teilweise genährt von Oxbridgeliteratur, teilweise von verschwommenen Vorstellungen einer platonischen Akademie, kam ich in dem Bewußtsein an die Universität, mir den Weg in einen heiligen Freundeskreis bahnen zu sollen; ob nun die Apostel oder eine geruhsamere, informelle Sodalität, wußte ich nicht, aber Anthony Powell und Simon Raven, Iris Murdoch selbst sowie zahllose Biographien hatten in mir den Glauben erweckt, die Universität eröffne Aussichten auf besondere Freundschaften – keine Paarungen, sondern ein weiterer, erhabener Zirkel, in dem dann beliebig viele Paarungen möglich gewesen wären. Bei mir ist das nie so gelaufen: Freunde habe ich gefunden und behalten, dutzendweise, aber es gibt keine festumrissene Clique. Mir war zwar bewußt, daß es anderen so erging, und ich werde am Rande mit einer ganzen Reihe verschiedener Verbindungen assoziiert, die das seit meinem Abschluß vergangene Jahrfünft überdauert haben. Charakteristisch für diese Gruppen ist ihr Selbstbewußtsein – sie haben sich als Kreis definiert; sobald das geschehen ist, entsteht eine Gruppendynamik, die sie irgendwie darauf festlegt, sich auf ewig um einander zu kümmern. Sie wissen um das Ideal der Alma mater und fühlen sich verpflichtet, ihm nachzueifern. Sie haben ihr eigenes College gegründet, das über den Bereich des Studentendaseins hinaus Bestand hat und dessen Fellows sie allesamt sind. Eine lebenslange Fellowship.

Die Mitglieder der Brüderschaft in Iris Murdochs Roman sind Fellows an einem solchen privaten College, das schon drei Jahrzehnte überdauert hat. Wir treffen sie bei einem Oxforder Jubiläumsball, und das sind ganz schön verwirrende fünfzig Seiten. Ein knappes Dutzend Figuren müssen wir kennenlernen, und das erfordert einiges Zurückblättern und Nachprüfen. Welcher war jetzt Gerard? fragen wir uns. War er der mit dem? – Ach nein, das war Gulliver. Und war nun Lily oder Tamar die Tochter von Violet? Und wer genau ist Violet überhaupt? Hat Gerard mal mit Jenkin oder mit Duncan zusammengewohnt? Oder mit beiden? Und um welches Jahrzehnt handelt es sich eigentlich? Die jungen Leute auf dem Ball tragen am liebsten dunkelblaue, rüschenbesetzte Blusen, also kann der Roman nicht heute spielen. Tut er aber. Iris Murdoch ist nicht ganz auf dem laufenden, was Jugendmoden angeht. Glaubt sie wirklich, daß eine Rockband sich »Der Verrat der Intellektuellen« nennen könnte? Na gut, sie kann ja auch nicht Romancier, Platoforscherin und Diskjockey zugleich sein.

Am Ende des Abends sehen wir etwas klarer. Und die Mühe lohnt sich. Iris Murdochs zentrale Idee, der Plot, ist einfach sagenhaft, sie muß triumphiert haben, als sie darauf stieß. Diese Brüderschaft von Oxfordianern beschloß in der Blüte ihrer linksradikalen Jugend, den blühendsten und radikalsten unter ihnen, Derek Crimond, damit zu beauftragen, ein Buch zu schreiben. Ein Werk der politischen Philosophie, der neomarxistischen Sozialökonomie, wir sind nicht ganz sicher, welche Form es genau annehmen sollte, *sie* sind nicht ganz sicher. Damals hatten sie ihr Studium abgeschlossen, kamen im Staatsdienst und im diplomatischen Corps voran, fühlten sich schuldig, daß Crimond, der ihren Idealen treu geblieben war, die Zeit zur Abfassung seines großen Werks nicht aufbringen konnte, und bildeten daher nach den Vorbildern Rilkes und Musils selbstbewußt eine Gesellschaft, die Crimond bei seiner Arbeit unterstützen sollte. Aber das ist Jahre her. Crimond bezieht immer noch das Stipendium, aber keine einzige Seite seines Buchs ist je erschienen. Außerdem hat sich der Rest der Gruppe langsam, aber sicher von den radikalen Positionen auf einen gemäßigten Sozialismus oder gar schmierigen Liberalismus hin bewegt. Crimond ist so rein geblieben wie eh und je, ein Verfechter der gewalttätigen Revolution, selbst des Terrorismus. Zum Studium von Bedeutung und Bewegung intellektueller Integrität, Freundschaft, Verrat und zeitenüberdauerndem Vertrauen ist die Brüderschaft mit ihrem gefürchteten Buch ein einfach idealer Kunstgriff. Wie können die silbern glänzenden Ideale der akademischen Wissenschaft und geheiligten Freundschaft im Angesicht der abstumpfenden Realitäten der sozialen, sexuellen und politischen Welt bestehen, die irdische Erwachsene nun einmal bewohnen? Die schmutzigen Wahrheiten von Ehebruch (Crimond stiehlt dem armen Duncan Cambus schon zum zweiten Mal die Frau), postadoleszenter Hysterie, Suizid, selbst Mord belagern die geweihte Zitadelle.

Dieser Kunstgriff läßt eine subtile und komplexe Welt von Symbolen und mythischer Ikonographie zum Zuge kommen, die die Erzählung spielerisch relativiert: Bücher, Türme, Wasser, Blut, der Mond und der Tod formen ein großes Arkanum der Bildwelt, die wagnerianische, hellenische und freudianische Legenden von Blutsbrüderschaft, Entsagung, Runen, Orakeln und Erotik impliziert.

Die Geschichte ist bezwingend, und die Figuren sind fesselnd. Die Frage ist müßig, wie wahrscheinlich es überhaupt ist, daß jemand ein Buch schreibt, das die Welt verändern oder in unseren achtziger Jahren auch nur eine interessierte Augenbraue hochtreiben könnte (wenn Crimond eine Fernsehserie produzierte oder ein

Popalbum komponierte, hätte die Brüderschaft vielleicht wirklich Grund zur Sorge), aber dem Roman zuliebe sind wir bereit zu akzeptieren, daß das Buch *wirklich* eine Bedrohung darstellt. Crimond, der über ihm brütet wie ein schweigsamer, geflügelter Rächer und seinen Freunden eine Heidenangst einjagt, ist dann am überzeugendsten, wenn er außerhalb des Geschehens bleibt, wo er sich aber auch die meiste Zeit befindet. Die anderen Figuren reden eine Menge und enthüllen ihre verschiedenen Geschichten, werden aber nicht präzise definiert oder »gerundet« im Sinne des guten alten Forster. Es mag komisch klingen, wenn ich sage, das spiele in diesem »realistischen« modernen Roman doch keine Rolle, aber es ist wirklich egal, ebenso wie uns die gelegentlich gestelzten und melodramatischen Dialogpassagen nicht ernstlich stören: Der Plot, die Ideen und der »konkrete Fluß interpenetrierender Intensitäten«, wie T. E. Hulme das so nett formulierte, befördern einen genauso wirkungsvoll in eine reale Welt wie all die Romantechniken des Realismus. Wie immer entwirft Iris Murdoch hier bessere Männer, als irgendein mir bekannter Romanautor Frauen entwerfen kann. Das Merkwürdigste an ihrer Brüderschaft ist bloß deren Humorlosigkeit. Alte Freunde können sich jederzeit zum Lachen bringen: Die Crimondsgesellschaft scheint seit Jahren nicht mehr zusammen gelacht zu haben.

Bei Iris Murdoch *muß* man natürlich schuldbewußt argwöhnen, daß sich irgendwo hinter dem zeitgenössischen Drama eine sauber gearbeitete platonische These verbirgt und daß einem, weil man sie nicht entdeckt hat, das Wesentliche entgangen ist. Auf jeden Fall ist dies ein wunderbar strukturierter Roman, der sich mit angenehmer Balance und zarten inneren Motiven und Rhythmen durch drei Jahreszeiten bewegt, aber er ist kein Kreuzworträtsel, nichts ist versteckt oder schelmisch verhüllt worden. Der Stil ist durchweg anschaulich, selbstsicher und flüssig. Ihre Prosa erinnert mich an Wasser: unablässig von sanftester Energie vorangetrieben, mit sich selbst auf Dutzende verschiedene Weisen verbunden, absolut klar und mühelos: nicht mit einem Knall nachhallend, sondern einem Klingen. Ein solcher Fluß kann Felsen kraftvoller bewegen als Dynamit. Einige Beschreibungen, der graue Papagei in Gerards Kindheit etwa, der bei Sonnenuntergang über eine Wiese gleitet, gehören zum Schönsten, was heutige Prosa leisten kann, indem sie äußere Beschreibung und innere Entwicklung mit außergewöhnlichem Feingefühl verbinden. In einem Roman über die Bindungen, die Menschen mit Ideen eingehen, Ideen mit Menschen und Menschen untereinander, und über das Blut, das in und zwischen ihnen fließt, können solche absoluten Passagen die Ideen und Menschen des Romans durch Kunst und Sprache und Bildwelt mit der Wahrheit verknüpfen, daß das Leben des Verstandes dem Leben der Seele untergeordnet ist. Dem intellektuellen und politischen Absolutismus widersetzt sich die Vollkommenheit des Unvollkommenen. Das ist eine beachtliche moralische und künstlerische Leistung. Oxbridgeleute mit Oxbridgesorgen vielleicht, aber das ist Iris Murdochs Milieu und muß auch nicht unbedeutender sein als Jane Austens Regency-Pfarrhäuser oder Tschechows verfallende russische Landgüter.

Brand X

»Mit Wonne versenke ich mich in Mysterien«, bekennt Sir Thomas Browne in der *Religio Medici.* Ich weiß, was er meint. Kaum ein Zeitvertreib ist schöner als der, es sich mit einem guten Krimi gemütlich zu machen. Aber solche Mysterien sind zu durchdringen, sie sind »rationaler Erklärung zugänglich«, wie Sherlock Holmes sagen würde. Übrigens ist Holmes im Moment wöchentlich in einer neuen Inkarnation auf ITV zu sehen, gespielt von Jeremy Brett, der es überwunden hat, daß er als junger Mann – um Anthony Burgess zu zitieren – »zufälligerweise mit irrelevanter Photogenität begabt« war, und der jetzt, als reifer Mann, ein ausgezeichneter Schauspieler ist. In der laufenden Serie haben wir bereits »Die Blutbuchen« und »Der griechische Dolmetscher« bewundern dürfen, und in beiden »bedurfte es all der beträchtlichen Kräfte meines Freundes«.

Auch die berühmtesten Abenteuer von Sir Thomas Browne erforderten erhebliche Denkarbeit. »Die Angelegenheit des Gesangs der Sirenen« und »Der Name, den Achilles annahm, als er sich bei den Frauen verbarg« (Hilda, wie sich dann herausstellte), veranlaßten ihn zu der Bemerkung, solche Fälle seien, trotz manchen interessanten Zügen, »durch Kombination zu erschließen«. Aber ich kenne ein Problem, ein Mysterium des 20. Jahrhunderts, das jeder Technik der Entwirrung verschlossen zu sein scheint und das bestimmt selbst die Meisterdenker auf eine harte Probe gestellt hätte. Die Frage lautet: Wie heißt die Substanz, die in den Köpfen der Programmdirektoren dieses Landes herumschwappt? Sie *muß* einen Namen haben. Vielleicht hat sie sogar einen noch nicht entdeckten Gebrauchswert, als Viehfutter vielleicht oder als Glykolersatz in österreichischen Weinen, und ich weiß ganz bestimmt, daß Verwalter öffentlicher Schwimmbäder hierzulande auf der Suche nach einem billigen Ersatz für jene Chemikalie sind, die rot wird, wenn sie mit Urin in Berührung kommt. Egal bei welchen tausendundein Verrichtungen im Haushalt diese merkwürdige Verbindung ihrem Benutzer helfen mag, Denken ist nicht darunter. Das Zeug muß doch einen Namen haben, oder wofür ist Sprache da? Bis uns jene letzte dunkle Wahrheit offenbart wird, werde ich es also Brand X nennen, obwohl es grausame Zeitgenossen gibt, die andeuten, Brand y (die Cognac- oder Armagnac-Variante) könne die wahre Ursache der Probleme sein.

Brand X jedenfalls ist es zu verdanken, daß Millionen Pfund für Perlenfischer rausgeschmissen werden, die mit wertlosem Talmi wieder auftauchen. Ein gutes Beispiel sind die abgebrochenen *Wechselkurse*, eine geplante Verfilmung von Malcolm Bradburys Roman. Ein Drehbuch lag vor (ursprünglich ein bescheidenes Drehbuch, sollte ich sagen, das dann auf Drängen des Produzenten abenteuerlicher und teurer gemacht worden war), Schauspieler waren verpflichtet, Probenräume gemietet, das ganze Unternehmen war flottgemacht worden, sah schon den Kanal vor sich (BBC 2 in diesem Fall) und ließ nur Gutes hoffen, als der Stöpsel rausgezogen wurde, die Ratten flohen und das Schiff ohne viel Federlesens versenkt wurde. Die Sache war zu teuer, also mußte sie abgeblasen werden. Man hörte nicht etwa »Ich fürchte, wir werden die Kosten reduzieren müssen«, sondern schlicht »Sie sind gefeuert«. Da für Auftragsvergabe und Drehortsuche bereits Geld ausgegeben worden war und ferner Ausfallhonorare an die schon unter Vertrag genommenen Schauspieler anfielen, hatte das natürlich zur Folge, daß die BBC um einige hunderttausend Pfund ärmer war, ohne dafür ein verkaufs- oder sendefähiges Produkt vorweisen zu können. Das ist Brand X. Ein ganz neuer Wahnsinn, den ich mit meinem alten Zerebralgewebe nie bekommen habe.

Brand X ist auch der Grund dafür, daß die Corporation und die unabhängigen Anstalten auf alten Sendungen im Wert von Abermillionen Pfund hocken, sich aber standhaft weigern, sie zu zeigen. Der Gerechtigkeit halber muß ich hinzufügen, daß es zum Teil die Schuld gedankenloser Fernsehkritiker ist, die sich abfällig über »Wiederholungen« äußern, als wären das häßliche Flecken auf ihren Kordhosen. Was spricht denn um Schrottes willen *gegen* Wiederholungen? Wenn man sich etwas einmal mit Gewinn anschauen kann, kann man es sich auch zweimal mit Gewinn anschauen. Niemand will weniger neue Fernsehsendungen sehen, aber jeder will doch wohl alte Folgen von *Monitor*, Wiederholungen von *Kobra, übernehmen Sie!*, *Monty Python* und der *Forsyte-Saga* sehen. Brand X hat bereits dafür gesorgt, daß so manche unschätzbare Fernsehstunde auf kriminelle Weise vom Antlitz der Erde getilgt worden ist und in keinerlei Form mehr existiert; von John Fortunes und Eleanor Brons brillantem und innovativem *Where was Spring* beispielsweise zeugen nur mehr Partikeln einzelner magnetisierter Ionen, die durch den Äther schweben. Natürlich stimmt es, daß Schauspielerhonorare für Wiederholungen nach einer bestimmten Zeit auf einen höheren Anteil steigen und Wiederholungen dadurch teurer werden, aber deswegen darf man uns dieses Vergnügen doch nicht verwehren. Die Lösung wäre, wie mein Vorgänger[1] in dieser Kolumne bereits vorgeschlagen hat, einen Kanal nur für Wiederholungen einzurichten. Dafür braucht man nichts weiter als eine freie Sendefrequenz. Ich bin sicher, daß auf dem Weg dahin Hindernisse liegen, aber wem ist im Moment überhaupt daran gelegen, sie aus dem Weg zu räumen? Wann kommt ein prächtiger Siegfried und entwindet diesen unbeholfenen Fafners ihren Hort ungesehener Schätze?

---

1 Richard Curtis, einer der Autoren von *Blackadder, Not The Nine o'Clock News, The Tall Guy* sowie der Erfinder von Comic Relief und dem Red Nose Day (vgl. dazu »Spott befohlen«, S. 312).

Apropos glänzende Helden, das Cricket-Testmatch zwischen Australien und England hat ein anderes schwieriges Problem zum Vorschein gebracht. Wie kommt es, daß Peter West, einer der erfahrensten Fernsehleute überhaupt, vor der Kamera immer noch so unbeschreiblich unfähig und verklemmt wirkt? Wie kann das sein? Alljährlich kommen Leute aus anderen Lebensbereichen zum Fernsehen, denken Sie nur an Bob Willis, Bob Wilson, James Hunt und Richie Benaud. Von diesen zu Kommentatoren gewandelten Sportlern könnte man unbeholfene Sprache und nervöses Auftreten erwarten, aber binnen eines Monats machen diese Männer und viele ihresgleichen einen hundertmal konzentrierteren, entspannteren und gefaßteren Eindruck als der gute alte Peter West, der jetzt seit über zwanzig, aller Wahrscheinlichkeit nach über dreißig Jahren auf unseren Bildschirmen zu sehen ist. Woran liegt das? Du lieber Himmel, ich will es ja gar nicht ändern, aber – bloß aus Neugier – wie kommt das? Er würgt und schluckt und wiehert, er stottert und blinzelt und wackelt mit dem Kopf; in Interviews läßt er es zu peinlichen Pausen zwischen den Fragen kommen und unterbricht die Antworten mit peinlichen Bemerkungen. Es ist unfaßbar. Nehmen Sie mich als Gegenbeispiel: Ich bin unfähig, eine melodische Note aus meiner Kehle dringen zu lassen – das bereitet mir nahezu untröstlichen Kummer, aber damit muß ich leben, und ich erscheine prinzipiell nicht in Fernsehkonzerten, um mit Placido Domingo zusammen zu singen. Aber wenn, und das sage ich mit aller nötigen Bescheidenheit, wenn ein Produzent mit einem genügend breiten Sprung in der Schüssel darauf bestehen würde, mir eben diese Rolle zuzuweisen, dann möchte ich schwören, daß ich nach fünfundzwanzig Jahren als die Norfolker Nachtigall bekannt wäre, daß man Krankenstationen und Schnellzüge nach mir benannt hätte und daß in jedem Museum des Landes Gipsabdrücke meiner Mandeln stünden. Übung macht den Meister, heißt es in Deutschland, und Arbeit macht Fry zum Meistersinger. Aber Peter West steht auch nach fünfundzwanzig Jahren genauso hoffnungslos, genauso herrlich und aufregend unfähig da wie zu Beginn seiner Karriere. Ein harter Schlag für den Spätzünder.

Aber um noch einmal auf das Thema Wiederholungen zurückzukommen, es gibt Dinge, die gewinnen noch mit dem Alter. BBC 2 wiederholt gerade *Raumschiff Enterprise*, eine Serie von bemerkenswerter Qualität. Zur Einleitung der Folgen strahlte man eine Sendung mit dem Titel *Memories of Star Trek* aus, in der Leonard Nimoy, wie der bürgerliche Name von Mr Spock lautet, demonstrierte, daß er persönlich für all die Charakterzüge und Manierismen verantwortlich war, die Spock zu einer der großen fiktionalen Schöpfungen unserer Tage gemacht haben. Anscheinend leitet sich der vulkanische Handgruß von einer rabbinischen Geste her, die die Gläubigen in der Synagoge nicht mit ansehen dürfen. Der legendäre vulkanische Paralysegriff erlaubte Leonard Nimoy, seine Feinde außer Gefecht zu setzen, ohne herumrennen und komplizierte Kampfszenen proben zu müssen.

In seinen besten Momenten verrät *Raumschiff Enterprise* Beachtliches über die Prinzipien der Kultur: Ziel der Forschungsfahrt der *Enterprise* ist die Entdeckung der Bedeutung von Zivilisation. Ein typisches Abenteuer lotet das Problem aus, das darin besteht, ein intelligentes Wesen zu sein, ein Wesen von hoher Auffassungsgabe und breitem Wissen (bekanntlich kein Problem, das Programmdirektoren zu schaffen machen könnte), zugleich aber ein Wesen voller Leidenschaft, voller dunkler, widerstreitender Triebe. Wir sehen den unendlichen Kampf zwischen Apollo und Dionysos, den Nietzsche im Zentrum der griechischen Tragödie lokalisierte.

Eine Folge von *Raumschiff Enterprise* gipfelte darin, daß Jim sich zu McCoy drehte und auf den Flugbildschirm wies: »Weißt du, Pille, da draußen sagt jemand die drei schönsten Worte des Universums.« Wissen Sie, wie diese Worte lauten? Vielleicht tippen Sie auf das widerliche »Ich liebe dich«, und bei neun von zehn Fernsehserien lägen Sie richtig, aber nicht bei *Raumschiff Enterprise*.

SCHNITT auf McCoy, der fragend dreinblickt und eine Braue hochzieht. GEGENSCHNITT zurück auf Captain Kirk, der immer noch aus dem Fenster guckt, einen fast schon schwermütigen Ausdruck im lieben Gesicht. Er verrät uns die Worte. Sie lauten einfach *»Bitte helft mir.«* MUSIK. ABSPANN.

Das ist Fernsehen.

Nichts gegen das Masturbieren

Eine Figur in Christopher Hamptons *Philanthropist* betonte mal: »Nichts gegen das Masturbieren. Masturbation ist das Fernsehen des denkenden Menschen.« Jetzt wissen wir also, womit Sie denkende Menschen, die nicht fernsehen, sich so die Zeit vertreiben. Und wir wissen, wer Sie sind. An Sie wende ich mich diese Woche. Warum sehen Sie nicht fern? Sollten Sie nämlich, wissen Sie. Ich habe mich diese Woche der Aufgabe verschrieben, Ihnen einen Anfängerkurs Fernsehen angedeihen zu lassen, an dem teilzunehmen ich Ihnen dringend rate.

Vorab ein paar mahnende Worte. Ich kann nicht so tun, als wären mir die Gründe Ihrer Fernsehabstinenz bekannt, aber ich werde Sie hoffentlich davon überzeugen können, daß sie nicht stichhaltig sind. Wenn Sie keinen Farbfernseher haben, tut's auch ein Schwarzweißgerät, und wenn Sie kein Schwarzweißgerät haben, dann gnade Ihnen Gott.

Ich glaube, Rilke – aber ich muß gestehen, daß ich viel zu faul und unbeleckt bin, um es in den richtigen Lexika nachzuschlagen (vielleicht geben Sie mir Bescheid) –, wenn es jedenfalls nicht Rilke war, dann war es Kraus (Karl, möchte ich meinen, nicht Alfredo), und wenn es keiner von beiden war, dann sagte jemand anders mal: »Ein Buch ist ein Spiegel, wenn ein Affe hineinsieht, so kann kein Apostel herausgucken.« So ist es auch mit dem Fernsehen. Wenn ein Affe fernsieht, sieht er gute Sendungen auf äffische Weise und schlechte Sendungen auf äffische Weise. Ich weiß natürlich, daß keiner von Ihnen ein Affe ist, und bin sicher, daß Sie, wenn Sie dies durchgelesen und an meinem Kurs teilgenommen haben, das Fernsehen mit derselben heftigen, intelligenten Leidenschaft betreiben werden, mit der Sie bereits der Alternative des denkenden Menschen nachgehen.

In einer Hinsicht ist Fernsehen also wie ein Spiegel, in seiner aktiven Funktion ist es dagegen oft mit einem Fenster verglichen worden: ein Fenster zur Welt. In gewisser Weise ähnelt es dem alten Erkerfenster vom White's Club, St James's, in der Regency-Zeit. Elegant dasitzend und durch das gewellte Glas hinausschauend, konnte der gewitzte Beau alles herausfinden, was er wissen mußte: wer in der Stadt war, mit wem und warum. Die neuesten Moden stolzierten vor seinen Augen vorbei, das neueste Stadtgeflüster und der jüngste Gesellschaftsklatsch bestätigten sich unter der Prüfung seines ungläubig musternden Monokels. Die besonderen Eigenschaften dieses Fensters erlaubten einen ausgezeichneten Rundumblick. Aber da es nun einmal aus Glas war, war er nicht nur der Beobachter: Nach kurzer Zeit wurde er beobachtet. Denn das Fenster erlangte schnell Berühmtheit, und alle möglichen Leute, darunter so manche, die definitiv nicht zu den oberen Zehntausend gehörten, machten große Umwege, um zu sehen, wer heute wohl im Fenster säße und hinaussähe. Man konnte nicht mehr entscheiden, ob die Welt nun *aus* dem Fenster sah oder ob die Welt *ins* Fenster sah. Auf welcher Seite der Scheibe lag die Welt, die sich durch das Fenster so gut betrachten ließ? Oder war die Scheibe selbst die Welt? Auf beiden Seiten glaubte man, was man selbst betrachte, sei das eigentliche Schauspiel. Nur das Fenster wußte, was was war, und das behielt es für sich. Um die Verwirrung noch zu steigern, reflektierte das Glas aus einigen Winkeln das Bild des Betrachters, und aus anderen ergaben die Wellungen und die konvexe Wölbung der Scheibe ein so verzerrtes Bild, daß man es sowieso nicht für echt halten mochte.

Genauso steht es mit dem Fernsehen. Aus technischen Gründen kann die Welt nur das auf den Bildschirmen sehen, was die Fernsehkameras von der Welt gesehen haben. Welches Auge ist wirklicher, die Kamera, welche die Welt beobachtet, oder das Auge der Welt, das fernsieht? Es ist doch eine arge Haarspalterei. Und wie sagten die immer in dieser Fernsehsendung mit der versteckten Kamera? »Wir sehen zu, wenn Sie uns zusehen, wie wir Ihnen zusehen.« Genauso wahr ist natürlich, daß wir ihnen zusehen, wie sie uns zusehen, wenn wir ihnen zusehen. Sie können diese Sätze ein paarmal laut aufsagen, damit sie verständlicher werden, und es lohnt sich, weil es einiges darüber aussagt, wie aktiv Fernsehen ist und wie reflexiv die dabei stattfindende Kommunikation.

Die erste Sendung, die ich Ihnen, diese Eigenschaft von Fernsehen stets vor Augen, ans Herz legen möchte, ist *The Marriage*, wo die Verlobung und das beginnende Eheleben eines jungen Paars aus nächster Nähe unter die Lupe genommen werden. Das schauen wir uns aber nicht etwa an, weil gerade dieses Paar uns brennend interessierte; kaum jemand käme wohl auf diesen Gedanken, solange er nicht irgendwie mit den beiden verwandt wäre. Wir schauen es uns mit merkwürdiger Faszination an, weil wir wissen wollen, wie Leute sich benehmen, wenn ihnen zugesehen wird. Makaber? Vielleicht. Voyeuristisch? Auf jeden Fall. Wir wollen sehen, was mit zwei Menschen vorgeht (bei Serienbeginn so normal wie Milchreis), begeisterten Freiwilligen, wenn von einem Fernsehregisseur, seinem Produktionsteam und zwölf Millionen ganz normalen Menschen wie ihnen selbst aufs genaueste und unverschämteste in ihrem Privatleben herumgeschnüffelt wird. Wichtiger noch, wir schauen zu, weil wir wissen wollen, inwiefern *wir* uns verändern, wenn wir an so einem schaurigen Spektakel teilnehmen, was wir automatisch tun, sobald wir einschalten. Wenn wir aktiv und ehrlich zuschauen, ist die Reaktion keineswegs hochnäsige Verachtung für eine so ekelhafte Veranstaltung, ebensowenig wie Arroganz angesichts der Armut von Geschmack, Phantasie und geistiger Regsamkeit der normalen Menschen hierzulande... obwohl es zu diesen Gefühlen gewiß kein besonders weiter Weg ist. Am Anfang habe ich mir *The Marriage* angesehen, weil ich wußte, daß Millionen es sahen, und am Ende, weil ich wußte, daß es mir gefiel, und herausfinden wollte, warum. Ich weiß es bis heute nicht.

Erkenne dich selbst. Sehen Sie niemals fern, weil es »gut gemacht« oder »sauber produziert« oder »interessant« ist. *The Marriage* ist auch nicht besser als irgendeine andere Sendung, soweit es »Fernsehen« im Sinne des TV-Kritikers betrifft. Sehen Sie fern, weil *Sie* interessant, sauber produziert und gut gemacht sind.

Letztlich muß man aus keinem anderen Grund fernsehen als dem, daß die meisten Menschen es tun. Als Leser der ›Literary Review‹ studieren Sie selbstverständlich das menschliche Herz und erforschen den menschlichen Geist. Wenn Sie Shakespeare studierten, würden Sie studieren, was sein Publikum las, sah und womit es seine Tage zubrachte. Die Menschen Ihrer Welt führen ihr Leben mit den Colbys und mit Nick Ross und Terry Wogan, mit *Grange Hill, Blockbusters* und The Tube, mit Captain Furillo, »Vorsprung durch Technik« und David Icke, und Sie wissen nicht, wofür auch nur ein einziger dieser Begriffe steht. Ein massiver Referenzrahmen, ein ganzes Diskursuniversum bleibt Ihnen völlig verschlossen, und ich glaube, Ihnen fehlt dadurch etwas.

Und sieht man davon ab, daß Fernsehen ein gesellschaftliches Phänomen ist, ein historischer Text, der gelesen werden muß, ist es – ganz bestimmt sogar – ein, sei's auch seltener, Schöpfer von Kunstwerken und oft ein Vermittler von Kunstwerken aus anderen Medien: Musik, Malerei und, hauptsächlich natürlich, dem Kino: Fernsehen ist Lehrer, Reisender, Biologe, Arzt, Naturhistoriker, Zeitgeschichtler und eine Fundgrube an Wissen, trivialem wie quadrivialem.

Also, was Sie sich anschauen sollten. Fangen Sie morgens an einem Wochentag mit *Breakfast Time* auf BBC an. Es mag weh tun, John Timpson und Brian Redhead zu verlassen, aber tun Sie's trotzdem, bloß einen Morgen lang. Schalten Sie gelegentlich auf TVAM um, und achten Sie auf die Überlegenheit von Ausleuchtung und Ausstattung bei der BBC. Achten Sie jedoch auch auf die selbstgefällige Nestwärme der BBC, eine ›Daily Mail‹ neben dem ›Sun‹ oder dem ›Mirror‹ von ITV. Stellen Sie sich vor, daß außer Ihnen noch Millionen von Menschen zuschauen, und malen Sie sich deren mögliche Reaktionen auf diese grauenvollen Sendungen aus. Aufs Frühstücksfernsehen können Sie danach verzichten, es sei denn, die IRA zündet wieder einmal Bomben auf einem Brightoner Parteitag, oder es passiert etwas ähnlich Sensationelles am frühen Morgen.

Den Nachmittag überlasse ich Ihnen, ich nehme an, Sie gehen einem Broterwerb nach, obwohl ich weiß, daß es unter der Leserschaft einige Lyriker gibt. In das Nachmittagsfernsehen soll schon bald viel Geld investiert werden, aber im Moment besteht es hauptsächlich aus australischen Seifenopern und Frauenjournalen, deren genaue Untersuchung sich zwar unbedingt lohnt, doch erst dann, wenn Sie sich mit Ihrem neuen Spielzeug etwas vertraut gemacht haben.

Aber schauen Sie sich werktags um 17.15 Uhr *Blockbusters* auf ITV an. Genau, an jedem Wochentag. Bob Holness moderiert diese Quizsendung für Jugendliche, und die muß man einfach gesehen haben. Sie hat eine völlig neue, heiß umkämpfte Sendezeit geschaffen: die der sogenannten Vor-Abendnachrichten-Schiene. Sie verrät Ihnen allerhand über die Erziehung unserer Jugend, so wie *University Challenge* (in einigen ITV-Sendegebieten zu verschiedenen Zeiten) Ihnen einiges über unsere Studenten mitteilt. *Block-*

busters ist aufregend und fesselnd – außerdem endet es *in medias res*, manchmal mitten in einer Frage, was einfach unbeschreiblich spannend ist.

Wogan müssen Sie sich ansehen, so entsetzlich sich das auch anhören mag. Der Mann ist als Interviewer ein hoffnungsloser Fall und im übrigen wohl ein lächerlicher Egoist, aber Sie erfahren, wer was macht und wer populär und interessant ist in dieser Welt, die zu inspizieren Sie sich endlich entschlossen haben.

Yes Prime Minister ist für Leute von mittlerem Einkommen, Alter und Geschmack. Es wird für den Höhepunkt gegenwärtiger Situationskomödie gehalten, wo *The Young Ones* nur das Vorspiel war. Ich für mein Teil bevorzuge Petting. Natürlich ist *Yes Prime Minister* schlau und witzig und gut gespielt und geschrieben, und natürlich möchte ich keine einzige Folge verpassen, aber es wird nie als ein Meilenstein in die Geschichte der Fernsehunterhaltung eingehen wie *Fawlty Towers* oder *The Young Ones* oder *TW3*; man wird sich nie wirklich daran erinnern. Ich weiß, daß meine Meinung ketzerisch ist.

Ich, Claudius, Kaiser und Gott wird zu Ihrem Glück wiederholt. Sie haben Graves' Romane gelesen, sehen Sie jetzt, wie seine Adepten beim Fernsehen ihn adaptieren und adoptieren. Großartiges Drehbuch von Jack Pulman, brillantes Agieren nahezu jedes einzelnen Schauspielers in der riesigen Besetzung. Das dürfen Sie sehen, einfach weil es Spaß macht.

Die letzte Empfehlung ist die der *Channel 4 News* um 20.00 Uhr. Sie werden zur besten Sendezeit ausgestrahlt und auf die beste Weise; Sie werden bald regelmäßig zuschauen.

Das war's. Probieren Sie eine Woche lang all diese Sendungen, mehr verlange ich ja gar nicht. In der zweiten Woche wählen Sie aus den Programmzeitschriften willkürlich zehn Abendsendungen aus, jawohl, willkürlich. Und sehen Sie sie von Anfang an: es hat keinen Sinn, erst in der zweiten Hälfte dazuzuschalten. Einen Roman fangen Sie ja auch nicht bei Kapitel neun an. Wenn das Programm schon seit fünf Minuten läuft, haben Sie's verpaßt. Geben Sie ihnen diese Chance, und ich garantiere Ihnen, daß Sie Spannung, Schund, Pathos, Unterhaltung (entsetzliche und entzückende), Unsinn, Brillanz und Absurdität im Überfluß finden werden. Kurz gesagt, Sie werden eine Menschheit erleben, der anzugehören anders nicht möglich ist, weil Sie die ganze Menschheit sehen, nicht nur Freunde und Ihresgleichen, sondern auch die, die Sie hassen und von denen Sie gehaßt werden, die Sie schön und die Sie abstoßend finden, die schlauer sind als Sie und die nie wußten, was Sie mit zwölf schon vergessen hatten: Menschen, Ereignisse, Möglichkeiten und Fiktionen, die eine Institution, einen Organismus, sprich: ein öffentliches Ereignis ausmachen und von ihm gemacht werden, das Sie bislang gemieden haben. Kommen Sie auf den Boden!

Bernard Levin

Ganz schön frech für einen schon nicht mehr ganz so jungen Mann. Erneut für den ›Listener‹.

Bernard Levin: *In These Times*, Jonathan Cape, gebunden, £ 10.95

Ich muß hic et nunc gestehen, daß meine Gefühle in Anbetracht der Aufgabe, eine Anthologie zu rezensieren (Levin betont expressis verbis, diese Bände seien Herbarien, ja Florilegien, und wir alle wissen, daß eine Anthologie, nimmt man sie *au pied de la lettre*, nicht mehr, aber auch nicht weniger – und wer wollte da noch widersprechen? – ist als ein Strauß oder, mutatis mutandis, Bukett – auch wenn zweifelsohne jene Herren, die es umtreibt, uns zu instruieren, wie zu leben und zu sprechen sei, Worte zu sagen, gar zu kreischen haben werden, um den Strauß auszufechten, ob es Bukett oder, etymologisch korrekt, nicht doch Bouquet heißen müsse, denn so wahr Eier güteklassierte ovulare Euro-Einheiten sind, so wahr wird in einem klammen Verwaltungsschrank eine böswillige Kreatur lauern, deren einziges Vergnügen darin besteht, coram publico mitzuteilen, »Bouquet« sei fürderhin verpönt, mit einem Federstrich verdammt – aus Blumen, und falls Sie, die Sie den wilden und gewundenen Pfad meiner Hypotaxen per pedes apostolorum bis ans Ende geschritten sind, in rosiger Ferne das Sie willkommen heißende Leuchtfeuer erblicken können, das dieser Parenthese Ende verheißt, so ist Levin *der* Autor für Sie – nach fünf Stunden Levin-Lektüre ist der normale englische Satzbau nur noch eine schwache Erinnerung, und fände ich doch bloß aus diesem Nebensatz, so gesellte ich mich zu Ihnen – ah, *θαλαττα, θαλαττα,* bitte beachten Sie, daß ich das attisch doppelte *ταυ* wähle), denen eines Schülers gleichen, dem man aufgibt, seinem Direktor ein Zeugnis zu schreiben.

Unter Menschen von Rang und Namen in der Welt des Journalismus und dessen, was man gemeinhin mit »Medien« umschreibt (einst hörte ich, wie man das Fernsehen als »unmittelbares Medium« bezeichnete, *o tempora o mores, eheu fugaces*, die lateinischen Floskeln und literarischen Anspielungen werden mir vor Ende der Saison ausgehen, *pace* Lady Bracknell), pflegt man Mr Levin Verachtung und Spott entgegenzubringen. Da ist zuviel Leidenschaft, zuviel Engagement, zuviel Enthusiasmus, als die blasierten Bewohner jener *Street of Shame* ertragen können. Auch ich kann gleich vorausschicken, daß meine Ansichten zu so unbedeutenden Fragen wie den wahren Gefahren für menschliche Freiheit in der heutigen Welt und der Existenz des freien Willens sich im Laufe der Jahre immer weiter von denen Mr Levins entfernt haben, aber das hat mich nie davon abhalten können, mich jauchzend auf jedes gedruckte Wort von ihm zu stürzen, denn der Mann schreibt wie ein Engel, wie der Teufel, wie jemand, bei dem Gedanke und Wort eine absolute Einheit eingehen. Seine Freude am Leben, seine Bejahung der Menschheit, sein Glaube an die einfache, offenkundige Wahrheit, daß, würfe man irgendwo auf der Welt eine Sonntagsausgabe der ›New York Times‹ aus dem Fenster, die Chancen mindestens 90 zu 1 dafür stünden, daß man einen *guten* Menschen, einen anständigen Menschen, einen Freund k. o. schlüge (P. G. Wodehouse, dem Levins Prosa eine Menge verdankt, und ich bin sicher, er wäre der erste, das zuzugeben – Levin, meine ich, nicht Wodehouse, Dr Sir Pelham war viel zu bescheiden, außerdem ist er sowieso schon lange von uns gegangen –, pflegte, wenn er in der Stadt weilte, das Problem des langen Wegs aufs Postamt durch das einfache Mittel zu lösen, daß er seine Briefe aus dem Fenster warf: sein Glaube, der Durchschnittsmensch, der einen frankierten und adressierten Brief auf dem Gehweg fände, würde diesen naturgemäß in den nächsten Briefkasten expedieren, erwies sich in Jahrzehnten nicht ein einziges Mal als unbegründet), stießen bei mir stets auf Verständnis. Zu wenige Stimmen erheben sich heutzutage zum Chor dieser wunderbaren Wahrheit.

In These Times ist die vierte Sammlung von Levins Schriften; sie enthält seine persönliche Auswahl aus zwei Jahren der ›Times‹-Kolumne mit dem Titel »The Way We Live Today« sowie Buchrezensionen für den ›Observer‹. In der für ihn untypisch schwülstigen Einleitung bemerkt er, daß ihn über die Jahre drei »Themen« immer stärker beschäftigt hätten: Freiheit, Verantwortung und Kunst.

In seiner Verdammung der Tyrannei in dieser Welt ist seine Sprache die Byrons im *Don Juan*: unterhaltsam, gallig, unnachsichtig und von wüster Komik. Oft hat er seine Kolumne genutzt, um Einzelfälle von Ungerechtigkeit, Folter und Unmenschlichkeit, insbesondere natürlich hinter dem Eisernen Vorhang, aufs Tapet zu bringen, und niemand sollte ihm die Anerkennung seiner unermüdlichen Anstrengungen im Namen der Erniedrigten und Geknechteten aller gottlosen Regime versagen. Dieser Band enthält einige seiner besten Artikel über solche Fälle, entsetzliche Berichte über Ungerechtigkeit in Litauen, Rußland, der Tschechoslowakei und Südafrika.

Aber das eigentliche Steckenpferd, das Bernard Levin in jüngster Zeit gestriegelt hat und dessen Hufgetrappel einen Großteil seiner Texte unabhängig von ihrem konkreten Anlaß durchdringt, ist das »individueller Verantwortung«. Levins Art von Indeterminismus gründet sich auf den uneingeschränkten Glauben an die direkte Verantwortung des Menschen für sein Handeln. Der freie Wille existiert! lautet die Botschaft, die in Levins Landschaft Signalmaste auf jeder Anhöhe und Hügelkuppe in hellen, fröhlichen Farben weiterwimpeln. Das mag letzten Endes wahr sein, es jedoch zur endgültigen Wahrheit zu machen, von der jedes Strafgesetz und Gesellschaftssystem, alle Politik und Ökonomie ihren Ausgang nehmen sollen, hieße, eine Weise des Umgangs mit unserem Mitmenschen zu verkünden, die einiges zu wünschen übrigläßt.

Seine Überzeugung trägt er mit soviel Verve vor, daß sämtliche Organisationen oder Bewegungen, die es sich zum Ziel gesetzt haben, durch Geburt, Willensschwäche oder menschliches Irren herbeigeführte Mängel oder Ungleichheiten zu beheben, verächtlich abgetan werden. Tierschützer handeln nicht aus Tierliebe, sondern aus Menschenhaß, aus

> unerträglichem Zorn auf die nackte Tatsache, daß es ein Universum gibt und daß wir darin neben den Tieren leben, ob wir wollen oder nicht. Zum Beispiel ist mir die Genugtuung aufgefallen, mit der Kernwaffengegner den drohenden Holocaust beschreiben mitsamt seinen Seen geschmolzener Augäpfel, seinen Wäldern menschlicher Skelette, seinen Bergen gerösteten Fleisches.

Na, na! Holla! Um nicht zu sagen, pfui! Andernorts ist Levin »aufgefallen«, daß die »schrillsten« Feministinnen auch die häßlichsten sind. Er, der sonst so sensibel ist für den Mißbrauch konnotativer Sprache zu politischen Zwecken, benutzt Wörter wie »gemäßigt« und »extrem« als seine Tennisbälle, die in jede ihm gefällige Richtung geschlagen und gespielt werden.

All diese nichtigen Beobachtungen, seine suggestive Wortwahl und seine Unterstellungen von Bösartigkeit an die Adresse jener, die sich, um's offen zu sagen, im Endeffekt allesamt als links oder liberal herausstellen, werden nur jene empören, die anders denken und handeln als Mr Levin (obwohl sie oft in letzter Instanz derselben Ansicht sind), und werden bloß süffisante Befriedigung bei jenen hervorrufen, die seine politischen Anschauungen und sozialen Obsessionen teilen. Aber letztere finden alle Befriedigung, derer sie bedürfen, bei den Scrutons und Butts und Mounts, die dieselben Meinungsseiten der ›Times‹ vollschmieren wie Mr Levin, deren giftige Ergüsse jedoch nicht den Funken eines Jotas eines Hauchs eines Millionstels des Witzes und der Bildung und der Humanität enthalten, den selbst seine traurigsten illiberalen Texte aufweisen.

Ich jedoch kann – und empfehle jedem dasselbe – über Unterschiede hinwegsehen und Gemeinsamkeiten begrüßen. Sein Stil ist über alles erhaben, machen Sie es sich nur bequem und genießen Sie die Prosa des besten Kolumnisten unserer Tage.

Das Bangemachen der Satire

Eine Rezension von Büchern über Institutionen der britischen Satire für den ›Listener‹.

Tooth & Claw: The Inside Story of Spitting Image, von Lewis Chester, Faber & Faber, Kartoniert, £ 3.95

Inside Private Eye, von Peter McKay, Fourth Estate, Gebunden, £ 9.95

Wenn es in diesem Land eine Kuh gibt, die heiliger ist, eine Tradition, die mehr verehrt, ein Tabu, das mehr respektiert wird als andere, dann ist das der große britische Satiriker. Von Chaucer bis Ingrams, über Dryden, Swift, Dickens und zwei Waugh-Waughs sind wir stolz auf diese dreckigen, knurrenden und unzähmbaren Hunde, die dem Unschuldigen genauso bereitwillig die Kehle zerreißen wie dem Schuldigen. Aber wir leben im Zeitalter der T-Shirts, Videokassetten, internationalen Verwertungsgesellschaften, Coffee-Table-Books und des Spin-off-Merchandising. Das einfältige Schubladendenken von heute legt fest, daß »Satire« nicht mehr und nicht weniger bedeutet als »Spaßmacherei aus aktuellem Anlaß«. In diesem Viertel des zwanzigsten Jahrhunderts ist Satire demzufolge ernstzunehmendes Big Business und streng definiert. Satire ist eine trostreiche Erinnerung daran, was für eine tolerante und demokratisch sich selbst kasteiende Nation wir doch sind. Aus diesem Grund stellen Entlassungen und Krisen beim ›Private Eye‹ eine genauso wichtige Nachricht dar wie ein Erdbeben in Asien und ist die Einstellung eines Opfers zu seiner oder ihrer Marionette in *Spitting Image* genauso Futter für die Regenbogenpresse wie die Heroinsucht eines Popstars. Die Satiriker werden zunehmend Teil der besseren Gesellschaft und ihre Organe zu deren Stützen.

Diese Entwicklung spiegelt sich in der Veröffentlichung zweier Bücher, die zwei unsrer vornehmsten und verehrtesten satirischen Produktionen »den Schleier lüften«, den obengenannten *Spitting Image* und ›Private Eye‹. Zu den Eigenarten des ›Eye‹ sind genug Texte verarbeitet worden, als daß meine schwächliche Analyse den

Diskettenbeständen zu diesem Thema in den Redaktionsstuben des Landes viel hinzufügen könnte. Wir wissen, daß man dort von Privatschulen stammt, lüstern, prüde, homophob, antisemitisch und grausam ist. Sie selbst wissen es am allerbesten. Die ständige Karikaturenspalte »Great Bores of Today« zeigte im Jubiläumsheft zur 500. Ausgabe einen Langweiler, der genau solch eine Liste greulicher Laster verlas. Ob das ›Eye‹ wirklich, wie Sir James Goldsmith behauptete, »der Eiter ist, der aus den Wunden einer kranken Gesellschaft quillt«, oder, mit Quentin Crewes Worten, »ein gesunder Mitesser in der Haut einer fruchtbaren Nation«, hängt wahrscheinlich davon ab, ob man wie Sir James Goldsmith ein händelsüchtiger Wichtigtuer ist, der in der Öffentlichkeit von Leuten zum Narren gehalten wird, die gescheiter und gewitzter sind als er, oder ob man wie Quentin Crewe ein gutbezahlter Schriftsteller und Künstler ist, der sich an dem Schauspiel ergötzt. Peter McKays Buch *Inside Private Eye*, geschrieben aus der Sicht des langjährigen Mitarbeiters und professionellen Zeilenschinders, behauptet, das Insiderwissen um das zu liefern, was – um den Klappentext zu zitieren – »in jenen schnipselübersäten Büros vor sich geht, wo der herrische Lord Gnome einer widerspenstigen Bande von Possenreißern vorsitzt, die mit der Abfassung seines Organs beschäftigt sind«. Solcherart wird es für einen Teil der angeblich eine Million zählenden ›Eye‹-Leserschaft fraglos von Interesse sein.

Das Buch enthält ein äußerst nützliches Glossar zum »›Eye‹-Sprech«. Endlich erfahre ich, warum man sich auf Alec Douglas Home immer als Baillie Vass bezieht, warum Victor Matthews Lord Whelks genannt wird und wer das Ungeheuer aus der Bouverie Street ist. Mit der Erwähnung des Klatschinhalts und dieses wertvollen Glossars fürchte ich, die einzigen Dinge von Wert in diesem Buch erwähnt zu haben. Daß es in jenem Stil gehalten ist, den sich Journalisten eigens für derartige Arbeiten vorbehalten, können Sie sich denken. Es ist eine Art Dick-Francis-Stil: »Dann tat Dempster das, was man später allgemein für einen entscheidenden Fehler zu halten geneigt war«, »Mit inzwischen vor Zorn weißem Gesicht erhob Hislop sich und ergriff das Wort«, die Sorte ödes Gefasel. Hinzu kommen ständige Wiederholungen; zweimal erfahren wir, wer »Beachcomber« war, und binnen weniger Seiten werden wir zweimal daran erinnert, daß die wöchentliche Kolumne des Earl of Arran in den ›Evening News‹ »exzentrisch« war; P. G. Wodehouse wird zweimal als P. J. Wodehouse wiedergegeben, was einen zu der Annahme verleitet, daß McKay das Buch diktiert und ein gar nicht so seltenes orales J-G-Problem hat, oder daß er anfallsweise unter Analphabetismus leidet. Wir hätten ein Recht, das zu erfahren.

Aber das sind kleine Kritteleien. Mein eigentliches Problem mit dem Buch ist, daß es mir den Grund der Beliebtheit des ›Eye‹ völlig mißzuverstehen scheint. Von seinem Publikum behauptet McKay: »Sie lesen es, weil es in dem Bemühen, hinter das öffentliche Antlitz der Begüterten und Berühmten zu linsen, über die Grenzen dessen hinausstreunt, was statthaft und taktvoll ist.« Mumpitz. Sie lesen es aus einem und nur einem Grund: weil es witzig ist. Wenn es einmal nicht mehr witzig ist, werden sie es nicht mehr lesen. *Journalisten* lesen es vielleicht, weil es über Grenzen streunt, Schleier lüftet und hinter die Dinge linst, die *Öffentlichkeit* liest es, weil es die einzige regelmäßig erscheinende und allgemein erhältliche witzige Zeitschrift Britanniens ist. Der ›Punch‹, dessen Inhalt Forster vor über sechzig Jahren »vorstädtische Witzeleien« nannte, hat sich nur insofern verändert, als die Vorstädte sich verändert haben. Ob Ingrams abgetreten ist, um dem jungen Ian Hislop, seinem Nachfolger auf dem Sessel des Chefredakteurs, den Weg zu bereiten und ein neues Publikum heranzuziehen, das sich weniger für die Affären der anglikanischen Kirche und das schlimme Treiben der Industriellen und Pressezaren interessiert, oder ob er, wie McKay glaubt, in Wirklichkeit gar nicht abgetreten ist, sondern eine Marionette aufgebaut hat, bleibt abzuwarten.

Das Buch verschwendet zu viele Seiten auf Dinge, die uns längst in Patrick Marnhams *The Private Eye Story* oder Ingrams eigenen *Goldenballs* erzählt worden sind, und zu wenige darauf, einmal zu schildern, wie eine Ausgabe tatsächlich entsteht oder was in den Räumen vor sich geht, wo die Witze ausgedacht werden. McKay ist in diesen Räumen eindeutig nie dabeigewesen; wir hören, wie das Gelächter aus ihnen herausröhrt, und können uns den armen McKay vorstellen, wie er im Vorzimmer am Stift lutscht und sich wünscht, er wäre auch so witzig wie Ingrams und Waugh. Er könnte sich auch ihr Schreibtalent wünschen.

Lewis Chester, Verfasser von *Tooth & Claw: The Inside Story of Spitting Image*, ist ebenfalls Journalist und hat bereits Bücher über Onassis, Jeremy Thorpe und Beaverbrook vorzuweisen. Er legt aus der Sicht eines Außenstehenden eine Geschichte der vier oder fünf Jahre vor, die es gedauert hat, bis *Spitting Image* der durchschlagende Erfolg von heute wurde.

Vielleicht fragen Sie sich jetzt, warum ein solches Buch schon jetzt geschrieben worden ist. Sicher ist *Spitting Image* sehr erfolgreich, aber wer will schon 150 Seiten darüber lesen, wie es dazu kam? Fluck begegnete Law, werden Sie sagen, sie arbeiteten eine Zeitlang zusammen an Zeitschriften und anderen Dingen, und dann dachten sie (oder jemand anders dachte), sie sollten eine Fernsehserie machen, in der ihre Figuren von Puppenspielern zum Leben erweckt werden. Drehbuchschreiber und Stimmenimitatoren wurden eingestellt, ein Pilotfilm wurde gedreht, und die Serie begann, zunächst noch sehr wackelig, aber nach und nach an Qualität zu gewinnen, bis das Ganze zu einer sehr populären und vielgeliebten Sache wurde. Die Sendung war ungezogen genug, um durch ihr unverschämtes Abbild der königlichen Familie eine Menge Aufmerksamkeit zu bekommen, aber inzwischen ist sie eine so respektable Institution, daß ein Mitglied der königlichen Familie nicht weniger unverschämt aussähe, wenn es sie heute angriffe. Ende der Geschichte. Glauben *Sie*. In Wirklichkeit war nichts so einfach. Das Buch wogt und zittert nur so vor Geschichten über Verleumdung und Verunglimpfung. Seit die Idee geboren wurde, scheint das gesamte Projekt eine äußerst schmierige Angelegenheit gewesen zu sein: Die Flügelkämpfe, Entlassungen und Gier nach finanziellem Gewinn aus dem Unternehmen sind, wie hier glaubwürdig versichert wird, wenn überhaupt untertrieben. Kaum zu glauben.

Noch bevor ein Witz geschrieben oder eine Puppe modelliert war, stritten die verschiedenen Protagonisten anscheinend schon darüber, wer welchen Anteil des nominellen Kuchens bekommen sollte. Das Buch enthält definitiv zu viele finanzielle Einzelheiten, als mich interessieren könnten. Wenn ich Worte wie »Dividende« oder »Aktienbesitz« bloß sehe, versetzt mich das sofort in Tiefschlaf, aber dem rund ein halbes Dutzend Produzenten und Managern von *Spitting Image* scheinen diese Wörter alles bedeutet zu haben, und Chester geht diesen geschäftlichen Details auf den Grund.

Eine Fernsehgesellschaft ist, wie jeder bezeugen kann, der sich je in der Nähe einer solchen herumgetrieben hat, ein enormer Apparat und nur dazu geschaffen, Dinge zu versauen. Geschäftsführer beim Fernsehen sind erst dann richtig glücklich, wenn sie abends ihren Ehefrauen oder -männern erzählen können, wie sie erfolgreich ein Projekt vereitelt oder abgeschossen haben. Dieser Aspekt der Unternehmensgründung von *Spitting Image* kommt gut rüber. Bei der ersten Staffel waren die Aufnahmeleiter und der Regisseur gezwungen, eine Drei-Millionen-Pfund-Serie aus einem Lieferwagen auf einem Parkplatz heraus sendefähig zu machen. Die erste Folge lief in einer gekürzten Fassung, weil alles Material über die königliche Familie herausgeschnitten werden mußte, da man Angst hatte, sonst Prince Philip zu brüskieren, der in der Sendewoche die Studios von Central TV in Nottingham eröffnen sollte.

Tooth & Claw wird eher Leser ansprechen, die sich für geschäftliche Abschlüsse und Vereinbarungen, finanzielles Keifen und politische Weinereien interessieren, als solche, die etwas über die Entstehung einer witzigen Serie erfahren wollen. Das Inhaltsverzeichnis listet Kapitel auf, deren Titel von absurder Nutzlosigkeit sind: »Der Gott mit den schlechten Manieren«, »Der freche Mandarin«, »Eine abstoßende Passage«, »Die Mittagspause« und »Wie man sie aufspießt« sind fünf Beispiele von vierundzwanzig. Ärgerlicherweise gibt es keinen Index. Ich würde das Buch nicht gerade als ideal für den Gabentisch des typischen Zuschauers von *Spitting Image* bezeichnen, aber ich empfehle es von Herzen jedem, der Narrs genug ist, die Investition in ein großes Fernsehprojekt in Betracht zu ziehen.

Kind des Wandels

Eine Rezension der Autobiographie eines bemerkenswerten Mannes. So sehr Gorbatschows Mann, daß es interessant sein wird zu verfolgen, wie er sich im neuen Rußland entwickelt. Er selbst ist allerdings kein Russe. Kasparows eigentlicher Name Weinstein verrät seine jüdische Herkunft, und seine Heimat Baku ist jetzt Hauptstadt einer unabhängigen Republik, die mit großen ethnischen Problemen zu kämpfen hat.

Child of Change: von Garry Kasparow und Donald Trelford

Seit der Homo ludens aus dem Urschlamm von Mikado und Dame kroch, sich auf die Hinterbeine stellte und Mensch nannte, haben die 64 Felder und 32 Figuren, die die Grenzen des Schachspiels definieren, auf diese Spezies eine mächtige Faszination ausgeübt. Beim Schach gibt es, wie Schachspieler und George Steiner so gern kundtun, mehr mögliche Stellungen als Atome im Universum. Die Chancen, eine Schale mit Kugellagerkugeln so fallen zu lassen, daß sie den Satz »Little Scrotely begrüßt vorsichtige Fahrer« bilden, sind weit größer als die, daß jemals zwei identische Partien gespielt werden. Und welche Fähigkeiten erfordert das Spiel? Jeder durchschnittliche Meister kann ohne weiteres eine Partie mit verbundenen Augen spielen. Und von Großmeistern weiß man, daß sie fünfzig Simultanpartien gespielt haben, ohne je einen Blick auf eines der Bretter zu werfen. Jeder anständige Spieler kann sich an jede einzelne ernsthafte Partie erinnern, die er je gespielt hat, und an Aberhunderte seiner Zehnminuten-Blitzpartien. Derart ungeheure Gedächtnisleistungen lassen es plausibel erscheinen, daß Schach nicht bloß die üblichen Fähigkeiten beansprucht, die unüblich stark entwickelt wären, sondern eine besonders verrückte Fähigkeit, die man durchaus als Abnormalität bezeichnen kann. Nur Musik und Mathematik kennen wie das Schachspiel das Phänomen des Wunderkindes: Mozarts berühmtes Kunststück, ein ganzes Requiem auswendig zu wissen, die Fähigkeit mancher Mathematiker, Kubikwurzeln im Kopf zu berechnen, gehören in dieselbe Sparte wie die unheimlichen Gaben der Großmeister. Gewöhnlich beruhigt die Öffentlichkeit sich mit dem

Hinweis, eine solche Begabung müsse Schwächen auf anderen Gebieten zur Folge haben: um in einem einzigen Kopf Zehntausende von Partien, Stellungen, Eröffnungen und taktischen Tricks festzuhalten, um in Dutzenden von Permutationen zwanzig oder dreißig Züge im voraus zu analysieren, um ein riesiges Auditorium und den Lärm der Welt auszusperren und sich einzig und allein auf die Kraftfelder zu konzentrieren, die zwischen den Holzfiguren auf dem Brett pulsieren, um all das zuwege zu bringen, müsse man doch bestimmt ein bißchen Menschlichkeit aufgeben, oder? Wir erinnern uns, daß die Schachmannschaft in der Schule zum Großteil aus pickligen, beanorakten Lahmärschen mit der Umgänglichkeit und dem Esprit eines übelgelaunten Nicholas Ridley bestand, und trösten uns mit dem Gedanken, Schach sei etwas für Schlappschwänze und durchgeknallte Intelligenzbestien.

Ich muß Sie enttäuschen, falls Sie das wirklich für die Wahrheit über das Schachspiel halten. Die ganzen abgeschmackten Klischees über das »Gewinnen«, das »Rangehen« und die »mentale Vorbereitung«, mit denen Sportler aller Art uns auf den Wecker gehen, gehören zum Vokabular des Großmeisters genauso wie zu dem des Sprinters. Schachweltmeister zeichnen sich durch einen entsetzlich starken Siegeswillen aus. Das Bild auf dem Umschlag von Garry Kasparows und Donald Trelfords Semiautobiographie des derzeitigen Titelträgers zeigt den furchterregenden Anblick, der sich dem bietet, der es wagt, sich Kasparow als Herausforderer gegenüberzusetzen. Riesige, drohende Brauen, ein stoppliges Gesicht, das schon morgens um halb zehn einen Fünfuhrschatten zeigt, in mörderischer Berechnung zusammengezogene Schultern. Wie klar muß der Verstand eines Gegners sein, wie stark seine Willenskraft und Zielstrebigkeit, um vor diesem erschreckend vitalen und energiegeladenen Geistesathleten nicht schlappzumachen, bevor der erste Bauer bewegt wird!

Es ist äußerst beruhigend zu wissen, daß Schach sich keineswegs »verbraucht« hat. Der große Capablanca glaubte, er habe all seine Mysterien gemeistert, bis er sich 1927 plötzlich Aljechin gegenübersah und verlor. Neue Ideen werden das Spiel immer wieder beleben. Objektiven Elo-Statistiken zufolge ist Kasparow der stärkste Spieler aller Zeiten. »Stark« ist das von Schachspielern benutzte Wort, nicht »clever« oder »raffiniert« oder »brillant« oder

»begabt«. Auch wenn diese Eigenschaften nötig sein mögen, es gewinnt doch der Stärkere. Vielleicht ist das der Grund, warum auch nach hundert Jahren organisierter Frauenturniere immer noch Männer das Spiel dominieren. Abgesehen vom räumlichen Vorstellungsvermögen und dem Sinn für generative Geometrie, wissenschaftlichen Experimenten zufolge bei Männern weiter entwickelt als bei Frauen, erfordert Schach ein übernatürliches Maß an Konkurrenzgeist und Aggressivität – es waren schließlich auch Männer, die das Spiel erfunden haben. Das beste taktische und analytische Geschick der Welt nützt Ihnen nicht das geringste, solange Ihre Nerven und Ihr Killerinstinkt am Brett schwächer sind als die Ihres Gegners. Schach ist eine Kunst, keine Technik: Genauso wie ein Cricket-Schlagmann oder ein Schauspieler kann ein Schachmeister eines Tages auf unerklärliche Weise seine Form verlieren. Trotz all seinen Verstandesgaben und all seinem Wissen kann der Spieler jener Mischung aus Konzentration und Selbstvertrauen verlustig gehen, die allein ihm seine Kreativität ermöglicht hat. Ein Handwerker oder ein Techniker kann sein Material meistern, dem Künstler und dem Sportler ist das unmöglich.

Garry Kasparow tauchte Ende der siebziger Jahre als eines der begabtesten Schachwunderkinder der Geschichte auf. Die Geschichte von *Child of Change* – kurz gesagt, die beste Schachbiographie, die ich je gelesen habe, und ich habe eine ganze Reihe durchgeackert – ist eigentlich nicht die Geschichte von Kasparows Schachentwicklung; um die Grundbegriffe des Schachspiels selbst, um Kasparows Beherrschung von Taktik und Positionstheorie sowie um seine Ausbildung in der Spielpraxis geht es kaum je, obwohl einige der wichtigsten Partien in einem nützlichen Anhang für den Enthusiasten festgehalten worden sind. Hier wird vielmehr erzählt, wie Kasparow im Alleingang gegen das sowjetische und weltweite Schach-Establishment antrat, um sich das zu verdienen, was ihm nach seiner Ansicht und der der meisten Schachbeobachter ganz selbstverständlich zustand, das Recht nämlich, seinem Landsmann und Erzrivalen Anatoli Karpow im direkten Vergleich gegenüberzutreten. Kasparow betont dabei ständig, hätte es Gorbatschow und Glasnost nicht gegeben, wäre er heute nicht Weltmeister.

Bobby Fischer, der Erfinder des »modernen« modernen Schachs, ist im Grunde auch der Erfinder dieser ganzen Sage. Seine Weigerung, den Titel 1975 gegen Karpow zu verteidigen, machte diesen kampflos zum Weltmeister. Karpows Rang stellte in gewissem Maße das angeschlagene sowjetische Prestige wieder her, und in Breschnews letzten Tagen scharte Karpow, linientreues Parteimitglied und der »brave Junge« des russischen Schachs, eine Clique um sich, die an ihm klebte wie Seepocken an einem Küstenfelsen. Er garantierte ihnen Geld, Autos, Auslandsreisen, und sie waren nicht gewillt, sich das von irgendwem nehmen zu lassen. Kasparows Erscheinen wie ein Blitz aus heiterem Himmel war eine Bedrohung ihrer gesicherten Existenz: es war einfach nicht vorgesehen, daß er es so schnell schaffen würde. Daß seine Landsleute nicht eben darauf erpicht waren, ihn zu fördern, erfuhr Kasparow zum ersten Mal, als man ihm unumwunden sagte: »Wir haben schon einen Weltmeister, wir brauchen keinen zweiten.« Aber Kasparow interessierte das nicht, ihn interessierte Schach. Wenn er der Beste war, dann sollte er gewinnen. Hindernis auf Hindernis wurde ihm in den Weg gelegt, aber auch er lernte, wie man Politik instrumentalisiert, indem er den Stolz der Kommunalpolitiker seiner Heimat auf die Erfolge des Jungen aus ihrer Stadt gegen die Karpowlobby in Moskau ausspielte.

Für Schachbegeisterte liegt der besondere Genuß bei all dem darin, daß Karpows Spielweise die historische Relevanz der beiden Biographien im weiteren Sinne reflektiert, sein Stil ist vorsichtig, klassisch rein, der eines Stellungskriegers. Kasparow ist, wie es sich für ein Kind der Perestrojka, für einen Pionier des neuen Rußlands gehört, kühn, schneidig, komplex, überraschend, ein Kavalier. Es scheint, als spielten die beiden größten lebenden Spieler um Rußlands Zukunft.

Ich will Ihnen das Lesevergnügen nicht verderben, indem ich das im Mittelpunkt stehende Drama um Karpows und Kasparows erstes Weltmeisterschaftsduell nacherzähle und die niederträchtige Rolle, die Campomanes darin spielte, der Generalsekretär von FIDE, der internationalen Dachorganisation des Schachs, es ist so außergewöhnlich wie jede Krise des Sports, von Bodyline bis zum Boykott der Olympischen Spiele in Moskau, und sollte im Kontext gelesen werden.

Es mag wohl sein, daß *Child of Change* Karpow, der definitiv ein Schachgenie ist, nicht gerade höflich behandelt; vielleicht ist Kasparows Zorn über die Behandlung, die man ihm hat angedeihen lassen, etwas zu selbstgerecht, aber insgesamt überzeugt mich das Buch. Für den Betrachter sind die Gefechtslinien klar markiert, und Kasparow entsteigt dieser ausgezeichnet geschriebenen und gegliederten Autobiographie als ein echter Held aus massivem Gold. Seine sympathische Vorliebe für Lermontow und Wyssotzki (mir vorher unbekannt, aber ausgiebig zitiert), seine Schachleidenschaft, die hohe Schule des Spiels, die er predigt, und seine außergewöhnlich ausgewogene Haltung legen nahe, daß nur der Erfolg ihn verderben kann. Er ist reich, attraktiv, jung, irrsinnig beliebt und fürchterlich begabt. Er ist ein fairer Sportsmann und ein belesener und intelligenter Beobachter von Leben und Gesellschaft. Er liebt seine Heimat und scheint bei ihrem Wiederaufbau eine genauso aktive Rolle zu spielen wie jeder andere ihrer Bürger. Nur ein Werbevertrag für Adidas-Turboschachschuhe oder den kalorienarmen 3-D-Chessman® von Sony könnten ihn davon abhalten, einer der bedeutendsten Russen dieser Zeit zu werden. Das Kind des Wandels könnte sehr wohl zum Mann der Stunde heranwachsen.

Briefkastenvetter

Der kurze Versuch, eine Kolumne für den ›Daily Mirror‹ zu schreiben, wird durch diesen albernen Artikel wiedergegeben.

In seinem rastlosen Bestreben, um Ihretwillen jede erdenkliche Erfahrung durchzumachen, ist Stephen Fry für eine Woche zum Briefkastenvetter geworden. Hier sind seine Antworten auf Briefe aus so vielen verschiedenen Anlässen, daß sie manchmal ein Thema behandeln und manchmal ein ganz anderes:

Hallo! Bekanntlich sollte man alles im Leben einmal ausprobieren, außer Inzest und Volkstanz. Diese Woche versuche ich mich als etwas, das ich Briefkastenvetter genannt habe. Ich hatte diese Woche einen dicken Postsack, noch dazu mit Briefen vollgestopft. Aber dieses Experiment dauert bloß eine Woche, also schickt mir bloß nicht *Eure* Probleme!!! Klar? Klasse! Danke! Ach, find' ich wirklich lieb. Weiß ich echt zu schätzen. So soll es sein! Mm, find' ich auch. Mensch, ja!

Lieber Vetter Stephen, was ist mit meinem Körper los? Ich bin dreizehneinhalb, und ich merke, wie sich bei mir und meinen Gefühlen anderen gegenüber etwas ändert. Was *bedeutet* das bloß? Gruß, Leicht Verwirrt

Lieber »Leicht Verwirrt«, nimm sonstwen auf den Arm. Du weißt ganz genau, was mit Dir los ist, und willst bloß, daß ich Dir eine Antwort schreibe, in der das Wort »Genitalien« auftaucht, damit Du so richtig dreckig ablachen kannst. Ich kümmere mich hier um echte Probleme, wenn Du Schweinkram willst, geh zu Marje Proops.

Lieber Vetter Stephen, meine Freundin, die ich sehr liebe, kann meine Bedürfnisse nicht befriedigen, und ich habe angefangen, hinter ihrem Rücken Restaurants aufzusuchen. Ich habe schreckliche Angst, daß sie sich von mir trennt, sobald sie mich bei anderen essen sieht. Sollte ich es ihr selbst sagen, bevor sie es herausfindet? Gruß, »Hungrig«

Lieber »Hungrig«, zu einer Beziehung gehört mehr als bloß das Essen, weißt Du. Während der ersten Wochen ist es ganz normal, daß Essen und Mahlzeiten für Euch das Wichtigste sind, und Ihr verbringt ganze Tage am Tisch und erforscht die Vorlieben des anderen und seine Fähigkeiten als Koch. Aber wenn Ihr Eure Beziehung ernst nehmen wollt, ist es wichtig, gemeinsame Interessen außerhalb der Küche zu finden. Wenn sie Dich im Moment nicht befriedigen kann, liegt es vielleicht daran, daß Du ihr nicht sagst, was Du wirklich magst und brauchst. Kauf ein Kochbuch, es gibt genug, die eine Vielzahl unterschiedlicher Küchen vorstellen, die vielleicht eher nach Deinem Geschmack sind. Wünsche gutes Stopfen!

Lieber Vetter Stephen, könntest Du bei einer Wette helfen und mir sagen, ob Norwich City je den Littlewoods Cup gewonnen hat? Mein Freund sagt, haben sie nicht, aber ich glaube, sie haben ihn vor vier oder fünf Jahren gewonnen. Gruß, »Will-wissen-ob-Norwich-City-jemals-den-Littlewoods-Cup-gewonnen-hat-oder-nicht«

Lieber »Will-wissen-ob-Norwich-City-jemals-den-Littlewoods-Cup-gewonnen-hat-oder-nicht« – halt Deinen Hut fest, Ihr habt *beide* recht!!!!!!! Norwich *hat* den Littlewoods Cup gewonnen – oder League Cup, wie er damals hieß –, aber im nächsten Jahr dann nicht, und seitdem haben sie ihn jedes einzelne Jahr nicht gewonnen. Eine Meisterleistung ganz eigener Art, genau wie »Bright Eyes«, was auch von einem ganz eigenen Art war.

Lieber Vetter Stephen, Mr Dawlish – das ist unser Direktor – sagt, daß ich jeden Dienstagmorgen zur Mathedoppelstunde kommen muß, aber ich hasse Mathe, außerdem überschneidet es sich mit *Neighbours*, der australischen Seifenoper. Kannst Du vorbeikommen und ihn in den Kopf schießen, damit ich da nicht mehr hin muß? Herzliche Grüße, Dennis.

Lieber Dennis, ich würde Dir gern helfen, aber Du hast die Pflicht, zur Schule zu gehen. Ich weiß, daß Ihr Lehrer schlecht bezahlt werdet, aber viele Kinder verlassen sich auf Euch, um sie durch die Prüfungen zu schleusen, also Kopf hoch und bereite die nächste Stunde vor.

Lieber Vetter Stephen, ich bin arbeitsloser Bowlingkommentator, und letzte Woche habe ich auf dem Speicher ein Originalgemälde gefunden. Es ist von van Gogh signiert, und man hat es mir auf 25 Millionen Pfund geschätzt. Findest Du, ich sollte es verkaufen? Das Gemälde macht sich so gut über meinem Kamin, daß es eigentlich eine Schande wäre. Meine Frau hält mich für übergeschnappt. Was würdest Du raten? Gruß, »Im Dilemma«

Lieber »Im Dilemma«, in Deinem Alter finden bestimmte körperliche Veränderungen statt. Neues Haar wächst, und Du kommst in den Stimmbruch. Das ist völlig normal, und Du brauchst Dich nicht unnötig aufzuregen. Das Photo lege ich wieder bei; ja, er ist schon merkwürdig geformt, aber Menschen gibt es eben in allen Variationen. Ich muß zugeben, Deiner ist der erste, der aussieht wie Esther Rantzen.

So, mehr habe ich diese Woche nicht geschafft! Nächste Woche erledige ich dann die Verhandlungen mit Gorbatschow und versuche, die Welt von Nuklearwaffen zu befreien! Wer weiß, in der Woche darauf bin ich vielleicht schon in Deiner Stadt! Sieh Dich vor!!!!

Herzliche Grüße,

Vetter Stephen

Der World Service

Ein weiterer Artikel für das Magazin ›Arena‹.

Hier spricht London. *Ta diddi dah, di tah diddi dah, dah diddi dah, ti dah diddi tah. Jum tum tum-tum, tah tiddi tum tum, tum tiddi tah tum, tiddi dum dum, di diddi dum dum-dum, diddi dum dum-dum, diddi tum dum, tum tiddi dum dum.* Dip. Dip. Dip. Dip. Dip. Diiiiip. BBC World Service. Nachrichten, am Mikrophon Roger Collinge…

Die warmen braunen Töne tropfen aus Bush House heraus wie Honig aus einem Glas: voll und nachhallend auf Lang- und Mittelwelle für die Zuhörer in der Heimat oder hell und zischend auf Kurzwelle für hundert Millionen englisch sprechender Menschen auf dem ganzen Globus, zu deren Nutz und Frommen das heißgeliebte Signal, an der Ionosphäre reflektiert, durch Ionenstürme und den rüde rempelnden Verkehr von hunderttausend ausländischen Sendern von Relaisstation zu Relaisstation weitergegeben wird, um dann frisch und knackend auf dem Verandatisch zu landen. Denk' ich an England voller Pracht, so bin ums Weltreich ich gebracht. Der World Service, ein kleines Bakelittor zur Welt von Sydney Box, *Charters and Caldicott*, Tee aus Mazawattee, Kennedys Lateinfibel und dunklen, regennassen Straßen. Ein England, das es nie gegeben hat, im Äther heraufbeschworen durch nichts als Akzente, Marschrhythmen und einen bescheidenen, selbstironischen Stil, der in seiner Unehrlichkeit dreister und frecher ist als Disneyland. Ein Mary-Poppins-Sender, glanzvoll in seiner düsteren Rauheit, fröhlich in seiner strengen Routine und seinen unerschöpflichen Ressourcen: eine augenzwinkernde Autorität, die einfach dadurch, daß sie sich nie verändert hat, all unsere verborgensten Wünsche erfüllt, auch wenn der Wind sich längst gedreht hat.

Ooh, ich liebe ihn. Er ist mein Leitstern, Philosoph und Freund, ein Spielzeug für müßige und Arbeit für ernste Stunden; er ist die Katze im Schoß meiner Tage. Seit meinem zwölften Lebensjahr ist das Radio in meinem Schlafzimmer immer auf Mittelwelle 648 eingestellt. Schenkt man jenen monströsen Schwätzern Glauben, die ihr Geld damit verdienen, Trends zu entdecken und darüber banale Bücher mit längst bekanntem Inhalt zu schreiben, dann macht mich meine Treue zum World Service ebenso eindeutig zum frühreifen Greis wie das Tragen eines Monokels, der Beitritt zu den Travellers und die Behauptung, noch nie etwas von Mick Jagger gehört zu haben. Diese Fatzkes Ordinieren Trends Zu Ewigen Naturgesetzen (da kann man bestimmt 'ne prima Abkürzung draus machen) und irren sich natürlich, weder der World Service noch seine Zuhörer sind im mindesten verkalkt. Für jemanden, der nur selten reinhört, klingen die Nachrichtensprecher und Ansager zwar tatsächlich, als säßen sie im Smoking am Mikro, aber das ist weniger ein Zeichen für Wesen und Stil des Service als eins der Notwendigkeit, auf unzuverlässigen Frequenzen und für Hörer, deren Muttersprache nicht Englisch ist, langsam und deutlich zu sprechen. Der World Service ist viel mehr als bloß das putzige Überbleibsel einer verlorenen Welt, als das diese Wichtigtuerischen Intelligenzler, die Chronisch Halbverstandenes zur Soziopolitischen Entwicklung Radebrechen, ihn so gern darstellen.

Und was ist er dann, dieser World Service? Nun, er ist das wichtigste englischsprachige Produkt des BBC-Außendienstes, der wöchentlich Tausende von Programmstunden in Dutzenden von Sprachen rund um den Globus sendet.

Mann, das muß doch tierisch was kosten. Bekanntlich wird der Außendienst nicht aus den Rundfunkgebühren, sondern vom Auswärtigen Amt finanziert.

Meine Fresse! Ganz recht. Der englischsprachige World Service sorgt für ununterbrochenen Sendefluß, ungefähr so wie unser Radio 4, und dieses Programm, nur eines von vielen, meinen wir, wenn wir vom BBC World Service sprechen.

Na, ich danke schön. Nichts zu danken, kann ich sonst noch was für Sie tun?

Glaube nicht. Gut, dann werde ich –

Ach doch: Dann werden von diesem BBC World Service also nur Wortbeiträge gesendet? Ganz und gar nicht. Edward Greenfield stellt neue Klassikplatten vor, Paul Burnett moderiert eine wöchentliche Hitparade, Bob Holness aus der Kultserie *Blockbusters* leitet unter dem Titel *Anything Goes* Hörerwunschkonzerte, Richard Baker moderiert einmal pro Woche sein *Half-Dozen*, und dann gibt es noch eine ganze Reihe von Kleinbeiträgen zu Oper, Musical, Ballett und Chormusik. Außerdem gibt es regelmäßig Sendungen zu Country- und Folkmusik, Tom Robinson kümmert sich um eine Sendung für neue Musik –

Ja ja, ich hab's kapiert. Geschenkt! Den Rest werde ich auch noch in der ›Radio Times‹ finden. Ja nun, eben da irren Sie sich, mein schöner junger Freund. Es ist eine merkwürdige Verschwörung im Gange, die vor nichts zurückschreckt, das Herausfinden des Programms so schwierig wie möglich zu gestalten. Für einen im Lande ansässigen Briten war es bis vor kurzem nahezu ausgeschlossen, eine Ausgabe von ›London Calling‹ in die Finger zu kriegen, der Programmzeitschrift des World Service. Der Dienst war für die Welt da, nicht für die Heimat. Wenn man es geschafft hatte, die Frequenz überhaupt reinzukriegen, hatte man Glück gehabt, vorgesehen war es nicht, und es ist immer noch schwer, im Westen oder Norden von London, also stromaufwärts der Radiowellen, die in Richtung Kontinent fließen, guten Empfang zu bekommen.

Wahrscheinlich malt er ein ziemlich rosiges Bild Britanniens, wenn er von der Regierung finanziert wird? Ich habe im Laufe der Jahre alles mögliche versucht, um eine Spur offener oder verdeckter probritischer oder antikommunistischer Propaganda, Tendenz oder auch nur Färbung in den Sendungen des World Service zu entdecken, aber es ist mir nicht gelungen. Er scheint wirklich so leidenschaftslos und desinteressiert zu sein, wie es nur geht. Das düsterste Porträt des Landes, das mir – sieht man mal von *Duty Free* ab – je zu Ohren gekommen ist, war, glaube ich, vor kurzem eine Sendung des World Service über das mittlerweile sprichwörtliche Nord-Süd-Gefälle. Bittere Interviews mit Schulkindern aus Sunderland und Politikern aus dem Südosten, in denen kein Blatt vor den Mund genommen wurde. Weiß der Himmel, welches Englandbild der mürrische Exilant in Indien, der kanadische Geschäftsmann, der indische Bauer, der kolumbianische Kokablatt-Exporteur oder der australische Firmenausschlachter bekommt: ein der Wahrheit entsprechendes, nehme ich an. Die einzige Sendung, die man annähernd des Patriotismus bezichtigen könnte, ist eine komische kleine Reihe namens *New Ideas*, die anscheinend darauf abzielt, mit neuen britischen Erfindungen hausieren zu gehen.

Sie haben gesagt, reichlich geschwollen, wie ich fand, der Service sei mit Radio 4 verwandt. Inwiefern verwandt? Die Verwandtschaft mit unserem Radio 4 war vom ersten Moment an offenkundig. Eine ganze Reihe von Journalisten der Inlandsdienste der BBC wird bei der Ausstrahlung regelmäßiger World-Service-Programme eingesetzt. Malcolm Billings, Margaret Howard, Chris Kelly, Benny Green, John Tidmarsh, Dave Lee Travis, Renton Laidlaw, all das sind dem Radiohörer altbekannte Namen. Auch richtige Radio-4-Sendungen und Stücke werden gebracht: *Just A Minute, The Goon Show, My Music, Brain of Britain, Letter from America* und hundert andere sind weltweit ausgestrahlt worden. Aber es gibt auch reichlich Originalsendungen: *Meridian*, das tägliche Kunstmagazin, *Outlook*, die Tagesnachrichten- und Kommentarsendung, *Letterbox*, Margaret Howards Sichten von Hörerbriefen, *Radio Newsreel, Sports Roundup, Book Choice, Network UK, Europa, Short Story, The Merchant Navy Programme*. Diese und viele andere, darunter Prestigehörspiele, sind spezielle World-Service-Sendungen, die ausschließlich für Auslandshörer produziert werden.

Prestigehörspiele? Was meinen Sie denn mit »Prestige«? Ach, ich weiß nicht. Wahrscheinlich Hörspiele, in denen Michael Hordern sich unter den Sprechern befindet.

Ach du Schreck. Äh, kann ich jetzt gehen? Ja ja, lauf du nur.

Sehen Sie, der Ruhm des World Service ebenso wie der von Radio 4 beruht darauf, daß diese zu den letzten großen Bastionen des gesprochenen Worts gehören. Die Dominanz von Literaten und »Literarizität« in der Welt der Kommunikation verleitet uns dazu zu vergessen, daß das Radio eine viel »natürlichere« Kommunikationsform ist als der Druck. Lyrik und Geschichtenerzählen waren die Erfindung oraler Gesellschaften. Die Erfindung der Druckerkunst hat letztendlich dazu geführt, daß die Botschaft bearbeitet, abgepackt, distanziert, kontrolliert und modifiziert wurde. Die orale Tradition, die Praxis, unsere Stimme und unsere Sprache zu mehr zu benutzen, als uns nur nach dem Weg zur Toilette zu erkundigen oder über die laute Musik zu beschweren, ist bedroht. In der ganzen Welt dient das Radio nur dazu, Nachrichten und Musik zu verbreiten; das Fernsehen beschäftigt sich aufs verhängnisvollste mit Bildern, Handlung und Spektakeln; Bücher haben sich in die gespenstische Welt von Literaturpreisen und Snobismus zurückgezogen, und das Theater – also das Theater ist schon seit Jahren das Reservat von Mediokrität und dem verblühenden Leben des Mittelstands, der in einem von Bücherregalen gerahmten Bühnenbild sorgfältig herumironisiert.

Aber dank irgendeinem Patzer der Geschichte verfügen wir über einen florierenden Sender fürs In- und Ausland, der nur dafür da ist, uns zuzureden. Wir brauchen bloß zuzuhören. Der liebe Gott gab uns zwei Ohren und nur einen Mund, pflegte meine teure weißhaarige Mutter zu sagen, bis ich sie loswurde und mir eine jüngere besorgte, die besser zu meinem zarten Alter paßte.

Ist das unangenehm rassistisch, wenn ich noch anmerke, daß die Amerikaner, die keine ordentliche Radiostation für Wortbeiträge haben, auch so gut wie überhaupt nicht zuhören können? Früher brauchte ein Amerikaner Ohren, um seine Brille zu befestigen; angesichts der zunehmenden Verbreitung von Kontaktlinsen wird die Evolution im Lauf der nächsten hundert Jahre seine Ohren wohl vollständig abschaffen.

Wer erzählt der Welt Geschichten, kommuniziert Ideen, Phantasien und Eindrücke? Wer belehrt, amüsiert, alarmiert und beruhigt uns mit dem gesprochenen Wort? Hierzulande nur Radio 4 (und das um den Preis, den Giftmüll wahnsinniger Leserbriefe und Anrufe aufsaugen zu müssen) und weltweit nur der World Service der BBC. Ich glaube nicht, daß man deswegen gleich in chauvinistisches Freudengeheul ausbrechen sollte. Wenn die Voice of America, der Auslandssender der Vereinigten Staaten, anstelle des World Service ein anständiges Programm böte, dann würde ich das einschalten. Die Stimme Amerikas setzt aber leider nur neue Standards für eintönigen Propagandaquatsch. Und daher dürfen wir uns glücklich schätzen, daß dank historischer Koinzidenz dieses Land die Fackel trägt – und das hat den großen Vorteil, daß wir, egal in welchem Winkel der Erde wir uns auch befinden, immer die Cricket-Ergebnisse geliefert bekommen.

Abschnitt drei

›The Listener‹

Es folgt eine Auswahl von Artikeln, die ich für den ›Listener‹ geschrieben habe:

Nackte Kinder

Als ich am Wochenende mit Brettern und Beitel zugange war und mich an die Grundelemente gymnasialen Werkunterrichts zu erinnern versuchte, kam ein Freund vorbei und fragte, was um Gottes willen denn in mich gefahren sei. »Ich hab' eine Stereoanlage und kann sie nirgends hinstellen«, sagte ich, »und es gibt Zeiten, da braucht man einfach einen Ständer.«

Und wie recht ich doch hatte. Die Menschheit steht einer psychischen Krise gegenüber, die offenbar weitgehend unbemerkt geblieben ist: einer Krise, die ins Herz unseres Seins und unserer Beziehungen zu unseren Seelen zielt.

Als ich klein war, also wirklich sehr klein, grotesk jung, winzig im Grunde, pflegten meine mich abgöttisch liebenden Eltern Photos von mir zu machen. Des Sommers schlüpfte ich in der überschwenglichen Schlichtheit meiner Kindertage wie ein Lachs aus meinen Kleidchen und tollte splitterfasernackt über den Rasen. In meiner vertrauensvollen Unschuld winkte ich in die Kamera, schlug Purzelbäume und erfreute mich der frischen, unverdorbenen Herrlichkeit des Lebens. Wie alle wirklichen Meisterverbrecher warteten meine Eltern danach einfach ab. Die Jahre verstrichen, und ich kam in jenes schlaksige, schlurfende, schamerfüllte Alter, das ich jetzt täglich hinter mir zu lassen hoffe. Ich brachte Freunde zur näheren Begutachtung mit nach Hause, wir tranken Wein und unterhielten uns nonchalant über den Neoplastizismus und die Nationaleigenschaften der Deutschen mit jener Mischung aus gutunterrichteter Toleranz und bescheidenem Scharfsinn, im Vergleich zu der Sokrates wie John Selwyn Gummer geklungen hätte. Gerade wenn sich abzuzeichnen begann, daß ich eindeutig der faszinierendste und abgeklärteste Mensch meines Alters und Gewichts weit und breit war, füllte sich die Luft plötzlich mit Bildern, deren obszöne Deutlichkeit und intime Einzelheiten selbst den verhärtetsten Kinderpornographen an der Tischplatte hätten nach Halt suchen lassen. Wenn Sie die Großaufnahme eines nackten Kindes sehen, das gerade einen Purzelbaum rückwärts macht, dann wissen Sie, warum Kleidung erfunden wurde.

Während Freunde mit glasigem Blick auf Photos von mir und dem merkwürdigen kleinen Pflänzchen starrten, das in jenen Tagen als mein Zeugungsorgan durchgegangen war, versuchte ich zu erklären, das Kind auf diesen von ihnen gründlich studierten Bildern sei nicht ich. Das entsprach sowohl biologisch als auch psychologisch der Wahrheit. Jede einzelne Zelle meines Körpers war seither ersetzt worden. Als Modell dieses bedeutsamen Phänomens fällt einem P. G. Wodehouse' Schreibmaschine ein. Er kaufte seine Royal noch vor Ausbruch des 1. Weltkriegs und benutzte sie bis zu seinem Tode. Aber inzwischen war jedes einzelne Teil erneuert worden: das Chassis, die Walze, die Laufrolle, die Tastatur – alles. War es noch *dieselbe* Schreibmaschine? Bin ich noch derselbe Mensch? Die Axt des Philosophen ist schärfer als Ockhams Rasiermesser.

Zumindest blieb mir die nächste Dimension der Demütigung erspart, die jene erlitten, deren Eltern Filmkameras benutzten, und die heute mit ihren Videokameras auf alles draufhalten, was den Kopf aus der Deckung streckt. Die BBC hat entschieden, die »Dachbodenarchive«, wie sie die Aufzeichnungen solcher Verbrechen nennt, seien sendefähiges Material. Abgesehen von dem ästhetischen Greuel, die ektachromgesättigte Blau- und Grünstichigkeit durchstehen und die billige Melancholie von Sonne und Lächeln erfahren zu müssen, die längst vermodertes Fleisch einst erhellten, mache ich mir Sorgen wegen des psychischen Durcheinanders, das die Photographie anrichtet. Jahrtausendelang bestand des Menschen einzige Möglichkeit zur Selbstbetrachtung darin, sich vor irgendeine Art Glasscheibe zu stellen. Das hatte den Vorteil, gewissermaßen live zu sein. Stellen Sie sich vor einen Spiegel und heben Sie die rechte Hand. Ihr Spiegelbild wird dasselbe tun (natürlich immer nur, solange Sie nicht Groucho Marx sind). Wir sind die Herren unserer Körper, wir haben sie unter Kontrolle. Der Herausblickende ist derselbe wie der Hineinblickende. Aber seit der Schmalfilmkamera ist uns diese Unabhängigkeit genommen worden. Das ist einer der vielen Gründe, warum wir uns so ungern im Fernsehen beobachten. Man sieht sich selbst mit einem schrägen Gesichtsausdruck, aber sosehr man auch möchte, man kann ihn nicht ändern. Dies ist per definitionem nur für jene ein Problem, die in das Zeitalter der Handkameras hineingeboren wurden. Das Subjekt auf dem Bildschirm ist nicht das des Betrachters. Man ist dezentriert worden. Man verfügt auf einmal über ein anderes Ich, das sich bewegen, denken, sprechen und andere rühren kann, über das man selbst jedoch keine Kontrolle hat. Das ist ein tief empfundener Albtraum und erklärt zu einem Gutteil die neurotischen Identitätskrisen, die unser Jahrhundert charakterisieren.

Für einige wenige Männer und Frauen, die – in Anthony Burgess' hübscher Formulierung – »unabsichtlich mit irrelevanter Photogenität begabt« sind, zahlt sich das aus, da sie eine Karriere daraus machen können, auf Bildschirmen gesehen zu werden. Sie verstehen sich darauf und werden für den himmelschreienden Wahnsinn, zu dem dieser Prozeß unweigerlich führt, anständig bezahlt. Aber die ganze Menschheit zu ermuntern, das Atom des Ichs zu teilen, ist einfach tollkühn. Außerdem bin ich als Mitglied der Schauspielergewerkschaft keineswegs sicher, ob mir der Gedanke behagt, jeder könnte plötzlich mitmachen wollen.

Der Fluch der Familie

Ich möchte Ihre Zeit nicht damit verschwenden, diese kostbare Seite, immerhin ein ordentliches Scheibchen kanadischer Fichte, einer Diskussion von Paragraph 28 oder 29 oder 30 zu widmen, oder welche Nummer er gerade trägt. Sie sind ein anständiger Mensch: Sie sind genauso empört wie ich, in einem Land zu leben, das imstande ist, seine Gesetzbücher mit einer derart boshaften, widerlichen und ekelerregenden Sammlung von Heuchelei und Lügen zu besudeln. Dieser ganze Wahnsinn darf weder ignoriert noch vergessen werden, aber ich möchte mich weniger über etwas Bestimmtes beklagen als Sie vielmehr daran erinnern, daß Tenor und Stoßrichtung der Legislatur (falls dieser dem Epizentrum von Satans Analrosette entnommene schleimige Abstrich einen so würdigen Namen verdient haben sollte) darin bestehen, die Propagierung von Homosexualität als akzeptabler Alternative zum Familienleben zu kriminalisieren. Familienleben, Familienwerte, anständige Normalfamilie, Familienspaß, Familieneinkauf, Familienfreizeit. Das Wort wird heute gerade so gebraucht wie das Wort »Arier« im Deutschland der dreißiger Jahre. Alles, was nicht für die Familie ist, ist gegen die Familie, und was gegen die Familie ist, repräsentiert nicht die fröhliche Mehrheit. Die gnadenlose Verdammung von Nichtfamilienwerten ist folglich ein demokratisches Muß für jeden Populisten.

Ein jiddisches Sprichwort lautet: »Familie ist gut, aber böse mußte mit ihr sein.« Was ist bloß mit uns los, daß dieses Wort sich auf einmal in ein prachtvolles Banner verwandelt, das uns über Stock und Stein in ein neues goldenes Zeitalter führen soll? Es kann doch wohl kaum als Mittel gegen die ansteigende Kriminalitätsrate gemeint sein. Schließlich haben rund achtzig Prozent aller Morde familiäre Ursachen; Kindesmißhandlung und sexueller Mißbrauch sind nahezu ausschließlich Verbrechen im Kreise der Familie, und meines Wissens gibt es nur einen aktenkundigen Fall von Inzest, der außerhalb einer Familie praktiziert wurde, und da stellte sich am Ende heraus, daß es gar kein Inzest war.

Ich glaube, wenn wir in unserem Land die Gedankenkontrolle einführen wollen, und genau das scheint unseren weisen, liebevollen und mitfühlenden Landesvätern am Herzen zu liegen, dann wäre eine Gesetzesvorlage, die die Propagierung des Familienlebens unter Strafe stellt, an der Zeit, wenn nicht gar überfällig.

Auf BBC 2 gibt es eine Sendung namens *Weekend*, deren Niedertracht sich kaum in Worte fassen läßt. Wie jede »Familien«-Sendung, ob sie nun von Noel Edmonds oder Frank Bough moderiert wird, scheint sie dem unvoreingenommenen Betrachter zunächst nicht mehr als eine abstoßende Lobpreisung von Pringle-Wollklamotten, mit Anflügen einer Fred-Perry-Freizeithemdenparade. Wenn es denn nur etwas so Unschuldiges wäre. In Wirklichkeit handelt es sich um eine Apotheose der Familie. Absicht der Serie – auf den ersten Blick harmlos, ja sogar lobenswert – ist es, Informationen über Wochenendveranstaltungen im ganzen Lande, oder »UK«, wie es hier genannt wird, zu bieten. Das Grausige an der Angelegenheit besteht darin, daß eine »typische Familie« ausgewählt wird, die etwas »Freizeitaktivität« bei einem der unzähligen »glücklichen Freilichtamüsiermuseen«, »Familienspaßzentren« oder »erlebnisbadespaßorientierten Spaßglückfreizeithappys« entfalten soll, die wertvollen Platz verbrauchen, den man besser für weniger schädliche Unternehmen verwandt hätte, beispielsweise für Schnelle Brüter oder Union-Carbide-Werke. Diese »typische Familie« verbringt also einen Tag in der von der Redaktion ausgewählten Gehenna und verteilt nach ihrer Rückkehr »Punkte auf einer Skala von eins bis zehn«. Sicherheit findet natürlich am meisten Berücksichtigung: Wird der Abenteuerspaßspielplatz ausreichend überwacht? Hat der Maschendraht des Tierweltzentrums mit artgerechtem Lebensraum – oder »Zoo«, wie wir hierzulande sagen – kleine scharfe Spitzen, die Jasons »LA Rams«-Sweatshirt zerreißen könnten? All diese Dinge wollen wohl bedacht sein.

Welch ein Gefühl überwältigenden Elends mich überkommt, wenn ich diesen und anderen Wahnsinn um sich greifen sehe, kann ich Ihnen gar nicht beschreiben. Marks & Spencer beispielsweise bauen »Hypermärkte« auf der grünen Wiese, weil, so ein Pressesprecher, die Zukunft im »Familieneinkauf« liegt. Da ich meine Familie liebe, und niemand könnte sie mehr lieben, bin ich mir absolut sicher, wäre in meiner Kindheit ein solches Verfahren regelmäßig praktiziert worden, dann hätte ich es noch vor meinem zehnten Geburtstag zu der Schlagzeile »Familienmassaker an Supermarktkasse« gebracht.

Kinder wollen Ruhe vor ihren Eltern, Eltern Ruhe vor ihren Kindern. Unabhängige und abweichende Interessen, in Wesen und Bedeutung oft elternmörderischer Natur, sind absolut notwendig. Eltern sollten den Geschmack ihrer Kinder, was Musik, Kleidung, Fernsehen oder Freunde angeht, ebensowenig teilen wie umgekehrt. Zumindest sollten sie es nicht *müssen*, man sollte es nicht *erwarten*. Und von uns sollte man nicht erwarten, den Geschmack unserer Regierung in Sachen Werte, moralische Einstellungen und Außenpolitik zu teilen. Mich werden Sie nicht in eine große christliche Nationalfamilie treiben, die nicht mit Schwuchteln redet, die Kranke und Behinderte dem Sozialamt überläßt und jedem eine ordentliche Tracht Prügel verpaßt, der es wagt, unseren Polizisten und Soldaten gegenüber frech zu werden oder zu viele unverschämte Fragen zu stellen.

Gehorsam, Zwang, Tyrannei und Unterdrückung gehören genauso zum Bild der Familie wie Liebe, Mitleid und gegenseitiges Vertrauen. Das kommt ganz auf die Familie an. Ich frage mich, welche »Familienwerte« wir am ehesten mit unserer Regierung verbinden? Nein, eigentlich frage ich mich gar nicht: es liegt auf der Hand.

Ein Blick in die Zukunft

IN ZWANZIG JAHREN

Wir setzen unseren unregelmäßigen Abdruck von Auszügen aus dem ›Listener‹ in zwanzig Jahren fort. Diese Woche ein Artikel vom Juni 2008.

Der berüchtigte Spion Simon Mulbarton spricht aus seiner Zelle in Wellington, Neuseeland.

Ja, ich war '79 nach Cambridge gegangen, und dort bin ich auch zum Thatcheristen geworden. Ich weiß, heute hört sich das sehr merkwürdig an, aber sehen Sie, damals lag ich damit ganz im Trend. Wir hatten in jenen Tagen Arbeitslosigkeit, Rezession und Rassenkonflikte in erheblichem Umfang, und viele Studenten waren naturgemäß genauso glühende Zyniker und leidenschaftliche Realisten wie ich, also entwickelten wir uns zu Monetaristen, Friedmanianern und einige sogar zu direkten Thatcheristen/Reaganisten. Vergessen Sie nicht, daß da auch noch die große Sache des Falklandkrieges war, hinter die wir uns scharen konnten: Viele ältere Studenten strömten nur so in die Rekrutierungsbüros, es war für uns ein richtiger ideologischer Schlachtruf, die Overdogs zu verteidigen. Sie müssen das ganze Klima dieser Zeit verstehen, wissen Sie. Es gab eine Menge sehr einflußreicher, unintellektueller Dons, Casey, Cowling, Roger Scruton, allesamt Stützen der Gesellschaft und Träger der ›Salisbury Review‹ – für uns eher gedankenlose Menschen lag der Thatcherismus einfach in der Luft. Wir lasen viel Paul Johnson und Ferdinand Mount, und ihre neuen Ideen, man solle raffen, soviel man kriegen könne, den Markt die Sachen regulieren lassen, die Gewerkschaften zu Hackfleisch machen und so weiter, waren ungeheuer verlockend für die neue Generation egoistischer junger Leute, die Angst vor der Arbeitslosigkeit hatten. Manch einer hatte sogar Amerika unter Reagan besucht, der etwas früher gewählt worden war, und uns inspirierte, was man dort vorfand – Sie dürfen nicht vergessen, damals hatte sich ja noch nicht herausgestellt, daß der Mann alle vier Räder ab hatte –, alles sah so einfach und vielversprechend aus.

1980 kam erstmals jemand von der CIA auf mich zu, das weiß ich noch, da war ich im dritten Trimester, es war bei einem Treffen des Disciples Club, einer Eliteverbindung ultrarechter Studenten. Wir lasen reihum den anderen aus unseren Blättern vor: aus der ›Mail‹, dem ›Express‹, der ›Sun‹ – alles mögliche; einige der radikaleren Mitglieder konnten schließlich nicht lesen. Ich wurde jedenfalls von einem Don vom Peterhouse angesprochen, der schon einige Jahre lang für die Amerikaner arbeitete, und der fragte mich, ob ich bereit sei, für die CIA zu arbeiten. Ich stimmte freudig zu.

Ich habe aus meinen rechten Überzeugungen nie einen Hehl gemacht, und als ich nach meiner Cambridgezeit beim Auswärtigen Amt angenommen wurde, wußte man dort, glaube ich, ganz genau, wo meine Sympathien lagen. Vom ersten Tag an versorgte ich meine verschiedenen Kontaktleute in Washington mit Informationen. Ich habe mich nie als Verräter gesehen. Schließlich hatten die Amerikaner in zwei Weltkriegen an unserer Seite gefochten. Sie waren unsere Verbündeten gewesen. Wir waren ihnen das schuldig. Natürlich waren wir den Russen dasselbe schuldig, aber so sahen wir das damals nicht. Amerika war die große weiße Hoffnung des Kapitalismus, und daran glaubten wir. Indem ich proamerikanisch eingestellt war, glaubte ich, Britanniens ureigenste Interessen zu vertreten.

Im nachhinein ist natürlich leicht zu erkennen, wie total verblendet ich war, aber vergessen Sie nicht, daß wir erst in den frühen neunziger Jahren unsere Illusionen verloren, was Thatcher und Reagan anging, und erkannten, was wirklich hinter deren einladender Fassade lag. Aber da war es für die eigentlichen Geheimnisträger unter uns natürlich längst zu spät. Viele von uns bekleideten hochrangige Positionen zentraler Institutionen: Die BBC war von rechten Antiintellektuellen infiltriert, einer unserer Leute hatte jahrelang in der Personalabteilung gearbeitet. Fleet Street war von uns durchzogen und durchsetzt, und MI5 erst...

Sie arbeiteten daran, die Öffentlichkeit davon zu überzeugen, daß die Sowjetunion ein Reich des Bösen und Amerika ein treuer Freund sei. Man sollte glauben, wir hätten Probleme bekommen, die Invasion von Grenada wegzuerklären, die Stützung des Regimes in El Salvador, die Angriffe auf Nikaragua, und für einige von uns war das tatsächlich ein harter Brocken, aber trotzdem strömten uns die Leute nur so zu. Amerika pumpte Großbritannien mit kultureller Propaganda voll, müssen Sie wissen. Unsere Spitzel in den Medien trugen das Ihre dazu bei, die britische Öffentlichkeit zu überzeugen, daß es naiv sei, Nuklearwaffen loswerden zu wollen, wohingegen der Glaube, ihr Besitz garantiere irgendwie ewigen Schutz vor Zerstörung, nicht als naiv galt, und im großen und ganzen gelang ihnen das auch. Ironischerweise, wenn man sich die weitere Entwicklung anschaut.[1] Inzwischen sind sie natürlich alle tot, also können sie für die Geschehnisse nicht mehr zur Rechenschaft gezogen werden.

Ich war in Neuseeland, als alles hochging, angeblich fürs Auswärtige Amt, in Wirklichkeit versuchte ich im Auftrag der CIA eine grotesk naive, gegen Kernwaffen eingestellte Regierung zu destabilisieren, jedenfalls hab' ich ziemlich Schwein gehabt. In tausend Jahren oder so, wenn man die nördliche Halbkugel wieder gefahrlos betreten kann, werden die Unterlagen jener Zeit noch unbeschädigt sein. Wie gesagt, wir glaubten wirklich, daß wir das Richtige taten. Und das ist es doch schließlich, was zählt, nicht wahr?

---

1 Keine besonders beeindruckende Voraussage, wenn man den Verlauf der Dinge in Osteuropa betrachtet, oder?

Dorothys Freunde

Kürzlich wurde mir die Ehre zuteil, mich an zwei ziemlich kolossalen und herzerfrischenden Ereignissen beteiligen zu dürfen, die beide aus dem einen oder anderen Grund von den erbärmlichen, über den Boden unseres Gemeinwesens hüpfenden Dumpfdrosseln, will sagen von der Presse, gar nicht oder aber von oben herab behandelt wurden.

Das erste war eine einigermaßen gigantische Bühnenshow im Piccadilly Theatre, die die fiesen kleinen Fatzkes dem Spott preisgab, die hinter dem berüchtigten Abschnitt (vormals Paragraph) 28 stehen. Der ›Standard‹ – dies für all jene, die das Glück haben, außerhalb Londons zu wohnen – betreibt bekanntlich genau soviel absurdeste Propaganda, wie er sich gerade noch leisten kann, um den Schein zu wahren und nicht doch offen als Parteiblättchen der Torys erscheinen zu müssen. Und für das Stück Gesetzgebung, um das es hier geht, trägt er ein nicht unbeträchtliches Maß Verantwortung, indem er die von Labour-Stadträten und dem Greater London Council für – etwas unglücklich so genannte – »Lesbische Theaterkooperativen« und dergleichen bereitgestellten, verschwindend geringen Summen bis zum Abwinken aufgeblasen hat. Dieser ›Standard‹ also war eifrig bemüht, den Abend zu ignorieren, und schaffte es, am darauffolgenden Tag statt dessen von einem durchgeklinkten Tory zu berichten, der allen Ernstes der Meinung war, der Paragraph müsse »verschärft« werden. Die Show hatte es ausdrücklich darauf abgesehen, Homosexualität im – zweifelhaften – Sinne der Gesetzesvorlage zu »befördern«, indem ausschließlich Werke schwuler Schriftsteller, Dramatiker und Komponisten aufgeführt wurden. Erwartbare Namen wie Auden, Shakespeare, Wilde, Tschaikowsky, Orton, Britten und Marlowe sowie für manchen eher überraschende wie Edward Lear, Saint-Saëns, Noël Coward und A. E. Housman lieferten das Material. Unter den Darstellern fanden sich zahlreiche »Hetero«-Künstler und Musiker, Damen wie Judi Dench, Joan Plowright und Peggy Ashcroft und Namen wie Tom Stoppard, Simon Rattle und Paul Eddington, deren Teilnahme an solchen Veranstaltungen Angehörigen der rasenden Rechten gehörig Schaum vor den Mund treibt. Dieser nette Mensch aus *Yes Minister* kann doch unmöglich für nukleare Abrüstung oder sexuelle Toleranz sein?! Von dieser Art Verdruß ist es nicht weit zum Gejammer von der Sorte »Warum sind bloß alle klugen Köpfe links?« oder Aussagen wie »Schauspieler sollten bei ihren Leisten bleiben«. Das aus den Mäulern analphabetischer Yahoos und sabbernder, dem Suff ergebener Revolverfressen, die kaum imstande sind, ein Blatt in ihre Schreibmaschinen einzuspannen, geschweige denn, ihren Mitbürgern auch nur eine Sekunde lang charmant, human und freundlich gegenüberzutreten, sich aber trotzdem einbilden, täglich eimerweise die Gülle absondern zu dürfen, die ihnen durch das beschränkte Oberstübchen schwappt, das ist denn doch ein bißchen arg.

Bei der zweiten Veranstaltung, an der ich beteiligt war, handelte es sich insgesamt um eine weitaus lauter hinaustrompetete Angelegenheit. Ich meine die große Geburtstagsparty für Nelson Mandela im Wembley. Meine eigene Reaktion war zunächst die peinlicher Berührtheit, als nämlich mein Mikrophon während der ersten Minute meines »Sets«, wie wir Rock 'n' Roller einen Auftritt nennen, nicht richtig funktionierte. Dem mag man den merkwürdigen Umstand hinzufügen, daß zwar selbst Margaret Thatcher energisch gefordert hat, Nelson Mandela freizulassen und die Apartheid abzuschaffen, dieses Ereignis aber dennoch von der Presse mehrheitlich als eine Art anarcho-stalinistische Kundgebung geschildert wurde.

Die Frage, wann P. W. Botha, dem alle Welt das Mandat abspricht, über die Völker seiner unglücklichen Republik zu herrschen, endlich zustimmt, der Gewalt und seiner Kontrolle über eine aggressive Armee und Polizei abzuschwören, scheint den Leitartikelschreibern bei eben diesem ›Standard‹ egal zu sein, bei dem anscheinend nur der Fernsehkritiker über zwei miteinander verbundene Gehirnhälften verfügt. Ein Kommentar mit der Überschrift »Die Befangene Broadcasting Corporation« scheint mir geeignet, den Geisteszustand der gesamten Redaktion in ein schlechtes Licht zu rücken.

Cromwell, Éamon de Valera, Menachem Begin, Nasser, Ortega, de Gaulle, Mugabe, Schamir, Castro, Kenyatta – das sind nur ein paar der Staatsmänner (nicht alle erster Wahl, wenn's um anschmiegsame Bettgenossen geht), die ihre Karriere als »Terroristen« begannen, als »Männer des Bösen, mit denen wir nicht verhandeln werden«. Die Tyrannen, die sie ablösten, haben, so möchte ich streitlustig behaupten, ihre Völker ausnahmslos schlimmer unter der Knute gehalten als ihre Nachfolger, die daher heute ihrerseits ganz zu Recht als »Terroristen« angesehen werden.

Jene jedoch, die – und das sogar bei einer Feier – ihrem Glauben an den demokratischen Geist Ausdruck verleihen, werden bestenfalls als »naiv« und schlimmstenfalls als »finstere Gesellen« angeprangert. Die ›Times‹, deren einzige intellektuelle Errungenschaft neben ihrem Kreuzworträtsel und dem Parlamentsbeobachter die verblüffende Vielfalt der Methoden ist, mit denen sie die BBC verunglimpft und gleichzeitig den erbärmlichen Satellitenfunk ihres Eigentümers lobpreist, versucht sich an einer hochnäsigen Verdammung dieser Galaveranstaltungen. Die Darbietungen seien »Trivialisierungen« von »Angelegenheiten, deren Komplexität den geistigen Horizont von Popsängern überschreitet«. Welcher Art diese Komplexitäten sind und inwiefern sie den Horizont eines ›Times‹-Leitartiklers nicht überschreiten, dessen Höchstleistung schließlich in der Erkenntnis besteht, daß die »britische Rundfunklandschaft sich öffnen« muß, das werden wir wohl nie erfahren.

Glücklicherweise wird die Geschichte diese banausischen und irrelevanten Zecken vergessen, aber erst, wenn weitere Tausende in Südafrika schreiend gestorben sein werden, unter einem Premierminister, der mit der Freiheit so gut befreundet ist wie Margaret Thatcher mit Dorothy.

Und für jene unter Ihnen, die nicht wissen, was ein Freund von Dorothy ist: Fragen Sie einen Polizisten oder jeden fünften Tory im Unterhaus.

Thatcher im Fernsehen

Margaret Thatcher – geben Sie's zu, es gibt keine zwei Wörter, mit denen man einen Satz besser anfangen kann, ihre Macht, den Leser in den Bann zu ziehen, ist einzigartig – demonstriert ein unheimliches menschliches Paradox, das die hoffnungslos chiastische Symmetrie diametraler Gegensätze aufs charmanteste illustriert.

Im Fall von M. H. Thatcher betont die rechte Presse nämlich zu ihrer Verteidigung und zur Mehrung ihres Ruhms immer wieder den Umstand, daß sie ihrer Meinung nach der am meisten verabscheute und verunglimpfte Politiker menschlichen Angedenkens ist, und dies allein, sagt man, beweise ihren Wert und ihre Bedeutung. Die linke Presse oder jedenfalls das, was davon noch übrig ist, macht genausoviel Aufhebens darum, daß sie die am meisten gepriesene und vergötterte Führungsgestalt moderner Zeiten sei, eine Tatsache, davon ist man überzeugt, die das Böse in ihr nur verdeutliche. Beide Seiten wollen die überragende Bedeutung dieser Frau betonen, indem sie auf die übertriebene Reaktion der anderen Seite verweisen: im einen Fall ihre Bedeutung als Kraft des Guten, im anderen als Kraft des Schlechten.

Meine eigene Einschätzung der lackierten Kitschfigur, die unseren Staat regiert, möchte ich Ihnen nicht aufbürden. Über Lady Bracknell bemerkt Jack in Wildes *The Importance of Being Earnest* einmal: »Sie ist ein Monster, ohne ein Mythos zu sein, was eigentlich nicht gerecht ist.« Unsere Premierministerin ist wahrscheinlich ein Mythos, ohne ein Monster zu sein, was noch viel ungerechter ist. Wahrscheinlich ist sie auf dem Gesellschafts- wie dem Privatparkett eine so charmante Person, wie man sie sich nur wünschen kann, aber der Mythos ist über die Maßen monströs. Wenn es bloß umgekehrt wäre.

Das auf jeden Fall *hätte* ich gesagt, bis ich eine ziemlich verstörende Geschichte über sie zu hören bekam, die inzwischen von anderen Quellen bestätigt wurde. Sie ereignete sich, als zu Beginn ihrer Amtszeit ein Kamerateam vorbeikam, um ein Interview mit ihr aufzuzeichnen. Ein Interview mit einem Menschen ihres Ranges wird von Produktionsteams als »Auftrag mit 1a-Priorität« eingestuft. Bei solchen Aufträgen wird ein Teil des Personals verdoppelt: Beleuchter, Tontechniker und so weiter. Am Tag des Interviews schaute Mrs Thatcher sich in der Menschenmenge um und fragte mit einer alles andere als freundlichen Stimme (wie mir zufällig ein Tory versicherte), ob es wirklich nötig sei, daß wegen eines einzigen Interviews so viele Leute kämen. Der öffentlich bekundete Wunsch dieser Regierung, etwas gegen die zu großen Belegschaften in der Fernsehbranche zu unternehmen, verrät uns, woran sie dachte, als sie diese Frage stellte. Abgesehen von der schieren Arroganz und Unhöflichkeit, ihren Mitbürgern fast schon unverblümt ins Gesicht zu sagen, sie seien des Schnorrens und Schwarzfahrens auf dem Rücken luxuriöser, von Gewerkschaften durchgedrückter Bestimmungen verdächtig, beweist ihre verdrießliche Frage kein besonders großes Vorstellungsvermögen.

Jedermann, der jemals mit Film- oder Fernsehteams zusammengearbeitet hat, weiß, daß besonders bei Außendrehs das Schlüsselelement Zeit ist. Beleuchtung braucht sehr viel Zeit. Film- und Videokameras sind dem menschlichen Auge weit unterlegen, und wenn Szenen nicht sorgfältig und fachmännisch ausgeleuchtet werden, ist der daraus resultierende Film minderwertig. Ich höre förmlich den Aufschrei in der Presse und der Parteizentrale der Torys (falls es zwischen diesen beiden Wohltätigkeitsorganisationen einen Unterschied gibt), wenn Mrs Thatcher über- oder unterbelichtet ins Bild käme oder gar böse, fett, schmutzig, unterernährt, rotäugig, cholerisch oder in irgendeiner anderen trügerischen Verfassung, die schlechte Beleuchtung herbeiführen kann. In einem Fernsehstudio, wo Spezialscheinwerfer in Null Komma nichts eingestellt werden können, ist es vergleichsweise kinderleicht, ein Interview auszuleuchten. Thatcher ist jedoch Premierministerin, ihre Zeit ist, darf man annehmen, verhältnismäßig kostbar. Was Fernsehinterviews anbelangt, ist der Berg normalerweise bereit, zum Propheten zu kommen. In der Downing Street jedoch hängen die Zehnkilowattlampen nicht gerade in großer Stückzahl von der Decke. Daher die überdurchschnittlich großen Teams. Anscheinend sah sich die Premierministerin jedoch zumindest bei diesem Anlaß außerstande, das nachzuvollziehen. Das einzige, was sie sah, war die Gelegenheit, eine giftige Bemerkung zum Thema Personal überhaupt loszuwerden, womit sie etliche Leute vergrätzte, die aufgeregt waren, sie zu sehen, und bestrebt, so wenig von ihrer Zeit zu beanspruchen wie möglich.

Ich will dieses Ereignis nicht überbewerten, wir haben alle mal unsere schlechten Tage, meckernde, boshafte Tage, und ich will nicht behaupten, diese Begebenheit beweise ein für allemal, daß die Frau eine kreischende Medusa ist, aber was generell die Frage der Personalstärke angeht, so scheinen mir jene, die ständig die Phrase »Personalüberhang« im Munde führen, das Geld den Menschen vorzuziehen. Ein chinesisches Restaurant mit vierzig Kellnern ärgert uns nicht – der Gewinn sinkt, aber sie schlagen sich durch, sie versorgen ihre Familie und bedienen den Gast um so schneller. Aber wenn es um öffentliche Dienstleistungen geht, genügt es nicht, »sich durchzuschlagen«, und wird es undenkbar, auf Kosten niedrigerer Gewinne unsere Familie im weiteren Sinn zu versorgen. Und so bleiben wir stark beansprucht, überarbeitet und – sozial – unterbelichtet.

Sockenzorn

Ich bin wütend. Ich bin richtig wütend. Ich bin so wütend, daß ich kaum auf die Toilette gehen kann. Ich schäume. Ich glaube nicht, daß ich jemals so sauer gewesen bin. Wenn Sie mir kochende Marmelade über den Rücken kippen, meine Hose anzünden, auf dem Rücksitz meines Wagens ihr Geschäft verrichten und mich zwingen würden, ohne zu zwinkern die Karikatur von mir anzustarren, die neben diesem Artikel steht, könnte ich nicht zorniger sein. Fuchsteufelswild bringt es ungefähr auf den Punkt. Der Grund meines unbeherrschbaren Zorns ist schnell erzählt. Ich habe meine Socke verloren. Die, die ich heute morgen anziehen wollte. Einsam schmachtet sein Zwilling auf dem Boden meines Schlafzimmers, der unerhörten Dreistigkeit seines launischen Bruders wegen des ehrfurchtgebietenden Privilegs beraubt, meinen rechten Fuß zu umhüllen. Ich mußte mir ein anderes Paar holen. Als ich dann noch Kaffeebohnen über den ganzen Küchenboden verschüttete, schlug das dem Faß der elenden Sache den Boden aus. Im Verein haben diese beiden entsetzlichen Katastrophen meinen Blutdruck so hochgetrieben, daß ich Gefahr laufe, heftiges Nasenbluten zu bekommen.

Nun bin ich sofort bereit zuzugeben, daß an diesen beiden Vorfällen, betrachtet man sie im kalten, klaren Licht der Logik, nichts ist, was einem den Magen umdrehen müßte. Ich möchte wetten, in ein oder zwei Tagen habe ich die ganze Sache vergessen. Okay, in einer Woche. Am wütendsten bin ich auf die *Tatsache*, daß zwei so belanglose, um nicht zu sagen triviale Probleme mich so erzürnen, wo ich im allgemeinen doch ein Leben führe, das mir wenig Grund zum Stänkern gibt. Sehen Sie, ein Mensch hat nur eine beschränkte Menge Galle zur Verfügung, und ich fürchte, daß ich niemals, nie wieder in meinem ganzen Leben wütender sein werde als vor einer Viertelstunde, wo ich mein Zimmer auf der Suche nach dieser verdammten, hirnrissigen, gottverlassenen, verfluchten Socke auf den Kopf gestellt habe, die sich, während ich dies schreibe, hinter der Täfelung oder wo immer das blöde Stück sich versteckt haben mag, wahrscheinlich kranklacht. Und es hat keinen Sinn. Mit welchen merkwürdigen moralischen, ethischen oder evolutionären Absichten Zorn auch ersonnen worden sein mag, wegen abtrünniger Fußbekleidung durchzudrehen, ist kaum im oberen Bereich der Liste zu erwarten. Trotzdem könnte ich schwören, würden Sie mir einen Zornometer oder Sauerkeitssensor ans Gehirn anschließen, dann würde die Nadel mit dem Tempo eines Sprinters, der heimlich vom geölten Blitz genascht hat, zur roten Linie hochschießen, wo es heißt »Gefahr. Überlastet. Verlassen Sie sofort das Gebäude«.

Dasselbe gilt natürlich für Glück. Wenn ich von einem exzentrischen Tycoon eine Milliarde Pfund erbte, als erster Bowler in die englische Cricketmannschaft berufen würde, eine neue Karikatur für meine Kolumne im ›Listener‹ bekäme, die Gelegenheit erhielte, als Stargast die Einweihungsfeier für ein mehrstöckiges Parkhaus in Nicholas Ridleys Hinterhof abzurunden, wäre ich naturgemäß verrückt, delirierend, grotesk glücklich. Aber auch nicht glücklicher als mit elf Jahren, als ich in einer alten Hose eine Zehn-Shilling-Note entdeckte. Und bestimmt in keinem Zustand höherer Ekstase als an dem Tag, an dem mich meine Mutter im Alter von sechs Jahren (ich war sechs, nicht meine Mutter; sie war bedeutend älter) in *A Hard Day's Night* mitnahm. Ich verfüge schlichtweg nicht über die Kapazität, größere Freude zu empfinden als die, die mich von innen her durchglühte, als Rolf Harris mir hinter der Bühne des Britannia Pier in Yarmouth ein Autogramm gab. Jeder simple Glückseligkeitsmesser könnte meine Behauptung stützen.

Aber wie steht es um diese Welt? Wenn ich über das Verlegen eines Herrenkniestrumpfs vor Zorn bebe oder mich vor Freude winde, wenn ein bärtiger Australier mir seinen Namen auf eine abgerissene Eintrittskarte schreibt, wie groß ist das Guthaben meines

Gefühlskontos dann noch für völkermordende Ungerechtigkeit oder den Weltfrieden? Es ist wenig hilfreich, wenn man sich vorzustellen versucht, daß jene, die unter Folter und Grausamkeit und Armut leiden, sich genauso fühlen, als hätten sie eine Socke verloren, nur war es eben eine besonders schöne Socke, mit wunderschönen Ornamenten und einem attraktiven Hackeneinsatz, der sich gewaschen hatte. Das heißt, *ich* hab' sie immer gewaschen; mit einem dieser modernen Waschpulver bei niedrigen Temperaturen und ein bißchen Weichspüler kam sie so schön aus der Maschine wie der schaumgeborene Adonis... was wollte ich sagen? Ach ja: Der Vergleich hinkt.

Muß ich also annehmen, daß mein Leben so verarmt ist, meine Existenz so schal und karg, mein Geist so hohl, oberflächlich und bar jedes Mitleids, daß das einzige Ereignis, das imstande ist, meinen Zorn zu erregen, der Verlust einer kleinen, fußförmigen Baumwollröhre ist? Das ist ja wirklich eine schreckliche Vorstellung. Wenn ich sie für zutreffend hielte, müßte ich alldem ein Ende setzen. Aber was für einen Abschiedsbrief könnte man hinterlassen? »Mußte erkennen, daß mein Zorn auf die Socke ungerechtfertigt war und mir die Nutzlosigkeit meines Lebens vor Augen geführt hat. Sollte sie sich unter meinen Effekten finden, laßt sie bitte ausstopfen und aufstellen, und präsentiert sie der Nation als warnendes Beispiel.« Ist als Nachruf nicht so doll, oder?

Ich fürchte, ich muß meinen Kreditkarten-Versandkatalog konsultieren und mir einen... Socken-Caddy schicken lassen, »erhältlich in Managergrün und Sitzungssaalbordeaux. Mit persönlicher Note durch eine Ihrer Initialen. Zwei widerstandsfähige, wetterfeste, aufgerauhte Lederschubfächer garantieren Ihren Socken rund um die Uhr Vierundzwanzigstundenschutz.«

Aber stellen Sie sich vor, zum Anblick eines solchen Dings aufzuwachen. Ich würde sofort ausrasten.

Wimbledon-Horror

Irgendwo in England lebt der Depp, dessen akustische Graffiti (falls nicht ein philanthropischer Tontechniker sich dagegen entscheidet) die Aufzeichnungen des diesjährigen Finales im Wimbledoner Herren-Einzel auf ewig verderben. Dieser Vandale wurde während des stürmischen, unvorhersehbaren Verlaufs dieser hervorragenden Partie keine Sekunde müde, im absolut unpassendsten Moment »Come on, Stefan« zu grölen. Sein Verbalschmierantentum hetzte das gegnerische Geschrei von »Come on, Boris« auf, das dann wieder zu Variationen des Ausgangsthemas führte, bis es klang, als wären im einen Teil des Centre Court eine Million Aras losgelassen worden, die einen Strauß mit den vier Millionen verschiedenen Nymphensittichen und Kakadus ausfechten wollten, die im anderen Teil aufs grausigste vergewaltigt wurden. Die gackernden, faselnden, ungehobelten Hooligans aus der Londoner Gegend, die für dieses wüste, verrohte Geschrei verantwortlich waren, irren sich schrecklich, wenn sie meinen, daß a) dieses erotomane Gekreisch und pithekanthropoide Gebell ihrer hirnamputierten Fans Edberg irgendwie ansporne oder Becker beruhige, oder daß b) Zuschauer um den ganzen Globus herum einen Unterschied machen zwischen diesen Akten gellender Barbarei und der physisch weniger destruktiven, in der Öffentlichkeit aber stärker verurteilten Randale britischer Schlachtenbummler, die zweifellos auch diese grölenden Tennisbegeisterten selbstgefällig als »unserem guten Ruf im Ausland abträglich« verurteilen würden.

Paradoxe Tatsache ist: Je weiter ein Klischee verbreitet und akzeptiert ist, desto weniger ist es im allgemeinen in der Realität verankert. Das beste Beispiel dafür ist die in Ehren ergraute Lüge, alle Klischees enthielten ein Körnchen Wahrheit. Ich halte Klischees eher für den verzweifelten Versuch, eine Wahrheit zu erzeugen, indem man auf ihr besteht, ungefähr so, wie der Kneipenprahlhans mit seiner Schürzenjägerei protzt, die doch nur bloßlegt, daß er im Bett selbst mit dem Wagenheber keinen mehr hochkriegt. Schauen Sie sich die Klischees über Briten an. »Die Briten sind tolerant.« Puh. Welche andere, halbwegs entwickelte Demokratie kann eine so klägliche und trostlose Geschichte der Intoleranz vorweisen? Von der Einkerkerung und Verbrennung von Ketzern, Hexen und

Wilddieben bis hin zur Zensur von Literatur, Kunst und Fernsehen: Von St Alban bis hin zu Wilde, Joyce und Lawrence können wir, glaube ich, voller Stolz einen genauso düsteren Katalog bigotter Unterdrückung vorweisen wie jede andere Nation auf Erden. Die vielgepriesene britische Naturverbundenheit? Wie geht es denn dem Grüngürtel um den sauren Regen anziehenden Mülleimer Europas herum? Wo sind denn die Hecken geblieben? Pimpernellen und Feuchtwiesen, die einst die Poeten aufjauchzen ließen? Wer vom großartigen englischen Frühstück spricht, wäre vielleicht erstaunt zu erfahren, daß Speck, Eier, Toast und Tee schon seit ewigen Zeiten in anderen Ländern konsumiert werden, ohne daß die an diesen Mahlzeiten Beteiligten gewahr wurden, daß sie etwas anderes als das großartige dänische Frühstück oder das großartige ruandische Frühstück oder das großartige neuseeländische Frühstück spachtelten. Wenn wir die Geschichte von Bärenhatz, Grubenponys und weihnachtlichem Welpenaussetzen wirklich und wahrhaftig als große Liebesaffaire der Briten mit Tieren bezeichnen wollen, dann sind jede normale Gottesanbeterin und ihr Gatte Romeo und Julia. Und dieses scheußliche, kreischende, bellende Höllengeheul, das alle Jahre wieder Wimbledon verdirbt, zeigt also, daß die Briten ungefähr soviel Sinn für Gerechtigkeit und Sportsgeist haben wie Hitler für schelmische Ausgelassenheit. Das beste Rechtswesen der Welt? Nun machen Sie mal halblang.

Doktor Johnson zu zitieren ist des Schurken letztes Mittel, ich werd's mir also verkneifen. Ich hasse weder Britannien noch die Briten, aber wie irgendwer irgendwo mal sagte: »Ein Patriot liebt sein Land; ein Nationalist haßt alle anderen.« Wir hätten weit mehr Grund, dieses Land zu lieben, wenn solche herausposaunten Klischees der Wahrheit das Wasser reichen könnten.

Aber ich liebe dieses Land, wie Cordelia Lear liebte. All die Gonerils und Regans, die ihre riesige, allesumfassende, bedingungslose Liebe beteuern, tun offensichtlich das allerwenigste, um es zu einem Land zu machen, in dem man leben möchte. Unsere Toleranz in die Gegend zu brüllen, macht uns noch nicht tolerant: von keinerlei Kenntnis anderer Länder belastet, zu behaupten, diese Institution oder jene Tradition in Britannien sei »die beste der Welt«, läßt uns bloß lächerlich aussehen. Leute anzuschreien, die

Tennis zu spielen versuchen, macht Wimbledon für mich noch elender als das einzige Klischee über Britannien, das wirklich der Wahrheit das Wasser reichen kann – das Wetter.

Fuck sagen

Ich bin nicht sicher, ob Norris McWhirter den unglaublich klingenden britischen Rekord aller Zeiten, den ich gleich beanspruchen werde, nach der nötigen Bestätigung und Kontrolluntersuchung durch Roy Castle in sein *Guinness Buch der Rekorde* aufnehmen möchte. Ich glaube – und bin grundsätzlich bereit, mich eines Besseren belehren zu lassen –, daß ich vor laufender Fernsehkamera das Wort »fuck« öfter in einem Rutsch gesagt habe als jeder andere meines Alters und Kampfgewichts im Königreich. Vielleicht hält McWhirter in seiner Eigenschaft als leuchtendes Vorbild jener für individuelle Freiheit eintretenden Organisation, in die er all seine unerschöpfliche Energie investiert, diesen Rekord ja auch für frivol oder skandalös. Es würde den Britischen Freiheitsverband (falls das sein richtiger Titel ist) in semantischen Unsinn verwandeln, wenn er wirklich etwas gegen Leute hätte, die im Fernsehen das Wort »fuck« in den Mund nehmen, aber andererseits haben schlechtere Menschen als er im Namen der Freiheit Bedeutung in Unsinn verwandelt, so daß es mich nicht sonderlich überraschen würde.

Wichtig sind die Einzelheiten jener Begegnung, bei der Kenneth Tynans alter Rekord übertroffen wurde. Die Voraussetzungen für einen so kühnen Vorstoß waren ideal: eine live ausgestrahlte Talkshow zu vorgerückter Stunde, die, wenn mich mein Gedächtnis nicht trügt, moderiert wurde von Roger Cook und Susan Jay, Zuschauern allerorten wohlbekannt. Austragungsort war der Studiokomplex von Central TV in Nottingham. Das Publikum setzte sich aus Studenten und Rentnern zusammen. Diskussionspartner waren Michael Bentine, Ben Elton, John Lloyd (der Fernsehproduzent, nicht der Tennisspieler – auch nicht der Ex-Herausgeber),

Hugh Lloyd, meine Wenigkeit, Barry Cryer und der Drehbuchautor Neil Shand. Thema des Abends waren die Komik und die Komiker.

Die Diskussionsleiter präsentierten die Angelegenheit als giftiges Wortgefecht, von dem erwartet wurde, daß die Vertreter der alten und der neuen Komödie sich polemisch zerfleischen würden. »Die Fronten sind gezogen für den Krieg der Komiker«, trompetete die Anmoderation zu unserem Erstaunen. Nicht genug, daß Ben Elton Liebe und Bewunderung für Eric Morecambe, Laurel und Hardy sowie Tommy Cooper bekundete, Barry Cryer mußte noch eins draufsetzen und Rik Mayall, Rowan Atkinson und Elton selbst mit Lob überschütten. Das Ganze war so kontrovers wie *Stars on Sunday*.

Wir kamen auf Slang zu sprechen. Pro und contra fanden ihre Fürsprecher, und dann wurde ich um einen Kommentar gebeten. Ich versuchte mich an die Lektüre des Protokolls jenes berühmten Prozesses (den ich gebührend zitierte) und an die Argumente zu erinnern, die Richard Hoggart bei der Verteidigung der Sprache von *Lady Chatterley* vorgebracht hatte. Wir verfügen über einfache und direkte Worte, die Körperfunktionen wie Essen und Schlafen beschreiben, so ungefähr lief die Beweisführung, aber sobald es um Fortpflanzung geht, gestatten wir uns entweder nur umständlich medizinische und lateinische Begriffe wie koitieren, kopulieren und Koitus, oder verlogen putzige und paraphrasierende Euphemismen wie »Intimität«, »Liebe machen«, »fleischliche Gelüste« und den ganzen Schmonzes. Dasselbe gilt für unsere Unfähigkeit, ein einfaches Wort zu finden, das den Akt der Ausstoßung von Feststoffen durch unser Gesäß beschreibt: sich entleeren, Stuhlgang haben, sein großes Geschäft verrichten, defäkieren und ausscheiden schleichen gewissermaßen alle um den heißen Brei herum. Das Wort »scheißen« nicht. Dieses Drumherumreden und diese Keimfreiheit reden einem Schuldgefühl und peinlichen Berührtsein ob dieser Körperprozesse das Wort, die einfach nicht gesund sein können. Begegneten wir einer Kultur, die beim Atmen oder Gähnen ein Schamgefühl verspürte und darauf bestünde, von »inhalieren« respektive »Pandikulation« zu sprechen, käme uns das, glaube ich, merkwürdig vor. Ist es nicht noch viel merkwürdiger, daß wir Sex schmutzig finden und sprachlich desinfizieren wollen?

Wenn Fernsehen, Radio und Presse das Wort »fuck« als Selbstverständlichkeiten benutzten, also ausdrücklich *nicht* als Kraftausdruck oder als Fluch oder aus Frustration, sondern im eigentlichen Sinn, dann würde es mich keineswegs überraschen, wenn wir dadurch eine gesündere Nation würden. Wenn Lehrer im Biologieunterricht davon sprächen, wie Tiere ficken, und nicht vom Paarungsvorgang, wenn Anwälte und Richter in Rechtssachen »fuck« sagten, wenn es um Penetrationen geht, statt sich auf diese sonderbaren gerichtsmedizinischen Phrasen wie »Intimverkehr« und »Beischlafbeziehungen« zurückzuziehen, wenn Eltern es benutzen würden, um ihren Kindern die Fortpflanzung zu erklären, dann würde eine Generation aufwachsen, für die das Wort nicht mehr schuldbeladenen Schrecken und seltsam schmutzigen Reiz hat als das Wort »Omelette«. Wie würde die Statistik der Sexualdelikte darauf reagieren? Hätten wir Tabus über den Gebrauch des Wortes »töten« oder der Worte »verstümmeln« und »foltern«, wäre das vielleicht auch gesund: Grausamkeit und Mord sind Sachen, deren wir uns wirklich schämen sollten.

Egal, ein Wort gab das andere, und irgendwann benutzte ich das Wort »fuck« und seine zahlreichen vierbuchstabigen Verwandten circa achtzehnmal in drei Minuten, womit ich alle bekannten Rekorde weit hinter mir ließ. Susan Jay bekam etwas glasige Augen, und ihr linkes Knie begann zu zittern, aber insgesamt ertrug sie die Druckwelle wie ein echter Profi. Die These, die nicht von mir stammt, wird auch noch dadurch gestützt, daß bei Central TV keine Beschwerden über eben diese Sendung eingingen.

Das Wort »fuck« hat nichts Schockierendes; schockierend ist, daß wir es schockierend finden. Das ist ein Koitus von Problem. Es ist ein Problem, bei dem ich vor Angst fast mein großes Geschäft in die Hose mache.

Schlimmer – durch Design

Wie schon Lady Bracknell leben wir in einer Zeit der Oberflächen. Unser Problem wird durch die traurige Tatsache verschärft, daß auch Oberflächen nicht mehr das sind, was sie einmal waren. Ist das Resopal oder Resopalimitat? Ist das eine echte Maske? Wie wahr ist diese Lüge? Ist das eine richtige Nase? Zum Teil liegt das vermutlich an der Verstrickung unserer Zeit in zwei Modi, den visuellen und den literarischen, die beide, wenn sie funktionieren wollen, unsere Phantasie fest im Griff haben müssen. Nehmen Sie den ›Listener‹ und sein schickes neues Outfit. Spiegelt das Design die wahre Identität der Zeitschrift oder schafft es eine neue Identität, die ihre Leser und Autoren, wenn sie nur genug Rückenwind bekommen, irgendwann einholen werden? Ich glaube, man braucht kein großer Zyniker zu sein, um anzunehmen, daß letzteres der Fall ist. Der Schein bestimmt das Bewußtsein. Den literarischen Modus, der uns angesteckt hat, mag man auf einer höheren Ebene ansiedeln, aber er ist genauso trügerisch und ergo genauso wahr. Ein Buch wird nicht nach seinem Lebensbezug beurteilt, sondern nach seinem Bezug auf andere Bücher.

Wenn der literarisch Gesinnte über das Spektakuläre von Fernsehen, Film und der schönen neuen Welt des »Designs« herzieht, das uns zu verschlingen droht, erhebt er Buch und geschriebenes Wort in einen Stand ursprünglicher Realität, der genauso absurd und unehrlich ist wie die Behauptung, das Problem der Computerspiele sei, daß sie die Leute vom Fernsehen abhielten. Schreiben und Bücher sind technische Errungenschaften; sie sind älter als die Sitcom, das ist alles. Sie sind genauso verantwortlich für die Kreation von Stilen, Gedanken- und Ausdrucksmustern wie ein beliebiger Werbespot oder Hollywood-Kassenschlager. Verstehen Sie mich nicht falsch: Bücher sind großartig und gut, aber die gedankenlose Hochnäsigkeit, mit der sie als Totems oder Heilswege zu Aufklärung, Wahrheit und vedischer Glückseligkeit verehrt werden, ist gefährlich und führt in die Irre. Es gibt eine Technik, vielleicht jünger als Bücher, aber älter als Fernsehen, die uns Zugang zu einer viel echteren Form menschlicher Interaktion gewährt als die Lektüre einer falschen Literatursprache oder das Betrachten spektakulärer Bilder. Ich meine die Technik, die dieser

Zeitschrift ihren Namen gegeben hat. Drahtlose Telegraphie, das Radio.

In einer Zeit, wo das gesprochene Wort vergessen wird, weil man hektisch das neue Titelbild für ein Magazin entwirft oder die neue Videotechnik für die Fernsehshow eines jungen Menschen plant, lohnt es sich, über die These nachzudenken, daß das Radio – um Forster ziemlich fürchterlich zu parafrisieren – das tiefgründigste aller Medien ist und weit tiefer schürft als die Medien. Ich meine natürlich Wortbeiträge, keine Musiksendungen.

Das Radio leidet allerdings unter einem fürchterlichen Mangel. Es ist weder cool noch sexy, oder welche Eigenschaft die Leute in den Szenelokalen jetzt gerade erregt. Design ist sexy, Bücher und Zeitschriften sind cool, Musik ist beides. Aber eine menschliche Stimme im Intimkontakt mit einem Zuhörer findet man so cool und sexy wie eine Rauchschwalbe.

Ich weiß nicht, wie man den Groucho Club, die Zeitschrift ›Blitz‹ und Logo-Designer für das Radio begeistern könnte. Aus den genannten Gründen muß ihr Interesse als erstes, lange vor dem der Öffentlichkeit, geweckt werden; Design und Stil sind nun einmal das wichtigste. Radio 4 kann nicht plötzlich Titelbild und Schrifttype ändern, um interessanter zu erscheinen: gerade seine Unabhängigkeit von derlei Manövern macht es ja so interessant.

Ich fürchte, irgendwann wird ein schrecklich schräger Vogel aus einem Laden, der »Logo-Factory« oder ähnlich widerlich heißt, sich an den Intendanten von Radio 4 ranschmeißen und ihn davon überzeugen, daß er einen Weg kennt, wie man das »Image« des Senders aufmotzen könne, und bevor wir wissen, wie uns geschieht, hat der sich in eine Art *Network 7* des Äthers verwandelt. Etwas seiner eigenen Auffassung nach so Formloses wie der Home Service fällt in eine ganz und gar hausgemachte Kategorie, die man unter so unterschiedlichen Etiketten wie Altspießer, Jungspießer und institutionalisierter Langweiler kennt. Akzeptiert man diese Lüge, dann muß man auch die größere Lüge akzeptieren, derzufolge etwas dagegen unternommen werden müsse. Wenn Sie sich einreden lassen, die Silberpappel sei fade und »schlecht designt« (was immer diese überstrapazierte Phrase auch heißen mag), dann werden Sie sich bald auch einreden lassen, es sei an der Zeit, sie golden einzusprayen.

Du liebe Zeit, ich höre mich fürchterlich altmodisch an, nicht wahr? Aber ich *höre* mich natürlich nach gar nichts an, dies ist ein geschriebener Artikel, kein gesprochener. Also ist das gelogen. Ich habe mich hinter Wendungen und Wörtern versteckt, die Sie täuschen und umgarnen. Wenn Sie mich hören könnten, wüßten Sie ganz genau, was ich meine. Vielleicht sollte der ›Listener‹ sein Design erneut ändern. Als Kassette erscheinen. Ich sehe die Hülle vor mir. Das Wort »The« in ITC Bookman Bold oblique, das Wort »Listener« in einer Art Stack Helvetica mit Abrißkante. Könnte was hermachen, was meinst du, Marcus? Ich setz' Cyprian und Zak darauf an und fax' dir was rüber...

Mein Gott

Ich hab' nicht viel von einem Theologen, aber ich kann den heiligen Ignatius von Ian Paisley unterscheiden – die Loyolisten von den Loyalisten, könnte man sagen –, und den Unterschied zwischen einem Pelagianer und einem Gnostiker erkenne ich auf fünfzig Schritt. Gleichwohl verwirrt mich, muß ich gestehen, diese Sache mit der Kränkung. Wie jedermann dieser Tage spiele ich natürlich auf Martin Scorseses neuen Film an, *Die letzte Versuchung Christi*. Ich würde gern die Einwände gegen ihn ganz verstehen. Da ich kein Christ bin, mag man mir entgegnen, es gehe mich einen feuchten Kehricht an, die Doktrinen der Gläubigen zu verstehen oder gar zu kommentieren, aber ich halte es nicht für übertrieben pervers zu fragen, warum die Gelegenheit mir verwehrt bleiben soll, den neuesten Film eines der wichtigsten und zwanghaft moralischsten Regisseure der letzten zwanzig Jahre zu sehen.

Ich glaube, ich übertreibe durchaus nicht, wenn ich Scorsese so beschreibe. Ich erinnere mich an ein Interview, das er Melvyn Bragg vor inzwischen einigen Jahren gegeben hat und in dessen Verlauf er gefragt wurde, worum es seiner Meinung nach in seinen Filmen hauptsächlich ginge. Er saß da, tief in einen Preview-Kinosessel versunken, blinzelte wie ein ängstlicher Priester, antwortete aber ohne Zögern, sie drehten sich um Sünde und Erlösung. Ich dachte an *Boxcar Bertha*, an *Mean Streets, Taxi Driver, Alice lebt hier nicht mehr, Raging Bull, The King of Comedy,* ein so beachtliches und seriöses Œuvre (wie wir Cineasten das nennen), wie ein Regisseur es nur beanspruchen kann, und ich verstand in etwa, worauf er hinauswollte. Was immer diese Filme sonst sein mögen, populistischer, kommerzieller Schrott sind sie nicht. Sie sind das Beste an »ernsthaftem Kino«, was Hollywood im Moment hervorbringt.

Was die Leute aufregt, die wie ich den Film nicht gesehen haben, sondern nur vom Hörensagen kennen, ist eine Szene, in der Christus anscheinend eine Art erotische Phantasie hat. Soweit ich verstanden habe, ist es nicht Absicht des Films, sich über sein Leiden lustig zu machen, ihn zu verspotten, seine Leistungen herunterzuspielen oder ihn als irgend etwas anderes darzustellen als den leibhaftigen Sohn Gottes, der er für praktizierende Christen ist. Der Film tut das, was Kunst am besten kann: Er zeigt uns einen Menschen, wie Shakespeare uns Antonius und Kleopatra zeigte, der ebenfalls der menschlichen Wahrheit mehr Bedeutung zumaß als der historischen.

Im Fall Jesu Christi paßt das besonders gut, da sein Triumph auf Erden, wenn ich recht verstehe, auf der Tatsache beruht, daß er ein echter Mensch war. Gott, so lautet die These, schwor seiner Göttlichkeit ab und wurde zu hundert Prozent sterblich. Also nahm er Nahrung zu sich, weinte, litt, schlief, ging auf die Toilette und empfing auch sonst die tausend Stöße, die unser Fleisches Erbteil. Wenn Christen diese Geschichte akzeptieren, haben sie kein Recht, Gott mit dem Argument anzuklagen, »du weißt nicht, wie es ist, ein Mensch zu sein«, da die Passionsgeschichte ja gerade darin ihre Pointe hat, daß Gott ganz genau herausfand, wie das ist, und uns damit die Möglichkeit der Erlösung anbot. Ich finde, das ist eine großartige Geschichte: mitfühlend, profund, faszinierend und komplex. Daß ich zufällig nicht daran glaube, ist mein Problem, nichts, worauf ich stolz sein kann oder dessen ich mich schämen muß. Daß die Kirche, die daraus erwachsen ist, so eklatant versagt hat, sein Versprechen einzulösen, wirft keinen Schatten auf Jesus. Wie Cranmer sagte, alles, was Menschenverstand je ersann, wurde teilweise oder vollständig korrumpiert. Aber im Zentrum der ganzen Geschichte steht das bemerkenswerte Paradox göttlicher Menschlichkeit. Wenn Jesus keine echten Schmerzen hatte, als er am Kreuz hing, ist die gesamte Geschichte bedeutungslos. Und Gott könnte *so tun*, als litte er, dieser hier stattete uns augenscheinlich das höchste Kompliment ab, *wirklich* zu leiden.

Aber jetzt ist er gen Himmel aufgefahren, er sitzt zur Rechten Gottes, des allmächtigen Vaters, und ist als Heiliger Geist um uns. Er sieht auf Grausamkeit herab, auf Barbarei, auf Mord, Qual und Tyrannei. Diese Dinge können ihm kein Vergnügen bereiten – ebensowenig wie seinen Kindern. Wie ist es also bloß möglich, kraft welches Ausmaßes an tragischer Unsicherheit und Zweifel konnte es dazu kommen, daß so viele seiner Anhänger und Kirchgänger mehr Aufhebens um einen Film machen, der ehrlich unternimmt, die vollste menschliche Dimension seines Lebens auf Erden zu untersuchen, als um den alltäglichen Schmerz und das Grauen um sie herum? Wenn Gott wirklich glauben sollte, daß ein Versuch, ihn auf der Leinwand als restlos menschliches Wesen zu porträtieren, eine größere Sünde ist als die Million anderer Ungerechtigkeiten, die unseren Globus überziehen, dann sitzen wir echt in der Patsche. Wenn er das nicht glaubt, dann frage ich mich, warum Christen immer nur dann dazu imstande sind, sich zu einer ernstzunehmenden Kraft zusammenzutun, wenn sie etwas zensieren und verdammen wollen?

Ich wiederhole, ich bin kein Christ, und wenn Journalisten mit den glanzvollen menschlichen Eigenschaften eines Paul Johnson diesen Film im Namen der »anderthalb Milliarden Christen« auf Erden attackieren, wie neulich in der ›Daily Mail‹, dann möchte ich von dieser Zahl bitte ausgenommen werden. Man kann auch behaupten, dies spreche mir das Recht ab, christliche Gefühle zu kommentieren. Das mag stimmen, aber wenn wir zu einer Theokratie zurückkehren wollen, die bestimmte künstlerische und literarische Werke verbietet, dann fordere ich von diesen Christen, sich über Ungerechtigkeit und Grausamkeit genausoviel Sorgen zu machen wie über Ketzerei. Das ist alles.

Traurig macht mich, genau zu wissen – jeder Schriftsteller oder Rundfunkkommentator wird mich verstehen –, daß dieser Artikel, den ich mich so harmlos wie nur möglich zu halten bemüht habe (Gott wird mir hoffentlich vergeben, daß ich wenig Neigung verspüre, mich dem niedlichen Brauch anzuschließen, sein Personalpronomen mit Großbuchstaben zu schreiben), zwangsläufig persönliche Briefe christlicher Gelehrter provozieren wird, mit einer Gehässigkeit und Wildheit, die jene, die nie öffentlich über Religion zu schreiben gewagt haben, nicht für möglich halten. Warum die Gefolgsleute des sanftmütigen und außergewöhnlichen Jesus Christus, der vor zweitausend Jahren am Kreuz starb, so intolerant jenen gegenüber sein müssen, die unglücklicherweise nicht an seinen Glaubenssätzen hängen, werde ich wohl nie verstehen, aber wenn Martin Scorsese Gott gelästert hat, tut es mir leid, und ich bin sicher, Mr Scorsese tut es auch leid.

Ich will doch bloß diesen Film sehen. Wenn er Jesus verspottet, dann werde ich ihn verdammen. Wenn er Heuchler verspottet, werde ich ihn lobpreisen. Himmelhoch.

Bikes, Leder und After-shave

Ich weiß nicht, was in letzter Zeit mit mir geschehen ist – vielleicht eine Änderung im Hormonhaushalt –, aber es besteht kein Zweifel daran, daß ich mich im Lauf der letzten Monate bedeutend gewandelt habe. Ich bin ein anderer Mann geworden. Vielleicht ist die Jungfrau wieder einmal im fünften Haus von links aufgegangen, den Kiosk nicht mitgezählt. Die männlichen Wechseljahre können es wohl kaum sein, ich bin noch nicht mal 31, und meine Midlife-crisis auch nicht, die hatte ich mit 27. Nun, lassen Sie mich die Fakten loswerden und urteilen Sie selbst. Es gibt drei Hauptveränderungen, drei Zwerchfellhickser meines Lebens, auf die ich Ihre Aufmerksamkeit lenken möchte.

Ad primum: Mitte oder gegen Mitte Februar dieses Jahres habe ich begonnen, Lederjacken zu tragen. Das ist doch kein Verbrechen, denken Sie vielleicht. Wenn ich Ihnen aber sage, daß ich Anfang Februar diesen Jahres hoch und heilig versichert hätte, daß ich in einem solchen Ding nicht mal tot überm Zaun hängen wollte, gibt Ihnen das vielleicht zu denken. Seit dem ersten Japser meiner

Synapsen habe ich mich nie als jemanden betrachtet, der auch nur im entferntesten dem Simulakrum eines Gedankens eines Schattens einer Annäherung eines Hauchs eines Argwohns von Lederjackentyp ähneln könnte. Verstehen Sie mich nicht falsch, ich hatte nie etwas gegen diese Personen, aber Golden-Bear-Bomberjacken aus aufgerauhtem Ziegenleder oder Harringtons aus geschmeidigem Kalbsleder waren einfach nichts für mich. Ich war ein Typ für Mr Dunn & Co, der kaum an Simpsons am Piccadilly vorbeigehen konnte, ohne daß ein Herrenausstatter herausgesprintet kam und mich als Mannequin engagieren wollte. Tweed und Kord und feste Wanderschuhe waren genau das richtige, und wenn sie »Balmoral« oder »Blenheim dornendicht« hießen, um so besser. Aber plötzlich sind's Chinos, Bass-Weejun-Mokassins und knarzende Lederjacken. Komisch.

Ad secundum: Ende Februar dieses Jahres schritt ich in ein Geschäft in der Euston Road und kam nach einer halben Stunde auf einem Motorrad wieder heraus. Erneut erscheint Ihnen das wahrscheinlich nicht mal fesselnd genug für eine Folge *Twilight Zone*, aber wieder muß ich beteuern, nichts hätte mir vierzehn Tage vorher ferner gelegen. Autos liebe ich, kann gar nicht genug davon kriegen, aber Motorräder? Vor jenem Nachmittag hatte ich noch nie im Leben die Beine über einem gespreizt, und da ruckelte ich jetzt aus dem Laden und auf eine der verkehrsreichsten Straßen Europas, während die Verkäufer den Atem anhielten. Jetzt, wo ich weiß, was ich jetzt weiß, hätte ich so etwas Törichtes nie getan, aber ich wüßte ja auch nicht, was ich jetzt weiß, hätte ich's nicht getan. Was Hardy eine der kleinen Ironien des Lebens genannt hätte. Jene Art kleine Ironie, die dazu führen kann, daß man mit dem Löffel von der Straße gekratzt wird. Mein Vetter war mal Unfallarzt in Manhattan und hat mir erzählt, seine Kollegen und er hätten einen zweisilbigen Spitznamen für Motorradfahrer: Spender. Gruslig, was?

Die Scharfsinnigeren unter Ihnen werden annehmen, es gäbe eine Verbindung zwischen dem Doppelerwerb von Lederjacke und Motorrad. Vielleicht haben Sie recht, aber dann war es völlig unbewußt, denn als ich die Jacke erwarb, hatte ich keine Ahnung, daß ich in Kürze ein Motorrad kaufen würde, und erst als ich schon in dessen Sattel saß, ging mir auf, daß es prima war, eine Lederjacke zu tragen, denn die »Blenheim« mag ja noch so dornendicht sein, sie ist weit weniger bei-50-Stundenkilometer-über-rauhen-Asphalt-schlitterfest als gutes Leder.

Ad tertium: Mitte April dieses Jahres kaufte ich in einer Drogerie ein Fläschchen After-shave und ein Fläschchen Eau de Cologne. Wieder kaum geeignetes Material für Ripley, aber von allen drei Erfahrungen kommt mir diese immer noch am unheimlichsten vor. Ich meine, *After-shave?* Ich? Eher hätte ich mir vorstellen können, wie ich mir Schweineharn an die Wangen klatsche als *Le Vétiver de Paul Guerlain.*

So, das war's also. Wie ein Pubertierender harre ich Ihres Urteils mit der Frage: Was geht in mir vor? Was bedeuten diese Veränderungen?

Die Antwort lautet vermutlich Angst oder mangelndes Selbstvertrauen. In meiner Jugend lief ich herum und sah so alt und tweedy aus, wie ich konnte, weil ich mit meinem Jungsein nicht glücklich war, und jetzt, wo ich mürrisch auf mein Grab zukrieche, benehme und kleide ich mich wie ein Teenager aus Romford. Gut, damit kann ich leben. Aber da ich eine gute Ausbildung und alle Vorteile einer ordentlichen Erziehung genossen und im Leben Glück gehabt habe, muß ich mich doch fragen: Welchen Zugang zu allgemeingültigen Wahrheiten haben Romforder Teenager, der mir verwehrt ist und ihnen erlaubt, sich jung zu geben, wenn sie jung sind, und die Kindereien auf den Speicher zu packen, wenn sie das Mannesalter erreichen? Wo erlange ich dieses Geheimnis, steht es im *Next Directory*, ist es in Nilgrün erhältlich und kann ich es per Nachnahme kriegen? Denn wenn ich in diesem Tempo weitermache, werden meine Freunde in zehn Jahren – die, die ich dann habe – sich an den Anblick gewöhnen müssen, wie ich im Matrosenanzug auf einem Dreirad die Straße hinabeiere.

Aber im Moment kann man immerhin sagen, daß ich gut rieche.

Sie und Ihr Toffee

Neulich habe ich mir *You and Yours* angehört, Radio 4's Antwort auf eine Frage, die noch niemand gestellt hat. Ich bin sicher, daß Verbrauchersendungen, und in diese Kategorie fällt das stolze *You and Yours* und verstaucht sich den Knöchel, einen ordentlichen Service bieten, und ich zweifle auch nicht daran, daß es genug Haie, Cowboys und Piraten auf der Welt gibt, um jedes Genre des Hollywoodfilms zufriedenzustellen, aber trotzdem: Sobald ich meine Ohren für diese außergewöhnlichen fünfundzwanzig Minuten unausgegorenen Breis spitze, fällt es mir von Mal zu Mal schwerer, einen Aufschrei zu unterdrücken.

Die Folge, der ich mich lauschen sah, hatte einen Skandal aufgedeckt, der sich um eine neue Art Toffee drehte, genauer, einen Appetitzügler, aber dennoch nicht mehr und nicht weniger als ein ganz normales Toffee. Anscheinend hatten ein oder zwei »von unseren Testern«, als sie dieses Toffee probierten – und ich empfehle Ihnen, sich hinzusetzen, bevor ich fortfahre; was ich Ihnen zu enthüllen habe, ist ein Nachtmahr aus kommerziellem Zynismus und verbrecherischer Fahrlässigkeit, wie Sie es sich nicht vorstellen können, es wird Sie bis ins Mark erschüttern –, diese Tester also hatten festgestellt, daß das Toffee permanent AN DEN ZÄHNEN KLEBEN BLIEB UND WIRKLICH SCHWER ZU KAUEN WAR! Ungelogen. Im einen Fall zog es sogar eine Plombe. Ist das noch zu fassen?

Ich fand es monströs, daß man für diese faszinierende Geschichte von Schandtaten und Ausbeutung auf internationaler Ebene nur magere zehn Minuten Sendezeit zur Verfügung stellte. Ich mußte mehr erfahren. Waren womöglich keine deutlichen *Hinweise* auf die Seite jedes Toffees gedruckt worden, die erklärten, übermäßiges Malmen könne unerwünschte Adhäsion an der Außenfläche der Backenzähne zur Folge haben? Haben die Toffees vielleicht scharfe Kanten, an denen Baby sich stoßen, eine üble Quetschung erleiden, einen kindlichen Wutanfall bekommen und das Haus in Brand stecken könnte? Was ist mit der Verpackung? Mir schwant, Baby könnte sie zu einer einfachen Schlinge zusammenknüpfen, über einen Balken werfen und sich erdrosseln. Und daran weint sich dann wieder jemand die Augen aus und bekommt unschöne Entzündungen. Haben die Toffees eine sichere, abwaschbare Oberfläche, falls Baby in der Umgebung von Hundekot damit spielen will? Und was wirklich übel wäre: Ist es möglich, daß sie zwar im Einzelhandel 36 Erdenpence kosten, in der Herstellung aber bloß 35 und der Produzent wirklich und wahrhaftig daran verdient? Das mindeste, finde ich, ist doch, daß wir alle restlose und öffentliche Aufklärung verlangen. Auch eine gesetzliche Regelung ist wahrlich an der Zeit.

Im Ernst, was ist hier eigentlich los? Sind wir inzwischen eine Nation so verschnarchter, hilfloser Blödiane, daß man uns vor einem verdammten Toffee warnen muß? Ich hab' diesen rötlichen Lutschkram probiert: schmeckt ganz gut, hemmt einigermaßen den Appetit und kommt in handlicher Packungsgröße daher. Und sonst ist das Ding im Grunde, *mutatis mutandis*, ein Toffee. Vielleicht weniger Kalorien, aber trotzdem ein ehrlicher Bonschen unter der Sonne. Ich habe weichere gegessen und mir an zäheren die Beißerchen ruiniert. Bedarf es wirklich eines Journalisten, der uns im Ton unterdrückter Erregung und wütender Korrektheit zu verstehen gibt, das Ding sei irgendwie eine Kreuzung zwischen Contergan und einem gezückten Buschmesser? Das möchte ich doch bezweifeln dürfen.

Da wurde eine Kategorie Rundfunkjournalismus erfunden, die sich Verbraucherschutz nennt. Die haben wichtige Arbeit geleistet. Wenn die Welt von Teddybären überflutet wird, deren Augen mit rostigen Nägeln befestigt sind, so sollten wir das erfahren, glaube ich. In den Sechzigern erwiesen uns Braden, Rantzen und andere einen unschätzbaren Dienst. Ministerien wurden eingerichtet, Qualitätsstandards festgelegt, Bewußtseine erweitert. Tragisch ist, daß das alles wunderbares Fernsehen und prima Radio abgab. Denn so verrucht die Menschheit auch sein mag, auf all ihre subtilen und entsetzlichen Weisen, ihre Verruchtheit auf dem Gebiet von Herstellung und Verkauf den Standard unterbietender oder gar gefährlicher Artikel reicht nicht weit genug, um die Unmengen engagierter Verbrauchersendungen auszufüllen, die sich jetzt im Äther drängeln. Eine saftige Geschichte von Missetat und Ausschußproduktion schnappen Roger Cook und Esther Rantzen sich Monate, bevor das arme alte *You and Yours* sie zu schnuppern bekommt. Also bleiben letzterem nur Toffees, die die Frechheit besitzen, an den Zähnen zu kleben, und Wasserkocher, die Sie verbrühen, falls Sie sie sich, wenn sie gerade voll kochenden Wassers sind, über den Kopf schütten. Der Verbraucherschutz hat sich praktisch aus dem Geschäft geschützt.

Caveat emptor ist eine edle Maxime, aber eine andere lautet: *Quis custodiet ipsos custodes?* Wer schützt uns vor den Verbraucherschützern? Wie kommt es, daß ›Which?‹, einer der Pressepioniere der edlen Bewegung, die wir soeben diskutiert haben, vielleicht mehr Schuld hat als ›Reader's Digest‹ an der Sorte Müllpost à la »Sie haben in unserer Mr-Stippen-Pry-Tombola vielleicht schon 200 000 Pfund gewonnen«, und an der geschmacklosen, alles verscheuernden Papierverschwendung, vor der der Verbraucherschutz uns doch ursprünglich gerade beschützen sollte? Der übelste Fall eines zum Wilddieb mutierten Wildhüters, der mir je untergekommen ist. Ich werde eine unabhängige Produktionsgesellschaft gründen, die *Them and Theirs* produzieren wird, den Wachhund der Wachhunde. Eine Runde von Testern wird ›Which?‹ und ähnliche Organe untersuchen. Und wenn sich herausstellt, daß die ihre Hefte mit üblen alten Metallklammern zusammenheften, sollen sie sich bloß vorsehen, basta.

Weihnachtsgruß

Etwas Festliches, sagten sie. Etwas, das tausend Worte lang und festlich ist. Weihnachten steht vor der Tür, wissen Sie, und man schreit nach etwas ... allgemein gesprochen ... *Festlichem*.

Weihnachten ist eine Zeit, zu der man sagt, Weihnachten sei eine Zeit, zu der man Dinge tun solle, die man eigentlich das ganze Jahr über tun sollte. »Weihnachten ist eine Zeit, wo wir an Menschen denken sollten, die es nicht so gut haben wie wir.« Ach, und Juli und April sind das nicht, nein? »Weihnachten ist eine Zeit der Versöhnung.« Den Rest des Jahres können wir also rachsüchtig und bestialisch sein? »Weihnachten ist eine Zeit für Frieden auf Erden und guten Willen unter den Menschen.« Konzentrieren wir uns also den Rest des Jahres über um Gottes willen auf kriegerische Böswilligkeit. Brabbelstuß.

Ich möchte keinesfalls für den Geizkragen aus Dickens' *Weihnachtsmärchen* gehalten werden; der Geist des Weihnachtsfestes pulsiert hoffentlich auch durch meine Venen, erweicht mein Herz und verstopft meine Arterien in dem gleichen Maße wie jedem anderen Mann meiner Alters- und Gewichtsklasse im Lande. Wie also, fröhlicher rotnäsiger Leser, wollen wir gemeinsam weihnächtlich werden, Sie und ich? Für mich ist diese kleine Kolumne ein Korsett, oder meine ich Kornett? Vielleicht auch Kaminbrett. Alle drei! Eine Kolumne, die formt, erhebt, stützt, die Weihnachtslieder schmettert und nach Keksen duftet. Und den ältesten Keks haben natürlich all die in der Sandalette, die mit dem Sprichwort ankommen, Weihnachten sei ein Fest für Kinder.

Grrrr! Das hielt ich als Kind von Weihnachten. Oder auch waaah! Die unerträgliche, schmerzhafte Spannung, die fürchterliche, monströse Enttäuschung des Ganzen! (Sehen Sie, ich bringe sogar Dickenssche Ausrufezeichen in Anschlag! Angeschlagene Zeichenausrufe einer fröhlichen Weihnachtstour um die Häuser, nehme ich an.) Für ein Kind ist Weihnachten der erste entsetzliche Beweis, daß der hoffnungsvolle Weg besser ist als das Ziel. Als Erwachsener kann man sich unmöglich dieselbe zappelnde Aufregung, klamme Erwartung und kribblige Verzweiflung wieder vor Augen führen, die einen erfüllte, wenn die Papptürchen des Adventskalenders aufschwangen. Die immer weniger werdenden Mitglieder meines Bekanntenkreises, die sich noch mit Geschlechtsverkehr und anderem körperlichem Stochern und Prökeln abgeben, haben mir erzählt, einem Partner zuzusehen, der sich auszieht oder zum fleischlichen Techtelmechtel die Treppe hinaufgeht, könne einen vergleichbaren Nervenkitzel auslösen, aber das möchte ich denn doch lieber bezweifeln und rufe ihnen nur zu: »Humbug, Mumpitz, Wörterplunder.« Das schafft nur Weihnachten bei einem Kind. Und abermals, genau wie beim Sex, endet dieses Ereignis mit der tristen, aufgeblähten Einsicht, daß man derlei lieber erträumt als durchmacht, lieber erwartet als aufführt. Eine Einsicht, die einem vollends klar wird, wenn der letzte Schrecken des Weihnachtsfests glühend heiß aus der Hölle emporsteigt. Der Dankesbrief an Onkel und Tanten.

Als Kind drückt man Weihnachten mit frohem Erstaunen an die Brust und fragt dann verwundert und geknickt: »Das ist es also, was *mach'* ich jetzt damit? Heute ist Weihnachten, und was hat sich geändert? Vor dem Fenster sieht alles aus wie sonst, ich *fühl'* mich wie sonst, ich *seh' aus* wie sonst. Wo ist Weihnachten? Wo ist es hin?« Ja, wohin wohl? Außer in der Phantasie war es nie da.

Teil des Problems ist natürlich, daß immer Frömmigkeit in die Festivitäten krabbelt. Ich habe den Eindruck, die werden von Jahr zu Jahr religiöser. Man sehnt sich richtig nach einer Rückkehr zum Kommerz, danach, die Adventszeit wieder mit materiellen Werten zu erfüllen.

Man erzählt sich die Geschichte, wie Sankt Augustin einen englischen König überzeugte, zum Christentum zu konvertieren, als er mit ihm in einem großen Saal saß und Weihnachten feierte – nur nannte man es noch nicht Weihnachten, sondern vermutlich eine Sonnwendfeier, auf jeden Fall war es eine große Fete im Winter. Wie in jenen Tagen vor Einführung des Dopings möglich, war die Party eine echt starke Sache. Ein großes Feuer knackte vor Scheiten, ein großes Scheit knackte im Feuer, und ein Scheitfeuer knackte im Kamin. Alle hatten Riesenspaß und Freude. Gelüftet wurde nur mit zwei Löchern hoch oben an beiden Enden des Daches.

Mit einem Mal, oder auch »plötzlich«, wie wir in England sagen, kam ein Vogel durch eines dieser Löcher in der Wand hereingeflogen, flatterte eine Weile herum und flog durch das andere wieder hinaus. Der König, den wir Boddlerick nennen wollen – weil ich keine Ahnung habe, wie er wirklich hieß, und nicht im Traum daran denke, meinen schweren Körper die Treppe hinaufzuschleppen, um es nachzuschlagen – und der als eine Art Philosoph galt, drehte sich zu Augustinus, seinem merkwürdig berobten und beheiligenscheinten Gast, und sprach in folgender Weise diese Worte zu ihm: »Siehe dort, o merkwürdig berobter und beheiligenscheinter Gast! Gleicht unser Leben nicht dem dieses armen Vogels? Aus der dunklen und gähnenden Leere sind wir gekommen, sehen uns plötzlich in eine Welt von Farbe und Wärme und Licht, von Musik und Freude und Frohsinn geworfen, flattern für kurze Zeit verängstigt mit unseren Flügeln, bloß um dann wieder in die ewige Kälte und Finsternis hinausgeschleudert zu werden?«

Eine prima Analogie, sollte man denken. Könnte von Jonathan Miller höchstpersönlich stammen. Aber Augustinus wollte nichts davon wissen. »Aber nein, Sire, Majestät, Euer Gnaden«, entgegnete er, »Ihr seht es ganz falsch herum. Unser Leben ist lediglich ein dunkler Übergang im Lichtstrom von Gottes Liebe. Jene, die um Gott wissen, erwartet jenseits des Fensters das Paradies.«

Statt Augustinus zu verklickern, er solle gefälligst nicht so ein blöder alter Dussel sein, sondern noch einen Schluck vom herben Met nehmen und einen Blick auf die derbe Maid werfen, gefiel dem schmalzbrägigen König, was er gehört hatte, und er verfiel mit Pauken und Trompeten, Buch und Kerze dem ganzen funkigen Christengroove. Seither sind dieses Land und seine Weihnachtsfeste verdammt. Denn seit jenem elenden Tage sind die Welt, ihr Licht, ihre Farbe und Musik Dinge, für die wir bis ans Ende unserer Tage Gott Dankesbriefe kritzeln müssen. Wie kleine Kinder, die sich vor dem Schoße des mächtigen Weihnachtsmannes herumlümmeln, können wir nicht einmal die Schönheiten der Welt ohne Schuld, Scham, Furcht und sabbernde Dankbarkeit genießen.

Also schiebt Sankt Gustl ab und rollt Boddlerick auf die Bühne, sage ich. Draußen ist es kalt, dunkel und lieblos, und so gut wie jetzt haben wir es nie wieder. Laßt uns also jetzt Brot unter den Armen verteilen, denn ihrer ist *nicht* das Himmelreich, laßt uns auf den Teppich aschen, uns im Morgenmantel flezen, den ganzen Tag lang Wein süffeln, uns vor der Glotze auf dem Bauch aalen, unsere Dankesbriefe an Omi und Gott vergessen und mal so richtig die Sau rauslassen.

Aber laßt es uns nicht an Weihnachten tun. Laßt es uns an jedem einzelnen verdammten Tag tun, jetzt und immerdar. Amen.

Voraussagen für 1989

Willkommen in einem hoffentlich sehr einnehmenden Jahr. Es ist offensichtlich noch ein bißchen zu früh, um Sie genau wissen zu lassen, was im Lauf der nächsten zwölf Monate in der Welt so geschehen wird, aber ich kann Ihnen versichern, es wird im großen und ganzen die Mischung aus alt und neu sein, die Sie inzwischen von den prestige- und stilsüchtigen Achtzigern zu erwarten gelernt haben, eine Mischung aus traditionellem Reiz und modernen Annehmlichkeiten. Der einzige Tip, den ich Ihnen geben möchte, lautet: Werfen Sie die alten Ausgaben des ›Listener‹ nicht weg. Feuerholz wird nächsten Winter knapp. Ich weiß, daß Dezember '89 weit weg zu sein scheint, aber was die Körperwärme betrifft, sollte man keine Risiken eingehen. Davon abgesehen wird prophezeit, daß der Fauvismus vor einem Comeback steht, daß Anita Harris' Karriere in ganz neuem Licht erscheint und daß Derek Jameson Mitte August an einer Erkältung der Atemwege leiden wird. Die einzige wirklich dunkle Wolke am Horizont ist, daß Tony Meo am Snooker-Tisch weiterhin unter Form spielen wird. Aber keine Angst, Tony! September sieht dich in alter Frische, nachdem du deine Stellung am Tisch etwas verändert und deinen Stoß korrigiert hast – was du natürlich mit links machst. An der Popfront wird House-Musik weiterhin Boden an den aktuelleren Garagensound verlieren, der dann seinerseits Mitte Juni dem Verandabeat weichen, welcher im Oktober von der Gartenmusik abgelöst wird, dieser folgt, wenn alles glattgeht, die Unten-an-der-Ausfahrt-Musik und der wiederum irgendwann die Echt-ganz-schön-weit-weg-Musik.

Ja, mir können Sie doch keine Vorwürfe machen; ich muß meine Kolumne vollkriegen. Und wenn ein Kolumnist irgendeine ernstzunehmende Pflicht hat, ist es die, Voraussagen für das neue Jahr zu treffen. Das Problem bei dieser geheiligten Aufgabe ist, daß meiner Erfahrung nach das einzig Beständige und Vorhersagbare auf der Welt in deren Zufälligkeit und Abgedrehtheit besteht. Das einzige, womit ich wirklich rechne, ist, daß das kommende Jahr neue Konflikte und Kalamitäten herbeiführen wird, die zuvor unbekannte Völker und Nationen in alltägliche Begriffe verwandeln werden, daß es neue Bazillen und Viren produzieren wird, die nächstes Jahr um diese Zeit wie Herpes auf jedermanns Lippen sein werden, und daß es neue Katastrophen und Desaster beschleunigen wird, die noch mehr Leute in der aufblühenden Branche der Trauersachbearbeitung bis weit in die Neunziger hinein in Lohn und Brot halten werden. Kurz gesagt, wir können uns weiterhin von der Zukunft überraschen lassen.

Wenn es etwas Bemerkenswertes über die Welt und uns Menschenrasse gibt, wenn es ein einzelnes phantastisches und außergewöhnliches Faktum im Universum gibt, so ist es folgendes: Wir finden die Existenz bemerkenswert, phantastisch und außergewöhnlich, obwohl sie der einzige Zustand ist, den wir je kennengelernt haben. Ich will versuchen, das zu erläutern. Wenn Sie ein Kind so großziehen, daß jeder sich in seinem Beisein im Eßzimmer entkleidet, sich in der Küche Beeren in die Hose stopft, im Wohnzimmer die Wände ableckt und im Badezimmer auf und ab springt und »Pimperle« schreit, würde besagtes Kind aufwachsen, ohne solche Verhaltensweisen je merkwürdig zu finden, zumindest nicht, ehe es entdeckt, daß das in anderen Haushalten mitnichten normale Umgangsformen sind. Was Herd und Heimat angeht, so akzeptieren wir das gegebene.

Aber was das angeht, was Douglas Adams so passend als das Leben, das Universum und den ganzen Rest bezeichnete, so können wir nur noch Stielaugen machen. Wären wir alle einem Kosmos mit einer anderen Ordnung der Dinge entsprungen, so hätte unser Erstaunen Sinn, aber was wir haben, und mehr haben wir nie gehabt, ist der Stand der Dinge, den Wittgenstein, wenn er sich entspannte, das nannte, was der Fall ist. Wir kennen keine Alternative, und dennoch überrascht es uns (gerade so, als wären wir gerade von Zegron 5 eingetroffen, wo die Zeit rückwärts läuft, Staus unbekannt sind und Materie nach Belieben erschaffen werden kann), daß es Musik gibt und Orchideen, die nach Aas stinken, bloß um Fliegen anzulocken, und daß Schafe jeden Frühling aufs neue verspielte kleine Lämmer werfen. Warum macht uns ein Zustand platt, den wir nie anders gekannt haben? Warum gleichen wir so sehr Noël Cowards Alice, die, als sie die Tiere auf dem Felde sah, bemerkte, »die Dinge hätten besser eingerichtet werden sollen«?

Die Fähigkeit, sich andere Welten und Universen jenseits unserer Erfahrung vorzustellen, die Fähigkeit, Gottes Grausamkeit und Hirnverbranntheit abzulehnen, und das Gefühl, wir könnten unser Leben bereichern, indem wir einen Stock nehmen und anspitzen, ohne darauf warten zu müssen, daß die Evolution uns Hörner, Klauen oder Federkiele schenkt, diese Charakteristika liegen jeder Verbesserung zugrunde, die wir in der Natur erreicht, und jedem Schaden, den wir ihr zugefügt haben.

Ich bin sicher, daß 1989 ein Jahr werden wird, in dem die Gelehrten weiterhin unseren Wert in Frage stellen werden, während die Klima- und Umweltzerstörung sich beschleunigt und die offene Gesellschaft des Westens immer unempfindlicher wird für das Leiden der um ihr Überleben kämpfenden zwei Milliarden, deren Existenz von dem Wind, den wir gesät haben, am meisten ins Chaos getrieben wird. Die Januarkolumnen kommender Jahre werden zu Beginn die Chancen unserer Spezies einschätzen, das Jahr zu überleben.

Dennoch bin ich optimistisch. Denn während wir und nur wir allein verantwortlich sind für den kritischen Zustand der Welt, so sind doch auch wir und nur wir uns dessen *bewußt*. Und solange wir uns Fragen stellen, solange wir die Bilder besser eingerichteter Universen im Kopf haben, so lange können wir nicht vergehen.

Also, ein gutes neues Jahr all unseren Lesern. Das Leben ist wunderbar.

Der Schwätzer in ›The Listener‹

Die Namen von Zeitungen und Zeitschriften fand ich schon immer ungeheuer spannend. Wahrscheinlich, weil ich einen komischen und etwas kranken Verstand habe. Wenn ich denn überhaupt einen habe. Als ich an der Universität war, pflegte der Mann, dem die stolze Pflicht oblag, meine Studien zu lenken, meine Seele zu inspirieren und mich abzumahnen, wenn ich ohne Erlaubnisschein vom Senior Tutor in die Kapelle kotzte, immer zu sagen, ich hätte gar keinen Verstand, zumindest aber bedürfe es zur Einschätzung meines Verstandes der Infinitesimalrechnung. »Ihr Verstand, Mr Fry«, sagte er stets, »ist infinitesimal.« Lange Zeit war ich zu stolz, die Bedeutung des Wortes im Lexikon nachzuschlagen, und glaubte, mein Verstand ähnele einer Verbform aus dem südlichsten Kanton der Schweiz. Was er jedoch meinte, war, wie die meisten unter Ihnen wissen werden, daß mein Verstand eine

Quantité negligeable sei: was wiederum, um den anderen unter Ihnen die mühselige Konsultation eines Wörterbuchs zu ersparen, nicht bedeutet, mein Verstand verfüge über die Fähigkeit, sich in ein vornehmlich nachts getragenes Accessoire der Damenbekleidungsbranche zu verwandeln, sondern lediglich, daß nicht viel davon da war. Sie werden ohne weiteres verstehen, daß diese Einsicht und die darin enthaltene Einschätzung der meinen mich nicht gerade erfreute.

Im Verlauf meines zweiten Jahres kam es zu einer Gartenparty, auf der ich, von Cider, Wodka, Brause, Benylin und Triple sec fuchsig geworden, den Mann fragte, warum er mich für so dumm halte.

»Ich halte Sie nicht für dumm«, sagte er. »Im Moment sind Sie natürlich dumm: dumm vom Wein und von teuren Zigaretten, aber sonst, finde ich, sind Sie außergewöhnlich aufgeweckt und schlagfertig – jedenfalls für einen Studenten.«

»A-aber, Dr Name-aus-rechtlichen-Gründen-zurückgehalten«, kläffte ich, »Sie haben doch gesagt, mein Verstand sei infinitesimal.«

»Das ist er auch, Sie maßloser junger Narr. Sie haben einen fürchterlichen Verstand, wirklich einfach fürchterlich, ich weiß nicht, ob ich schon jemals einem so schlechten begegnet bin. Aber Sie haben ein großartiges Gehirn. Äußerst fähig. Wenn Sie mich hingegen fragen, so habe ich einen ganz ausgezeichneten Verstand und ein grauenhaftes Gehirn. Schließlich weiß nur ein guter Verstand diesen Unterschied zu würdigen. Die Name-aus-rechtlichen-Gründen-zurückgehaltens hatten schon immer einen guten Verstand, den Yorkshire-Zweig der Familie mal ausgenommen.«

Ich dankte ihm kurz für seine klärenden Worte, und nachdem ich zum Senior Tutor gewetzt war, um den nötigen Laufzettel in Empfang zu nehmen, reiherte ich fröhlich und mit wiedererstarktem Vertrauen in meinem Dez ins Chorgestühl.

So sieht es also aus: Ein Mensch bar jeden Verstandes richtet sich heute an Sie. Ich bin sicher, der übliche Haufen alter Grantler, der sich allwöchentlich durch meine Zeilen quält, ist schon vor langer Zeit zu diesem Schluß gekommen, aber die Grünschnäbel unter Ihnen haben jedes erdenkliche Recht, gewarnt zu werden. Wie dem auch sei, die Schatten werden länger, und ich muß zum Gravamen meines Textes zurückkehren. Anfangs habe ich gesagt, ich fände Zeitungsnamen interessant – scheint eine Ewigkeit her zu sein, nicht wahr? Was haben wir seither nicht alles zusammen durchgemacht? Und doch hoffe ich, daß wir den roten Faden da wieder aufnehmen können, wo wir angefangen haben.

Diese Namen: wie gut passen die eigentlich? Observiert der ›Observer‹ in größerem Ausmaß, als der ›Spectator‹ beobachtet? Inwiefern scheint die ›Sun‹ heller als der ›Star‹? Sind es gar die glänzenden Strahlen dieser beiden Organe, die der ›Mirror‹ so fleißig zurückwirft? Und worüber wacht der ›Guardian‹ so eifersüchtig? Ist es besser, ein Zuhörer zu sein als eine Fanfare oder ein Hornsignal? Oder lag schon in den Namen von ›Morning Post‹, ›Daily Sketch‹, ›Daily Graphic‹ und ›Herald‹ etwas, das zu ihrem Niedergang beitrug? Das sind keineswegs so geistlose Überlegungen, wie sie auf den ersten und wahrscheinlich auch zweiten und dritten Blick wirken. Anzunehmen ist doch, daß der Name eine Art Absicht benennt. Haben wir kein Interesse mehr an graphischen Skizzen und schmetternden Herolden und Hornisten? Wie würden *Sie* unsere überregionalen Zeitungen und Zeitschriften nennen?

Am besten hat es die ›Times‹ getroffen: Sie hat ein fast unheimliches Talent, mit dem Zeitgeist mitzuzockeln, obwohl sich noch erweisen muß, ob das unter der gegenwärtigen Leitung so bleibt, wenn die Herrschaft der Torys ihre Glanzzeit überschritten haben wird. Der ›Telegraph‹ hieß unter seinen alten Herausgebern zu Recht so: der hatte wirklich noch diesen Geruch nach Firmenbriefpapier, das im Kopf die »telegraphische Adresse« trug. Aber jetzt, mit dem neuen Besen, mit dem leicht peinlichen Sponsern des American Football und heraustrennbaren Studentenbeilagen und Starschnitten für Kinder neigt man zur Ansicht, er solle seinen Namen in ›Fax‹ ändern. Die Umnachtung der ›Sun‹ sollte für eine Absichtserklärung reichen, den Namen in ›Moon‹ zu ändern, und die in allen Ressorts des ›Spectator‹ zu verzeichnende merkwürdige und gewalttätige Parteinahme für den Rechtskonservativismus führt mich zu der Annahme, daß er derselben Krankheit erlegen sein muß, an der Zuschauer auf anderen Gebieten leiden, was ihm das Recht gibt, sich ab sofort ›Hooligan‹ zu nennen.

Doch ist dies müßiges Geschwafel am Strande der Zeit, und Ihre eigenen Überlegungen werden heller und klarer sein. Ich verlasse

Sie, bevor ich Sie zu langweilen beginne; ich könnte es nicht ertragen, wenn Sie dächten, die weichen, umfangreichen Lagen *dieser* Zeitschrift verdienten eher den Namen ›Schwätzer‹.

Werbeblock

Ich hab' immer das Gefühl, ziemlich hart am Wind zu segeln, wenn ich über Werbung spreche. Die Welt der Werbespots in Radio und Fernsehen ist mir durchaus vertraut. Mit einiger Erheiterung habe ich vor zwei Wochen einen Artikel von Robert Robinson gelesen, in dem der bartlose Weise bemerkte: »Es ist äußerst unwahrscheinlich, daß irgendein Leser dieser Zeilen je gebeten worden ist, den Kommentar eines Toilettenpapierspots zu sprechen.« Und ob Sie's glauben oder nicht, auf der gegenüberliegenden Seite stand eine graue Mauer schwülstigen Geschwätzes von jemandem, nämlich mir, der genau darum gebeten worden ist. Wie hoch die Wahrscheinlichkeit ist, daß zwei Spaltennachbarn in einer Zeitschrift angeheuert werden, weil sie imstande sind, sich über die Länge, Weichheit, Saugfähigkeit und Stärke einer Klorolle auszulassen, weiß ich nicht. Wahrscheinlich genauso hoch wie die, daß ein völlig linkischer und aberwitziger Mensch es in einer großen Demokratie bis ins Kabinett schafft. Und doch kommt so etwas vor, wie wir im Fall etwa von Paul Channon sehen können. Und apropos Potüchlein und wie man sie verscherbelt, ich hab' mir immer gewünscht, daß jemand den Mumm aufbringt, dafür einen knappen, Überflüssiges weglassenden, krassen Werbespot zu drehen, von der Sorte »Killt alle bekannten Keime – mausetot«. »Hakle: zum Hinternabwischen.« Oder »Zewa: wischt Ihren Hintern – und weg.« Aber vielleicht ist die Welt dafür noch nicht reif.

Was meine eigene Beschäftigung in der Welt der Werbung angeht, so mag ich sie mal mehr, mal weniger und mal gar nicht. Manchmal fühle ich mich wie eine fürwitzige alte Hure, die nicht besser ist, als sie sein sollte, und manchmal denke ich mir wie Orson Welles: »Na und, Toulouse-Lautrec hat Poster gemalt, Auden

Werbetexte für die Post geschrieben – da steh' ich doch in edler Tradition.«

Aber inzwischen bin ich mir nicht mehr so sicher. In den letzten Wochen ist in unseren großen Blättern eine Werbekampagne angelaufen. Initiiert hat sie die Midland Bank, eine Institution, deren Ruhm fürs Zuhörenkönnen nur von dem dieser Zeitschrift übertroffen wird. Gott allein weiß, wem sie in letzter Zeit so gelauscht haben, vielleicht war's King George III, als er schon in der Klapse saß, sollte mich nicht wundern, jedenfalls sind sie mit »drei neuen Bankkonten für drei verschiedene Arten von Kunden« aufgetaucht. Die ganzseitigen Anzeigen für diese neuen Dienstleistungen hatten die Form von Fragebögen, die einen baten, sich als Vektormensch, Gartenmensch oder Meridianmensch auszuweisen.

»Können Sie einen Videorecorder programmieren, ohne daß Sie vier volle Stunden Videotext aufzeichnen?« lautet die erste Frage an jene, die sich fragen, ob sie ein Vektormensch sind, ohne es all die Jahre geahnt zu haben. »Würden Sie Ihr Konto überziehen, um zur Überraschungsparty eines Freundes nach San Francisco zu fliegen? Und womöglich ohne Teppich wohnen, um sich einen CD-Spieler leisten zu können?« »Haben Sie soviel Plastik in der Brieftasche, daß es den Sitz Ihres Designeranzugs verdirbt? Wenn Sie bei einer dieser Fragen genickt haben, dann rufen Sie uns gebührenfrei an unter... usw.« Nun, das ist befremdlich. Man muß kein ausgebildeter Semiologe oder Beobachter der britischen Gesellschaft sein, um zu erraten, hinter welcher Kundensorte die mit solchen Fragen her sind. Aber ebensowenig muß man ein ausgeb. Sem. oder Beob. der brit. Ges. sein, um zu wissen, daß genau diese Kundensorte, statt zu nicken, als erste die ganze Zeitung vollgespien oder zumindest einen ziemlich ernsten Lachkrampf bekommen hätte. Wir müssen also annehmen, daß die Bank in Wirklichkeit hinter dem Kunden her ist, der gern ein Mensch mit Freunden *wäre*, die Überraschungspartys in S. F. veranstalten. Aber wenn das stimmt, wird die Bank bald Probleme kriegen, weil sie schrecklich traurige und sich nicht wohl fühlende Menschen aufnehmen wird, die höchstwahrscheinlich entsetzliche Schulden machen werden, indem sie ihre Designeranzüge mit Plastik ausstopfen, um deren Sitz zu verderben, und ihre Teppiche abschaffen, um CD-Spieler aufbauen zu können. Und Vektormenschen sollten nicht an Teppichen sparen: sie brauchen sie. Sie brauchen sie selbst an den Wänden: aus Gummi.

Ein Gartenmensch verbringt augenscheinlich den Sonntag damit, zusammen mit den Kindern ein Baumhaus zu zimmern, er ist ein Experte des Einkaufswagens und trommelt eine Bürgerinitiative gegen die neue Autobahn zusammen, die durch seine Heimatstadt gebaut werden soll, ohne zu erwarten, daß auch nur seine Lokalzeitung davon berichtet. Das ist doch Gebrabbel vom Krankenbett. Diesen Gärtnertyp illustriert das Bild eines sonntäglichen Mittagessens mit einem putzigen Salzfäßchen und Holzbrettchen. Halt mich fest, ich dreh' gleich durch.

Die letzte Kategorie bildet der Meridianmensch. »Kennen Sie den Unterschied zwischen dem Dow Jones und Inigo Jones? Kennen Oberkellner Ihren Namen? Kümmern Sie Hungersnöte? Und spenden Sie regelmäßig, ohne daß man Ihnen den Arm umdrehen muß?« Also, das ist krank. Tut mir leid, aber das ist echt krank. Wenn die Werbebranche Leute anzieht, die ohne einen Funken Ironie solchen Mist verzapfen können, dann ist alles vorbei, flieht dieses Land. Deren Verstand braucht ein weiches, langes, saugfähiges Papier, das ihn sauberwischt. Falls Robert Robinson nicht verfügbar ist, würde ich mich glücklich schätzen, den Kommentar für solche Tücher ohne Gage sprechen zu dürfen. Das stünde in der besten Tradition öffentlich-rechtlicher Sender.

Absolut überhaupt nichts

Befreundete Journalisten haben mir versichert, Kolumnisten dürften einmal *in ihrem* ganzen *Leben eine solche Kolumne schreiben. Hm.*

Diese Woche werde ich keinen Artikel schreiben, aus dem einsamen und traurigen Grund, daß mein Gehirn heute außer Betrieb zu sein scheint. Ich lass' Sie ungern mit leeren Händen dastehen, aber es muß sein. Nichts zu sagen. Jenen Lesern unter Ihnen, die sich noch nie auf wöchentlicher Basis auf den Hosenboden setzen und 850 funkelnde Worte diskursiver Prosa für den herrischen Zuchtmeister von Herausgeber bereithalten mußten, der ein Meister im Umgang mit Knüppel, Stoßrapier, Feldhaubitze und Gefechtssarkasmus ist, muß ich mitteilen, daß das kein laues Lüftchen ist. Ein laues Lüftchen ist eines der Dinge, die das ganz definitiv nie ist. Mag sein, daß Sie das so wenig kratzt wie das Rülpsen eines Busfahrers, was das nun ist oder nicht. »Es kann ein Lüftchen sein«, so denken Sie bei sich, »oder es kann ein Hurrikan sein. Von welchem erdenklichen Interesse ist das für uns? Wir zahlen gutes Geld für diese Worte, und es ist mir so wurscht wie einem Vegetarier, wie schmerzhaft ihr Gebären ist.« Sie haben wahrscheinlich recht, verdammt noch mal; Sie sind ein harter Brocken, aber Sie haben ins Schwarze getroffen. Schließlich wäre ich ja auch äußerst erstaunt, wenn ich mir grade eine Packung Abbey-Crunch-Kekse reinpfiffe, plötzlich Mr McVitie auf der Schwelle stünde und mir eine gute Viertelstunde lang die Ohren abkaute, wie hart die zu backen seien, welche Qualen der Komposition das Rezept ihm bereitet habe und wie wenig man seine Armee talentierter Plätzchenbäcker zu würdigen wisse. Wenn ich also moralisch, wenn auch nicht vertraglich, dazu verpflichtet bin, Ihnen 850 zu verpassen, ob Sie die wollen oder nicht, und wenn ich schon die Frechheit besitze, Sie vollzulabern, dann kann ich Sie auch über das schmerzliche Thema vollabern, wie schwer es ist, Themen zum Labern zu finden.

Mein »Skript«, wie wir Kritzler das nennen, wird für die Korrektur üblicherweise spätestens Donnerstagmorgen erwartet. Ich schreibe Ihnen jetzt am Mittwochabend mit einem Gehirn, das leerer ist als die Blase eines Kamels. Meistens ziehe ich mein Schleppnetz durch die Tageszeitungen, auf der Suche nach Stoff, der mich auf die Palme bringt. Wie oft hat Kenneth Baker diese Woche die Worte »Normen« und »Werte« verwendet, und wie oft in einer Bedeutung, die englischen Muttersprachlern verständlich ist? Hat Paul Johnson die Welt wieder einmal mit der glänzenden Liebe seiner Visionen, seiner Tiefe, Erkenntnis und Humanität geblendet? Hat die Regierung etwas ausbaldowert? Es klingt ein wenig hochtrabend, als wäre ich eine wachhabende Patrouille, die die Tore der Schicklichkeit hütet, aber irgendwo muß ich ja anfangen. Heute habe ich eine Niete gezogen. Weder im Druck noch auf den Fernsehbildschirmen scheint mich irgend etwas verärgert zu haben. Der einzige wirklich bemerkenswerte Vorfall war ein Leserbrief, den Anne Robinson in *Points of View* vorlas, der mit »bis die Tage« endete, was mir einen Schauder durch die Därme jagte und grüne und rote Punkte vor den Augen flimmern ließ, aber das ging schnell vorbei. Vielleicht kann etwas aus meinem Privatleben in eine gehaltvolle 850-Wort-Parabel verwandelt werden, die zu amüsieren, erleuchten und unterhalten weiß? Heute morgen setzte ein Lieferwagen auf mein Auto zurück und zerdrückte es wie eine Eierschale. Um 15.24 habe ich mir am Tisch das Schienbein gestoßen, und um 19.50 ist mir eine Kartoffel hinter die Spüle gefallen, wo sie vermutlich bis an der Welt Ende verbleiben wird. John Donne hätte aus dieser kleinen Kataklysmenliste vermutlich ein echt starkes Sonett zusammengeschustert, das die Regierung gestürzt und das Tausendjährige Reich Jesu Christi hereingewinkt hätte, aber ich bin dazu nicht in der Lage.

Wenn die Zeitungen darin versagen, mir ordentlichen Stoff feilzubieten, wird es höchste Zeit, große Gedanken wälzend wie ein Tiger im Käfig durch den Raum zu laufen oder die Straße auf einer Briefeinwurfsmission hinabzuspazieren, um den Kopf frei zu kriegen. Letzteres funktioniert ziemlich oft, eigentlich erstaunlich, da der freie Kopf am Anfang ja das Problem war. Aber heute nichts: rien, zilch, süßes nada beknackt-behumst Zerosville Idaho. Tennisspieler haben Ellenbogen, Hausmädchen Bandscheiben, Schriftsteller bloß Blöcke. Ich muß annehmen, daß ich nicht der einzige bin, sonst wäre das Leben unerträglich. Wahrscheinlich bricht irgendwann der Tag an, der Roger Woddis bar jeglicher Idee sieht – ich schätze mich glücklich, daß ich noch keine Hinweise in dieser Richtung gesehen habe, aber irgendwann muß er anbrechen. Hat Bernard Levin sieben Schubladen, die er in weiser Voraussicht während der fetten Jahre gefüllt hat, auf daß die Leserschaft der ›Times‹ in den mageren etwas zu beißen habe? Wer weiß das schon?

Nun, mein langes Tagwerk ist vollbracht, und ich umfange die Nacht, wie Kleopatra fast gesagt hat. Achthundertfünfzig Worte leerer Logorrhöe. Ich hoffe bloß, Sie kommen sich nicht geleimt vor. Mich darf ich mit dem Wissen beruhigen, daß ich, solange

Douglas Hurd seine abscheuerregende Verbrechensbekämpfungsnovelle noch nicht durchs Parlament gebracht hat, schweigen darf, ohne daß Sie dieses Schweigen gegen mich verwenden dürften.

Ich habe nichts zu sagen, und das habe ich gesagt.

Die Jugend

Neulich war ich alarmiert, als ich in der ›Daily Mail‹ las – daß ich die ›Daily Mail‹ las, ist alarmierend genug, dürfen Sie an dieser Stelle berechtigterweise einwerfen –, daß die Jugend von heute anscheinend geld- und karriereorientiert ist, weniger zum Aussteigertum und mehr zum Konformismus neigt, Homosexuellen mehr Intoleranz, Drogen dagegen weniger Interesse entgegenbringt und schließlich stärker an die Wichtigkeit der Familie glaubt als frühere Generationen. Das ist bestürzend. Ist es wirklich schon so weit gekommen? Sie sollten sich keine übergroßen Sorgen machen, die ›Mail‹ hat lediglich ihre eigenen verkommenen Phantasien auf einen Schub oder eine Ladung harmloser Forschungsergebnisse projiziert, die irgendeinem Statistiker aus dem Computer geplumpst sind. Aber so ist die ›Daily Mail‹ nun mal. In vielerlei Hinsicht ist sie die schlimmste Zeitung des Landes, weil sie irgendwo in ihrem Image eine Nische freihält, in der wir uns einreden können, sie sei eine Klasse besser als die schmutzigen Revolverblätter. Sie verläßt sich auf die Bequemlichkeit des jungen Immobilienmaklers oder Kundenbetreuers, der weiß, daß er eigentlich den ›Independent‹ kaufen sollte – aber schließlich braucht der Zug nicht so lange zur Arbeit, und diese großen Seiten sind immer so schwer umzublättern, also was soll's, schnappen wir uns doch die ›Mail‹.

Wenn es etwas gibt, wogegen die ›Mail‹ so entschlossen steht, wie eine widerliche Rotzfahne von Zeitung nur stehen kann, dann das, was wir als das »liberale Gewissen« bezeichnen können. Das kann man dort auf den Tod nicht ab. Ich bin selber ein altmodischer Bursche. Ich finde, Jugendliche sollten viel Zeit damit verbringen, unerträglich zu sein, zugekifft, rebellisch, sexuell unternehmungslustig, nett, weltfremd, wütend, großzügig, skeptisch, selbstlos, gegen die Familie, gegen die Regierung, gegen Macht, gegen Geld, gegen Histamine, eigentlich gegen jede Establishmentalität. Jung sein eben. Ich bin nun mal ein Traditionalist. Ich habe nicht viel dagegen, wenn jemand anderer Meinung ist, und schaffe es manchmal, einen Neunzehnjährigen in Anzug und Krawatte anzusehen, ohne mich scheckig zu lachen oder an die brutale Beschreibung von Leonard Bast zu denken, den jungen Bankangestellten in *Howard's End*, »der die Glorie des Tiers für einen Frack und einen Satz Ideen aufgegeben hatte«. Für die Hegung dieser seltsamen Zweifel können Sie mich nennen, wie Sie wollen, nur nicht »trendy«. Ja, ich verwehre mich ausdrücklich nicht dagegen, als links beschrieben zu werden: Ich gebe sofort zu, daß ich liberale Ansichten zu Nikaragua habe, zu Feminismus, Schwulenrechten, Atomwaffen, dem Umweltschutz, dem Gesundheitssystem, der Dritten Welt, Raffgier, den Gewerkschaften und was sonst noch gute Karten hat, ein paar Kolumnen blühenden Blödsinns von George Gale oder Roger Scruton einzuheimsen. Nennen Sie mich einen Kommunisten, ein subversives Element, einen schrägen Vogel, einen nutzlosen Auswuchs, das verblichene Überbleibsel einer gescheiterten Generation. Darüber läßt sich reden. Aber tun Sie um Himmels willen nicht so, als läge irgend etwas davon im Trend. Wenn Sie wissen wollen, was Trend ist und was seit mindestens zehn Jahren im Trend ist, dann ist das die erbitterte Opposition gegen jenes liberale Gewissen. Wenn Sie wissen wollen, was in Mode ist, dann schauen Sie sich die konzertierte Aktion von sieben Achteln der Presse an, die jeden Ansatz zu einer Debatte über Themen wie das Kapital, die Familie und die auf dieser Insel heute grundlegenden Werte in Mißkredit zu bringen trachten.

Es gibt eine Weltgegend, die ein leuchtendes Beispiel setzt in Sachen Achtung der Familie und des Vaterlandes, drakonische Strafen für Verbrecher, Moral und Bewußtsein für Religion als Bestandteil nationalen Lebens, und das sind natürlich der Iran und der Rest von Hisbollahnistan. Möglicherweise sind wir dadurch, daß wir Diskussionsmöglichkeiten im Keim ersticken und ein Klima schaffen, in dem Zweifel als »Trend«, »Allüren«, »Kommunismus« oder schlicht und einfach als wahnsinnig abgetan werden, auf dem Weg zur Hervorbringung einer westlichen Version des islamischen Fundamentalismus, die uns noch vor Ende des Jahrhunderts zu neuen Kreuzzügen aufbrechen lassen wird. Auf meine kuschelige, trendbewußte und dumme alte Weise neige ich zu der Hoffnung, daß dem nicht so ist. Aber eins ist mal klar, die Dschihads gegen den Bischof von Durham, Schwule, Gewerkschaftsführer, Prince Charles und jeden anderen, der es wagt, seinen Kopf über die Brüstung zu strecken und sich zu fragen, was zum Teufel wir da eigentlich anrichten, werden unser seltsames und wunderbares Land nicht um einen Penny bereichern, sondern nur zu seiner vollständigen Verarmung beitragen. Der letzte Staatshaushalt mag den Brain-Drain aufgehalten haben, aber die harte Besteuerung von Gewissen und Zweifel befördert einen Soul-Drain, der weit schwieriger wieder umzukehren sein wird.

Solch eine hysterische Paranoia bei einem so jungen Mann? Ich weiß, tut mir auch aufrichtig leid. Bald werd' ich die rechten Socken noch hinter meinem Klo vermuten. Vielleicht täusche ich mich, vielleicht schwebt elfenhafte Toleranz durch den Blätterwald, und ich habe es nur nicht gesehen, vielleicht ist doch ein Tropfen Wasser unter diesem Felsen. Ich bin unkonventionell genug, es zu hoffen.

Ich und mein Hefter

Eine Artikelserie des ›Listener‹.

Diese Woche: Autor und Fernsehredakteur Tom Murley.

Tom Murley erschien erstmals im Rampenlicht der Öffentlichkeit, als er beim ›Observer‹ in »Ich und mein Manschettenknopfetui« auftrat. Schnell folgten weitere Beiträge, darunter »In meinem Badezimmerschränkchen« für den ›Sunday Telegraph‹, die »Vettern«-Kolumne in der ›Mail on Sunday‹ (zusammen mit seinem Vetter Leslie) und »Dinge, die ich gern vorher gewußt hätte« für das

Magazin ›Sunday People‹. Er lebt in Kensington, Hampstead, Muswell Hill, Surrey, Camden, Putney, Gloucestershire und Suffolk (und Salisbury, wenn er von ›Wiltshire Life‹ interviewt wird).

Es ist ein Rexel-Tacker. Inzwischen wohl ein bißchen schäbig. Etwas verbeult und zerkratzt, genau wie ich. Meine Familie lacht mich aus, weil ich an ihm hänge, sie versteht einfach nicht, warum ich ihn nicht wegwerfe und mir ein neues, schickeres Modell kaufe, aber irgendwie empfinde ich eine Art Zuneigung zu dem Ding. Marina (seit dreißig Jahren meine Frau) sagt, es bedeute mir mehr als sie, und wahrscheinlich hat sie ein Stück weit recht, aber sie würde mich umbringen, wenn ich das zugäbe. Vielleicht deswegen. Dieser alte Hefter würde mich für gar nichts umbringen. Er ist eher ein alter Freund als ein Hefter. Er vergibt mir, wenn ich launisch oder mürrisch bin, und zeigt nie eine Spur Eifersucht. Er bleibt einfach ein Hefter. Irgendwie ist das eine tröstliche, verläßliche Vorstellung.

Ich habe ihn in einem alten Schreibwarengeschäft in der Gower Street gekauft, als Ersttrimester am University College London. Vier Shilling und neun Pence, und jeweils drei Pence für fünfzig Klammern. Ich benutze ihn, um Blätter zusammenzuheften.

Man schichtet einfach die Blätter übereinander und schiebt den Stapel zwischen die Kiefer des Hefters. Als Rechtshänder nehme ich am liebsten die linke obere Ecke, auf die Weise kann ich ohne weiteres von einer Seite zur nächsten blättern, ohne daß die oberen Seiten mir den Blick auf die unteren verwehren. Auf dem Unterkiefer befindet sich ein drehbares Plättchen. Dieses Plättchen verschiebt man mit dem Daumen (oder Zeigefinger), so daß bei Benutzung des Hefters jede Klammer nach außen statt nach innen gebogen wird. Mir ist immer schleierhaft geblieben, wofür man das brauchen sollte, aber es ist nett, daß man die Wahl hat.

Zufälligerweise habe ich Marina in einem kleinen Café ganz in der Nähe des Schreibwarengeschäfts kennengelernt, wo ich den Hefter gekauft hatte. Zwei Jahre später haben wir geheiratet und haben heute drei Kinder, Jacinth, Barabbas und Hengis. Als wir unsere erste Wohnung in West Hampstead gekauft haben, in der Gegend der West End Lane, und Marina hochschwanger mit Jacinth war, begleitete uns der Hefter. Marina meinte, wir hätten keinen Platz für ihn, aber irgendwie habe ich noch eine freie Ecke in meiner Schreibtischschublade gefunden, und dort liegt er immer noch, obwohl wir schon vor Jahren aus West Hampstead weggezogen sind.

Morgens stehe ich um fünf Uhr auf (zwei Stunden vor Jilly Cooper) und wecke Marina und die Kinder. Das Frühstück besteht gewöhnlich aus kretischem Honig mit unpasteurisiertem Kumyß und einer Nektarine (doppelt so nahrhaft wie Freddy Raphaels Frühstück und dreimal so exotisch wie das von Shirley Conran). Dann jogge ich durch den Park/Stadtwald/Grüngürtel. Ich habe letztens mit dänischer Marinegymnastik angefangen. Das kennen die wenigsten, und deswegen mache ich sie. Sie besteht aus Dehn- und Atemübungen, die sich durch nichts von den Dehn- und Atemübungen unterscheiden, die jedermann seit Hunderten von Jahren betreibt, aber man muß dabei einen Frottee-*Thmarjk* oder »Trainingsanzug« tragen, und deswegen werde ich allmorgendlich von vier Leuten mehr ausgelacht als Laurie Taylor.

Dann geht's an die Arbeit. Am liebsten diktiere ich mir die Entwürfe selbst (zu Weihnachten 1968 hat mir Marina einen Stenokurs geschenkt). Ich halte sie mit einem B2-Bleistift in einem eng linierten Schulheft von Phillips and Drew fest. Ich mag die weichen, dunkleren Linien des B2. Ich beschreibe nur die linken Seiten. Im nächsten Schritt bringe ich mit einer alten »Invicta« von Waterman auf der rechten Seite Korrekturen an, wobei ich nur jede zweite Zeile beschreibe. Dieses Verfahren ist viermal so kompliziert und sinnlos wie das von Simon Raven. Diesen Text übertrage ich dann auf einen 70-MB-IBM-Computer, den ich letztes Jahr von Barrabas zum Vatertag bekommen habe. Das sind 65 Millionen Bytes mehr, als Len Deighton auf seinem Textverarbeitungsgerät zur Verfügung hat. Ich schreibe immer im Stehen, an einer alten Kredenz, die ich beim Verkauf der Einrichtung der Kirche St Michael and All Angels in Islington erstanden habe.

Ich arbeite in zehnminütigen Anfällen, zwischendurch gehe ich ausgiebig schwimmen. Unser Schwimmbad habe ich selbst gebaut, nach meinem eigenen Plan. Es hat die Form des burmesischen Symbols ewiger Gelassenheit, des Rechtecks. Das nepalesische Symbol ewiger Gelassenheit ist eine Endlosschleife, vielleicht habe ich mein Interesse an Nepals Religion gerade zur rechten Zeit aufgegeben, als übrigens John Fowles sich dafür zu interessieren begann: Wenn mein Pool die Form einer Endlosschleife hätte, könnte ich nicht so leicht Längen zählen. Gefüllt ist er mit alkalischem Heilwasser – chlorhaltiges Leitungswasser ist schlecht für die Lymphdrüsen –, temperiert auf 21 °C.

Dann gibt's Abendessen mit dem Hefter. Das Mittagessen lasse ich aus (anders als Kingsley Amis und Anthony Burgess). Wenn die Kinder aus der Schule nach Hause kommen, spielen wir Scrabble oder unterhalten uns darüber, was sie im Tagesverlauf so angestellt haben, ich finde immer, daß das wirklich wichtig ist. Ich sehe nicht fern, es zerstört meiner Meinung nach die Kunst, über sich selbst zu reden. Schließlich ein taiwanesisches Fruchtbad und dann ins Bett. Ich schlafe rechts, der Hefter links. Marina hat ihr eigenes Schlafzimmer. Warum, weiß ich nicht genau.

Nächste Woche: Dichter und Weltreisender Millinie Bowett mit seinem Beitrag »Mein Plätthandtuch und ich«.

Über die Unverständlichkeit

Es gab mal eine Zeit, da konnte man kaum eine Zeitung aufschlagen, am wenigstens die ›Times‹ oder den ›Telegraph‹, ohne auf einen von irgendeinem Wächter des gesunden Menschenverstandes und klaren Denkens verfaßten Artikel zu stoßen, der gegen den Jargon und die periphrastische Schaumsprache von Gewerkschaftlern, Soziologen und Bürokraten zu Felde zog. Über polysyllabische Terminologie runzelte man die Stirn. Was man seinerzeit Weitschweifigkeit nannte, wurde verspottet und verhöhnt. Die These, in der stets das Eintreten für individuelle Freiheit mitschwang, lautete, die ungebildeten, aufgeblasenen Mandarine des Sozialstaats versteckten ihre bösen Absichten unter einem Ornat, der die zwergenhaften, verkrüppelten Gestalten verberge. Ein wahrhaftiges Pogrom gegen »Folgenabschätzungen« und »denkbare Szenarien« wurde eingeläutet. ›Private Eye‹ startete eine Kolumne, die einige der denkwürdigsten Beispiele solcher Pressesprache aufspießte: Philip Howard, Michael Leapman und Bernard Levin hoben in der ›Times‹ mit unterschiedlich viel Witz und Treffsicherheit Einzelfälle der inkomprehensiblen Logorrhöe, des Schauderwelschs und der Verbalrabulistik hervor, die sie um den Verstand zu bringen drohten. In Übereinstimmung mit dem olympischen Grollen, das der Phantasie der Redakteure jener Zeitung zufolge den Ton des Blitzeschleuderers durchdringt, besteht die ehrenvolle Aufgabe der Sprache darin, die Dinge mit Klarheit und Präzision zu durchdringen.

Ich bin gewiß, daß diese Apostel der Luzidität viel Gutes getan haben. Ein unverständliches oder doppeldeutiges Dokument des Ministeriums für Gesundheit und Soziales beleidigt, verwirrt und unterdrückt. Ich werde bei der ganzen Sache jedoch den Eindruck nicht los, daß diese Aufschreie im nachhinein als Bestandteil der Bewegung in den späten Siebzigern gesehen werden können, die den Weg für *SIE* bereitete, der Peregrine Worsthorne und Roger Scruton nicht wert sind, die Pumps zu knüpfen. Ich will keineswegs sagen, daß diese Strategie absichtlich verfolgt wurde, sondern nur, daß jene Don Quijotes, die gegen die Windmühlen von Staat, Sozialismus, Kommunalverwaltung und Universitätssoziologie ankämpften, an Sprache als an ein wichtiges Schlachtfeld glaubten. Die Ausdrucksweisen, über die sie sich lustig machten, waren also in der Regel die staatlicher Institutionen: die Rhetorik der Sozialwissenschaft und der linken Orthodoxie. »Den Stammesdialekt rein halten« lautete der Auftrag, zu Addisons Tugenden von Gemeinverstand und Klarheit zurückkehren.

Aber so leicht ist das nicht. Das Wort »Fuß« ist selbst kein Fuß, es ist eine Art Schuldschein. Wenn ich es benutze, wird man mich nicht bitten, den Schuh auszuziehen, um zu sehen, was ich meine, da die Bedeutung dieses Wortes allgemein bekannt ist, genauso wie das Vorlegen einer Banknote mich nicht nötigt, in die Threadneedle Street zu laufen, um das Goldplättchen zu holen, für das der Schein steht. Wenn ich aber das Wort »Fuß« als Maßeinheit gebrauche, dann muß ich es in Kontinentaleuropa, wo das metrische System gilt, austauschen, genauso wie ich englisches Geld umtauschen muß, bevor ich es dort ausgeben kann. Allgemeingültige Bedeutungen sind für den Gebrauch sprachlicher Währung also die Voraussetzung.

Aber die Sprache derer, die T. E. Hulme »die Moralisten der großen Worte« nannte, womit er sich auf all jene bezog, die mit Worten wie Gerechtigkeit, Vernunft und Tugend um sich schmeißen, suggeriert die allgemeingültige Bedeutung grundlegender Ziele, Überzeugungen und Ideen, für deren Existenz es keinerlei Beweis gibt. Allgemeingültige Begriffe und eine allgemeingültige Weltanschauung mögen im 18. Jahrhundert noch denkbar gewesen sein, aber inzwischen wissen wir es doch besser oder sollten es jedenfalls besser wissen. Trotz all ihrer unglücklichen Umständlichkeit ist die Sprache des Soziologen oder des linken Historikers doch sorgfältig politisiert, um dem Sachverhalt Rechnung zu tragen, daß ein neutraler Gebrauch von Begriffen wie »Gleichheit«, »Freiheit« und »Anstand« nicht mehr möglich ist. Daher haben jene, denen es um ein Verstehen der Welt geht, quasi-exakte Fachsprachen entwickelt, in denen es tatsächlich zu Phrasen kommen mag wie »Beziehungsfähigkeit innerhalb persistenter familialer Kontexte«, die aber (falls Sie nicht so ein Esel sind anzunehmen, derlei Phrasen wollten imponieren, wo dies doch offensichtlich gerade nicht gelingt) wenigstens einer ehrlichen *De*notation der Phänomene dienen, die der zweifelhaften *Kon*notationen entkleidet sind. Wenn hingegen heutzutage ein Politiker oder Wächter der öffentlichen Moral Worte und Floskeln wie »der einfache Mann auf der Straße«, »gesittetes Familienleben« oder »maßvolle Auffassungen« im Munde führt, dann benutzt er Worte, die um nichts tiefer in universellen Wahrheiten gründen als die propagandistischen Worthülsen von Nazismus, Kommunismus oder Christentum.

Wir sind stolz auf unsere plurale Gesellschaft, ihre Flexibilität und Toleranz, oder waren es jedenfalls einmal. Je mehr wir uns politisch und gesellschaftlich auf starre Strukturen zurückziehen, desto mehr bedienen sich Politiker einer Sprache allgemeinster Annahmen und unwiderleglicher Behauptungen. Mit der Banknotenmetapher gesprochen, ein ganzes Wirtschaftssystem basiert auf einem fundamental unsicheren und trügerischen Standard: Die Bank verfügt über nichts als Dogma und Deklamation.

Im Endeffekt bin ich mir nicht einmal sicher, ob ich die Phrase »konzeptuell begrenzter Handlungsrahmen innerhalb weiterer Bereiche und vorgeschriebener sozialer Parameter« nicht dem Wort »Freiheit« vorziehe. Wenigstens weiß ich, woran ich damit bin.

Beschwerdenbescherung

Diese Sache mit den Beschwerden. Macht mir langsam ernsthaft Sorgen. Teilweise, weil ich einen ziemlich flotten Wecker besitze. Ich habe die altmodische Teekanne aufgegeben und pfeife auf das brühheiße Wasser, mit dem mein alter Goblin Teasmade mich munter machte, habe der piependen Reveille den Laufpaß gegeben, die mich so fatal an das Kardiographenpiepsen gemahnte, das irgendwann zu einem einzigen anhaltenden Piepston zu werden droht, und habe mich inbrünstig einem schwarzen Kasten in die Arme geworfen, der dafür sorgt, mich statt dessen mit Fernsehen aus der Traumlosigkeit zu reißen. Ich weiß, das ist schändlicher Luxus, aber da ich tagsüber geheimdiplomatische Missionen und nachts meine Pflicht als freiwilliger Neurologe zu erledigen habe, ist das Vormittagsprogramm meine einzige Chance, dem magischen Auge ins Auge zu sehen. Ekeln Sie sich nicht gar zu sehr über meinen dekadenten Lebensstil, aber die Sendung, die normalerweise den honigschweren Tau meines Schlummers verdunsten läßt, heißt *Open Air*, fängt um neun Uhr an, macht zwischenzeitlich *Kilroy* und anderen geistigen Umnachtungen Platz, und kommt dann wieder, um die angerichteten Verwüstungen aufzuräumen, so gegen halb zwölf.

Open Air ist eine Art Freibrief für alle armen Irren dieses Landes. Daß diese Insel sich unter Bürgern wälzt und krümmt, deren sämtliche Synapsen im Dauerkoma liegen, kann niemand bezweifeln, beunruhigend ist jedoch, daß sie die Erlaubnis haben, ihren Riß in der Plane alltäglich vorzuführen. Nehmen wir das Billard-Problem. Jedermann mit einem Auge für Einschaltquoten sieht auf den ersten Blick, daß die Weltmeisterschaft im Profi-Snooker BBC 2 beinahe die höchsten Zuschauerzahlen des ganzen Jahres einbringt. Anders gesagt, Snooker ist ganz schön beliebt. Viele Menschen mögen es. Millionen und Abermillionen. Siebzehn Tage lang berichtet die BBC über das Turnier, hauptsächlich im 2. Programm. Und hinterher beschweren sich Leute, die normalerweise vielleicht zehn Minuten pro Woche Sendungen auf BBC 2 einschalten, per Brief, Telephon, Fax und Telex wochenlang darüber, daß das Fernsehen immerzu nur Snooker bringe, was nicht nur erstunken und erlogen ist, sondern mir auch eine absolut dämliche und klägliche Bemerkung zu sein scheint. Meinen die vielleicht, die BBC solle sich die Chance entgehen lassen, ein äußerst populäres Sportereignis auszustrahlen, bloß weil Mrs Edith Plackett und ein paar hundert andere die Regeln nicht verstehen und deswegen nicht zugucken wollen? Sie können Gift darauf nehmen, daß die Hälfte von denen, die über Snooker stänkern, während der vierzehn Tage Wimbledon wie gebannt vor der Glotze hockt. Wenn ihre Fernseher ausschließlich BBC 2 empfingen, könnte man ja noch Mitleid haben, aber die meisten von uns empfangen vier Programme, und selbst wenn einem die Sendungen der anderen drei nicht passen, müssen wir deswegen den armen Programmplanern gleich mit unseren albernen Vorurteilen auf den Zeiger gehen?

Diese Sorte Beschwerden ist eine Sache, völlig behämmert, keine Frage, aber vergleichsweise harmlos – die BBC ist nicht so plemplem, die paar hundert Beschwerden ernst zu nehmen, wenn es um fünfzehn Millionen zufriedene Zuschauer geht. Dummerweise ist die Anstalt aber nicht immer so zurückhaltend. Besonders im Radio, des Fernsehens fragilem Vater, neigt die Leitung fatal zum Ignorieren dieser Arithmetik. Der Trugschluß besteht in dem Argument, daß die Sendung unbeliebt sein müsse, wenn von zweihundert eingegangenen Anrufen und Briefen siebzig Prozent Mißfallen äußern. Aber hier ist dringend erforderlich, sich vor Augen zu halten, daß *mindestens* neunzig Prozent dieser zweihundert zwangsläufig unter die verschiedenen Paragraphen fallen, die zum Schutz der Gesellschaft vor den Schwachsinnigen und anderen seelischen Abartigkeiten ins Strafgesetzbuch aufgenommen wurden. Wie ist es bloß möglich, daß die Ansichten der Verrückten Macht über die Normalen ausüben dürfen?

Früher gab es eine anständige und witzige Radio-Sitcom namens *After Henry*. Das einzige, was ich an dieser sonst sehr gut gemachten und gespielten Serie auszusetzen hatte, war die etwas unrealistische Sprache. Für meinen Geschmack zu viele »Menschenskind!« und »Mann!«. Gelegentlich wagte sich ein fürwitziges »Herrgott!« und »Verfluchter Mist!« vor, aber zu selten, um die Realität intelligenten britischen Sprachgebrauchs anzudeuten, in der, wie wir alle wissen, Blasphemien, koitale und kloakale Interjektionen ganz selbstverständlich sind. Aber selbst diese paar Götter, Höllen und Verdammte waren für den durchschnittlichen

Radio-4-Hörer zuviel. Die Führungsebene beim Hörfunk fing ungefähr um diese Zeit herum damit an, entsetzliche Sprachdekrete zu erlassen, die das Medium so gut wie abgewürgt haben. Rundfunkautoren sind jetzt in derselben Lage wie Maler vor einigen hundert Jahren. Wenn's Geschlechtsteile zu sehen gibt, verhüllt sie aufreizend mit hauchfeinem Stoff. Eindeutigkeit ist geächtet, Zweideutigkeit hingegen toleriert. Und wieder wächst eine Generation von Kindern heran, der beigebracht wird, Sexualität für eine eklige Erwachsenenwelt voller Schuld und Angst zu halten, vor der sie beschützt werden, bis sie das Verbrechen begehen, selbst erwachsen zu werden.

Es wird Zeit, daß Fernsehintendanten aufhören, die Zuschauerpost für etwas anderes zu halten als die qualvollen Delirien von dringend hilfebedürftigen Menschen. Normale Leute haben viel zuviel damit zu tun, ihr eigenes Leben geregelt zu kriegen, als daß sie auch nur der Familie und Freunden, geschweige denn Fernsehanstalten schreiben würden, und solange das nicht verstanden wird und solange Beschwerdebriefe nicht ungelesen verbrannt werden, so lange werden die Bekloppten uns beherrschen.

Wie ich diesen Artikel geschrieben habe

Tststs... der Mann hat definitiv Probleme. Nur wenige Wochen, nachdem er »Absolut überhaupt nichts« geschrieben hat, geht es jetzt endgültig ans Eingemachte mit einem Artikel darüber, wie man einen Artikel schreibt... bedenklich, echt bedenklich.

Ich weiß, es riecht nach Nabelschau der übelsten Sorte, aber ich dachte, daß es Sie vielleicht interessiert zu erfahren, wie dieser Artikel geschrieben wurde. Als Kind der Kommunikationsrevolution, des Informationstechnologie-Booms und all der anderen elektronischen Explosionen, die im Lauf der letzten Jahre stattgefunden haben, kann ich diese geschmacklose auto-omphalische Reflexion rechtfertigen, indem ich Ihnen mitteile, daß dieser Artikel nicht so aufgesetzt, korrekturgelesen und an den ›Listener‹ geschickt worden wäre, wie es nun geschehen ist, wenn ich nicht die gesammelte technische Pracht zur Verfügung gehabt hätte, bei der die Leute sich immer an den Kopf fassen und behaupten, sie verabscheuten sie wie der Vegetarier ein Kalbsschnitzel.

Die eher banausischen Einzelheiten der Entstehungsbedingungen dieses Artikels sind, daß er mit Hilfe eines Textverarbeitungsprogramms getippt und mit einem Faxgerät durchs Telephon abgeliefert wurde. Interessanter ist es vielleicht, sich auf die Hilfsprogramme zu konzentrieren, die parallel zur Textverarbeitung im engeren Sinn laufen und den vielgeplagten Flottschreiber bei der fieberhaften Hektik unterstützen, den Abgabetermin einzuhalten. Lassen Sie mich etwas bei meiner »Ausrüstung« verweilen, wie man beim Militär sagen würde. Ich habe einen Klangdigitalisierer, mit dem ich in ein Mikrophon sprechen kann, so daß der Computer mich begrüßt, wenn ich ihn eingeschaltet habe. »Hallo, Stephen, guten Morgen!« kann er mit meiner Stimme sagen oder auch »Na los, Punk, make my day« mit Clint Eastwoods. Kein besonders effizientes Zubehör, außer für einen Musiker oder Radioproduzenten, aber macht es nicht viel mehr Spaß, wenn ein Affenkreischen oder eine Autohupe einen darauf hinweist, daß man sich vertippt hat, als dies monotone alte Computer-»Biep«? Ich habe Dutzende von Schriftarten zur Verfügung oder »Fonts«, wie sie branchenintern heißen. Die reichen von der einfachen, aber eleganten Times Roman über Galliard, Garamond und Helvetica bis hin zu den schmuckreichen Tiffany- und Trump-Mediaeval-Fonts. Mir stehen auch Tausende von Farben zu Gebote, ich habe absolute Kontrolle über Farbsättigung und -ton, um genau die Mischung zu erhalten, die mich am meisten befriedigt. Das deckt die einfachen, primitiven Prioritäten ab, Klang und Aussehen. Sie entsprechen dem Geruch und Gefühl von Papier sowie Tintenfarbe und Federnbreite, die Schriftstellern früherer Tage so viel bedeuteten.

Zusätzlich zu Fußnoten, Inhaltsverzeichnis, automatischer Silbentrennung und – für längere Arbeiten nützlicher – Indexerstellung habe ich eine geniale Menüfunktion namens »typographische Anführungszeichen«, die sofort erkennt, ob ich An- oder Abführungszeichen brauche. In der Wendung »typographische Anführungszeichen« etwa habe ich dieselbe Taste getippt, und das schlaue Maschinchen weiß, in welche Richtung die Spitzen zeigen sollen. Genauso passen die Ligaturen »fi« und »fl« für »fi« und »fl« selbst auf sich auf (ich hoffe, der Setzer des ›Listener‹ kann die reproduzieren, sonst ist der vorige Satz für Sie sinnlos). Das sind ebenfalls primitive Anliegen, aber bei einem Laserdrucker mit 300 dpi oder *dots per inch* ist das Ergebnis von beeindruckender Qualität, und das läßt einen doch wieder hoffen.

Jetzt zur Überarbeitung des Textes selbst: Ich habe einen dazuschaltbaren Thesaurus, der mir, wenn ich völlig verzweifelt bin, Synonyme anbietet. Probieren wir ihn mit »verzweifelt« aus: »aussichtslos, entmutigt, gebrochen, hoffnungslos, kleinmütig, mutlos, niedergeschlagen, resigniert, ratlos, deprimiert, gedrückt und lebensmüde« werden mir unter anderem angeboten. Und von der Rechtschreibkontrolle muß ich Ihnen erzählen. Wenn ich den Text dieses Artikels, soweit er bisher gediehen ist, vom mitgelieferten Wörterbuch überprüfen lasse, bezweifelt er die folgenden Worte: omphalisch (was ich ihm nicht verdenken kann, warum sollte er so ein angeberisches Oberstufenwort kennen?), banausisch (dito), Fax, Biep, dazuschaltbar und Reflexion (wo er mir zu Recht mitteilte, das werde nicht mit »kt« geschrieben).

Also, der Artikel sieht gut aus, ist regelgerecht geschrieben und voll mit mörderisch präzisen Synonymen. Aber wie ist es um den Stil bestellt? Auch dafür gibt es Software. »MacProof: Die Macintosh-Stilkontrolle« kann meinen Text auf stilistische Schwächen hin absuchen: sexistischen, rassistischen und uneleganten Sprachgebrauch. Schlau war ihr aufgefallen, daß ich weiter oben »wenn wenn« geschrieben hatte (eine beim Tippen häufig unterlaufende Wortwiederholung, die man beim Korrekturlesen leicht übersieht). Über das Wort »und« am Satzanfang runzelte sie die Stirn und meinte, sie bevorzuge »außerdem« oder ähnliches. Sie warf mir zu viel »Nominalstil« vor, also übermäßig Verben in Substantive verwandelt zu haben; als allgemeinen Rat fügte sie hinzu, der Satz »Das Nachspielen von Paul Reveres Ritt durch die Geschichtswerkstatt gelang wunderschön« laute besser »Die Geschichtswerkstatt spielte Paul Reveres Ritt wunderschön nach«. Andererseits erhielt ich einen Freispruch in Sachen Sexismus und Rassismus, und mein Text wurde für frei von vagen oder übertriebenen Formulierungen befunden.

Schließlich noch zum unentbehrlichsten Mittel von allen: der Wortzählung. Ich erfahre, bislang 867 Wörter getippt zu haben. Das ist zuviel: Da muß ich noch mal drübergehen und streichen. Ich darf 830, höchstens 850 abliefern.

So, auch das wäre geschafft. Ein frischer, eleganter, klarer und strammer Artikel, jetzt auf exakt 828 Wörter gekürzt. Trotzdem ziemlich langweilig, oder?[1]

Zerreißt ihn für seine schlechten Verse

Falls Salman Rushdie noch am Leben ist, wenn dieser Artikel die Druckerei verläßt, was ich sehr hoffe, frage ich mich, ob er dann manchmal überlegt, wieviel Glück er gehabt hat, nicht im mittelalterlichen Britannien einen Roman geschrieben zu haben, der Jesus kritisierte. Wenngleich gewisse Angehörige des islamischen Glaubens ein wenig übereifrig sind, den guten Namen und die großen Taten ihres Propheten zu beschützen, so ist das doch ein Klacks im Vergleich zu einem beleidigten Christen der alten Schule. Ein wahnsinniger Moslem durchsiebt einen vielleicht mit Kugeln und macht ein Mordsgeschrei, aber zumindest zieht er einem nicht das Fell über die Ohren und die Eingeweide aus dem Leib und hält einem währenddessen noch eine Predigt über die Reinheit der Seele. Zugegeben, das ist kein besonderer Trost für den belagerten Mr Rushdie, der wohl lieber am Leben bliebe, als an jedem einzelnen Wochentag den Märtyrer für künstlerische Freiheit abgeben zu müssen, aber vielleicht lenkt ihn der Gedanke etwas von der schlimmeren täglichen Furcht ab. Natürlich kann er sich mit seinen Leibwächtern zwischen ein paar Runden Stille Post oder Mau-Mau auch über das Thema Cinna unterhalten. Sie wissen schon, das war der Römer, der *nicht* Cinna der Verschwörer war, einer der Mörder Julius Caesars, sondern Cinna der Dichter. Der Pöbel fand, er solle trotzdem sterben: »Zerreißt ihn für seine

---

1 Ja, die Red.

schlechten Verse!« faßt die Volksstimmung jener Tage gut zusammen. Ich könnte wetten, daß jetzt in Bradford ein Kuchenbäcker namens Salman Rushdie lebt, der voller Furcht und Zittern durch die Straßen schleicht, weil man ihn für seine schlechten Kekse zerreißen könnte.

Nächste Woche will ich selber einen Roman anfangen, das heißt einen schreiben, ich bin noch nicht soweit, einen zu lesen, und ich habe überlegt, welches Thema ich behandeln müßte, um mich in Lebensgefahr zu bringen. Viele fallen mir nicht ein. Aber es ist doch interessant und, ehrlich gesagt, ein klitzekleines bißchen besorgniserregend, wenn man sich überlegt, daß ich mich selbst, meinen Verleger und alle guten Buchhändler in Gefahr bringen könnte, einfach indem ich ein paar schnippische Bemerkungen über den Propheten mache.

Die Ungeheuerlichkeit dessen, was Salman Rushdie zugestoßen ist, können wir gar nicht überschätzen. Er ist vierzig Jahre alt. Er weiß, daß ihm für den Rest seines Lebens ein Todesurteil anhängen wird. Dieses Jahr wird er der Kugel wohl entgehen und das nächste auch, schätze ich. Aber in fünf Jahren? Wird die Polizei ihn weiterhin beschützen, wird man die Kosten im Jahre 2000 noch für gerechtfertigt halten? Für islamische Fundamentalisten gibt es keine Verjährung. Sie vergessen nicht und vergeben nicht. Wir kennen doch alle die Filme über den Mafia-Informanten, der, nachdem er seinen Paten verpfiffen hat, eine neue Identität bekommt und von Stadt zu Stadt zieht, sich nie zu Hause fühlt, nie Freunde hat. Das Todesurteil ist gesprochen, und er kann nicht mehr ruhig schlafen. Jetzt ist das Urteil über Rushdie gesprochen, und allein in Britannien, nimmt man an, gibt es tausend Leute, die es um ihres ewigen Seelenfriedens willen gern vollstrecken würden. Können Sie sich ganz einfach das Entsetzen ausmalen, wenn Sie nur noch ein Leben in Angst vor sich sehen? Ich glaube ernsthaft, daß es sich bei der Rushdie-Affäre um einen der ungeheuerlichsten internationalen Vorfälle des Jahrzehnts handelt.

Wir sehen uns gezwungen, jede Annahme in Frage zu stellen, die wir für dauerhaft und unerschütterlich gehalten haben. Stellen Sie sich vor, Sie versuchen einen moslemischen Fundamentalisten davon zu überzeugen, daß Rushdie ein Recht auf Leben hat. »Aber er hat den Propheten beleidigt, er muß sterben«, lautet die Reaktion. »Und die Toleranz?« protestieren Sie. »Wenn er Jesus Christus beleidigt hätte, wäre weit weniger Trara. Ein paar hitzköpfige Bischöfe würden in der *Late Show* auftreten, aber damit hätte es sich dann auch.« – »Aber Mohammed ist der Prophet, Jesus nur einer seiner Vorläufer.« Das ist die Crux. Die islamischen Fundamentalisten sind sich da ganz sicher, und sie akzeptieren nicht, daß jedermann das Recht auf eine eigene Meinung hat, wenn diese falsch ist. »Da wir wirklich recht haben, ist es absurd, denen Toleranz zu erweisen, die unrecht haben.« Sie haben kein Interesse an freier Meinungsäußerung, sie haben ein Interesse an korrekter Meinungsäußerung, und man kann sie nicht davon überzeugen, daß ihre Meinung eine Schande ist. *Wir* können den Unterschied ausmachen oder glauben es zumindest, aber unser eigener Glaube an die Toleranz verbietet uns, der islamischen Meinung genauso intolerant gegenüberzutreten wie der Islam der unseren. Aber wir können doch nicht dasitzen und zuschauen, wie ein Schriftsteller umgebracht wird, bloß weil es intolerante Einmischung wäre, für sein Recht auf freie Meinungsäußerung zu kämpfen. Oder doch?

Wir müssen einsehen, wie wenig Erfolg wir damit gehabt haben, die Revolution von Aufklärung, Toleranz und Freiheit zu exportieren, die der Westen in Anfällen und Rückfällen im Lauf der letzten zwei- oder dreihundert Jahre durchgemacht hat, und müssen uns jetzt fragen, ob unsere per definitionem passive Revolution der gewalttätigen Inbrunst der Revolution im Nahen Osten widerstehen kann.

Ich glaube, mein Roman wird eine Haselmaus namens Clive und einen Igel namens Timothy behandeln und ihre gemeinsamen Abenteuer im Wald. Das ist sicherer. Moment – die militanten Tierschützer heutzutage...

Oje, ich geh' auf Nummer Sicher und lass' ihn in South Kensington spielen.

Der folgende Text erschien 1987 in der Weihnachtsausgabe des ›Listener‹:

Als die leitende Literaturredakteurin vor dem Umzug des ›Listener‹ in sein neues Quartier ihr Büro ausräumte, entdeckte sie einen Papierstoß, der an die Rückseite einer Schublade geklemmt war. Bei dem Fund schien es sich um die Originalhandschrift einer bislang unveröffentlichten Sherlock-Holmes-Geschichte zu handeln. Über deren Authentizität im unklaren, bat sie Stephen Fry, einen renommierten Sherlockianer, den Text zu edieren und seine Herkunft zu analysieren.

Das Dokument, handgeschrieben auf Schreibpapier des 19. Jahrhunderts, scheint auf jeden Fall echt zu sein. In Anwendung der wegweisenden »Partikelmethode« der Universität Edinburgh ergibt eine überschlägige Zählung von Präpositionen, Finalsätzen und Metaphernhäufungen, daß der Text mit einiger Wahrscheinlichkeit tatsächlich von Watson verfaßt wurde. Drei oder vier Ungereimtheiten, die erst ganz am Schluß der Geschichte auftreten, lassen gleichwohl Zweifel an diesem Schluß zu. Aufmerksame Leser werden diese Anomalien aufspüren und ihre eigenen Schlüsse ziehen können. Das Kennern des Werks geläufige charakteristisch üppige Wachstum der Kommata und Semikola wurde beschnitten, im übrigen aber habe ich den Text unemendiert belassen. Ich wäre sehr daran interessiert, die Meinung der Enthusiasten in aller Welt zu erfahren. Aus meiner Sicht hätte die Erzählung es verdient, echt zu sein, selbst wenn sie es nicht sein sollte.

Der lachende Droschkenkutscher

Das Jahr 18-- sah meinen Freund Sherlock Holmes auf der Höhe seiner beträchtlichen Kräfte. Beim Durchblättern der Aufzeichnungen jenes Jahres zieht eine Reihe von Fällen meine Aufmerksamkeit auf sich; die einen bestürzend, die anderen makaber, wieder andere auf den ersten Blick gewöhnlich, allesamt Beweise für Holmes' ungewöhnliche Deduktionsgabe. Die Affaire des gestrandeten Ara, für deren Aufklärung er den Orden der Silbernen

Myrte aus den Händen Seiner Majestät des Königs Miroslaw höchstpersönlich empfing, bietet mehrere absonderliche Einzelheiten von Interesse, berührt jedoch in ihren delikateren Details zu viele Persönlichkeiten des öffentlichen Lebens, als daß ich befugt sein könnte, sie hier wiederzugeben. Die Geschichte des pünktlichen Bahnbeamten ist, obwohl sie eine von Holmes' Lieblingstriumphen bleibt, vielleicht gar zu technischer Natur, um die breitere Leserschaft fesseln zu können. Den Fall der Blutbuchen habe ich andernorts aufgezeichnet, und die Geschichte des hornblasenden Schulleiters und dem Zaumzeug ist, obgleich sie wie vielleicht keine andere die außerordentliche Akribie und Geduld erkennen läßt, welche die Methoden meines Freundes charakterisierten, außerhalb von Fachzeitschriften deplaciert.

Ganz am Ende jenes Jahres jedoch, da es uns bereits so vorkam, als wolle sich London den Winter über der Sensationen begeben und sei damit zufrieden, sich behaglich auf die Festtage vorzubereiten, ohne eines jener outrierten Mysterien aufzuwerfen, die Sherlock Holmes wie Luft zum Atmen brauchte, da explodierte über uns ein Fall, der ihn aus der Trägheit und Melancholie riß, denen dieser großartige Geist zum Opfer fiel, wenn es nichts zu seiner Beschäftigung gab, und warf uns in ein so außergewöhnliches Abenteuer, daß es den uns bekannten in nichts nachstand. Trotz seiner oft wiederholten Versicherung, dieses Problem habe seine Verstandeskräfte nur in geringstem Maße auf die Probe gestellt, kann es keinen Zweifel daran geben, daß seine Lösung Holmes die reichste Belohnung zuteil werden ließ, die er im Laufe einer ruhmreichen Karriere je sich erworben hat.

Ich erinnere mich, daß ich eines Abends Mitte Dezember mit der Aufgabe beschäftigt war, unser Junggesellenlogis mit einigen zur Jahreszeit passenden Ilex- und Mistelzweigen zu schmücken, und unterdes bissige Kommentare meines Freundes zu ertragen hatte.

»Also wirklich, Watson«, sagte er, »ist es nicht genug, daß Mrs Hudson alle paar Stunden mit unermüdlich guter Laune und Pasteten beladen hier hereinplatzt? Müssen wir uns auch noch herausputzen wie einen heidnischen Tempel?«

»Ich muß schon sagen, Holmes«, erwiderte ich mit einiger Schärfe, denn die Anstrengung, auf einem Stuhl zu stehen und nach der Bildleiste zu greifen, forderte ihren Zoll von der alten Jezail-Kugelwunde, »ich finde das ungewohnt mißgünstig von Ihnen! Einst bedeutete Weihnachten etwas, wenn ich mich recht entsinne. Haben Sie denn den blauen Karfunkel vergessen? *Das* Abenteuer sah Sie von so julfestlicher Milde wie jeden anderen.«

»Watson, Sie vermengen die tatsächlichen Begebenheiten jener Affaire mit der überreich ausgeschmückten Version, die Sie einer leichtgläubigen Öffentlichkeit vorzusetzen beliebten. Fangen Sie doch bitte nicht an, Ihren eigenen Erfindungen Glauben zu schenken. Soweit ich mich erinnere, bedurfte der Fall besonnener Analyse.«

»Wirklich, Holmes«, rief ich aus, »Sie sind höchst ungerecht!«

»Vergeben Sie mir, Watson. Aber all dieser infernalische *Stumpfsinn!* Ein wucherndes Geschwür überschwenglich guter Laune scheint zu dieser Jahreszeit jedermann zu infizieren, einschließlich der hartherzigsten Schufte, denen sowenig zuzutrauen ist, Geld zu verschenken, wie es zu entwenden. Hier haben wir die ›Evening News‹. Welche abscheulichen Morde oder gewagten Diebstähle können hier auf unser Interesse rechnen? Eine Entgleisung bei Lewisham fordert eine Verletzte, jemand hat eine Statue am Charing Cross gestohlen, in Hoxton ist ein Pferd durchgegangen. Ich verzweifle, Watson. Ich wünschte, diese widerliche Zeit guten Willens und Friedens fände ein Ende, so wahr ich hier stehe.«

»Holmes, ich werde diesen Angriff auf das Weihnachtsfest nicht zulassen! Sie wissen ganz genau, daß –«

Aber meine Zurechtweisung wurde vom schrillen Klingeln der Glocke im Parterre unterbrochen.

»Ah«, sagte Holmes, »Ihre Moralpredigt bleibt mir erspart. Vielleicht hat sich jemand in der Hausnummer geirrt, vielleicht ist es auch ein Klient. Solch ausgefallenes Glockenspiel bekundet in jedem Fall Dringlichkeit. Nun, Billy?«

Unser rechtschaffener Hausbursche hatte das Zimmer betreten, aber bevor er Zeit fand, eine förmliche Anmeldung vorzubringen, brach wie ein Wirbelsturm der erregteste Mann herein, den ich wohl je erblickt habe.

»Mr Sherlock Holmes? Wer von Ihnen ist Mr Holmes?« keuchte die unglückliche Kreatur und sah wild zwischen uns beiden hin und her.

»Ich bin es«, sagte Holmes, »und das ist mein Freund Dr Watson. Falls Sie sich zu setzen geruhen, wird er Ihnen ein Glas Brandy bringen.«

»Danke, ein kleiner Brandy, ja, gut. Das wäre äußerst ... wirklich, Mr Holmes, vergeben Sie mir, ich neige sonst nicht ... danke, sehr aufmerksam, kein Soda bitte! Ohne alles! Lassen Sie mich Atem holen ... herrliche Zimmer, äußerst behaglich. Entzückender Ilex ... so festlich. Meinen Glückwunsch. Ah! Das ist schon besser, ich bin Ihnen zu Dank verpflichtet, Herr Doktor.«

Trotz der mitleiderregenden Trübsal des Mannes konnte ich mir ein Lächeln ob dieses zwitschernden und belanglosen Monologs nicht verkneifen. Ich hatte erlebt, wie bei Verwundeten der physische Schmerz derlei Geschwätzigkeit und Delirium herbeiführen kann, und wußte, daß dies auch ein gewöhnliches Merkmal seelischer Unruhe ist.

Sherlock Holmes saß in seinen Lehnsessel versunken, legte die Fingerspitzen aneinander und ließ sein kundiges Auge über den außergewöhnlichen Gentleman ihm gegenüber gleiten. Unser Besucher trug modische Abendgarderobe, aber ich konnte ihn mir nicht recht auf gesellschaftlichem Parkett vorstellen. Wohlstand glänzte in seinem seiden schimmernden Hemd und den handgefertigten Stiefeln, auch wenn auf diesen frische Schlammspuren zu erkennen waren, aber in seinen durchdringenden blauen Augen funkelte eine zu lebhafte Intelligenz, um anzunehmen, er gebrauche etwas anderes als seinen Verstand zum Broterwerb. Sein schmales Gesicht schien in den seltenen Augenblicken der Entspannung einen melancholischen Ausdruck zu tragen, wenn es sich aber belebte, zitterten seine Züge geradezu vor Erregung, ein drahtiger Bart wedelte und zuckte im Takt seiner Rede, und die wilden, zerfahrenen Locken auf seinem Haupte wurden wie im Sturm hin und her geschleudert.

»Ein ausgezeichneter Brandy ... oje, oje, oje. Was soll ich bloß *tun*, Mr Holmes?«

»Nun, sobald Sie wieder bei Atem sind, sollten Sie uns am besten Ihr Problem darlegen«, sagte Holmes. »An einem Abend wie diesem die ganze Strecke mindestens von Gray's Inn bis zur Baker Street zurückgelegt zu haben, würde jedermann über Gebühr beanspruchen.«

Unser Besucher zuckte sichtbar zusammen. »Aber wie beim Himmel? Ojemine, das ist wirklich kolossal! Ich bin in der Tat die ganze Strecke von Gray's Inn her gelaufen, doch wie Sie das wissen können, ist mir unerklärlich.«

»Mein lieber Herr, das liegt doch auf der Hand. Daß Sie gelaufen sind, könnte allein infolge Ihrer Atemlosigkeit jedes Kind sagen. Die Spritzspuren auf Ihren Stiefelspitzen können auf keine andere Weise entstanden sein.«

»Nun«, gluckste der andere, einen Augenblick lang abgelenkt vom eigentlichen Grund seiner Unruhe, »*das* sehe ich, aber wie, zum Kuckuck, können Sie Gray's Inn von meinem Äußeren ablesen?«

»Ich bin heute morgen dort gewesen«, erwiderte Holmes. »Das eiserne Gitter, welches die Nordseite vom Trottoir abgrenzt, wird gerade frisch gestrichen. Die Pfähle selbst werden schwarz gestrichen, die Spitzen indes vergoldet, und in Ihrer Eile sind Sie mit dem linken Arm über die nasse Farbe gestrichen. Sehen Sie, auf Ihrem Ärmel, Schwarz mit einem Klecks Gold gekrönt. Es ist wohl möglich, daß heute irgendwo in London ein weiteres Geländer auf dieselbe Weise gestrichen worden ist, doch ist dies höchst unwahrscheinlich.«

»Bemerkenswert, bemerkenswert. Ein erstklassiges Spiel! Und sonst, Sir? Und sonst?«

»Ich fürchte«, sagte Holmes, »darüber hinaus ist wenig zu sagen.«

»Oh, ich habe schließlich soeben meine Abendgarderobe angelegt. Das überdeckt alle weiteren Anhaltspunkte, kann ich mir vorstellen.«

»Abgesehen von den offenkundigen Tatsachen, daß Sie Schriftsteller sind, daß Sie in Ihrer Kindheit Entbehrungen erlitten haben, daß Sie Ihr Geld nicht mehr ganz so leicht verdienen wie früher und daß Sie eine Schwäche für Zaubertricks haben, ist gewißlich sehr wenig zu erkennen«, sagte Holmes.

Unser Besucher fuhr hoch. »Sie kennen mich also! Mir einen solchen Streich zu spielen, Sir, meiner Treu! Das ist Ihrer unwürdig.«

»Behalten Sie Platz, ich bitte Sie«, sagte Holmes, »ich bin Ihnen noch nie begegnet. Wenn ich einen Mann mit einer so deutlichen

Vertiefung an der Innenseite seines Mittelfingers sehe, ist doch wohl unschwer anzunehmen, daß er Schriftsteller ist.«

»Ein Buchhalter! Ich könnte in einer Kanzlei arbeiten!«

»In Stiefeln von Lobb? Ich glaube kaum.«

»Hm, und die Entbehrungen?«

»Ihr Gesicht ist über Ihre Jahre hinaus durchfurcht, aber nicht, wie ich sehe, von der Kümmernis, die Sie herführt; die ist zu frisch, um sich schon Ihrer Stirn eingeschrieben haben zu können. Ich kenne derlei Zeichen nur von jenen, die im Wissen um Elend und Mangel aufwuchsen.«

»Nur zu wahr, Mr Holmes – aber das Geld, die Zauberkunststücke?«

»Diese eleganten Stiefel, dünkt mich, wurden vor etwa drei oder vier Jahren angefertigt. Ihr exzellent geschnittener Mantel stammt ebenfalls aus dieser Zeit. Der plötzlich erblühende Wohlstand, von dem ihr Erwerb zeugt, ist also ein wenig in die Vergangenheit entschwunden. Was das Zaubern angeht, so ist Ihnen, Watson, gewiß der kleine fleischfarbene Metallkegel aufgefallen, der ein Stück aus der Westentasche unseres Besuchers hervorragt? Man nennt dies eine Daumenkappe: ein unerläßlicher Bestandteil der Ausrüstung eines jeden Magiers.«

»Bravo, Mr Holmes!« rief unser Gast und spendete kraftvoll Beifall. »Bravo, mein Bester!«

»Ein roher Test.«

»Und ein gesundes neues Jahr, mein lieber Sir. Ein roher Test und ein gesundes neues Jahr! Oje«, sagte er, und seine Lebensgeister schwanden wieder, »Sie lenken mich richtig ab vom Zweck dieses Besuchs. Welch eine Kalamität, Mr Holmes. Welch fürchterliche Kalamität. Ich bin ganz außer mir!«

»Ich bin ganz Ohr, Mr –?«

»Oh! Mein Name? Ja. Äh, Bosney, Culliford Bosney, Romancier. Sie haben vielleicht von mir gehört?« Erwartungsvoll überflog er unsere Bücherregale.

»Ich fürchte, Mr Bosney, daß ich, von wenigen Ausnahmen abgesehen, nicht viel Zeit für Romane habe. Für die Literatur ist Dr Watson zuständig.«

Culliford Bosney richtete seinen lebhaften Blick auf mich. »Ach ja, Dr Watson – natürlich. Ich habe Ihre Werke mit großem Interesse gelesen. Ich bitte Sie, nehmen Sie die Komplimente eines Kollegen der schreibenden Zunft entgegen.«

»Danke sehr«, sagte ich. »Ich fürchte, Mr Holmes teilt Ihre wohlwollende Einschätzung meiner Bemühungen nicht.«

»Unsinn, Watson! Als exotische Romanzen sind sie eine Klasse für sich«, versetzte Holmes und stopfte seine Bruyère-Pfeife.

»Sehen Sie, wogegen ich mich zu behaupten habe, Mr Bosney?« sagte ich mit bedauernder Miene.

»Ach, Dr Watson!« antwortete er und kehrte auf bemitleidenswerte Weise zu seinem früheren Weh zurück. »Sie werden mein Elend verstehen, wenn ich Ihnen sage, daß es verloren ist! Es ist verloren, und ich bin mit meinem Latein am Ende!«

»Was ist verloren?« fragte ich bestürzt.

»Das Manuskript natürlich! Es ist verloren, und ich bin sicher, daß ich vor lauter Sorgen deswegen den Verstand verlieren werde.«

»Ich denke«, sagte Holmes und lehnte sich in seinem Sessel zurück, »Sie sollten uns besser mit allen Fakten Ihrer Erzählung vertraut machen, Mr Bosney.«

»Natürlich, Mr Holmes. Ohne das Geringste auszulassen, so trivial es auch scheinen mag, ja?«

»Ganz recht.«

»Nun, Sie müssen wissen, daß ich mich seit jetzt über sechs Wochen mit dem Manuskript einer Geschichte geplagt habe. Heute sollte ich sie bei meinem Verleger abliefern – er muß sie unbedingt innerhalb der nächsten Woche veröffentlichen, sehen Sie, denn sie hat ein weihnachtliches Thema. Ich setze große Hoffnungen in diese Geschichte, Mr Holmes. Ich will Ihnen nichts verheimlichen, mein letzter Roman ist gar nicht gut angekommen, und ich habe mir große Mühe gegeben, etwas zu schreiben, das diese Scharte wieder auswetzt und das Wohlwollen der lesenden Öffentlichkeit wiederherstellt. Ich komme mit meinem Verlag seit einiger Zeit nicht besonders gut aus und hoffe, daß mir diese neue Arbeit über die Tantiemen genug einbringen wird, um ihn verlassen und bei einer mir genehmeren Adresse unterkommen zu können.«

»Ist ihnen diese Absicht bekannt?« fragte Holmes.

»Nein, Mr Holmes, ich glaube nicht. Ich hege jedoch große Hoffnungen, was diese Geschichte angeht. *Hegte* große Hoffnungen, denn ich bin sicher, daß ich sie nie wiedersehen werde!« Der gequälte Romancier sprang mit einer Geste der Verzweiflung aus seinem Sessel. »Mr Holmes, es hat keinen Sinn. Wie soll man auch eine Nadel im Heuhaufen finden?«

»Mit einem Magneten, der stark genug ist, Mr Bosney, ist das eine elementare Aufgabe. Versetzen Sie mich in den Besitz der erforderlichen Fakten, und wer weiß, ob wir nicht genau so einen Magneten finden können.«

»Ja, ja. Ich muß Sie um Verzeihung bitten, Gentlemen, aber ich bin in den letzten Stunden auf die Probe gestellt worden, auf eine harte Probe. Also denn, heute nachmittag um halb fünf hatte ich die Geschichte ein letztes Mal durchgelesen und überzeugte mich davon, daß sie druckfertig war. Statt das Manuskript von einem Boten abholen zu lassen, wollte ich es auf meinem Weg ins Theater lieber selbst vorbeibringen. Außerdem wollte ich noch einige letzte Anweisungen für den Druck geben. Mir schwebte eine großzügige Ausstattung des Buches vor, in Gold und Rot. Ich dachte, das wäre angemessen festlich.

Ich legte meine Abendgarderobe an, klemmte das Manuskript unter den Arm und ging auf die Straße, um mir einen Wagen zu rufen. Meine Straße mündet in die Theobald's Road, Mr Holmes, genau gegenüber von Gray's Inn. Gewöhnlich ist es nicht schwer, an dieser Durchgangsstraße eine Mietkutsche zu finden. Zu meiner Überraschung aber stand bereits eine Droschke direkt vor meinem Haus. Ich rief dem Kutscher die Frage zu, ob er auf jemanden warte. Er schien überrascht, entgegnete jedoch, daß dem nicht so sei. Ich öffnete die Tür, legte das Manuskript auf den Sitz und wollte eben hineinsteigen, als ich bemerkte, daß der Sitz bereits besetzt war. Mr Holmes, ich bin kein Mensch, der zum Phantasieren neigt, aber der Anblick der Gestalt, die in der Ecke jener Droschke saß, ließ mir das Blut in den Adern gefrieren! Ein totenblasses Antlitz, mit glasig stieren Augen. Es schaudert mich, wenn ich daran denke.«

»Erinnern Sie sich, wie die Gestalt gekleidet war?« fragte Holmes scharf.

»Das tue ich allerdings, es war höchst auffallend. Ich entsinne mich eines mehrlagigen Reisemantels, der bis zum Hals zugeknöpft war, einer Melone und eines Wollschals. Diese fremdartige

Erscheinung mit ihren unmenschlich gebleichten und geisterhaften Zügen hatte etwas so Ungereimtes, daß ich unwillkürlich mit einem Schrei zurücktaumelte. Kaum hatte ich das getan, peitschte der Kutscher sein Pferd mit einem Ruf an, ratterte die Straße hinab und verschwand im Nebel.«

»Tatsächlich?« sagte Holmes und rieb seine Hände aneinander. »Höchst fesselnd. Fahren Sie fort, Mr Bosney, ich bitte Sie.«

»Ich muß zugeben, Mr Holmes, daß ich zunächst erleichtert war, daß das Gesicht so schnell entflohen war. Ich stand zitternd auf dem Gehsteig und fragte mich, was ein so schrecklicher Anblick zu bedeuten habe. Vielleicht hatte ich es mir eingebildet, vielleicht befand ich mich noch in den Klauen des Fiebers der Phantasie, in dem ich meine Geschichte beendet hatte. Aber dann erinnerte ich mich, daß mein Manuskript noch auf dem Sitz der verschwundenen Droschke lag, und ich wurde vor Entsetzen fast wahnsinnig. Ich rannte hinab zur Theobald's Road und starrte um mich. Einspänner und Broughams und Hansoms ratterten dort dutzendweise in beide Richtungen. Aber welches meine Kutsche war, konnte ich nicht sagen. Ich habe meine Diener zu den Droschkenfirmen geschickt und für die Rückgabe des unversehrten Manuskripts große Belohnungen in Aussicht gestellt, Mr Holmes, bis jetzt jedoch ohne Erfolg. Ich bin mit meinem Latein am Ende!«

»Ein reizvolles Geheimnis«, sagte Holmes und blickte versonnen zur Decke empor. »Können Sie mir wohl den Kutscher beschreiben?«

»Das kann ich nicht, Mr Holmes!« seufzte der andere. »Sonst habe ich ein ausgezeichnetes Gedächtnis für Gesichter, aber dieser Mann war gegen die Kälte so eingehüllt, daß ich keine Gelegenheit bekam, seine Züge zu mustern. Seiner Stimme nach habe ich den Eindruck, daß es ein junger Mann war, aber ich mag mich irren. Außerdem –«

»Ja?«

»Na ja, vielleicht bilde ich es mir bloß ein, aber ich könnte schwören, daß ich, als die Droschke von mir fortrasselte, ein Lachen gehört habe. Ich habe es den Medizinstudenten zugeschrieben, die unlängst in die der meinen benachbarte Wohnung eingezogen sind und die sich günstigstenfalls ungebärdig benehmen, aber wenn ich es mir jetzt überlege, bin ich sicher, es kam vom Kutscher selbst! Was kann das bedeuten, Mr Holmes?«

»Ein Lachen, sagen Sie? Also, das ist wirklich höchst aufschlußreich.« Holmes erhob sich und begann, durchs Zimmer zu schreiten. »Sie haben Studenten erwähnt, Mr Bosney, was haben Sie sonst für Nachbarn?«

»Größtenteils sind wir eine ruhige Gesellschaft – vor allem Anwälte und Börsenmakler. Die Straße liegt günstig, sowohl zu den Inns of Court als auch zur City. Ich habe allerdings zu keinem meiner Nachbarn ein sonderlich inniges Verhältnis. Colonel Harker, dessen Haus an das meine grenzt, ist kürzlich aus Indien zurückgekehrt und hat sich für seinen Haushalt von dort Personal mitgebracht, das er in ungezügeltem Jähzorn anbrüllt. Ich glaube nicht, daß ich jemals mehr als zwei Worte mit ihm gewechselt habe. Über Weihnachten ist er ohnehin nach Hampshire gefahren, ich kann mir daher nicht vorstellen, daß er mit dieser Angelegenheit irgend zu tun hat.«

»Nun, Mr Bosney«, sagte Holmes und knöpfte sein Cape zu, »ich werde mir dieses kleine Problem für Sie einmal anschauen.«

»Vielen Dank, Mr Holmes!«

»Kommen Sie, Watson, begeben wir uns alle nach Gray's Inn und sehen wir, was wir dort entdecken können.«

*

Während wir drei durch die dunklen Londoner Straßen kutschiert wurden, betrachteten Sherlock Holmes und Culliford Bosney durch das Fenster die nebelverhüllten Straßen und Gassen der Metropole, ersterer durchdringend, letzterer mit komischer Besorgnis. Holmes, der heftig an seiner beißendsten Shagmischung zog, nahm die Straßennamen zur Kenntnis, derweil wir die Euston Road hinabflogen. Ich habe schon früher dargetan, daß er über profunde Kenntnis der Straßen Londons verfügte, von den niedrigsten und abstoßendsten Gassen im Osten bis hin zu den breitesten und modischsten Plätzen und Promenaden im Westen. Mit Erstaunen vermerkte ich, daß auch Mr Bosney genaue Bekanntschaft mit der Hauptstadt hatte. Die beiden unterhielten sich begeistert über ihre Liebe zu der großen Stadt, wobei Bosney es sogar verstand, Holmes gelegentlich mit einem obskuren Fragment aus der Geschichte oder einer örtlichen Anekdote zu überraschen.

»Ja wirklich, Mr Holmes!« rief er, »London lebt, glauben Sie mir. Jeder Einwohner gleicht einer Zelle des großen Organismus und ist mit jeder anderen verbunden. Der geringste Schankkellner in Limehouse und der bedeutendste Herzog am Grosvenor Square sind aufeinander angewiesen und erhalten sich gegenseitig am Leben! Sie denken vielleicht, ich übertreibe?«

»Ganz und gar nicht, Sir«, erwiderte Holmes, »ein Großteil meiner Arbeit beruht auf dieser Tatsache. Was ist ein Verbrechen anderes als eine Krankheit? Meine Arbeit ist größtenteils diagnostischer Natur: so wie Watson Eisenmangel an einem geschwollenen Ellbogen erkennen mag, so kann ich vielleicht einen Vorstadtmord an einem abgeschabten Ärmel ablesen. Ein Todesfall in Houndsditch mag die Einwohner von Belgravia ungerührt lassen, aber sie mißverstehen die Angelegenheit, wenn sie sich für unbeteiligt halten.«

»Mr Holmes, Sie sind ein Mann nach meinem Geschmack«, sagte Bosney warmherzig. »Und ist dies nicht die Jahreszeit für derlei Überlegungen?«

»Was das betrifft«, sagte Holmes und warf mir einen schelmischen Seitenblick zu, »so muß ich gestehen, daß mit dem Wetter einerseits und den falschen Artigkeiten andererseits Weihnachten mich ziemlich kalt läßt.«

»Aber dann«, entgegnete der andere mit einiger Überraschung, »sind Sie ja der perfekte – ah, hier ist Gray's Inn. Sehen Sie, inzwischen hat man Schilder aufgestellt, die die Unachtsamen vor der frischen Farbe des Gitters warnen. Hallo, Tom!« Die letzte Bemerkung galt einem jungen Straßenkehrer, der diensteifrig herangetreten war, um uns, als wir anhielten, die Tür zu öffnen, und dem Bosney einige Pennys zuwarf.

Mein Herz sank, als ich die Verkehrsflut betrachtete, die an uns vorbeiwogte und die Gray's Inn Road überquerte. Wie konnte Holmes hoffen, in einem so riesigen Durcheinander der Menschheit ein verlorenes Papierbündel wiederzuerlangen?

Wie immer wenn Sherlock Holmes mit einem Fall beschäftigt war, wich seine beschauliche Mattigkeit einer außerordentlichen

Energie, und sein Auftreten bekam den intensiven Ausdruck eines von der Leine gelassenen Windhundes.

»Das da unten ist Ihre Straße, nehme ich an?« fragte er unseren Begleiter. »John's Street heißt sie, glaube ich.«

»Ganz genau, ich bewohne eines der Häuser weiter unten, wo sie den Namen ändert, bevor sie in die Guildford Street mündet«, erwiderte Mr Bosney und versuchte mit Holmes Schritt zu halten, der die gutbeleuchtete Durchgangsstraße hinabeilte. »Da wären wir; erlauben Sie mir bitte, Sie zu einem belebenden Glühwein einzuladen.«

»Nein danke. Vielleicht später. Also, die Droschke stand hier, wie ich sehe? Ganz recht. Heute nachmittag hat es nicht geregnet, das ist gut.«

Holmes holte seine Lupe hervor, ließ sich auf alle viere nieder und fing an, über den Erdboden vor Culliford Bosneys Haus zu krabbeln. Da ich mit Sherlock Holmes und seinen Methoden so gut vertraut war, konnten mich die Genauigkeit seiner Untersuchung und die animalische Energie, mit der er sie durchführte, nicht besonders überraschen, aber der Romancier sah mit ehrlicher Verblüffung zu, wie Holmes unter fröhlicher Mißachtung seiner Hosenknie durch den Dreck der Gosse kroch, hier winzige Gegenstände in einen aus einer Innentasche gezogenen Briefumschlag steckte, dort unsichtbare Spuren auf dem Boden mit einem Band vermaß.

Endlich erhob Holmes sich wieder. »Also, Mr Bosney, dieses Haus hier, das an Ihres grenzt, gehört das dem Colonel aus Indien oder den Medizinstudenten?«

»Den Studenten. Das Haus da drüben mit den zugezogenen Vorhängen gehört Colonel Harker.«

»Das dachte ich mir. Wir müssen uns beeilen, wenn wir Ihr Manuskript zurückerlangen wollen. Ich denke, ich werde jetzt ins Haus gehen.«

Ich folgte Mr Bosney zu seiner Haustür, sah jedoch, als ich mich umdrehte, zu meiner Überraschung, daß Holmes durch den Vorgarten des Nachbarhauses schritt.

»Aber Holmes!« rief ich, »dies ist das Haus.«

»Im Gegenteil, Watson. Sie sind doch Medizinstudent gewesen, Ihnen sollte klar sein, daß *dies* das Haus ist.« Indem er das sagte, zog er an der Türglocke. »Lesen Sie den Erdboden, Gentlemen, er ist die Haut des großen Organismus, über den wir uns unterhielten, und trägt Spuren von Gefechten, die manch eine absonderliche Geschichte bezeugen können.« Die Tür öffnete sich, und ein Dienstmädchen ließ Holmes eintreten.

»Nun!« sagte Mr Bosney. »Höchst außergewöhnlich! Was können diese Studenten mit der Angelegenheit zu tun haben?«

»Ich glaube, wir sollten abwarten«, sagte ich, »Holmes begeht sehr selten einen Fehler. Wenn er glaubt, daß sie mit dem Geheimnis in Verbindung stehen, dann können Sie sich darauf verlassen, daß das stimmt. Kommen Sie, sehen wir uns den Boden an und schauen wir, ob wir nicht seinen Gedanken folgen können.«

Mit Hilfe einer Lupe, die Mr Bosney aus dem Haus geholt hatte, verbrachten wir beide eine fruchtlose Viertelstunde mit der Untersuchung des Straßendrecks. Welcher Code dort auch abgedruckt sein mochte, er war zu kryptisch, um von uns dechiffriert werden zu können, und wir stiegen just die Stufen zu Mr Bosneys Haus empor, um einen heißen Pharisäer zu uns zu nehmen, als nebenan die Tür aufging und ein junger Mann herausschoß, sich einen Hut auf den Kopf drückte und mit halsbrecherischer Geschwindigkeit die Straße hinabrannte. Einige Augenblicke später folgte ihm Sherlock Holmes, der die sich entfernende Figur mit wohlwollendem Amusement beäugte.

»Ein elementares Problem, Mr Bosney. Angemessen frivol für diese Jahreszeit. Wenn Sie so gut wären, uns zur Baker Street zurückzubegleiten, glaube ich, ein wenig Licht in diese Angelegenheit bringen zu können.«

»Aber... aber, Mr Holmes!« rief der andere. »Das Manuskript! Wollen Sie sagen, Sie haben es gefunden?«

»Sofern wir nicht großes Pech haben, sollten wir es innerhalb der nächsten Stunde in Händen halten können.«

*

Während unserer Heimfahrt gewährte uns Holmes nicht eine weitere Silbe, von der Bemerkung abgesehen, wären alle Fälle so einfach wie dieser, würde das Leben schnell unerträglich öde werden.

Als wir es uns in der behaglichen Wärme der Baker Street 221 B bequem gemacht hatten, griff Holmes sich ein Buch vom Regal und überließ es Culliford Bosney und mir, die festliche Ausschmückung der Zimmer zu vervollständigen, während er las. Plötzlich schloß Holmes lachend das Buch.

»Nun, Watson, vielleicht wird sich dies am Ende noch als ein Fall für Ihre Memoiren herausstellen. Höchst bemerkenswert. Ich hätte es natürlich wissen müssen.«

»Was hätten Sie wissen müssen, Holmes?« riefen wir gereizt.

»Mr Culliford Bosney, wir kamen doch vorhin darin überein«, sagte Sherlock Holmes mit einem selten bei ihm zu beobachtenden Augenzwinkern, »daß einfach alles in dieser großen Stadt auf überraschende Weisen miteinander verwoben ist. Beobachter des Lebens wie wir müssen uns wie Spinnen in den Mittelpunkt des großen Netzes begeben und uns dazu heranbilden, jedes Zucken der Altweibersommerfäden, jedes Zittern der Fasern zu interpretieren. Sobald Sie erwähnt hatten, daß Sie neben Medizinstudenten wohnen, nahm ich von einem ebensolchen Beben des Gewebes Notiz. Vielleicht bedeutete es etwas, vielleicht nichts, aber in jedem Fall registrierte ich es. Watson erinnert sich vielleicht, wie ich bemerkte, das einzige denkwürdige Verbrechen, das London uns heute anzubieten habe, sei die Entfernung einer Statue am Charing Cross. Ihnen ist vielleicht bekannt, Mr Bosney, daß Medizinstudenten die Angewohnheit haben, einander Streiche zu spielen. Die Rivalität zwischen den Studenten der beiden großen Krankenhäuser von Charing Cross und Guy's ist Legende.«

»Natürlich, das stimmt«, rief ich, »ich erinnere mich, daß wir zu meiner Zeit –«

»Genau«, sagte Holmes, den jede Unterbrechung ungeduldig machte. »Im Kopf hatte ich den Diebstahl der Statue daher bereits als eine Begebenheit eines solchen festlichen Allotria eingeordnet. Ihre Erwähnung von Medizinstudenten, Mr Bosney, obwohl denkbar nebensächlich, bereitete mich auf eine Verbindung vor. Sobald ich den Schauplatz Ihrer Begegnung mit der Geisterkutsche betrat, waren mir die eigentlichen Tatsachen der Angelegenheit klar. Für ein geübtes Auge waren die Spuren auf dem Pflaster leicht genug zu interpretieren. Ich sah sofort, daß die Droschke vor dem Haus der *Studenten* gewartet hat, Mr Bosney, nicht vor Ihrem. Die

Zeichen der Bewegung und Rastlosigkeit seitens des Pferdes bedeuteten mir überdies, daß kein professioneller Londoner Kutscher die Zügel geführt hatte. Der Fahrer hat das Pferd kaum stillhalten können, während die Statue in die Droschke geladen wurde.«

»Eine Statue!« Culliford Bosney schlug die Hände zusammen. »Natürlich! Der schauderhaft starre Blick und die gespenstische Blässe!«

»Sie waren ein hervorragender Zeuge, Mr Bosney, aber Sie vermochten Ihre eigenen Beobachtungen nicht zu deuten. Ihre Sinne hatten Ihnen bereits vermeldet, daß Sie etwas Unmenschliches erblickten, aber Sie weigerten sich, den logischen Schluß zu ziehen.«

»Gespenster gingen mir im Kopf herum, Mr Holmes. Ich hatte schließlich soeben eine Erzählung vollendet und weilte vielleicht noch in der Welt der Phantasie. Aber was geschah mit dem Manuskript?«

»Ich habe, wie Sie gesehen haben, bei den Studenten geläutet. Sie waren äußerst mitteilsam. Sie enthüllten mir, daß für den Zweck ihres Schabernacks einer von ihnen auf Dauer eines Tages einen Hansom gemietet und den Kutscher bestochen hatte fernzubleiben. Er stahl die Statue und brachte sie direkt in Ihre Straße, Mr Bosney. Hier kamen die anderen Studenten heraus und kleideten sie an. Die Anordnung der Fußspuren draußen hatte mir bereits nahegelegt, daß irgend etwas dieser Art stattgefunden haben mußte. Danach gingen die Studenten wieder ins Haus, ließen die Droschke in der Obhut ihres Rädelsführers und verkleideten sich als Bauarbeiter. Ihre verrückte Absicht war, Temple Bar zu erklimmen und die Statue in eine ins Auge fallende Lage zu bringen, von der aus sie den Verkehr überblickt hätte. Der junge Gentleman, der die Rolle des Kutschers übernommen hatte, berichtete mir, wie Sie an ihn herantraten, während seine Freunde noch im Haus waren. Sie haben ihn so überrascht, als Sie ihn ansprachen, daß es ihm nicht in den Sinn kam, sich als besetzt auszugeben.«

»Der junge Halunke!« rief Culliford Bosney aus.

»Er ist höchst zerknirscht, kann ich Ihnen versichern«, sagte Holmes. »Ich glaube ohne Selbstgefälligkeit sagen zu dürfen, daß er unangenehm überrascht war, Sherlock Holmes auf seiner Spur zu finden.«

»Ein Hammer zum Nüsseknacken, gewiß... aber das Manuskript, Mr Holmes?«

»Ach ja, das Manuskript! Ihr Kutscher hat den Moment, als Sie vor Erstaunen von der Kutsche zurückwichen, genutzt, um einen erfolgreichen Fluchtversuch zu unternehmen. Es gelang ihm, die Statue ins Charing-Cross-Hospital selbst einzuschmuggeln und in ein Bett zu legen, wo sie seines Wissens noch liegt. Den Hansom brachte er zu der Droschkenfirma zurück, bei der er ihn gemietet hatte, und erreichte das Haus nebenan kaum eine halbe Stunde, bevor wir die Szene betraten. Er hat die vage Erinnerung, hinten in der Droschke ein Papierbündel gesehen zu haben, hat dem aber keine Beachtung gezollt. Nachdem ich ihm klargemacht hatte, der Verlust des Manuskripts würde zur Folge haben, daß die Geschichte seiner Abenteuer dem Dekan seines Krankenhauses zu Ohren komme, eilte er aus dem Haus, um es zurückzuerlangen. Ich glaube, ich höre soeben seine Schritte auf der Treppe.«

Just in diesem Moment öffnete sich die Tür und ließ einen erhitzten jungen Mann ein, der einen dicken Stoß Papiere trug.

»Mein Manuskript!« rief Mr Bosney und sprang auf.

»Erlauben Sie mir, Ihnen Mr Jasper Corrigan vorzustellen«, sagte Holmes. »Das hier ist mein guter Freund Dr Watson, und dieser Gentleman, dessen Manuskript Sie gefunden zu haben scheinen, ist Ihr Nachbar, der Romancier.«

»Nun, Sir, ich glaube, ich muß Sie um Vergebung bitten«, sagte der Medizinstudent und streckte seine Hand aus. »Ich bin mir sicher, Mr Holmes hat Ihnen alles erzählt. Glauben Sie mir, ich hatte nicht die geringste Absicht, Ihnen derart mitzuspielen.«

»Mein lieber Freund«, sagte Mr Bosney und schüttelte ihm herzlich die Hand, »denken Sie nicht mehr daran! Wenn das Manuskript vollständig ist... lassen Sie mich sehen...« Er nahm das Papierbündel und untersuchte es eifrig. »Ja, es ist alles da. Ich werde es sofort in die Druckerei bringen. Ob sie so spät abends noch offen haben? Aber es gibt einen Nachtportier. Ja, jetzt sofort! Mr Corrigan, ich hoffe, Sie beehren mich morgen abend mitsamt Ihren Freunden. Wir wollen ein Fest feiern! Jawohl, mit Maronen und Spielen und allem möglichen Spaß. Man sollte seine Nachbarn kennen. Es ist eine Schande, daß ich Sie nicht früher eingeladen habe. Und türkischer Honig und heißer Punsch! Bitte sagen Sie zu.«

»Sir, es ist uns eine Ehre. Wir... ich habe diese Großzügigkeit nicht verdient.«

»Nichts da! Haben wir nicht Weihnachten? Was Sie betrifft, Mr Holmes, ich weiß nicht, wo ich anfangen soll... diese Brillanz, diese –«

»Wirklich, Mr Bosney, Sie sind zu gütig«, sagte Holmes und lächelte ein wenig ob des Redeschwalls des Autors. »Ich bin glücklich, daß Ihre Geschichte gerettet worden ist, aber ich glaube, wenn Sie darüber nachdenken, werden Sie sehen, daß es kein großes Problem war. Es ist durchaus wahrscheinlich, daß es sich auch ohne meine Unterstützung gelöst hätte.«

»Das kann ich unmöglich stehenlassen«, erwiderte Mr Bosney, »ich bestehe darauf, daß Sie mir Ihr Honorar nennen.«

»Was das angeht«, sagte Holmes, »so *werde* ich Sie um ein Honorar bitten.«

»Nennen Sie es, Mr Holmes, nennen Sie es!«

»Ich besäße gern Ihr Manuskript. Wenn es aus der Druckerei zurückkommt, könnten Sie es mir dann wohl zuschicken?«

Mr Bosney blinzelte leicht. »Wirklich, Mr Holmes, Sie erweisen mir eine große Ehre. Sie sagten doch, Sie hätten keine Zeit für Literatur.«

»Für manche Literatur habe ich alle Zeit der Welt, Mr Bosney, und ich habe den Eindruck, Ihre Geschichte wird mir gefallen. Ich glaube, Sie sind es, der mir Ehre erweist.«

»Reichen Sie mir die Hand, Sir!« sagte der andere. »Sie sind ein bemerkenswerter Mann. Ein bemerkenswerter Mann.«

*

Mr Bosney hielt Wort, und eine Woche später ging das Manuskript mit der Post ein. Holmes ergriff es unverzüglich und war die nächsten zwei Stunden mit seiner Lektüre beschäftigt. Als er es beendet hatte, sah er auf, und ich merkte, daß er Tränen in den Augen hatte.

»Wirklich, Watson«, sagte er endlich. »Können wir nicht noch etwas Ilex in die Wohnung hängen? Es ist schließlich Weihnachten.«

»Aber Holmes!« rief ich ungläubig.

»Lesen Sie, Watson!« sagte er und reichte mir das Manuskript. »Lesen Sie nur.«

Ich nahm es ihm ab und sah auf die Titelseite. »Aber… aber… Holmes!«

»Ganz recht, Watson.«

Ich sah wieder auf das Manuskript. Auf der Titelseite stand:

EIN WEIHNACHTSMÄRCHEN
VON
CHARLES CULLIFORD BOZ DICKENS

»Und uns allen fröhliche Weihnachten!« sagte Holmes.

FINIS

Abschnitt vier

›The Telegraph‹

Außersinnliche Hopsnehmung

Neulich habe ich in der Vierteljahresschrift des Komitees für die wissenschaftliche Erforschung paranormaler Behauptungen geblättert – ich weiß nicht, haben Sie die im Abo? Nein? Sollten Sie aber, wirklich –, und ich bekam einen solchen Lachkrampf, daß sich der Kellner mit einem Handtuch, einem Glas Wasser, einer Widerrufserklärung und einem feuchten Erfrischungstuch mit Zitronenaroma meiner annehmen mußte. Ich sollte noch erwähnen, daß ich in einem taiwanesischen Restaurant saß, als ich dieses unschätzbare Werk mit dem Titel ›Skeptical Inquirer‹ las. Es hat sich darauf spezialisiert, auf elegante und unbarmherzige Weise den Schrott von ASW aus dem Weg zu schaffen, Astrologie, Geister, UFOs, Löffelbiegen und ähnlichen Kappes und Kokolores. Neben dem amerikanischen gibt es auch ein britisches Journal, das sich zu Ehren seines transatlantischen Pendants ›Skeptic‹ schreibt.

Ich kann meine Verachtung kaum verhehlen… nein, Verachtung ist nicht das richtige Wort… die Mischung von Kummer, Zorn, Mitleid und Ekel kaum verbergen angesichts der florierenden Industrie der Paranormalen und der mit ihr einhergehenden irrationalen Melange aus Geheimniskrämerei und Pseudowissenschaftlichkeit. Einerseits wollen Astrologen und Scharlatane jeglicher Couleur uns weismachen, daß »die Wissenschaft nicht alles weiß; es gibt mehr Dinge zwischen Himmel und Erde, ihr Wichser, als eure Schulweisheit sich träumen läßt«, und andererseits erklären sie hastig, ihre albernen kabbalistischen Tabellen wären in Übereinstimmung mit genauesten wissenschaftlichen Methoden erstellt worden, und »viele bedeutende Wissenschaftler und Politiker (namenlos, immer namenlos) sind hundertprozentig davon überzeugt«. Da ich beruflich viel mit Schauspielern zu tun habe, wo man permanent dem rasenden Gefasel von Vitaminen und Bachblütenessenzen, von Homöopathie, Kristallen, Tierkreiszeichen und ganzheitlicher Balance ausgesetzt ist, fällt es mir zuweilen schwer, auf solche Behauptungen angemessen zu reagieren und gleichwohl die gepflegte, zuvorkommende Höflichkeit der Alten Welt zu wahren, die die Herzen gewinnt und unschöne Szenen vermeidet.

Um so erfrischender ist dann die Entdeckung einer Zeitschrift, die auf meiner Linie liegt. Ich fühle mich wie ein armer, einsamer, alter Perverser, der erfährt, daß die ›Müllbeutelphantasien‹ wöchentlich erscheinen oder es die ›Gazette des Nippelpiercens‹ gibt: Ich bin nicht allein.

Die Auflage von Astrologie- und UFO-Zeitschriften wird der ›Skeptical Inquirer‹ nie erreichen; für den sogenannten negativen oder kopflastigen Ansatz des rationalen Skeptizismus gibt es keinen Markt. In Wirklichkeit jedoch sind die Skeptiker enorm aufgeschlossen. Die Liste der Physiker, Psychologen und Philosophen, die für diese Zeitschrift schreiben, ist einfach beeindruckend, aber sie sind bestimmt aufgeschlossener für die wunderbaren Geheimnisse des Universums als jene, die da glauben, der Kosmos könne so launisch und unsinnig sein, beispielsweise Telepathie zu ermöglichen, die dem zweiten Gesetz der Thermodynamik zuwiderliefe, ein Prinzip, das weit schöner und geheimnisvoller, gleichzeitig aber auch beweisbarer ist als der ganze Quark der ASW.

Im ›Skeptical Inquirer‹ vom letzten Quartal fand sich eine wunderbare Attacke gegen jene Flachpfeifer, die behaupten, die neue Chaosphysik stelle alles in Zweifel und beweise, daß in einem nach dem Zufallsprinzip organisierten Universum alles erlaubt sei. Ein Artikel von Isaac Asimov über die Relativität des Falschen räumte mit dem Trugschluß auf, daß alles, was Wissenschaftler heute denken, sich eines Tages als falsch herausstellen müsse.

Der lustigste Beitrag jedoch berichtete von einer urkomischen amerikanischen Fernsehshow, in der (live!) psychische Kräfte erforscht werden sollten. Auf dem Spiel standen 100 000 Dollar, die auf der Stelle demjenigen Medium, Astrologen oder sonstigen Bewerber ausgehändigt werden sollten, der seine »Kräfte« unter Bedingungen beweisen konnte, denen er selbst zugestimmt hatte. Uri Geller war natürlich dabei, ließ sich aber nicht prüfen: jeder Trick, den er vormachte, wurde sofort von meinem großen Helden, dem kanadischen Zauberkünstler James Randi, wiederholt. Wie der ›Inquirer‹ so treffend bemerkte: »Randi war in der Offensive.

Er verteidigte mit all seinem Wissen und Geschick als Skeptiker, Zauberer und denkendes menschliches Wesen die Vernunft gegen das Schwachmatentum und präsentierte paranormalen Behauptungen die argwöhnische, skeptische Rechnung.« Randi eröffnete die Show, indem er einen Menschen schweben ließ, scheinbar ohne jede Anstrengung Löffel verbog und die Zeit auf der Uhr des Betrachters verstellte, die auf dem Tisch lag – ausnahmslos Gellers alte Kabinettstückchen.

Danach ging der Spaß erst richtig los: Als erster Bewerber kam ein Astrologe, der »berühmt« dafür war, daß er den Leuten auf den ersten Blick ihr Sternzeichen sagen konnte. Er hatte mit zwölf Leuten gesprochen, alle gleich alt (plusminus drei Jahre) und alle mit verschiedenen Sternzeichen. Wenn er zehn Sternzeichen richtig zuordnen konnte, sollte er sofort 100 000 Dollar gewinnen. Er schaffte keins. Statistisch gesehen unwahrscheinlich, daß jemand *dermaßen* unfähig ist, ich weiß, aber er schaffte null von zwölf. Zilch. Gar nichts.

Dann wurden einer ASW-Herausforderin 100 000 Dollar angeboten, falls sie es schaffen sollte, von 250 korrekten Anrufen 82 mit Zener-Karten (diese Wellenlinien-/Kreuz-/Kreis-/Quadrat-/Sterntypen) herauszufinden. Sie schaffte fünfzig, genau den Wahrscheinlichkeiten entsprechend. Die »Psychometrie«-Bewerberin sollte durch das »Erfühlen« der psychischen Resonanzen von Objekten Personen ihre Schlüssel und Uhren zuordnen. Bei neun von zwölf, hatte man vorher verabredet, sollte sie den Preis bekommen. Sie schaffte zwei. Die 100 000 Dollar wurden an jenem Abend nicht ausgegeben, und der gesunde Menschenverstand triumphierte.

Ach, täte er's doch auch im richtigen Leben. Trotzdem: ich bleibe Optimist, wie jeder gute Schütze.

Sportsgeist

Vor zwanzig Jahren war das Leben hart. Die Ölkrise stand vor der Tür, der Vietnamkrieg tobte noch, und die Menschheit hatte das Waschpulver noch nicht erfunden, das den muffigen Geruch beim Bügeln verhinderte. So entsetzlich diese internationalen Krisen auch waren, über meinem kleinen Leben dräuten sie nicht. Nur ein Problem peinigte meine zwölfjährige Seele: Wie drücke ich mich vor dem Sport?

Sie, das weiß ich, sind Männlein wie Weiblein rechtschaffen, sauber, frisch, kerngesund, vital und von anständigem Schrot und Korn. Nie waren Sie glücklicher, als wenn Sie durchs Mittelfeld stürmten oder sich in den Umkleideräumen mit dem Chef der jungen Füchse Handtuchschlachten lieferten. Ich dagegen war ein Sensibelchen, dem ein Cricketspiel die Gelegenheit bot, Gänseblümchen zu pflücken, und der mit Kipling wenig Respekt vor den »Flanellnarren am Wicket oder lehmverschmierten Tölpeln im Tor« hatte. Wie der Held in Vivian Stanshalls »Der komische Knabe« konnte ich mit einem Band Mallarmé auf der Wiese liegen und den Rufen lauschen, die von fern an mein Ohr drangen. Gut, seien wir ehrlich, es war eher Dornford Yates als Mallarmé, aber es geht schließlich ums Prinzip.

Ihre ehrlichen englischen Gesichter laufen schon ganz rot an vor Ekel. »Ich dachte, solche Männer geben sich die Kugel«, denken Sie. Keine Angst. Ich habe nicht die Absicht, einen rachsüchtigen Artikel zu schreiben, der mir die Rolle des verhärmten und verbitterten Ästheten zuteilt und den Athleten die Rollen der ungehobelten, dickköpfigen Philister. Ganz im Gegenteil. Was mich viel mehr beunruhigt, ist, daß ich plötzlich alle Sportarten gern habe.

Was würde mein jugendliches Ich wohl sagen, wenn es sähe, wie ich mir heutzutage ein Sixpack sowie alles an Sport reinpfeife, was das Fernsehen zu bieten hat? Es würde sich zu seiner vollen schlaksigen Höhe aufrichten und die Nase rümpfen. Fry, der Spasti aus der Vierten, sieht sich jedes einzelne Putten beim Golf Open an? Fry, der dünne Hering, der einst mit Schal und Fellhandschuhen zum Rugby kam, brüllt heute »Das war nie im Leben Abseits!« Fry, der einem Cricketspiel einen Asthma-Anfall vorzog, den er zu erzeugen wußte, indem er den Kopf in Goldregenbüsche steckte, deichselt es, Denis Compton vorgestellt zu werden, um über die verschiedenen Vorzüge von Miller, Hadlee und Botham zu reden? Das ist doch unvorstellbar.

Aber ich liebe Sport. Vor allem Cricket, mit Abstand, aber auch Fußball und Rugby League *und* Rugby Union. Ich mag Darts, Bowling, Snooker, Baseball, Autorennen und Badminton. Ich treibe sogar Kraftsport. Doch, ist echt wahr. Zweimal die Woche grunze und schwitze ich unter Aufsicht eines Trainers. Früher bin ich beim Anblick eines Suspensoriums in Ohnmacht gefallen, und heute schwatze ich von Deltamuskeln und anaeroben Phasen. Was ist bloß *los*?

Ich möchte mich bestimmt nicht als Allround-Helden à la Hemingway präsentieren, zugleich männlich und sensibel. Sie wissen schon: um sechs aufstehen, zehn flotte Runden Ringen mit dem Saufkumpan vom Vorabend; leichtes Frühstück aus Mescal und gegrilltem Stier, den Band Swinburne-Sonette gegen den Pfefferstreuer gelehnt; eine Stunde Ballhaustennis, während man einen Aufsatz über dänisches Email diktiert, danach Mittagessen aus Absinth und rohem Narwalfilet, begleitet von einem Streichquartett, das späten Couperin spielt. Steh' ich nicht drauf. Dennoch habe ich mein jugendliches Ich verraten, das geschworen hatte, sich eines Tages an den forschen Sportsfreunden zu rächen.

Im Gegensatz zu den meisten Sportfans empfinde ich eine Art perverses Vergnügen, wann immer ich der *Hooligani Inglesi* ansichtig werde, so abstoßend wie die sind. Das liegt an der Vorfreude. Jedesmal, wenn ich Berichte sehe, wie die italienische Polizei mit unseren ekelerregenden Landsleuten umspringt, versuche ich mir vorzustellen, was wohl 1994 los sein wird, wenn die Weltmeisterschaft in den USA stattfindet.

Bei der Behandlung von Vietnamkriegsgegnern zeichneten sich die amerikanische Polizei und die Nationalgarde ja nicht gerade durch Zartgefühl aus. Wenn die die Gelegenheit erhalten, im Umgang mit erstklassigen englischen Fußballfans mal so richtig auf Touren zu kommen, Fans, wie sie ihnen noch nie über den Weg gelaufen sind, dann bin ich sicher, werden sie über sich selbst hinauswachsen.

Den Anblick eines in den Union Jack gehüllten Flegels, der mit hochrotem Kopf zu den grimmigen, unbarmherzigen Zügen eines

Inspector »Dirty« Harry Callahan vom San Francisco Police Department hochblickt, möchte ich um nichts in der Welt verpassen.

»Tja, jetzt überlegst du, ob da nun sechs Schüsse raus sind oder nur fünf. Wenn ich ehrlich sein soll, ich hab in der Aufregung selbst nicht mitgezählt. Weißt du, das ist ne 44er Magnum, der Ballermann ist außerordentlich gefährlich. Ich brauch bloß zu drücken, und er reißt dir den Arsch ab. Nun frag dich doch mal, ob du n Glückskind bist. Ist noch ne Kugel drin? Was denkst du, Bruder?«

»'Ere we go, 'ere we go, 'ere we go. En-ger-land!«

Kawumm!

Sogar mein junges, sensibles Selbst hätte lernen können, einen solchen Sport zu lieben.

Eine Frage der Zuschreibung

Man erzählt sich die Geschichte, wie F. E. Smith jeden Morgen von seiner Wohnung in St James zur Arbeit spazierte. Der Weg führte ihn an Pall Mall und der Reihe aristokratischer Clubs vorbei, dem diese Durchgangsstraße ihren Ruf verdankt, zum Trafalgar Square, durch die Strand und dann zu den Law Courts, die seine natürliche Domäne und sein Lehen abgaben. Als Mann von ehernen Gewohnheiten, sorgfältig auf die regelmäßige Zufuhr von Backpflaumen bedacht und unerschütterlich in seiner Hingabe zu Haferflocken, fand er es allmorgendlich unumgänglich, beim Athenaeum Halt einzulegen, obgleich er eigentlich kein Mitglied war, um von den ausgezeichneten Örtlichkeiten Gebrauch zu machen, die diese bemerkenswerte Institution auszeichnen.

Nach mehrjähriger gewissenhafter Observanz und Deduktion kam ein luchsäugiger Portier zu dem Schluß, daß er diesen illustren Gentleman immer nur dann erblickte, wenn dieser sich zu dem genötigt sah, was Lord Byron als morgendliche Opfergabe am Schreine der Cloaca, Göttin der Gedärme, bezeichnet hätte. Eines Tages faßte sich der wackere Portier ein Herz und trat F. E. tatsächlich in den Weg, als dieser soeben Zutritt suchte. »Entschuldigen Sie, Sir«, sagte er, »aber sind Sie eigentlich Mitglied in diesem Club?« – »Gute Güte!« sagte Smith, »wollen Sie mir etwa erzählen, daß es auch ein *Club* ist?«

Letzte Woche mußte ich an dieses Aperçu denken, als ich Wimbledon als Gast der BBC besuchte, deren unverhohlen und eindeutig marxistische Berichterstattung über das Turnier im Lauf der letzten vierzehn Tage zweifellos viele rechtschaffene Menschen erbost hat, die ich jedoch, sündiger Mensch, der ich bin, so lobenswert und effizient finde. Viele drängten sich dort in den Festzelten der Sponsoren und vermaßen den Nachmittag mit Hilfe von Champagnerflöten, und diese Anwesenden hätte es ebenso wie Smith umgehauen zu erfahren, daß irgendwo in dem riesigen Zeltdorf wirklich und wahrhaftig Tennis gespielt wurde; echte Partien mit »wolligen Bällchen«, wie mein Cricketlehrer in der Schule sie immer verächtlich beschrieb.

Ich habe nicht die Absicht, hier das übliche Gestöhn derer zu wiederholen, die Massenveranstaltungen vulgär und erniedrigend finden, zu dem Thema ist genug Tinte vergossen worden. Ich möchte vielmehr darauf hinaus, daß ich an jenem Nachmittag diese Anekdote um F. E. Smith einem Begleiter erzählte, und der erwiderte: »Ja, aber es war Churchill, nicht wahr? So habe ich sie jedenfalls gehört.«

Ich stähle mich bereits in Erwartung der bevorstehenden, atemverschlagenden Flutwelle von Leserbriefen, die mich darüber in Kenntnis setzen werden, daß der fragliche Gentleman weder Churchill noch Smith hieß, sondern in Wirklichkeit Sir Thomas Beecham oder »mein Onkel, der verstorbene Dekan von St Paul's« oder der vierte Herzog von Bassingbourne oder Joad oder Porson oder Mark Aurel oder Jael, Weib des Heber. Das ist das Problem, wenn man seine »Bonmottenkiste« öffnet, wie Disraeli das nannte – *war* doch Disraeli, oder? Oder Dr Johnson oder Sidney Smith? –, Anekdoten lagern sich anscheinend an ganz erlesenen Besetzungen ab. Wenn im Mittelalter die Milch sauer wurde oder der Schornstein Feuer fing, war erst einmal immer Robin Goodfellow schuld, der dann später als Puck Weltruhm erlangte. Man kann Leute bekanntlich in den Schmutz ziehen, anscheinend aber auch in die Sahne. Sam Goldwyn, Dorothy Parker und Groucho Marx auf der anderen Seite des Atlantik, Churchill, Wilde, Shaw und Coward auf dieser; ihnen allen werden die Aphorismen anderer Leute in den Mund geschoben, einfach weil es leichter ist, sie Berühmtheiten zuzuschreiben als Unbekannten.

Aber wo sind die Epigrammatiker unserer Tage? Wenn man eine Schote erzählen möchte, die sich um einen Computer und einen Post-it-Zettel dreht, kann man sie schwerlich Mark Twain unter den Fußabtreter schieben, oder? Ich finde, man sollte einen modernen Causeur nominieren, dessen Pflicht es wäre, das Verdienst für all die anonymen Sentenzen und herrenlosen Sprüche einzuheimsen, die im modernen Leben so ausgespuckt werden. Ein solcher Mensch sollte kein Politiker sein, glaube ich. Wenn man bedenkt, daß der brillanteste Lacherfolg in der Parlamentsgeschichte der letzten zwanzig Jahre Denis Healeys Bemerkung war, wie er von einem toten Schaf angefallen wurde, wird deutlich, daß das Unterhaus offensichtlich keine Fundgrube für Esprit mehr ist. Ich finde, wir sollten unseren neuen Spaßvogel ehrenhalber auf aleatorische Weise wählen. Einfach nach dem Zufallsprinzip, sagen wir, Ian McCaskill, den beliebten und charmanten Mann vom Wetterbericht. »Hat Ian McCaskill nicht mal gesagt…«, könnte man etwa eine Konversation beginnen. »Ja, ganz gut, wie McCaskill mal über Cajunküche urteilte, aber nicht so, daß man deshalb gleich nach Hause faxen müßte.«

Ich glaube, das wird ein Heidenspaß. Was mich an einen herrlichen Aphorismus erinnert, den McCaskill mal in einem Gespräch über klassische Musik brachte. »Die ist schon klasse«, meinte er bei einem Brandy Sour, »aber diese Paukenschlag-Sinfonie macht doch einen Haydnlärm.« Welch ein Mann.

Der Stoff, aus dem die Träume sind

Heute spiele ich Auslandskorrespondent. Das Schicksal hat mich wie den Prinzen aus Zamunda in die Badlands von Los Angeles in Kalifornien geführt. Die Menschen im Hotel, auf dessen hellem Balkon ich diese wenigen stockenden Worte schreibe, spazieren über die Avenue of the Stars, ganz in der Nähe liegen der Santa Monica Boulevard und Constellation. Es fällt schwer, nicht immerzu mit diesen herrlich klingenden Straßennamen, und noch schwerer, nicht immerzu mit den großen Illusionen um sich zu werfen, die hier, auf Gottes kleinem Acker, verfilmt worden sind. Ich stelle mir daher heute die Aufgabe, sämtliche Filmtitel in diesen kleinen Bericht hineinzuschreiben, die mir nur einfallen; Ihre Aufgabe besteht darin, sie in der (zwangsläufig) ziemlich ausgedörrten Prosa des Folgenden wiederzufinden. Vielleicht kein umwerfend faszinierendes Tagesprogramm, aber wenn man während der unglaublichen Reise zur Arbeit zehn Minuten totschlagen will, ist es auch nicht schädlicher, als wenn Sie das Geheimnis der Agatha Christie und ihrer Buchtitel raten oder Satellitenschüsseln zählen. Sie brauchen einen Bleistift oder ein ähnlich antiquiertes Gerät der Schrifterzeugung, um die Titel einzukreisen. Nur volle Titel zählen, mit richtigen Konjunktionen und bestimmten oder unbestimmten Artikeln. In diesem Einleitungsabschnitt werden Sie beispielsweise *Auslandskorrespondent, Der Prinz aus Zamunda, Badlands, Die unglaubliche Reise, Das Geheimnis der Agatha Christie* und *Menschen im Hotel* entdeckt haben, aber *Gottes kleiner Acker, Zehn* und *Die großen Illusionen* sind Ihnen vielleicht entgangen. Das macht nichts, keiner davon zählt; der Wettbewerb beginnt erst im nächsten Abschnitt. Ein kalifornisches Geschenk für den ersten, der mir mehr als 112 verschiedene Titel schickt.

Willkommen in Los Angeles. Dies rigorose Leben hier ist wirklich eine fremde Welt. Eines Tages öffnet sich die Tür, und man steht fast auf dem Boulevard der Dämmerung. Selbst der Mann, der niemals aufgibt, durchläuft hier die ganze Gefühlsskala von Intoleranz über Verdacht bis hin zum Zorn. Ist das Leben nicht schön beim Leben und Sterben in L. A.? Aber ich beichte, daß ich mich als das unheimliche Wesen aus einer fremden Welt fühle unter Fremden, wenn wir uns begegnen – oft noch mit dem Spacecop L. A. 1991 als dem dritten Mann. Es ist die Stadt an der Grenze, und ich bin kein Engel.

Der Himmel brennt in diesem Paradies wie die Sonne auf der Haut, beide beschirmen die jungen Liebenden ebenso wie die Reichen und Berühmten oder zumindest Reichen und Komischen; sie beschirmen Szenen von berüchtigter Begütertheit und Macht, das

Innenleben von Grundstücken, wo selbst die Gärtner Livree tragen. Doch die schreckliche Wahrheit enthüllt die andere Seite, denn der Sonne entgegen orientieren sich auch ganz gewöhnliche Familien, nicht Gesellschaftsfähige, Lieblose und von Armut in den Underground in L. A. Getriebene; sie scheint auf Einzelgänger, auf Männer des Gesetzes und Frauen auf Abwegen, die man eingekreist hat wie die Ratten, als die man sie behandelt. Sie sind die Außenseiter, vermißt auf der Suche nach dem Paradies.

Sag die Wahrheit, wenn ich indiskret bin, aber ich erwache atemlos und mit Schreien der Angst, wenn ich daran denke, wie dieses vom Wahnsinn besessene Irrenhaus am Rande des Abgrunds taumelt: Pudelfriseure, BH-Museen, Freiluft-Klimaanlagen, eine Hochzeit für Hunde, all das ohne jeden Zweifel bar jeder Ironie organisiert von den schönen Wilden dieses Himmels außer Rand und Band.

Als die Abenteurer der Vergangenheit, die Goldgräber, sich entschieden, Westerner zu werden und in das gelobte Land zu ziehen, war das Leitmotiv der Goldrausch. Alles für die Katz. Die Piraten des 20. Jahrhunderts teilen zwar noch die besessene Gier, aber sie hat sich in die unschickliche **Obsession** mit der Fata Morgana verwandelt, ein Star zu werden. Dem jagt man heute nach mit Herzen im Fieber, Leib und Seele, in Fleisch und Blut. Los Angeles ist nicht von schlechten Eltern. Es ist eine Stadt der Draufgänger, die stets bestrebt sind, Träume zu verkaufen. Jedermann glaubt mit dem Wahnsinn bis zum Untergang und der Sehnsucht der Mondsüchtigen, ausgerechnet er könne die Jungfrau am Haken haben und als Legende unter die Giganten am Himmel eingehen, wenn er nur zu den Glückspilzen gehörte. Das Geständnis, das Sie dem ruhmsüchtigen Salonlöwen ebenso wie dem betrogenen Saufbold und Raufbold entlocken, dreht sich immer nur darum, einmal das große Los zu erwischen, oder um den Kampf, die verzweifelte Maskerade durchzustehen, bei der vorgegeben wird, man habe das Vorhang auf zum großen Glück und leichten Leben längst hinter sich. Familienglück, Sicherheit – jeder normale Impuls unserer Zeit wird gnadenlos der Suche nach dem Wunder ausgeliefert.

Ein Ruhekissen ist diese Stadt nicht; die erbarmungslosen Verrückten, die sie leiten, kennen keine Gnade für Verräter; kaltblütig eröffnen sie die Hetzjagd, für sie ist jederzeit die Nacht der langen

Messer. Denen ist nichts heilig, denen geht's nur um das süße Leben. Das Urteil künftiger Generationen wird hart ausfallen. Ich könnte ewig fortfahren, mir einen Vers auf den Schmutz von Los Angeles zu machen, und einsam sind die Tapferen, aber, verrückt und zugenäht, ich liebe dieses zauberhafte Land.

Ich weiß nicht, wer als erster unbeugsam und auf Biegen oder Brechen die Wahrheit enthüllte, daß man, wenn man Hollywoods Welt des falschen Scheins genauer unter die Lupe nimmt, nur... noch mehr Schein entdeckt, aber er übersah den rettenden Engel dieser Stadt. Am Ende zeigt sich, was für ein Genie Hollywood darin beweist, daß sein Schein eine perfekte Waffe ist. Die Profis im Würgegriff der Glitzerwelt produzieren vielleicht nur Illusionen, aber wenigstens Modelle echter Illusion. Sie haben die Alchimie vom Kopf auf die Füße gestellt und die Formel zum wichtigsten Geheimnis gefunden: wie man echtes Gold nimmt, matt und nutzlos wie es ist, und in den glänzenden Schund verwandelt, der des Menschen Begierde ist: der Stoff, aus dem die Träume sind.

Lösungen zum Stoff, aus dem die Träume sind

***Fettsatz** kennzeichnet einen Filmtitel. Wahrscheinlich sind noch mehr da, als ich markiert habe.*

Willkommen in Los Angeles. Dies rigorose Leben hier ist wirklich eine **fremde Welt. Eines Tages öffnet sich die Tür**, und man steht fast auf dem **Boulevard der Dämmerung**. Selbst **der Mann, der niemals aufgibt**, durchläuft hier die ganze Gefühlsskala von **Intoleranz** über **Verdacht** bis hin zum **Zorn. Ist das Leben nicht schön** beim **Leben und Sterben in L. A.**? Aber **ich beichte**, daß ich mich als **das unheimliche Wesen aus einer fremden Welt** fühle unter **Fremden, wenn wir uns begegnen** – oft noch mit dem **Spacecop L. A. 1991** als dem **dritten Mann**. Es ist die **Stadt an der Grenze**, und **ich bin kein Engel**.

Der Himmel brennt in diesem **Paradies** wie die **Sonne auf der**

Haut, beide beschirmen **die jungen Liebenden** ebensowie **die Reichen und Berühmten** oder zumindest Reichen und Komischen; sie beschirmen Szenen von **berüchtigter** Gutsituiertheit und Macht, das **Innenleben** von Grundstücken, wo selbst die Gärtner Livree tragen. Doch **die schreckliche Wahrheit** enthüllt **die andere Seite**, denn **der Sonne entgegen** orientieren sich auch **ganz gewöhnliche Familien/nicht Gesellschaftsfähige/Lieblose** und von Armut in den **Underground in L. A./Getriebene**; sie scheint auf **Einzelgänger**, auf **Männer des Gesetzes** und **Frauen auf Abwegen**, die man **eingekreist** hat wie **die Ratten**, als die man sie behandelt. Sie sind die **Außenseiter/vermißt/auf der Suche nach dem Paradies.**

Sag die Wahrheit, wenn ich **indiskret** bin, aber ich erwache **atemlos** und mit **Schreien der Angst**, wenn ich daran denke, wie dieses **vom Wahnsinn besessene/Irrenhaus/am Rande des Abgrunds** taumelt: Pudelfriseure, BH-Museen, Freiluft-Klimaanlagen, eine **Hochzeit** für Hunde, all das **ohne jeden Zweifel** bar jeder Ironie organisiert von den **schönen Wilden** dieses Himmels **außer Rand und Band.**

Als **die Abenteurer** der Vergangenheit, die **Goldgräber** sich entschieden, **Westerner** zu werden und in **das gelobte Land** zu ziehen, war **das Leitmotiv/der Goldrausch. Alles für die Katz. Die Piraten des 20. Jahrhunderts** teilen zwar noch die **besessene/Gier**, aber sie hat sich in die unschickliche **Obsession** mit der **Fata Morgana** verwandelt, ein **Star** zu werden. Dem jagt man heute nach mit **Herzen im Fieber/Leib und Seele/in Fleisch und Blut**. Los Angeles ist **nicht von schlechten Eltern**. Es ist eine Stadt der **Draufgänger**, die stets bestrebt sind, **Träume zu verkaufen.** Jedermann glaubt mit dem **Wahnsinn bis zum Untergang** und der **Sehnsucht** der **Mondsüchtigen**, ausgerechnet er könne die **Jungfrau am Haken** haben und als **Legende** unter die **Giganten am Himmel** eingehen, wenn er nur zu den **Glückspilzen** gehörte. **Das Geständnis**, das Sie dem ruhmsüchtigen Salonlöwen ebenso wie dem **Betrogenen/Saufbold und Raufbold** entlocken, dreht sich immer nur darum, einmal **das große Los** zu erwischen, oder um den **Kampf**, die verzweifelte **Maskerade** durchzustehen, bei der vorgegeben wird, man habe das **Vorhang auf zum großen Glück** und **leichten Leben** längst hinter sich. **Familienglück**, Sicherheit –

jeder normale **Impuls unserer Zeit** wird **gnadenlos** der Suche nach dem **Wunder/ausgeliefert.**

Ein **Ruhekissen** ist diese Stadt nicht; die **erbarmungslosen/ Verrückten**, die ihn leiten, kennen **keine Gnade für Verräter; kaltblütig** eröffnen sie **die Hetzjagd**, für sie ist jederzeit **die Nacht der langen Messer. Denen ist nichts heilig**, denen geht's nur um **das süße Leben. Das Urteil** künftiger Generationen wird hart ausfallen. Ich könnte ewig fortfahren, mir einen Vers auf den Schmutz von Los Angeles zu machen, und **einsam sind die Tapferen**, aber, **verrückt und zugenäht**, ich liebe dieses **zauberhafte Land.**

Ich weiß nicht, wer als erster **unbeugsam** und **auf Biegen oder Brechen** die Wahrheit enthüllte, daß man, wenn man Hollywoods Welt des falschen Scheins genauer unter die Lupe nimmt, nur... noch mehr Schein entdeckt, aber er übersah den **rettenden Engel** dieser Stadt. **Am Ende** zeigt sich, **was für ein Genie** Hollywood darin beweist, daß sein Schein eine **perfekte Waffe** ist. **Die Profis/im Würgegriff der Glitzerwelt** produzieren vielleicht nur **Illusionen**, aber wenigstens **Modelle** echter Illusion. Sie haben die Alchimie vom Kopf auf die Füße gestellt und **die Formel** zum wichtigsten **Geheimnis** gefunden: wie man echtes Gold nimmt, matt und nutzlos wie es ist, und in den glänzenden Schund verwandelt, der **des Menschen Begierde** ist **der Stoff, aus dem die Träume sind.**

Hämorrhoiden

Ungefähr in der Mitte des letzten Jahrzehnts, als Peter Yorks Wendung »Sloane Ranger« die Massen noch in ihren Bann schlug, war das Auto, in dem man gesehen werden wollte, ein Golf GTI. Ich weiß noch, wie ein Freund von mir, ein absoluter Sloane Ranger, einen vor seinem Haus parken sah. Seine eigene Cabrioversion hatte er in dem Augenblick verkauft, in dem er festgestellt hatte, daß sie in Mode kamen, so läuft das Spiel für diese Typen nun mal. Verächtlich betrachtete er das Gefährt, das da seine herbstliche Brompton Avenue verstopfte, und sagte: »Ich verabscheue diese verdammten Dinger. Sind wie Hämorrhoiden.« – »Hämorrhoiden?« erkundigte ich mich. »Ja«, sagte er. »Früher oder später kriegt die jedes Arschloch.«

Nicht der beste Witz der Welt und mit fast absoluter Sicherheit nicht von ihm. Gleichwohl kam ich durch seine Bemerkung ins Grübeln, denn ich selbst hatte in jener Woche meinen ersten Hämorrhoidenanfall erlitten, und sie gingen mir sehr im Kopf herum, na ja, hauptsächlich beschäftigten sie natürlich andere Regionen meiner exquisit proportionierten Anatomie, aber Sie wissen schon, was ich meine. Mit jener absolut wahrscheinlichen und vorhersagbaren Synchronizität, die Arthur Koestler dazu brachte, seine Zeit mit der Entwicklung einer Theorie des Zufalls zu verschwenden, veranstaltete mein Agent vierzehn Tage später eine Party in Essex. Er war ein wunderbarer Mann, inzwischen zu seinem Schöpfer heimgegangen, muß ich bedauerlicherweise hinzufügen, aber so ziemlich der letzte seiner Art. Ich erinnere mich an sein Zigarrepaffen, den Bentley und die Krawatte des ehemaligen Eton-Zöglings, der zudem wie eine verdrießliche Eule wirkte, die sich gerade die Federn geputzt hat und jetzt nichts damit anzufangen weiß. In seinen letzten Jahren bestand seine fixe Idee darin, die Leute zum Thema Hämorrhoiden zu löchern. Der Abend, an den ich gerade denke, war eine ziemlich formelle Angelegenheit, vielleicht war's der Sankt-Vedasts-Tag, das Essen hatte jedenfalls damit geendet, daß die Damen die Tafel verließen und die Herren sich um den Gastgeber scharten und krampfhaft an die Etikette des Portweintrinkens zu erinnern versuchten.

Kaum hatte das letzte weibliche Wesen den Raum verlassen, klopfte dieser herrliche Mann mit der Karaffe auf die Tischplatte und sagte: »Also. Wer von Ihnen ist bereits in den Genuß meiner Hämorrhoidenkonversation gekommen?« Das dieser ungewöhnlichen Frage folgende verwirrte Schweigen verriet, daß diese erhebende Erfahrung uns allen noch bevorstand. Die nächsten Stunden (erst zum Abschluß gebracht, als die Gastgeberin auf der anderen Seite der Tür zum siebzehnten Mal laut gehustet hatte) ergingen wir uns also in der Hämorrhoidenkonversation, deren Transkription sich einzig für eine der Proktologie ergebene Fachzeitschrift oder das Juxblatt eines Medizinstudenten eignet.

Der springende Punkt, das hüpfende Komma, der Refrain,

Grundgedanke oder Tenor dieser Konversation war, daß alle Männer an Hämorrhoiden leiden, die Wahrheit also, auf der der Golf-GTI-Witz beruhte. Zumindest litten die rund zehn im Raum versammelten Männer chronisch daran. Durch die tapfere Einleitungsbeichte unseres Gastgebers befreit und befeuert von einem exzellenten Portjahrgang, purzelten uns die Berichte nur so aus dem Mund. Welch bewegte Karrieren unsere Gesäße doch alle durchgemacht hatten! Periproktische Abszesse und Hämatome ebenso wie die gemeine Hämorrhoide. Für mich war es die Wandlung vom Saulus zum Paulus auf der Straße nach Damaskus; es fiel mir alsbald wie Schuppen von den Augen.

Das Wissen, daß man nicht allein ist, ist unbezahlbar. Die Dichter erzählen uns, daß wir nicht allein sind, wenn unser Ehrgeiz frustriert oder unsere Liebe nicht erwidert wird oder wenn im Frühjahr die beste Designerkollektion von Mutter Natur uns die Sprache verschlägt, aber nur wenige Lyriker haben verstanden, daß wir auch in unseren eher banausischen Launen des Trosts bedürfen. Der große Wissenschaftler Haldane schrieb zwar tatsächlich einmal ein prima Gedicht über Rektalkarzinome, aber die sind ja eher selten. Auf der Toilette des Landsitzes (na bitte) des Earls von Leicester in Norfolk stand angeblich ein Graffito, das Byron zugeschrieben wurde.

O Cloacina, Göttin diesem Ort,
Hör unser Flehen gnädig immerfort.
Laß weich und stetig sein der Gaben Art.
Weder dünn und rasch noch gramvoll hart.

Byron war der einzige, glaube ich, der Verstopfung als gramvoll beschreiben konnte. Aber man müßte wohl bis zu den Epigrammatikern der *Anthologia Graeca* zurückgehen, um vergleichbaren Dichtertrost zu finden.

Unaufhörlich erzählt man uns oder erzählen wir uns selbst, daß wir auf Toilettenangelegenheiten fixiert sind. Das möchte ich bezweifeln. Wir glauben, daß wir diesen Politiker oder jenen Finanzmagnaten seiner Macht über uns berauben, wenn wir ihn uns auf der Toilette sitzend vorstellen. Aber das enthüllt doch eher ein Schamgefühl als eine Fixierung.

Im Versuch, unserer Gesellschaft ihre fundamentale Prüderie zu nehmen, möchte ich alle von Ihnen mit ungesunden Hinterteilen bitten, diese beim Essen öffentlich zu machen. Sie werden der Nation einen großen Dienst erweisen. In weniger als einem Jahr werden alle möglichen Zustände von Männern und Frauen um wenigstens ein Gebiet schmerzhafter Peinlichkeit ärmer sein. Die Verstopfung im ungehemmten Gespräch kann uns von diesem und all unseren Übeln reinigen.

Reich mir das Lochkissen, Alice.

Eine freundliche Stimme in der Polo Lounge

Wessen Stimme erwarten Sie am wenigsten zu hören, während sie allein in der Polo Lounge des Beverly Hills Hotels bei einem Essen sitzen?

Die Polo Lounge rühmt man in Legende, Lied und Taschenbuch als den Ort, wo Leute hingehen, die gesehen werden wollen. Am besten, indem sie sich *ausrufen* lassen. »Telephon für Herb Buckleman. Herb Buckleman bitte zum Telephon.« Ab und zu erklingen diese Worte, während Sie an Ihrem Long-Island-Eistee nuckeln oder Ihre Dungeness-Krebse aufbrechen. Bedeutende Produzenten und mächtige Vorstandsmitglieder sind anscheinend schwer beeindruckt, wenn sie hören, daß Herb Buckleman irgendwie irgendwo *gesucht* wird. Plötzlich wird Herb Buckleman interessant: genau der Mann, dem wir eigentlich die siebte Fassung des neuen Schwarzenegger-Scripts anvertrauen sollten.

Diese groteske Vorstellung führt zu dem unglaublichen Phänomen, daß Leute sich in der Polo Lounge oder am Pool *selbst* ausrufen lassen. Sie schleichen sich in eine Telephonzelle, geben der Hotelvermittlung die Nachricht an sich selbst durch, *sofort* eine bestimmte Nummer anzurufen, und schlendern zum Pool oder in die Polo Lounge zurück, um ihre Nachricht rechtzeitig in Empfang nehmen zu können. Um noch mehr Eindruck zu schinden, gibt man sich gern ein Pseudonym. Also: »Herb Buckleman, hier unter dem Namen Jerome Lassinger, bitte umgehend bei der Vermittlung melden!« Jetzt ist Herb Buckleman als so bedeutend eingeführt, daß er im Beverly Hills einen falschen Namen braucht, um sich die Weltpresse vom Hals zu halten.

Wie zu erwarten, erzeugt das eine Gegenreaktion. Die Selbst-Ausruf-Methode ist so weit verbreitet, daß man inzwischen von jedem, der ans Telephon gebeten wird, annimmt, er habe das selbst in die Wege geleitet und müsse also eine traurige, verzweifelte Gestalt sein, der man besser fernbleibt.

Die Stimmung in der Polo Lounge ist daher stets spannungsgeladen. Ich habe gestern abend dort gegessen, total nervös, weil verantwortungslose Freunde von zu Hause gedroht hatten, mich alle zehn Minuten ausrufen zu lassen, eine Schmach, die ich unerträglich gefunden hätte. Diese Angst machte es richtig schwer, durch die Finger zu Eddie Murphy und Michael Douglas hinüberzulinsen und es ganz allgemein zu genießen, zu dieser Zeit an diesem Ort zu sein. Zum Glück haben meine Freunde dann doch nicht angerufen; hauptsächlich, nehme ich an, weil es um halb acht in Los Angeles in England morgens halb vier ist und selbst der hingebungsvollste Lebenszerstörer irgendwann schlafen muß.

Dankbar schritt ich daher von der Cocktail-Bar der Polo Lounge ins Restaurant, bestellte einen Salat mit gebratenen Lendenstücken vom Huhn und zog ein Taschenbuch heraus. Es ist eine komische Vorstellung, daß Hühner Lenden haben und diese noch groß genug sind, um zerstückelt werden zu können; wahrscheinlich geht der Name zum Teil auf die liebenswerte Neigung der Amerikaner zurück, ihren Speisen harte Pioniernamen zu geben. Wir sind mit Französisch als der Sprache der Kochkunst ganz zufrieden, aber Amerikaner finden sie verweichlicht. Und ich finde, sie haben gar nicht so unrecht: »Getrockneter Bauch vom Nebraska-Eber in Sauerteig und geknackten Hummerscheren aus Maine« klingt wirklich männlicher und appetitanregender als, sagen wir, *noisettes d'agneau à la Grecque dans un coulis de pamplemousse.*

Da saß ich nun gemütlich und selig in meine eigene Welt eingekuschelt – denn allein zu essen gehört definitiv zu den größten Genüssen, die diese Welt zu bieten hat –, als eine bekannte, aber nicht englische Stimme an meinen Tisch drang. Eine Stimme, die meiner Generation bekannter ist als fast jede andere. Die Stimme eines Mannes, der seit fünfundzwanzig Jahren regelmäßig seine eigene Fernsehsendung präsentiert; ein Mann, der in England zahlreiche Platten in den Charts gehabt hat; ein Mann, der in dieser ganzen Zeit so liebevoll verspottet und nachgeahmt worden ist wie kaum ein zweiter. Trotzdem die Stimme, die ich in der Polo Lounge des Beverly Hills Hotels als allerletztes erwartet hätte.

Es war Rolf Harris' Stimme. Warum seine Stimme eigentlich so gar nicht in diese Umgebung passen sollte, weiß ich nicht, aber eine heilsame Welle Heimweh überrollte mich wie eine feuchte Bergbrise. Ich vergaß Amerika und seine Milliarden-Dollar-Unterhaltungsindustrie, seine komisch benamsten Speisen und seine abstruse Hoteletikette. Rolf Harris war da, und plötzlich wußte ich, daß ich Engländer war und daß ich niemals etwas anderes sein würde.

Wenn unser internationaler Einfluß auch auf Aston Martins und Mrs Thatchers Hüte zusammengeschrumpft ist, so ist die Anziehungskraft der Heimat doch so stark, daß Dollars und Avocadosalate nicht mithalten können. Wenn du weitab vom Schuß Patagonien durchwanderst, so rüttelt der Anblick einer ramponierten Packung Scott's Haferflocken in einer kleinen *Tienda* mit unvergleichlicher Macht an deinem Herzen. Wenn du allein in der Polo Lounge sitzt, so geleiten dich die Flötentöne der Stimme von Australiens größtem Sohn so sicher nach Hause wie ein Leuchtturm.

In dem Augenblick, als Rolf Harris' wunderbarer Baßbariton mein Ohr durchdrang, erhob ich mich, eilte zur Rezeption und ließ ihn ausrufen. Es war das mindeste, was ich tun konnte.

Entwurf einer Haßliste

In den reaktionären Sechzigern, ungefähr zur Zeit, als der Wolfenden-Report Früchte zu tragen begann, erzählte man sich den ziemlich dummen Witz von einem Geordie, der das Australia House aufgesucht, sich die erforderlichen Impfungen geholt, sein Hab und Gut zusammengepackt und sein Haus verkauft hat, um sich auf das neue Leben in der südlichen Hemisphäre vorzubereiten. Am Flughafen interviewt ihn ein Reporter und fragt, warum er sich entschlossen habe, die alte Heimat zu verlassen.

»Tscha«, sagt der Geordie, »vor zweihundert Jahren stand in diesem Land auf Homosexualität die Todesstrafe. Hundert Jahre später lautete das Urteil zwei Jahre Zwangsarbeit. Vor fünfzig Jahren sechs Monate Gefängnis. Heute ist sie legal. Ich hau ab, bevor sie Pflicht wird.«

Kein erquicklicher Witz, auch nicht besonders aufschlußreich oder aufgeschlossen; schon gar nicht komisch. Sinnvoll ist allein die Überlegung, welche Veränderungen in einem Land einen zum Nachdenken über die eigene Emigration bewegen könnten. Die üblichen Auswanderungsgründe drehen sich um Chancen, Steuern oder Familienelend, aber sind Gesetzesänderungen vorstellbar, die einen dazu bringen könnten, Britannien zu verlassen – nicht wegen finanzieller Einbußen, sondern einfach aus Ekel?

Anfang dieser Woche habe ich darüber nachgedacht, denn ich habe mir vor langer Zeit geschworen, wenn die Todesstrafe wieder eingeführt werden sollte, würde ich mit (vermutlich unerwidertem) Bedauern meine Zelte abbrechen und verstohlen in die Nacht hinausschleichen. Mir wäre es einfach zu peinlich, einem Staat anzugehören, der herumläuft und seine Bürger abmurkst. Wie soll man sich noch des aufrechten Ganges befleißigen, wie Stolz empfinden, Engländer zu sein, wenn man ständig im Hinterkopf hat, daß die eigenen Steuern zum Teil den Strick finanzieren, mit dem anderen Leuten das Genick gebrochen wird? Das wäre einfach zu beschämend. In Gegenwart von Angehörigen zivilisierter Nationen wüßte man gar nicht mehr, wohin man blicken sollte.

Die Schwierigkeit bei dieser so drastischen Lösung, eines Prinzips wegen dem Vaterland abzuschwören, besteht darin, daß man bockig und hysterisch wirken könnte. Die Anhänger des Aufknüpfens würden bei meiner Emigration doch nur jubeln: »Ein Glück, daß wir die Memme los sind.« »Wenn's dir zu heiß wird, verschwinde aus der Küche!« wäre der Knackpunkt ihrer Argumentation. Worauf ich in der mir eigenen Art erwidern würde, eigentlich bliebe ich viel lieber in der Küche, wenn bloß jemand die Hitze runterdrehen oder das Fenster aufmachen und frische Luft reinlassen würde. Aber die Demokratie ist nun einmal, was sie ist, und eine parlamentarische Gesetzesvorlage, die die Todesstrafe wieder einführt, würde in ihrem Lauf wohl kaum aufgehalten werden, bloß weil ich oder ein anderer Bürger damit drohte, das Land zu verlassen. Also wäre die eigene Auswanderung als Protest oder auch nur als Gag wertlos; man würde sich lediglich seiner Vorliebe hingeben: man würde einfach nicht mehr hier leben wollen.

Aber vielleicht ist es auch einfach Feigheit. Würde ein Mann mit echten Prinzipien nicht hierbleiben und kämpfen? Ist es nicht besser, seine Stellung zu halten und mannhaft seine Kampagne zu führen, als zu fliehen und am Spielfeldrand kläglich herumzuplärren? Wahrscheinlich schon. Aber die Rückkehr der Todesstrafe würde mich mit solch überwältigendem Abscheu und Überdruß demoralisieren, daß all meine Kampfkraft futsch wäre. Dasselbe wäre der Fall, wenn diese schrägen Rauchverbotsfanatiker recht bekämen und es schafften, Gottes ehrbare Zigarette oder der Natur heilsame Zigarre zu ächten. Warum Todesstrafe und Rauchverbot mir widerwärtig sind, könnte ich vielleicht noch argumentativ rechtfertigen, aber was sie für mich von anderen politischen und sozialen Streitfällen unterscheidet, ist im Grunde tiefer und unerbittlicher Haß.

Ich bin mal in einem Stück aufgetreten, wo eine Schauspielerin uns die stumpfsinnige Zeit zwischen Matinee und Abendvorstellung vertrieb, indem sie uns sogenannte Haßlisten aufstellen ließ. Anonym hatten wir eine Liste von zehn Dingen zu erstellen, die wir irrational und heillos haßten. Alles war erlaubt: Blaskapellen, Oxford, Opel, Wales, Vitamine, Sherrygläser, Tennis, die Romane von D. H. Lawrence ... was immer den tiefsten Abgründen der eigenen Seele entsprang. Danach wurden die Listen vorgelesen, und wir mußten raten, wer welche geschrieben hatte.

Ich empfehle das als Weihnachtsspiel, unter eventueller Hinzufügung möglicher Gesetzesentwürfe, die einen zur Emigration zwingen würden. Haß paßt vielleicht nicht in die Weihnachtszeit, aber das mutmachende Ergebnis eines solchen Unterfangens besteht in der Erkenntnis, daß normale Spielpartner (wenn sie wirklich ehrlich sind) niemals *Menschen* in ihre Listen aufnehmen, nicht mal wirklich schreckliche Typen; sie notieren nur Dinge, Einstellungen und Handlungen. Der Grund dafür ist, daß Menschen nicht böse *sein* können; sie sind nur *fähig* zum Bösen; das ist der wesentliche Unterschied, der Reue und Vergebung erlaubt, und genau darum geht es doch letztlich beim Weihnachtsfest.

Die Entdeckung, daß man keine Menschen hassen kann, sondern nur, was sie tun oder sagen, ist von tiefer Bedeutung. Mir fällt nichts Besseres ein, womit ich Ihnen zum Abschluß, wie man in jenen reaktionären Sechzigern zu sagen pflegte, ein cooles Julfest und ein duftes neues Jahr wünschen kann.

Gesund & munter, fröhlich & schwul

Wie viele Angehörige meiner in Verruf geratenen Generation bin ich wahnsinnig verliebt in Techno-Spielkram aller Art. In jener gefürchteten Ära des Achtziger-Jahre-Kaufrauschs kaufte niemand berauschter als ich. Obwohl wir uns inzwischen weit im »New Age« liebevoller Zuwendung befinden, fällt mir das Aufholen schwer. In moralischen Begriffen ist das, als würde ich mir immer noch mit Gel die Haare zurückkämmen und Bass Weejuns tragen (wovon bekanntlich kein Kind der Neunziger auch nur *träumen* würde). Na, gestern erst hab' ich mich dabei ertappt, wie ich in einen Laden auf der Tottenham Court Road gegangen bin und mir einen CDV-Player gekauft habe. Sie wissen nicht, was ein CDV-Player ist? Schämen Sie sich. Das ist eine Art CD-Spieler, der aber eben nicht nur Musik-CDs, sondern auch Bildplatten spielt. Jetzt können Sie sich also Ihren Lieblingsfilm mit kristallklaren Standbildern und digitalem Klang anschauen. Ein großer Schritt für die Menschheit, wie Sie mir sicher beipflichten werden.

Das bedeutet, daß mein Schlummarium, meine Bude, Pofe oder das Zimmer-in-dem-mein-ganzer-Kram-steht, wie ich es bekloppterweise nenne, jetzt fünf nahezu identische Fernbedienungen, fünf dieser handlichen Dingelchen enthält. Eine für den Fernseher, eine für normale CDs, eine für den Videorecorder, eine für den CDV und eine für die HiFi-Anlage. Ach nein, es sind sogar sechs, ich hab' eine vergessen, die die Einbrecher dummerweise liegen gelassen haben, als sie mein altes Videogerät gemopst haben. (Jungs, wenn ihr das nächste Mal vorbeikommt: Sie liegt auf dem Beistelltischchen am Fenster, unter einer im Zorn verunstalteten Ausgabe von *Halliwell's Film Guide*. Ich weiß schließlich, wie sehr das nervt, wenn man keine Fernbedienung hat.)

Neben diesem einsamen, selbstlosen Versuch, John Major zu stürzen, indem ich den Boom ausländischer Importe verlängere (denn ob Sie's glauben oder nicht: Britannien hat keinen einzigen einheimischen CDV-Hersteller aufzubieten, was nun wirklich einem nationalen Skandal gleichkommt) und elektronische Geräte aller Arten und Zwecke anhäufe, genieße ich noch (wie jeder anständige Zeitungskolumnist) das Sammeln der neuesten, hochmodernen Slogans, Schlag- und Reizworte.

Ich war dabei und johlte, als David Steel den wackeren Versuch unternahm, den Begriff »überbogend« ins Wörterbuch des Politmenschen einzuführen; war genauso dabei, als British Rail beschloß, »Passagiere« fürderhin »Bahnkunden« zu nennen; niemand quietschte vor unverhohlenerem Entzücken als ich bei dem Entschluß, Bildung und Verteidigung würden im Wahlkampf definitiv zu »heißen Eisen«.

Vielleicht ist es gar nicht so erstaunlich, daß nur wenige dieser Phrasen aus Japan stammen. Wenn es um leuchtende Neologismen und Euphemismen geht, schauen wir auf Amerika. Während meines letzten Besuchs schnellte ich wie ein laichender Lachs herum, als der gar nicht so untuntige Verkäufer nach meinem Erwerb einer sündhaft teuren Krawatte in einem Laden am Rodeo Drive einnehmend mit seinen kleinen Fingern wedelte und zum Abschied nicht etwa das übliche »Wiedersehn« oder das noch üblichere »Schönen Tag noch« trillerte, sondern diese unsterblichen Worte von sich gab: »Sie fehlen mir jetzt schon!« Wie bitte, ich meine, was? Will sagen, häh??

Der letzte Euphemismus für Behinderte, frisch aus den Vereinigten Staaten – und mir ist bewußt, daß ich mich hier auf vermintes Gelände begebe, dennoch werde ich in die Attacke gehen –, der letzte Euphemismus für Behinderte lautet »körperlich different begabt«. Das Wort »blind« soll, wie Ihnen vielleicht bereits bekannt ist, wo möglich ab sofort durch »anderssehend« ersetzt werden.

Die Ablehnung des Wortes »schwul«, die, wie die Leserbriefseiten dieser Zeitung wiederholt gezeigt haben, von vielen Zeitgenossen geteilt wird, habe ich nie mitgemacht. Ich weiß, es war ein hübsches Wort, und kein anderes kann es ganz ersetzen, ich weiß, es ist schonungslos entführt und uns schamlos weggenommen worden. Aber wenn wir ehrlich sind, haben wir dafür doch die genauso guten und unersetzlichen Begriffe »Tunte«, »Schwuchtel«, »Homo«, »andersrum« und »warmer Bruder«. Ein gutes Wort für fünf ist doch ein prima Tausch. Das Wort Homosexueller ging als quasi medizinische Definition in Ordnung, aber es ausschließlich zu benutzen wäre, als müßte man jedesmal »Partus« sagen, wenn man Geburt meint. Es ist gut, ein wertfreies Laienwort für eine allgemein bekannte Sache zu haben. Das Problem bei Wendungen wie »anderssehend« ist, daß sie den von normalen Menschen seit Jahren ersehnten Worten wie »blind« den Rücken kehren. »Blind« ist kein Euphemismus, weder abfällig noch kompliziert technisch.

Ich verstehe ja, daß die Lobby der Blinden und Behinderten bei ihren Versuchen, diese neuen Worte einzuführen, nur »positiv« sein will, aber mir schwant, daß hier ein Gesetz der fallenden Profitrate herrscht. Auch »herausgefordert« war ursprünglich ein neues, »positives« Wort, ebenso wie »behindert«; aber die Laufzeiten solcher Begriffe werden immer kürzer.

Ich fürchte, auch »different begabt« und »anderssehend« werden in kurzer Zeit obsolet sein. Ungefähr zur selben Zeit wie mein neuer CDV-Spieler, nehme ich an.

Allerdings glaube ich, daß die Entwicklung einer spannenden Alternative zum CDV den Japanern leichter fällt als den Amerikanern die Erfindung eines neuen Wortes für blind.

Gott segne Worcestershire

Falls Sie diese Worte gar nicht lesen, sondern statt dessen auf einen leeren weißen Fleck starren, der genug Platz für 800 Worte hätte, aber nur die Zeile »Stephen Fry ist im Urlaub« enthält, dann wissen Sie, daß die Redaktion des ›Daily Telegraph‹ ihre jungfräulichen Rockschöße gerafft und entschieden hat, ihr Recht auf Unterdrückung und Zensur auszuüben, denn der Artikel, den Sie nicht lesen, ist ein furchtloses Stück investigativen Journalismus, das die Usancen, Praktiken und Denkweisen besagter Redaktion aufdeckt, und sehr wahrscheinlich operiert man dort lieber hinter einem Schleier der Geheimniskrämerei, als zuzusehen, wie ihre Methoden in der eigenen Zeitung gnadenlos ins Licht der Öffentlichkeit gezerrt werden.

Ich beginne mit einer Frage. Kommen Sie aus Worcestershire? Einige von Ihnen, die dies lesen (oder voller Verwunderung auf den leeren weißen Fleck starren, wo dies stehen sollte), hausen bestimmt in der Marsch dieses unschätzbaren Shires. Ich frage mich, ob Sie etwas eigenartig sind? Sind Sie prüder als normal? Gibt es etwas in den Wassern von Droitwich, den Teppichen von Kidderminster oder den weiten, lächelnden Fluren von Evesham, das Ihnen einen Hauch von zimperlichem Puritanismus verleiht? Da ich unter den weiten Himmeln Norfolks lebe, war mir noch nie aufgegangen, daß dies der Fall sein könnte, aber vielleicht schmeichelt es Ihnen zu erfahren, daß Größe oder eben Beschränktheit Ihres Verstandes jenen ein Springquell beständiger Sorge ist, deren Aufgabe die Kontrolle des Inhalts Ihrer Tageszeitung ist.

Lassen Sie mich das erklären. Heute nachmittag habe ich das Feature-Büro angerufen. Sie werden angesichts dieser Metonymie oder Synekdoche verstehen, daß ich noch nicht so weit heruntergekommen bin, daß ich tatsächlich versucht hätte, mit einem Zimmer in Konversation zu treten, sondern daß ich pflichtbewußt eine Redaktionsassistentin anrief, um sie über das Thema meines hebdomadalen Tributs in Kenntnis zu setzen. Wörter wie »Synekdoche« oder »hebdomadal«, die mein Englischlehrer in der Schule immer »Oberstufenwörter« nannte, benutze ich nicht aus dem perversen Wunsch nach Polysyllabizität, sondern um Sie, besonders jene unter Ihnen, die in Worcestershire leben, auf den lähmenden Schock der Obszönitäten vorzubereiten, mit denen ich gleich die Luft verpesten werde.

Ich teilte der Redaktionsassistentin mit, ich plante ein Stück über Saddam Hussein und die gegenwärtigen Kämpfe am Golf. Mir war aufgefallen, daß es kein Wort gab, das das Verbrechen der gewalttätigen Grenzverletzung eines souveränen Staats abdeckte, und daß man vielleicht das Wort »Saddamie« prägen sollte. Die Vereinten Nationen könnten dies in einem Artikel festhalten, der einem Land ausdrücklich untersagte, ein anderes mutwillig zu saddamisieren, und der Saddamiten strikte Sanktionen androhte.

Aufmerksam lauschte die Redaktionsassistentin. »Ja«, sagte sie. »Ich habe bloß ein bißchen Angst vor der Reaktion der Leser in Worcestershire.«

Ich zuckte zusammen wie ein Lachs am Angelhaken und ließ den Hörer fallen. Warum hatte man mir nie von den Lesern in Worcestershire und ihren speziellen Bedürfnissen erzählt? Ich wußte, wie angeekelt das Stadtvolk in Tunbridge Wells sein konnte, und mir war schon aufgefallen, daß Colonel und Mrs Chichester mit modernem Theater nichts am Hut hatten. Weithin bekannt ist, daß »Wutentbrannt« aus Minchinhampton die Schnauze gestrichen voll davon hat, daß man *target* als Verb benutzt, ebenso daß »Fuchsteufelswild« aus Carshalton sauer ist, daß die pazifische Auster ihren Siegeszug auf Kosten der einheimischen aus dem guten alten Colchester angetreten hat, aber ich muß gestehen, daß Worcestershires Probleme mir vollständig entgangen waren.

Wenn die Befürchtungen des Feature-Büros gerechtfertigt sind, man sich jedoch aus einem lobenswerten Sinn für Liberalität heraus entschlossen hat, diesen Artikel zu veröffentlichen, dann hat das General Hospital in Worcester womöglich schon eine ganze Menge Anrufe rot angelaufener Bürger bekommen, die nach Kreislaufmitteln brüllen, dann hat die Landgendarmerie vielleicht schon eine hochmobile Spezialeinheit zusammengestellt, die gegen die vor Zeitungskiosken aufgestellten Streikposten durchgedrehter Dörfler aus Broadway eingesetzt wird, und dann sind bei der Freiwilligen Feuerwehr vielleicht schon Dutzende von Anrufen eingegangen, sich um außer Kontrolle geratene ›Telegraph‹-Scheiterhaufen zu kümmern, die von spontanen, erzürnten »Nieder-mit-dem-Schund«-Aktionskomitees in Dumbleton errichtet wurden.

Sollte dies der Fall sein, tut es mir herzlich leid; so leid, daß ich einen Besen fressen könnte.

Ich glaube, es wird Zeit, daß Menschen aus Worcestershire den ›Telegraph‹ wissen lassen, daß sie weit mehr verkraften können, als ihnen bislang zugemutet wurde. Zeit auch, daß Menschen aus anderen Counties ihre Meinung hören lassen. Seit unzähligen Jahren lesen Sie Sachen in dieser Zeitung, die zensiert worden sind, jawohl: zensiert! Verfälscht, verstümmelt, verhunzt, gestrichen, abgeschwächt, erstickt, unterdrückt, behindert, gefesselt und geknebelt, und all das einzig zum Wohle der Sensibilitäten Worcestershires. Wahrscheinlich wußten Sie gar nicht, daß William Deedes' Skript oftmals so ausfallend ist, daß es auf Asbest geschrieben werden muß, daß Worsthorne und Heffer als Gilbert & George der modernen Literatur verschrien sind und daß Hugh Montgomery-Massingberds Originalbeiträge nur von jenen gelesen werden dürfen, deren Gesundheit der Betriebsarzt des ›Telegraph‹ für widerstandsfähig befunden hat. Natürlich wußten Sie das nicht, denn ihre Schriften sind immer schon bereinigt, gesiebt und gefiltert, einzig und allein zum Gedeihen Worcestershires.

Ich aber sag's ihm, Worcestershire: Es kann mich ---. Einige von uns lassen sich keinen Maulkorb umlegen.

Wieder auf Achse

Der Dienstag, der just verging, unbeklagt und ohne Fasten wie fast jeder Dienstag außer dem Fastnachtsdienstag, der per definitionem, nehme ich an, fastend verbracht wird, war gewissermaßen ein roter Tag in Frys Kalender. Genaugenommen hat mein Kalender, wie heutzutage der eines jeden Flaneurs mit ein bißchen Selbstachtung, Akkus und läßt keine roten Schriften zu. Aber in der heutigen Freizeitparkwelt ist das natürlich getrampolint wie bungeegesprungen, und wenn mein elektronischer Sekretär auch keine rot angestrichenen Tage kennt, so kann er mir doch die Uhrzeit in Tirana sagen und Zu-erledigen-Listen aufstellen. Ergo wurde Dienstag, der 21. August, als der Tag auserkoren, an dem ich das Recht zurückerhielt, zu Londons wachsendem Verkehrsproblem beizutragen.

Dreihundertfünfundsechzig Tage zuvor hatten die Richter des Zweiten Schiedsgerichts in Bow Street, London, begleitet von

Drohgebärden und strengem Naserümpfen, mir fünfhundert Pfund, meinen Führerschein und eine ganze Menge Selbstachtung abgeknöpft.

Für Autofahrer ist ein Jahr eine lange Zeit. In den letzten Wochen, als das Ende des Banns sich in Sicht schleppte, hat der Gedanke mich nicht losgelassen, daß ich das Fahren verlernt haben könnte.

Mein Lieblingswagen, den ich das ganze letzte Jahr über in der Garage gehütet habe, ist eine attraktive Wolseley 15/50 Limousine, von tiefem Kastanienbraun, die nach Bakelit und einem untergegangenen England mit glänzenden Bürgersteigen, Inspektoren von Scotland Yard in Regenmänteln und, aus unerfindlichen Gründen, Valerie Hobson und Tide-Waschmittel riecht. Der Wolseley ist fast genauso alt wie ich, er wurde am 23. August 1957 angemeldet. Ich wurde am Tag darauf um sechs Uhr früh geboren, also ist heute, was Sie sich vielleicht für die Zukunft merken möchten, mein Geburtstag.

Die Übereinstimmung in unser beider Alter hat zu einer schon voodooistischen Beziehung zwischen dem Wolseley und mir geführt. Wenn ich um die Taille ein paar Zoll zunehme, scheinen sich auch seine Kotflügel und Türleisten leicht auszubeulen. Wenn ich ohne ersichtlichen Grund ständig stolpere und hinfalle, lautet die Erklärung, daß seine Hinterreifen nicht mehr genug Profil haben und ausgewechselt werden müssen. Bei den seltenen Gelegenheiten, wo ich ein Bad nehme, schaue ich beim Abtrocknen aus meinem Schlafzimmerfenster und sehe, daß die alte Kiste unten auf der Straße genauso glänzend und sauber ist wie ich.

Vor einigen Jahren trat ich in einem Theaterstück im West End auf und verlor die Stimme. Schauspielerkollegen dachten, ich hätte in der inzwischen legendären Kartoffelszene meine Stimmbänder überanstrengt, und nahmen sich meiner mit törichten Vitaminfläschchen und homöopathischem Quatsch an, doch eine schnelle Kontrolle zeigte mir, daß sich ein Kabel direkt hinter dem Schalter gelockert hatte und die Kontakte an dem Kabel unterbrach, das vom Lenkrad wegführte. Deswegen funktionierte die Hupe nicht mehr. Zwei Minuten mit dem Schraubenzieher, und beide waren wir wieder perfekt bei Stimme.

Wie Sie dem grausam ehrlichen Photo über diesem Artikel entnehmen können, habe ich mir vor langer Zeit einmal die Nase gebrochen. Als ich die Geschichte meines Autos erforschte, stellte ich fasziniert fest, daß das verbogene Wolseleymaskottchen auf der Kühlerhaube sich bei einem Vorfall, der den Lieferwagen eines Kolonialwarenladens sowie einen Bibliothekar aus Daventry einbezog und sich am 17. Januar 1962 ereignete, auf gleiche Weise verkrümmt hatte, genau an dem Tag, an dem das Schicksal auch mir an den Rüssel ging. Solche Dinge sind kein Zufall.

Würden diese perfekte Symbiose, dieses wunderbare Zusammenspiel und dieses gegenseitige Vertrauen, würden sich die durch die Vernachlässigung eines ganzen Jahres abgeschwächt haben? Das befürchtete ich am Dienstag, als ich mich erstmals wieder hinters Lenkrad klemmte.

Das Getriebe des Wolseley erfordert ein Manöver, das meinen älteren Lesern vielleicht noch bekannt ist, das des Zwischengasgebens. Die trübe Welt der modernen Synchrongetriebe und, Himmel hilf, der Automatikwagen läßt dieses Verfahren antiquiert erscheinen, und ich fürchtete, daß Ohr, Hand und Fuß nach der Abwesenheit eines ganzen Jahres ihre magische Verbindung zu den Zahnrädern und Kupplungsscheiben des Wagens verloren haben könnten. Ich hätte mir keine Sorgen zu machen brauchen. Das alte Band besteht nach wie vor, und wir sind eins wie eh und je.

Nur eines beunruhigt mich noch. Soll ich den Motor auf bleifreies Benzin umrüsten lassen? Was wären in dem Fall die persönlichen Konsequenzen? Müßte ich dann koffeinfreien Kaffee trinken, oder wäre mit noch katastrophaleren Folgen für mein eigenes Antriebssystem zu rechnen? Könnte ich womöglich nur noch alkoholfreien Wein zu mir nehmen? Wenn der Wolseley sich nicht mehr mit Blei vollpumpen darf, wird er nicht gerade erpicht darauf sein, daß ich mich mit berauschenden Getränken vollaufen lasse.

Nun denn, es sei. Zumindest dürfte mir auf die Weise der morgendliche Kaltstart leichter fallen.

Im November kriege ich meinen Dichterschein zurück. Ich hatte Schreibverbot bekommen, als ich eine Zäsur zu schnell genommen, bei einem Enjambement gehalten und unter dem Einfluß von Auden gestanden hatte. Soll nicht wieder vorkommen.

Zoostunde

In meinen Salattagen, als mein Urteilsvermögen noch grün und mit einer leichten Vinaigrette des Glaubens angemacht war, bestand meine Lieblingsbeschäftigung darin, meine kleine Hand vertrauensvoll in die meiner Mutter zu legen und Richtung Zoo abzuzwitschern. Die Aussicht auf Pandas und wollige Affen übte einen unglaublichen Sog auf mich aus. Dann jedoch, in meinen Puddingtagen, als mein Urteil sich verfestigt hatte und mit dickem Sirup des Zweifels übergossen war, begann ich mir ernsthaft Sorgen zu machen. Würden künftige Generationen nicht womöglich voller Erstaunen und Widerwillen auf unsere gleichgültige Bereitschaft zurückblicken, mit der wir die Einkerkerung von Tieren in Kauf nehmen?

Die ganze Frage der Verfeinerung moralischer Werte ist hochinteressant. Vor zweihundert Jahren hielten sich absolut tugendhafte, höfliche und rücksichtsvolle Menschen Sklaven, besaßen Anteile an Zuckerrohrplantagen, auf denen ausschließlich Sklaven schufteten, und trugen Baumwolle, die, wie sie ganz genau wußten, von Sklaven gepflückt worden war. Hätte man ihnen erklärt, daß sie an einer der übelsten und unmenschlichsten Sitten teilhatten, die man sich nur vorstellen kann, sie unterstützten und verlängerten, sie hätten einen für verrückt erklärt.

Vor nicht ganz so langer Zeit hätten unsere Großväter oder Urgroßväter voller Erstaunen und Widerwillen aufgeschnaubt, wenn man ihnen mitgeteilt hätte, der Hälfte der Bevölkerung das Wahlrecht zu verweigern, strafe die Behauptung Lügen, Britannien sei eine Demokratie. Wer für das Frauenstimmrecht zu Felde zog, galt als hysterisch, Frauen hatten keine Ahnung von Politik, und man dürfe ihnen niemals, niemals das Wählen erlauben, so lautete die Argumentation der meisten Männer. Hätte man ihnen dann gesagt, daß sechzig Jahre später Britanniens Premierminister mit der längsten Amtszeit eine Frau sein würde, hätten sie wahrscheinlich nervöse Zuckungen bekommen.

Dennoch waren unsere Großväter nicht böse oder gar zu dumm, die moralischen Argumente zu begreifen, die uns heute selbstverständlich sind. Moral ist schließlich auch nur Gewohnheit, und uns ist eben die Vorstellung geläufig, daß es falsch ist, wenn ein

Mensch einen anderen besitzt, daß es sexistisch ist, wenn Frauen das Wahlrecht vorenthalten wird, und daß beispielsweise Bärenhatz und Monstrositätenkabinette ekelerregend sind.

Woran also werden sich unsere Enkelkinder an dieser Welt stoßen? Bei welchen Praktiken, denen wir frönen, wird sich ihnen der Magen umdrehen, und an welchen Punkten werden sie sich wundern, wie wir je darauf verfallen konnten, uns zivilisiert zu nennen? Ich habe den starken Verdacht, daß Zoos auf der Liste sehr weit oben stehen werden.

Ist es möglich, werden sie fragen, daß wir wirklich und wahrhaftig Eisbären aus der Arktis geholt und sie in südlichen Breiten in Käfige mit Betonböden gesperrt haben, um sie zu begaffen? Nein! *Mein* Großvater hätte so etwas niemals zugelassen, er hätte demonstriert, den Petitionsausschuß angerufen oder Leserbriefe geschrieben; er, der gute alte Großpapa, hätte sich geschämt, in einem Land zu leben, das Tiere zu Ausstellungszwecken einbuchtet. Oder nicht?

Obwohl der Mensch Phantasie hat und über die Fähigkeit verfügt, sich abzulenken, indem er Gedichte aufsagt oder neue schreibt, oder darum wettet, welche Stubenfliege wohl als erste vom Fensterbrett wegfliegt, fällt es ihm schwer, Gefangenschaft zu ertragen. Soweit wir wissen, spielen Tiere nicht, summen keine Melodien vor sich hin und haben kein Seelenleben, das ihnen die Gefangenschaft erleichtern könnte, sie verfallen bloß langsam vom Zorn in Verzweiflung, dann in Neurosen und schließlich in eine Art taube Abstumpfung.

Manche Zoodirektoren behaupten, Tiere live und aus nächster Nähe zu sehen, flöße Kindern Respekt und Achtung für die Schönheit und Vielfalt der Natur ein, lasse sie ihre Verantwortung diesen Geschöpfen gegenüber erkennen. Da mag was dran sein, aber bevor ich es glaube, will ich noch hören, daß man südamerikanische Indios in Gehege in Regent's Park oder Whipsnade steckt oder kurdische Stammeskrieger in Reservaten zusammenpfercht, damit wir *deren* Los besser verstehen. Ich zweifle keineswegs daran, daß der Anblick eines zitternden Winnebago-Indianers in einem Käfig, mitsamt einer kleinen Plakette, die seinen Lebensraum, seine Eßgewohnheiten und seine Abstammung erläutert, Millionen britischer Schulkinder dazu ermuntern wird, die Vielfalt und den Edelmut der Menschheit zu respektieren, und sie zu besseren, feineren Schulkindern macht, aber eigenartigerweise hat noch niemand etwas Derartiges vorgeschlagen, obwohl es einen Stamm vor der Ausrottung bewahren könnte.

Ich halte nichts von der Vorstellung, daß Tiere »Rechte« haben. Eher müßte man sagen, daß es bestimmte Rechte gibt, die wir nicht haben. Ganz bestimmt haben wir nicht das Recht, andere Lebewesen ins Gefängnis zu stecken, schon gar nicht mit der obszönen Begründung, dies befördere *unsere* Wertschätzung ihrer Existenz. Wir haben nicht das Recht, sie zu reizen oder zu quälen oder wahnsinnig zu machen. Zukünftige Generationen werden vielleicht auch glauben, daß wir nicht das Recht haben, sie in Herden zu halten, in zarte Medaillons oder Steaks zu zerschneiden und dann aufzuessen. Bei einer so grotesken Vorstellung ziehen wir die Augenbrauen hoch, aber das taten unsere Vorfahren auch, als es hieß, kleine Jungen sollten nicht durch Schornsteine klettern.

Wenn meine kleinen Neffen das nächste Mal nach London kommen, werde ich ihnen den Zoo vorenthalten, statt dessen mit ihnen ins Parlament gehen und die Fragestunde mit der Premierministerin besuchen. Das ist dasselbe, wie wenn man Gibbons beim Revierkampf oder Nashörnern beim Urinieren zuschaut, aber ohne die Schuldgefühle.

Trefusis kehrt zurück!

Geh niemals zurück. Diese Worte stehen mir mit Flammenlettern ins Herz geschrieben. Kürzlich bin ich in doppelter Hinsicht zurückgegangen. Vor zwei Jahren bin ich im West End in einem Stück von Simon Gray aufgetreten, das *Common Pursuit* hieß. Die BBC verfilmt es jetzt, und diese Woche verbringen wir in Cambridge und rufen uns jene güldenen Jahre der Schlaghosen, Koteletten, schulterlangen Haare und dämlichen Westen in Erinnerung.

Ich selber war in Cambridge einige Jahre nach der Ära, die wir wiederbeleben, dennoch alarmierte mich die Erkenntnis, daß die siebziger Jahre, was die Fundus- und Schminkabteilungen der

BBC angeht, schon historische Ausstattungsfilme erfordern. Eine Stunde lang dazusitzen und sich komische Einschlagfäden aus Menschenhaar in den Skalp nähen und sich haarsträubende Backenbärte an die Wangen kleben zu lassen, um das abzugeben, was meine Mutter unbedingt »Läuseleitern« nennen muß, mag ja noch angehen, sich jedoch das Gesicht mit einem fremdartigen, durchscheinenden »Hautstraffer« bepinseln zu lassen, das ist zuviel. Es ist erst neun Jahre her, daß ich Student war, ich kann doch seitdem unmöglich solche Runzeln und Falten bekommen haben!

In dem Versuch, mich aufzuheitern, habe ich einen Vormittag damit verbracht, Andrew McCarthy, das amerikanische Mitglied der Schauspielergruppe, durch die Colleges zu führen. Er war lammfromm und bekundete keinerlei Erstaunen, als die Kapelle vom King's College keine Klimaanlage hatte, oder Abscheu, als die Wren Library über keine Eismaschinen verfügte. Nach einer Stunde oder so fing er allerdings an zu gähnen, also zeigte ich ihm, wie er zum Peterhouse zurückkam, wo wir drehten, und lenkte meine eigenen Schritte in Richtung der Amtswohnung meines alten Freundes und Mentors Donald Trefusis, Professor für Vergleichende Literaturwissenschaft und außerordentlicher Fellow am St Matthew's College.

Trefusis hatte mich bei den Disciples eingeführt, einer engen, ernsthaften Sodalität von Intellektuellen, sexuellen Häretikern und liberalen Humanisten, die am offenen Kaminfeuer Marshmallows und Ausgaben des ›Spectator‹ rösteten und sich gegenseitig Essays über so gewichtige Themen wie die Ontologie des Fleisches und die Erkennungsmelodie von Jonathan Cohen vorlasen. Donald hatte mich auch für den KGB rekrutiert... oder war es das MI5 gewesen? Er hat es mir nie verraten, und in Cambridge hätte es als taktlos gegolten, wenn ich gefragt hätte. In Cambridge stand man seinem Freund zur Seite, egal welcher es war. Nur menschlichen Bindungen erwies man Loyalität.

Trefusis würde mir erklären können, warum mich ein schwermütiges Gefühl von Depression und Entfremdung beschlich, als ich durch die Courts und Kreuzgänge schlenderte.

Überrascht öffnete der Professor mir die Tür.

»Dann haben Sie Ihren Essay über die Große Reibelautverschiebung also abgeschlossen, junger Mann?«

Ich versicherte ihm, dem sei mitnichten so, vielmehr verfolge ich einige neue Arbeitsthesen, und bat um weitere neun Jahre Verlängerung, die er mir großmütig gewährte.

»Solche Dinge brauchen ihre Zeit«, gab er zu. »Bei meinem Artikel über die diakritischen Zeichen im Slowakischen für die ›Neuen Philologische Mitteilungen‹ hat allein das Korrekturlesen siebzehn Jahre gedauert. Ich bin allerdings überzeugt, daß sich die Mühe gelohnt hat. Sie kennen den Text natürlich?«

»Wer denn nicht?« erwiderte ich, eine Ausflucht, die er gnädigerweise ignorierte.

»Ach ja!« rief er und rieb sich freudig erregt die Hände. »Mit dem kleinen Aufsatz habe ich ein paar Leute ganz schön aus dem Häuschen gebracht! Man sagt, beim Phonemkongreß in Cornell habe man im vorigen Jahr Exemplare davon öffentlich verbrannt, und ein gewisser Dozent am Londoner Institut für Slawistikstudien soll sich erhängt haben, als er von meiner scharfen Kritik der Ursprungstheorien über die kroatischen Verben der Bewegung vernahm.«

Gemeinsam spazierten wir am Flußufer antlang.

»Wohin ist alles entschwunden, Donald?« fragte ich. »Dies ist nicht mehr das Cambridge, das ich kannte. Die Häuser stehen noch, Sie sind derselbe, doch nimmer...«

Trefusis sah auf den lieblich fließenden Cam hinab, von dem die melancholischen Klänge eines paddelnden Touristen unter einem Gazza®-Hut heraufklangen, der »Just one Cornetto« auf die Melodie von »O sole mio« sang.

»Zweimal kannst du wohl nicht in ein und denselben Fluß steigen«, zitierte er, »denn beständig ist alles im Fließen.«

»Heraklit!« rief ich aus.

»Gesundheit«, sagte er. »Ihr Cambridge stund aus Menschen auf, nicht Stein noch Glas und Ziegel, die Menschen irrn zerstoben nun, nie seh'n Sie sie hienieden. Der Zirkus riß die Zelte ab und stahl sich in die Nacht. Auf leerem Anger steh'n Sie nun und wundern bange sich, wie schäbig seine Einsamkeit, wo einst pulsiert das Leben.«

»Sie haben recht«, seufzte ich. »Sie haben ja so recht.«

»Natürlich habe ich recht. Und jetzt entledigen Sie mich Ihrer Gesellschaft. Sie stinken nach Sterblichkeit. Ich brauche Sie nicht, um an mein Alter erinnert zu werden, das erledigt schon meine Blase.«

Ich kehrte rechtzeitig zum Drehort zurück, um von der Crew mit neuen Fragen bombardiert zu werden.

»Hat sich ein typischer Student sein Ersttrimesterphoto an die Wand gehängt? Ging man zu Vorlesungen im Talar? Ließ man die Türen offenstehen?«

»Fragt mich nicht«, sagte ich. »Ich bin zum ersten Mal hier.«

Ein Schlag auf den Kopf

Wenn die folgenden Worte Ihnen als die sinnentleerten Ausschweifungen eines tragisch zerrütteten Geistes vorkommen, dann muß ich mich entschuldigen. Ich habe soeben einen äußerst heftigen Schlag auf den Kopf erhalten, und möglicherweise hat mich eine Gehirnerschütterung verwirrt.

Für Menschen meiner Größe ist es nicht ungewöhnlich, mit dem Schädel gegen Türsturze, Balken und andere hervorstehende Simse zu knallen. Sobald nach einem solchen Vorfall das Fluchen und der rasende Zorn nachgelassen haben, betaste ich meist behutsam die betroffene Region meines Craniums und hake eine Art Checkliste ab, um zu prüfen, inwiefern mein Verstand durch den Schock in Mitleidenschaft gezogen worden ist, den seine Behausung erfahren hat.

Als erstes frage ich mich, wieviel zwei und zwei wohl ergeben mag. Wenn ich nicht bei der Antwort »gelb« oder »Richelieu« lande, mache ich mit meinem Namen, Alter und meiner Faxnummer weiter. Wenn ich mir über diese Punkte zufriedenstellend Auskunft erteilen kann, drehe ich das Aufgabenblatt gewissermaßen um und befrage mich gewissenhaft, wann die Magna Charta unterzeichnet wurde, wie die Hauptstadt von Uruguay heißt und welche Währung man in Bulgarien benutzt. Danach wende ich mich schwierigeren Fragen zu, ob es einen Gott gibt beispielsweise, warum Männer Brustwarzen haben und wofür Geoffrey Wheatcroft wohl da sein mag. Solche Probleme sind in normaler geistiger Verfassung unlösbar, aber es besteht ja die Möglichkeit, daß ein Schlag auf den Kopf Verbesserungen mit sich bringt, die zuvor versagte Einsichten eröffnen.

Das Ganze ist natürlich eine groteske und unlogische Reaktion. Falls ich durch einen schweren Schlag den Verstand verloren haben sollte, woher sollte ich dann wissen, welche Fragen ich mir stellen muß? Oder woher wüßte ich, ob ich richtig oder falsch geantwortet habe?

Nach einem Unfall besteht der sicherste Test, ob man sich die Birne aufgeweicht oder sonstwie verdorben hat, meines Erachtens in der Frage, ob man Lust hat, jemanden oder etwas zu verklagen. Ich habe mir den Kopf in einem völlig respektablen Hotel in Cambridge angeschlagen. Der Schlag tat so weh, daß ich mich unverzüglich hinsetzte. Vielleicht habe ich sogar einige Sekunden lang das Bewußtsein verloren.

Während ich so dasaß, mir die Medulla oblongata massierte und in meine Checkliste einstieg, sah ich mich jäh von einer wogenden Savanne graugestreifter Hosen und teilnahmsvoller Mienen umgeben. Das Hotelpersonal hatte den Vorfall mitbekommen und begann mit dem komplexen Geschäft des Entschuldigens. Das Hotel gehört – wie heutzutage fast jedes britische Hotel – zu einer Kette, und ich wage zu behaupten, daß es strenge Vorschriften zum Umgang mit Gästen gibt, denen auf dem Firmengelände etwas zugestoßen ist. Regeln, die mehr damit zu tun haben, niemals irgendwelche Verantwortung einzugestehen, als von Herzen Mitleid, Bedauern oder Anteilnahme zu bekunden. Dasselbe wird Handlungsreisenden beigebracht, die viel mit dem Auto unterwegs sind. Egal wie es zu einem Unfall gekommen sein mag, sag dem oder den anderen Beteiligten hinterher *unter gar keinen Umständen* »Tut mir leid«. Wer sich entschuldigt, gesteht Mitschuld ein. Ich finde das ausgesprochen abstoßend und ekelerregend. Die meisten Briten würden sich selbst bei einem Garderobenständer entschuldigen, wenn sie mit ihm zusammenstießen, von einem Mitmenschen ganz zu schweigen. Man würde wahrhaftig lieber hören, wie ein Hotelmanager sagt, »Tut mir wirklich leid«, und sehen, wie er zu dem Balken geht, an dem der Gast sich gestoßen hat, und ihm mit den Worten »Du böser, böser Balken, du« eine langt, als seine schmierige Frage »Ja, haben Sie denn das große, gutbeleuchtete Schild mit den Worten ›Vorsicht, Balken‹ nicht gesehen, das an dem Balken hängt, Sir?«

Natürlich hing dieses Schild da, und natürlich war die ganze Angelegenheit im Grunde meine Schuld. Wenn man eins dreiundneunzig groß ist, unbeholfen und gelegentlich geistesabwesend, dann stößt man im Leben nun einmal mit Sachen zusammen. Wenn es dann passiert ist, möchte man doch bloß ein klitzekleines bißchen Mitleid und bloß den winzigen Funken eines Jotas eines Hauchs eines Schattens einer Spur eines Anflugs von Mitgefühl. Wenn das ausbleibt, dann wächst der Zorn direkt proportional mit der Beule am Dez, und es flitzen einem Gedanken, merkwürdige, ganz unenglische Gedanken an Zivilprozesse und Rechtsstreitigkeiten durch den Kopf. Gerade die Sorgfalt und ölige Flinkheit, mit der jegliche Haftung abgestritten wird, bringt einen dazu, sie mit aller Gewalt erzwingen zu wollen.

Wenn man Glück, ein ausgewogenes Urteil und ein bis zwei Fingerbreit guten Islaymalts hat, wird die Vernunft ihren Thron wieder einnehmen. Es gibt eine Art absurd umgedrehten Catch 22, demzufolge jeder, der nach einer solchen Lappalie ernsthaft ein Hotel oder eine Firma verklagt, so übergeschnappt ist, daß er allen Grund dazu hat.

»Euer Ehren, demonstriert nicht allein die Tatsache, daß mein Mandant etwas so Groteskes wie diese Klage überhaupt anstrengen konnte, wie schwer ihn dieser Unfall geschädigt hat?«

Beweis erbracht, ipso facto.

Zum Glück ist mein Verstand jedoch ohne jeden Kratzer geblieben, und ich verfüge noch über all meine Fähigkeiten.

Jetzt muß ich Sie aber verlassen, mir beim Zimmerservice eine schmackhafte Nudelsuppe bestellen und die wunderbare Sendung *Fernsehsüchtig* einschalten. Gute Nacht, mein Volk. Das nächste Jahr sieht euern Kaiser in Moskau. Bedient euch bei den Weingummis.

Liebes Sid

Diese Woche haben die Dreharbeiten an einer zweiten Staffel von *Jeeves and Wooster* begonnen. Tut mir leid, daß ich Sie mit dieser entsetzlichen Nachricht so überfalle, aber wie das Abreißen alter Pflaster bringt man das lieber schnell hinter sich. Falls Sie die Serie das letzte Mal verpaßt und es irgendwie auch nicht geschafft haben sollten, sich die Videos zu besorgen, die in jedem guten Kaufhaus in Ihrer Nähe erhältlich sind, haben Sie vermutlich gar keine Ahnung, wovon ich überhaupt rede, also will ich es Ihnen erklären. *Jeeves and Wooster* ist eine Fernsehserie über die Heldentaten der Person Jeeves und der Person Wooster. Anfang dieses Jahres haben wir mit unserer ersten Staffel fünf Stunden bester Sendezeit auf ITV gefüllt und beabsichtigen, Ihre Bildschirme im Frühjahr 1991 erneut mit sechs frischgeprägten Episoden zu verpesten. Also buchen Sie jetzt schon Ihren Ski-Urlaub.

Angefangen haben wir in dem großartigen alten Seebad Sidmouth in Devon. Kennen Sie Sidmouth? Das silberne Band der Zeit, der Fluß Sid, windet sich anmutig hinab durch Sid Vale, Sidbury und Sidford, bis er sich bei Sidmouth an der Südküste ins Meer ergießt. Wie Sie sehen, gibt es in South Devon mehr Sids als auf einer Hunderennbahn in den Fünfzigern. Ferner findet man hier große eduardische Hotels mit Namen wie Belmont, Westcliff, Victoria und Riviera; eine lange Strandpromenade mit mehr Teestuben, Konditoreien und Nippeslädchen, als man sie je außerhalb von E. F. Bensons Romanen erwartet hätte. Auch Klippen gibt's überreichlich. Klippen kann eigentlich keiner so gut wie die Engländer, finden Sie nicht auch? In Australien oder Kalifornien habe ich jedenfalls noch nichts gesehen, was den Namen verdient hätte. In all ihrer Unbedarftheit scheinen die Griechen und Italiener zu glauben, daß sie ein Hügelchen oder ein felsiges Vorgebirge irgendwo in Küstennähe hinklatschen und das dann als echte Steilküste verkaufen können, aber nie kommen sie auch nur im entferntesten heran an die große, schiere Pracht der klassischen britischen Klippe, wie sie in Caswell Bay, Cromer, Dover oder eben unserem guten alten Sidmouth zu begutachten ist.

Sidmouth kann – wie jedes dieser Bezeichnung würdige englische Seebad – seinen Urlaubern erfreulicherweise mitteilen, daß sein Klima ihm die wenigsten Niederschläge und die meisten Sonnentage in ganz Britannien beschere. Die Luft sei einzigartig lind, belebend und heilsam. Dies gilt für Orte, die so weit auseinander liegen wie Bournemouth, Skegness, Morecambe und Scarborough, was wieder einmal beweist, wie sehr Gott die Küste liebt.

Besonders dem reiferen Bürger hat Sidmouth etwas zu bieten. Bridge, kein Bingo; dünne, zitronenfarbene Strickjacken, keine T-Shirts; richtige Rasenplätze zum Putten statt Minigolf; mehr bügelfreie Freizeithosen als Levi's 501. Andere, weniger glückliche Städte mögen mit Jukeboxen, kaltem Kaffee und Rock- und Drogenfilmen ihren schwindelerregenden, stürmischen, rasenden Weg zur Hölle fahren, Sidmouth hat diese teuflischen Vergnügungen nicht nötig. Hier genießt die Freude an Spaziergängen vor dem mittäglichen Amontillado oder die Herausforderung der Potters zu einer Runde Croquet unerschütterlichen Vorrang. Die einzige münzbetriebene Maschine, die ich bisher gesehen habe, war ein Teleskop. In Sidmouth steht das Wort Arkade für eine Ladenzeile, und genau so soll es sein.

Gestern erfuhr ich, daß es in Sidmouths Hotels durchschnittlich vier Todesfälle pro Woche gibt. Die Hoteliers pflegen die Leichen morgens um zwei aus ihren Hotelzimmern fortzuschaffen, um die Gäste nicht zu beunruhigen. Wenn Sie also in Sidmouth ins Gras beißen, dann beißen Sie erst gegen Abend zu, sonst wird die Wartezeit auf Ihren Sarg lang und kalt.

Gestern wurde die Stadt in die frühen Dreißiger verpflanzt, für Sidmouth keine ganz so weite Reise wie für die meisten anderen englischen Seebäder. Wir brauchten keine Fernsehantennen zu demontieren, keine gelben Linien am Bordstein zu verbergen und nur entzückend wenigen Einheimischen, die als Statisten eingestellt worden waren, die Haare kürzer zu schneiden.

Die Silver Band erhielt schicke Uniformen, saß in einem Musikpavillon an der Promenade und spielte »Maid of the Mountains«. Kinder wurden in Matrosenanzüge und lange Flatterhosen gesteckt und erhielten Kescher, mit denen sie durch die Gegend wetzen sollten; es wimmelte nur so von Eseln, Flanellhosen, Badehauben, Strandkörben, Windschutzen aus Segeltuch und Umkleidekabinen. In weiter Ferne tuckerten Rudge-Whitworth-Motorräder und Morris-Cowley-Automobile umher. Es war paradiesisch, einfach paradiesisch unter Roy-Plomley-Seemöwen und einem blauen englischen Himmel.

Historischen Ausstattungsfilmen wie *Jeeves and Wooster* wird manchmal vorgeworfen, in ihrem sentimentalen Heraufbeschwören eines vergangenen Großbritanniens, mit leuchtenden Farben belebt und mit perfektem steifen Leinen bekleidet, engstirnig und rückschrittlich zu sein. Uns behindere, sagt man, unsere Fixierung auf die dem Untergang geweihte Vergangenheit eines Landes, die es so nie gegeben habe. Die Vergangenheit werde auf eine Schachtel »Quality Street« reduziert.

Schon möglich, aber ab und zu mag ich Konfekt. Gelegentlich ist eine Schachtel Pralinen ein besseres Geschenk als ein Satz Schraubenschlüssel oder ein Paar Socken. Als Dauerkost zum Kotzen – als Ausnahme eine Köstlichkeit. Aber vielleicht hat mich die Luft von Sidmouth sentimental werden lassen. Ich hoffe es.

So verrückt wie nur möglich

Eine der wichtigsten Aufgaben des Schriftstellers ist die Suche nach dem treffenden Vergleich. Sie versetzt einen zurück in jene Tage, als der ziemlich »moderne« Englischlehrer in der Schule (mit modern meinte man, daß er eine grüne Kordjacke mit Schuppen trug und nicht die traditionelle Tweedjacke mit Kreidestaub) unsere Aufmerksamkeit am allerliebsten auf die »Frische« und »Originalität« von Ted Hughes und seinem Hecht oder von Dylan Thomas und seiner trägen, schwarzen, schlehenschwarzen See mit tänzelnden Fischerbooten lenkte.

Errötend denkt man daran, wie man selbst sich verzweifelt auf frische Epitheta stürzte: bei »turnschuhschwarzen Gewitterwolken« und »Wangen durchritzt von höllenheißen Tränen« krümme ich mich immer noch vor Scham, obwohl beide damals den warmen Beifall unseres jungen, unkonventionellen Mr Kershaw und ein Paar seiner besten Eins plussen erhielten. Es ist ein Glück, daß wir im Mannesalter dank dem Rettungsanker der Verlegenheit die

Sinnbilder, die wir haben (schwarz wie die Nacht, frech wie Oskar, arm wie eine Kirchenmaus), lieber ertragen als zu unbekannten fliehn; als selber den Quatsch mit Soße verbalen Dandytums anzurühren.

Leider hat sich der Mensch jedoch in puncto Schwärze, Frechheit und Armut weiterentwickelt, seit unsere Väter in grauer Vorzeit die Gesetze literarischen Vergleichens verabschiedeten, und Verlegenheit muß riskiert werden, will man den verblüffenden Realitäten des modernen Lebens gerecht werden. Verrücktheit ist ein besonderes Problem. Bei Blackadders Lösung bemüht man sich um eine Art repetitive Hyperbole: »So verrückt wie der verrückte Jack McVerrückt, der Gewinner des schottischen Mr-Verrückt-Wettbewerbs.«

Eine weitere Herangehensweise an die Verrücktheit ist das verwirrende Unsinnsbild, das meines Wissens von dem Komiker Ken Platt erfunden wurde, der der Welt seine unsterbliche »Intelligenz einer Klobürste« vermachte, was zahllose entzückende Möglichkeiten eröffnet: »so verrückt wie eine Hose«, »so verrückt wie ein Haus« oder sogar »so verrückt wie Ovomaltine«. Der kürzeste Weg zu einer neuen Trope besteht natürlich in der genauen Analyse moderner Verrücktheit, um zu sehen, ob diese einen nicht weiterbringt: »so verrückt wie eine Schauspielerin«, »so verrückt wie ein Anrufer beim Ratespiel im Radio«, »so verrückt wie ein kleiner Eisenbahnfan«, »verrückter als jemand, der an einem Feiertag die M4 benutzen will«.

Um die Verrücktheit jener Leute, die es für eine prima Idee hielten, die alten Busse mit Heckplattformen und die roten Telephonzellen abzuschaffen, muß man sich selbstredend noch gesondert kümmern, ebenso um die wilderen Landstriche des Wahnsinns, in denen jene Unglücksraben hausen, die sich die Phrase »Tagesempfehlung« ausdachten.

Welche verbalen Ressourcen bleiben dann jedoch noch übrig, um die wahre Verrücktheit abzudecken, jene Verrücktheit, die en miniature folgendermaßen klingt: »Ich weiß, wenn ich's einfach laufen lasse und mir in die Hose pinkel, ärgere ich mich hinterher. Sie wird kalt, unangenehm und fängt an zu stinken. Andererseits ist es wirklich zuviel verlangt, aufs Klo zu gehen, also los geht's.« Schon stellen sich Elend, Unbehagen und eine vollgesaute Hose ein.

Wer benimmt sich so? Dieselbe Verrücktheit läßt uns aber im großen Maßstab sagen: »Ich weiß, daß wir Arten zerstören, den Thunfisch, Delphin, Wal, Elephanten und das Nashorn ausrotten; den Regenwald abholzen, Erde, Luft und Meer vergiften, aber was soll's.« Allerdings versauen wir bei diesem zweiten Szenario mehr als nur eine Hose.

Jetzt denkt manch einer unter Ihnen: »Ach du Schreck, wieder so ein Ökoquaßler, wo ist denn der Sportteil«, aber ich will hier gar nicht dem Umweltschutz das Wort erteilen. Das kennen wir schließlich alles; darum geht es ja gerade.

Wie beschreiben wir eine Verrücktheit, die unserer Spezies so vollständig und universal zu eigen ist, daß sie keine Verrücktheit mehr, sondern die Norm ist? »So verrückt wie das Allerverrückteste, was man sich vorstellen kann, verquirlt zu wahnsinniger Durchgedrehtheit, psychotisch mariniert in amoklaufender Unvernunft, eine schäumende Klapsmühle wilder Narretei untergehoben und auf behämmerter Flamme übergeschnappter Wüterei erhitzt. Abtropfen und abkühlen lassen, dann unter Wahndelikt abheften.«

Nicht stark genug; deckt nicht mal die äußeren Symptome ab. »So verrückt wie der Mensch?« Schon besser, aber wir sollten ehrlicher sein. Wir wissen doch alle, wie wir die Welt behandeln, und genau wie ich jetzt *reden* wir die meiste Zeit nur darüber. Der neue Charakter der Verrücktheit ist persönlich. »So verrückt wie ich« sollte der offizielle Eintrag im *Metapherndudent* lauten.

Der junge, unkonventionelle Mr Kershaw hätte darüber die Stirn gerunzelt, es fehlt Konkretion und poetische Dichte, aber er hätte es nicht wegen Falschheit bekritteln können. Vielleicht hätte ich noch eine Zwei plus bekommen, Klammer auf minus, Fragezeichen, Klammer zu.

Das Bild der Wirklichkeit

Wir können nur das sehen, was wir sehen wollen. Das ist eine weithin bekannte und gutbelegte Wahrheit. Menschen, die der Sache und dem Anliegen der politischen Linken übelgesinnt sind, schauen einem Dennis Skinner oder auch Arthur Scargill in die Augen und sehen dort nur beutehungrigen Ehrgeiz und schäumenden Irrsinn; im anderen Lager kann man einfach nicht verstehen, wie man einem Tebbit oder einer Thatcher ins Gesicht sehen kann, ohne dort mit Händen zu greifende Anzeichen größenwahnsinniger Torheit oder verworrener Ausgeklinktheit zu erkennen. Vorurteil oder schlichtes Wissen beeinflussen das, was wir für unsere neutralen und objektiven Sinneswahrnehmungen halten. »Du mußt ihm nur mal in die Augen schauen«, sagen die Leute unermüdlich über Enoch Powell oder Tony Benn. Doch kein Wissen gibt's, wie Shakespeares König Duncan so weise bemerkte, der Seele Bildung im Gesicht zu lesen. In *Desert Island Discs* konnte Lady Mosley letztes Jahr mit der atemlosen Bewunderung eines Teenyboppers frei von der Leber weg über Hitlers blaue Guckerchen schwärmen, und sie hatte natürlich völlig recht: Hitler *hatte* blaue Augen, leuchtendblaue sogar. Es wäre uns zwar *lieber*, wenn sie ausdrucks- und erbarmungslos wie die Sonne gebrannt hätten, wild, herzlos und teuflisch, aber so einfach ist das Leben nicht. Wenn alle bösen Menschen für den unbeteiligten Beobachter böse aussähen, dann wäre die ganze Chose viel einfacher zu ertragen. Sah Albert Schweitzer wirklich heiliger aus als John Crippen? Wenn wir Photos von Mutter Teresa und einer Wärterin aus dem Konzentrationslager Ravensbrück jemandem zeigen, der noch kein Bild einer der beiden gesehen hat, könnte dieser dann sagen, wer wer ist?

Ich wurde mal von einer sehr angesehenen Journalistin, wenn es so etwas gibt, für eine respektable Sonntagszeitung interviewt. Ich kam in das Restaurant, wo wir verabredet waren, gab meinen Motorradhelm ab und setzte mich zu ihr an den Tisch. Ich hatte eine Pilotenjacke aus Ziegenleder an, Jeans und T-Shirt. In der Zeitung begann das Interview dann mit den Worten: »Im eleganten Tweed trat Stephen Fry...« Für sie war ich ein wandelnder Ballen handgewebten Heidemischtweeds von den Äußeren Hebriden, und es kratzte sie nicht im geringsten, wenn das Zeugnis ihrer Augen von dieser vorgefaßten Meinung abwich.

In einer anderen Zeitung hat Sheridan Morley Anfang dieser Woche den ersten Teil der Fernsehproduktion von Wagners *Ring* besprochen. Er beschrieb die Einführung, in der Norman Rodway als Bernard Shaw ganz entzückend einen Auszug aus dem *Perfekten Wagnerianer* aufführte. Diese Einleitung lobte Morley überschwenglich, aber gefolgt wurde sie, wie er sich ausdrückte, vom sich hebenden Vorhang und dem Gesang einer Menge fetter Weiber. Danach ging es nach seiner Meinung mit der ganzen Sache bergab. Nun gibt es anscheinend viele Leute, die Wagners Musikdramen nicht besonders schätzen; das ist verflixt schade, aber so ist es nun einmal. Im ›Telegraph‹ vom letzten Samstag hat Richard Ingrams ein Buch besprochen und es geschafft, einen Seitenhieb gegen das musikalische Können des Meisters unterzubringen, der einfach unglaublich war für einen Mann, der so einfühlsam über Bartok schreiben kann, aber so geht das eben, was dem einen schlecht ist, ist dem andern silbrig. Komisch an Sheridans Bemerkung ist nur, daß selbst unter Aufbietung aller Phantasie keine einzige Frau, die während der nachfolgenden Vorstellung des *Rheingolds* auf die Bühne trat, auch nur im entferntesten als fett, dick, rundlich, korpulent, untersetzt, von üppigen Proportionen, feist, pummelig oder überreichlich begabt mit Fettpölsterchen bezeichnet werden konnte. Die Rheintöchter waren gertenschlank; Fricka, Freia und Erda allesamt hinreißend proportioniert. Mehr Frauen gibt es in diesem Werk nicht. Aber was Sheridan Morley betrifft, sind Wagnersängerinnen nun einmal gewaltig, und damit hat sich's, augenscheinliche Beweise des Gegenteils können sich solange das Näschen pudern gehen.

Der Ruf von Wagners Musik selbst ist für alle Zeit vom Wissen befleckt worden, daß Hitler sie mochte. Viele Zeitgenossen sind der Ansicht, der *Ring*, dieses beispiellose Werk über die versöhnende Kraft menschlicher Liebe und die Sinnlosigkeit und den zerstörerischen Wahnsinn der Macht, sollte einzig und allein als Soundtrack für Dokumentarfilme über die Nazi-Barbarei dienen. Aufgrund solcher Assoziationen ist der arme Dickie W. auf ewig verdammt.

Der Fernseh-Wagner wird noch neun Wochen lang gesendet.

Bilden Sie sich Ihr eigenes Urteil. Sieglinde, Brünnhilde und die anderen Walküren haben wir noch nicht gesehen. Ich bete bloß darum, daß sie nicht fett sind, sonst werden unsere schlimmsten Befürchtungen wahr. Aber selbst wenn sie sich als ungeheuer gigantisch herausstellen sollten, werde ich natürlich Stein und Bein schwören, daß sie hauchdünn sind. Niemand ist frei von dieser Art Vorurteil. Von Ihnen natürlich abgesehen.

What are we fighting for?

Wie jeder freiheitsliebende, heißblütige und nach Vetiver duftende Engländer bin ich entschieden dafür, Saddam Hussein ordentlich den Hintern zu versohlen. Ich glaube, wir alle sind uns bewußt, daß es höchste Zeit ist, den verstaubten Schrank zu öffnen, den sausenden Rohrstock herauszuholen und den Lumpen übers Knie zu legen. Der Bursche kann sich auf was gefaßt machen, da stimmen Sie mir doch wohl zu. So wie der sich aufgeplustert und die Jüngeren drangsaliert hat, den Älteren gegenüber frech geworden und insgesamt wie ein Pfau durch die Gegend stolziert ist, da platzt doch jedem irgendwann der Kragen. Es ist daher nur angebracht, daß man sich im Lehrerzimmer der Welt entschieden hat, ihm eine ordentliche Tracht Prügel zu verpassen, ihn in der Ecke stehen zu lassen, ihm seine Süßigkeiten wegzunehmen und klar und deutlich festzulegen, daß es ab sofort nicht mehr gestattet ist, dem kleinen Racker Nachschub zuzustecken, bevor er das von ihm Geklaute nicht zurückgegeben hat. Auch ist es ganz normal, daß die Amerikaner zu Präfekten ernannt und mit der Aufgabe betraut worden sind, den Rohrstock zu schwingen, falls diese schlimmste Bestrafung erforderlich werden sollte.

Im Laufe der Jahre haben mich allerdings das Benehmen, das Aussehen und die Absichten dieser unserer Präfekten zunehmend irritiert. In einer Sonntagsbeilage dieser Woche war das Photo eines amerikanischen Wüstensoldaten vor einer Wand abgebildet, auf die die Worte SCHMOR IN DER HÖLLE, SADDAM gepinselt waren. Ich kenne den Brauch, Wendungen wie »Die hier ist für dich, Adolf« oder »Fang doch, Fritz« auf Bomben- und Granatenspitzen einzuritzen, aber einfach eine Wand mit einer so knappen, unbarmherzigen Verwünschung zu verzieren, scheint mir doch ein erschreckendes Manko bei Amerikas kämpfender Truppe zum Ausdruck zu bringen.

Jimmy Swaggart, der christliche Fundamentalist, hat behauptet, Mutter Teresa aus Kalkutta werde in der Hölle schmoren, weil sie nicht wiedergeboren sei. Islamische Fundamentalisten bestehen darauf, daß Salman Rushdie wegen ein paar Szenen umgebracht wird, die er für einen Roman erfunden hat. Auf allen Seiten fühlen wir uns von Fanatikern und Fundamentalisten bedroht, denen jegliche Spur menschlichen Mitgefühls abzugehen scheint. Mit ansehnlichen Beweisen haben wir uns davon überzeugt, daß Saddam Hussein als Oberbefehlshaber einer Million ihm bedingungslos ergebener Soldaten der gefährlichste und bösartigste all dieser Fanatiker ist und daß er aufgehalten werden muß. Angeführt wird diese weltweite konzertierte Aktion von der Armee der Vereinigten Staaten.

Als Bewunderer von so vielem in und an Amerika sage ich es wirklich nicht gern, aber ich fühle mich von dieser Army nicht im geringsten vertreten. Ich glaube einfach nicht, daß sie für Werte kämpfen, mit denen ich mich identifizieren kann. Der Satz SCHMOR IN DER HÖLLE, SADDAM kommt der Erklärung dieser Tatsache am nächsten.

Ich glaube, angefangen hat das alles mit der Kriegsbemalung und den Stirnbändern im Vietnamkrieg. Die Truppen brauchten Rockmusik, wurden von offizieller Seite mit Drogen wie Marihuana und Amphetaminen versorgt, und ihnen wurde gestattet, sich so ziemlich nach Belieben zu kleiden.

Die Streitkräfte, die später in Grenada und Panama einfielen, sahen eher nach einer Söldnerbande aus als nach einer nationalen Armee. Mit der merkwürdigen Bereitschaft seitens des Pentagon, bei ihren Schmink- und Halstuchideen mitzuspielen, ging eine aberwitzige Manipulation der öffentlichen Meinung einher, dank der diese militärischen Abenteuer mit Logos und Markennamen versehen wurden. Die Invasion Panamas beispielsweise wurde zur »gerechten Sache« hochstilisiert, indem man ihr den Namen »Just

Cause« gab. Amerikanische Soldaten verteilten unter Panamas Bevölkerung Gratis-T-Shirts mit dem Aufdruck »Operation Just Cause«. T-Shirts. Ungelogen, glauben Sie mir.

Und jetzt muß der arme Präsident Bush sich mit Generälen herumschlagen, die ihm im Fernsehen versprechen, daß sie »in maximal fünf Tagen in Bagdad sein können«, völlig aus der Luft gegriffene Behauptungen, die der geringste Geschichtssinn und gesunde Menschenverstand unverzüglich ablehnen muß. Diese hohen Tiere beim Militär mit ihren unglaublich kindischen Spitznamen, »Stormin' Norman« und so weiter, benehmen sich in aller Öffentlichkeit wie Zehnjährige, besessen von der Idee, »den Scheißkerl in den Hintern zu treten« und »ihn zu atomisieren«.

Natürlich braucht »unsere Seite« Trost, Ermutigung und etwas positive Propaganda, damit die öffentliche Meinung nicht schlappmacht, aber werden die vereinten Nationen auf diesem Globus in diesem Jahrzehnt und in diesem historischen Augenblick wirklich am besten durch dieses wahnsinnig infantile Posieren repräsentiert, das zu Sätzen wie SCHMOR IN DER HÖLLE, SADDAM führt, die in Truppenlagern an die Wände geschmiert werden? Ich hoffe doch sehr, daß so ein Graffito in einem englischen Wüstenlager seinem Verfasser einen tierischen Anschiß von seinem Vorgesetzten einbringen würde.

Wenn mich der Fundamentalismus dieser Seite amerikanischen Soldatentums verstört und einschüchtert, bin ich deswegen noch lange nicht antiamerikanisch eingestellt, ebensowenig wie ein Amerikaner antibritisch dächte, der unsere Fußball-Hooligans verachtete. Der Unterschied besteht darin, daß wir uns unserer Hooligans schämen. Ich weiß nicht, wie viele Amerikaner sich für das Image schämen, das ihr Militär am meisten hätschelt.

Viele Leser dieser Zeilen werden jetzt behaupten, jegliche Kritik an Amerikas Engagement in der Golfregion laufe auf »moralische Unterstützung des Feindes« hinaus, ein Verbrechen, das ausschließlich orthodoxeste Einschätzungen der Lage erlaube. Ich bewundere Amerikas bemerkenswerte und mutige Initiative ungeheuer. Ich bin sicher, der durchschnittliche amerikanische Soldat ist ein so anständiger, tapferer und zivilisierter GI wie eh und je. Sie sind unsere Verbündeten, Schulter an Schulter stehen wir mit ihnen in der Wüste. Aber darüber hinaus würde ich noch gern glauben (töricht, keine Frage; naiv, ganz klar), daß wir für dieselbe Sache kämpfen – den Widerwillen gegen Fanatismus, Fundamentalismus und Barbarei – und daß rachsüchtiger Grimm und ungehemmter Machismo nicht Teil unserer Strategie sind.

Treten wir Saddam im Namen der Zivilisation entgegen, nicht im Namen unserer eigenen Wildheit.

Die richtigen Züge machen

Uns allen ist bekannt, daß die englische Mannschaft im Tauziehen in den vergangenen Jahrzehnten unvergleichliche Erfolge gefeiert und mit solcher Beständigkeit sämtliche Weltmeisterschaften gewonnen hat, daß die Welt vor Neid nach Luft schnappt. In den Nachbarsportarten Fußball, Tennis und asynchrones Brustschwimmen wollte sich der Erfolg nicht so recht einstellen, aber es ziemte sich auch nicht, wenn wir uns alle großen Sporttrophäen an die männlichen Brustkörbe pressen wollten. Auf einem Gebiet allerdings – halb Sport, halb Spiel – ist der Briten Können im großen und ganzen unverkündet geblieben. Ein halbes Jahrhundert lang hat Rußland die Schachwelt beherrscht, sie abgesteckt und sich zu eigen gemacht. Wie ist es also möglich, daß England die zweitstärkste Schachnation der Welt ist?

Auch wenn jetzt aufs neue Karpow und Kasparow um den Weltmeistertitel ringen, hat England, das noch vor fünfzehn Jahren keinen einzigen Großmeister in seiner Geschichte vorzuweisen hatte, heute mehr davon als irgendein anderes Land außerhalb der Sowjetunion. Alles begann mit Tony Miles, dem Schöpfer der außerordentlichen Birminghamer Verteidigung, ebenfalls dazu gehören Nigel Short und Jonathan Speelman, zwei der besten Spieler, die es je gegeben hat.

Die englische Schachexplosion, die vor zehn Jahren eingesetzt hat, war angeblich die Folge davon, daß junge britische Spieler von dem monumentalen Zusammenprall von Spasskij und Fischer in Reykjavík 1972 inspiriert wurden. Das beantwortet aber nicht die Frage, warum *amerikanische* Spieler nicht genauso entflammt wurden. Es ist befremdlich, daß die Vereinigten Staaten eine schwächere Schachnation als England sein sollen; schließlich bleiben die besten Überläufer bei ihnen hängen; ihre Bevölkerung ist fünfmal so groß. Der englische Schachsport ist noch nie ausreichend finanziert, ermutigt und öffentlich gemacht worden, und dennoch wächst, blüht und gedeiht er.

Meine eigene Theorie, deren Wertlosigkeit ich nicht oft genug betonen kann, läuft darauf hinaus, daß Schach im Grunde eine Theaterangelegenheit ist. Ich habe mich erstmals ernsthaft für das Spiel interessiert, als ich von Smyslows Schraube gehört habe. Es gab da mal diesen russischen Weltmeister Wassily Smyslow, der kürzlich eine Art zweiten Frühling erlebte und vorwiegend bekannt wurde als Meister des Endspiels. Wenn der eine Figur von einem Feld auf ein anderes zog, drehte er sie immer, als schraube er sie in das Spielbrett hinein. Andere ließen ihren Mann einfach fallen oder knallten ihn aggressiv aufs Brett, Smyslow schraubte ihn sachte fest. Psychologisch kann ein solcher Zug verheerende Folgen haben. Er wirkt so endgültig, so vorsätzlich, so absolut sicher. Kasparow beugt sich weit über das Brett, auf eine brütende, bedrohliche und kraftvolle Weise, die mindestens drei zusätzliche Bauern wert ist. Jonathan Speelmans Herangehensweise, sich wie ein gutartiger Tintenfisch über dem Brett zu lümmeln und zu rekeln, ist eigentlich ein humoristisches Verfahren, komisch, aber nicht vulgär, und muß seinen Gegner einfach immens benachteiligen.

Schach ist von spielerischer Schwierigkeit, und ich wähle das Wort »spielerisch« mit etymologischer Sorgfalt. In seinem ausgezeichneten Buch *White Knights of Reykjavik* behauptet George Steiner, beim Schach gebe es mehr mögliche Spielzüge als Atome im Universum. Was mich angeht, so glaube ich ihm aufs Wort; es fällt mir nicht im Traum ein nachzuzählen. Wenn dem so ist und angesichts der traurigen Aussicht, daß ein Computer Kasparow eines Tages schlagen wird (Karpow wurde bereits von einer Maschine besiegt), dann wird menschliches Schach sich analog dem Drama weiterentwickeln müssen. Mit Stanislawskij, Gorki, Gogol und Tschechow gehören die Russen zu den wichtigsten Theaternationen der Moderne; das britische Drama bedarf keiner solchen Namenslisten, um sein berühmtes Erbe unter Beweis zu stellen.

Die Entwicklung des modernen Schachspiels reflektiert aufs engste die Entwicklung dramatischer Stile; um die Jahrhundertwende wurden die alten klassischen und romantischen Merkmale schnell durch Steinitz' modernen Stil ersetzt, eine dialektische, realistische Spielweise, die man durchaus mit dem dramatischen Stil eines Shaw oder Tschechow vergleichen darf. Nicht mehr der König zählte, sondern die Bauern und bürgerlichen Nebenfiguren, die das Zentrum kontrollieren. Die Hypermoderne, die diese Epoche ablöste, war von abstrakter, fast absurder Qualität in ihrer Weigerung, sich mit diesen zentralen Fragen zu beschäftigen, und konzentrierte sich lieber auf die Spannungen jenseits der Kontrolle des Zentrums, mehr auf die Sprache des Schachs als auf seine Praxis. Das erinnert einen an das Zeitalter von N. F. Simpson, Stoppard, Beckett, Pinter und Ionesco.

Heute, im postmodernen und posthypermodernen Schachzeitalter, sind die Dinge insgesamt vielschichtiger und manierierter geworden, »multimedialer«. Das gilt auch fürs Drama, unsere Zeit hat noch keinen eindeutigen Stil und keine Stimme.

Wenn wir im Schach echte Überlegenheit erreichen wollen, müssen wir jene Eigenschaften betonen, die unserem Drama seine größte Stärke verliehen haben: das Exzentrische, das Bizarre, das Komische, das Manierierte und das Elegante; dieselben Eigenschaften, die wir mit, sagen wir, Stoppard oder Olivier verbinden. Niemals sollten wir uns auf das Konventionelle, das Orthodoxe, das Schwunglose und das Zaghafte einlassen. Wir brauchen Schachäquivalente zu Alastair Sim, Ralph Richardson, Maggie Smith, Noël Coward, Arthur Lowe und Alan Bennett: absolute technische Meisterschaft, wohlwollend verhüllt.

Schach ist wirklich wie das Leben, denn auf allen Ebenen unserer nationalen Existenz brauchen wir Menschen mit genau diesen Eigenschaften. Wenn die Briten irgend etwas zur Welt beizusteuern haben, das Pattsituationen von grauer Monotonie zurückschlagen könnte, dann ist das ein quicklebendiges, charmantes, unorthodoxes und theatralisches Flair.

Von Mutter Sprache gestillt

Wußten Sie, daß die Wendung *to buttonhole* (»sich jemanden vorknöpfen«) tatsächlich von *buttonhold* (»Knopfloch«) stammt? Wahrscheinlich. Ich habe diese Erkenntnis erst kürzlich gewonnen, als ich Bill Brysons *Mother Tongue: The English Language* las, das auch die so erstaunliche Information enthält, daß Shakespeare nahezu zweitausend Worte erfunden hat, darunter »obscene«, »barefaced«, »critical«, »leapfrog«, »countless«, »excellent«, »gust«, »hint«, »hurry«, »lonely« und »dwindle«. Ben Jonson haben wir augenscheinlich »damp«, »clumsy« und »strenuous« zu verdanken, während Thomas Morus uns mit »absurdity«, »acceptance«, »exact«, »explain« und »exaggerate« beschenkte und Carlyle »decadent« und »environment« beisteuerte.

Sich auf seine vier Buchstaben zu setzen und ein Wort zu erfinden, ist eine Sache, die Welt dahin zu bringen, es zu akzeptieren, eine ganz andere. Mein Freund Hugh Laurie hat mal ein Wort erfunden, das ich seitdem unangefochten benutzt habe. Sie kennen doch bestimmt diese komischen weichen und – es läßt sich nicht bestreiten – phallischen Objekte, die über Mikrophone gestülpt werden? Ihre offizielle Bezeichnung lautet »Plopschutz«; sie sollen das Mikrophon davon abhalten, bei starken Plosiven zu »ploppen«. Wenn Sie ganz nah an einem Mikrophon, das bar eines solchen Artikels ist, den Satz »Peter Piper pickte pfeifend ... etc« aufsagen, werden Sie ja sehen, wozu die gut sind. Hugh Laurie saß mal in einem Aufnahmestudio und sagte zum Tontechniker: »Da sind ziemlich viele Ps und Bs drin, sollen wir nicht lieber einen Pämpfer drübertun?« Ohne auch nur die Miene zu verziehen, eilte der Techniker mit einem Plopschutz herbei und befestigte ihn am Mikro. Ein Wort ward geboren; unbestritten, gleichwohl irgendwie verstanden. Seitdem benutze ich »Pämpfer« regelmäßig, und niemand hat seine Bedeutung je in Frage gestellt.

»Pämpfer« hat freilich onomatopoetische Eigenschaften, und ein vielleicht unbewußt ausgedachtes Portmanteau-Element, etwas zwischen »poppen« und »dämpfen«, wodurch es viel leichter zu erfinden und zu verstehen ist als beispielsweise »obscene« oder »strenuous«. Natürlich stimmt es auch, daß das Wort »Plopschutz« bereits existierte, wodurch der Neologismus, sosehr er einem gefällt, eigentlich überflüssig wird. All das beweist nur, wie schwer es ist, neue Worte zu kreieren.

Eine alte Anekdote erzählt von einem irischen Theaterintendanten des 18. Jahrhunderts namens Daly, der eine Wette darauf einging, er könne binnen vierundzwanzig Stunden ein brandneues Wort in die Sprache einführen. Den nächsten Tag und die nächste Nacht soll er damit verbracht haben, an jede Wand und jedes Gebäude Dublins ein Wort mit vier Buchstaben zu pinseln. Das Wort war in aller Munde, alle fragten sich, was es bedeuten könne, und die Wette war gewonnen. Das Wort lautete »Quiz« und meinte zunächst ein neckisches Problem oder einen Fimmel, »Wo liegt da das Quiz?« Dann wurde es zum Substantiv für eine nachhakende Person und zum Verb mit der Bedeutung, jemanden auf den Arm zu nehmen oder neckisch zu prüfen, oft mittels eines Monokels, das damals »quizzing-glass« hieß. Heute bedeutet es natürlich eine Spielshow. Als Schote ist das Ganze sehr hübsch, aber ich glaube, die meisten Leute sind doch eher der Auffassung, daß »Quiz« ursprünglich eine Zusammenziehung von »inquisition« war.

Wir müssen uns damit abfinden, daß die anfängliche Explosion des Englischen der Vergangenheit angehört. In jüngerer Zeit haben wir eher aus anderen Gesellschaften neue Wörter aufgenommen, indische, amerikanische, australische und solche aus unseren Sub- oder Regionalkulturen, aber das waren eher volkstümliche oder Fachbegriffe; Schriftsteller, Lyriker und Kommentatoren haben nicht dazu beigetragen, sie haben sich entschieden, mit dem Reservoir der bereits vorhandenen Wortfülle auszukommen. Wenn heute ein Dramatiker auf den Gedanken käme, wie Shakespeare Aberhunderte von neuen Wörtern zu erfinden, dann würde man ihn einfach schnorteln, er würde vergrenzt und unbeglimpft.

Eine Klaviatur hat vielleicht nur achtundachtzig Tasten, aber dennoch werden tagtäglich neue Harmonien und Melodien entdeckt. Die Tragödie unserer Sprache besteht darin, daß wir trotz einer Million möglicher Tasten allzuoft nur mit derselben Phrase aufwarten, wieder und überdrüssigstes wieder, permanent dieselben alten stereotypen Wendungen aufwärmen.

Ich schlage vor, einmal pro Jahr einen Frischphrasentag abzuhalten. Jeder Journalist, Schriftsteller, Kommentator oder Mensch der Öffentlichkeit, der eine Wendung benutzt, die nachweislich bereits vor ihm benutzt worden ist, muß eine Strafe zahlen, und der Erlös geht an die traurig geleerten Säckel des *Oxford English Dictionary*, dessen letztes rühmenswertes Projekt die schwarzen Zahlen erst noch erreichen muß. Am Frischphrasentag werden Mehrheiten enorm oder kolossal sein, aber es wird verboten, sie groß oder überwältigend werden zu lassen. Säckel werden nicht, wie oben, als »traurig geleert« und »Projekte« nicht als »letzte« oder »rühmenswerte« beschrieben werden, weder werden Behauptungen »jeglicher Grundlage entbehren« noch wird irgendein Phänomen »vor dem Hintergrund« eines anderen stattfinden. Die neugeprägten Wendungen, die die üblichen Klischees ersetzen sollen, werden dem der Ernte beraubten (oder abgedroschenen) Acker der Sprache ein Jahr lang neues Saatgut liefern, bis zum nächsten Frischphrasentag.

Das sollte uns ermutigen, auch auf neue Weise zu *denken*. Gestern habe ich mich selbst angewidert, als ein Kind sich mich auf der Straße vorknöpfte, das mich mit dem bekannten Ruf »Einen Penny für Guy Fawkes« anhielt. Statt ihm fünfzig Pence in die Hand zu drücken, was es mit seinem »Penny« wohl eher gemeint hatte, gestattete ich mir einen Blick auf den kläglichen, halb ausgestopften Kissenbezug, auf den mit schlechtem Filzstift ein Mondgesicht gekritzelt worden war, und sagte »Das nennst du Guy Fawkes? Also zu meiner Zeit ...«, genau die ranzige, öde, altkluge Salbaderei, mit der man ein Kind unter Garantie auf die Palme bringt, genau die Bemerkung, von der man sich in der eigenen Jugend geschworen hatte, sie nie über die Lippen kommen zu lassen, und da stand ich nun, und sie plumpste mir von den Lippen.

Hätten wir Frischphrasentag gehabt, hätte das Kind mir eine Strafgebühr abverlangen können, so verpaßte es mir nur eins aufs Maul.

Hört auf Volkes Stimme

Ich war auf der Straße, um repräsentative Mitglieder der britischen Öffentlichkeit nach ihrer Ansicht zur Lage im Mittleren Osten zu befragen. Die Ergebnisse waren aufschlußreich, wenn nicht interessant.

»Was fühlen Sie angesichts der Golfkrise?« fragte ich einen Gentleman in der Turnpike Lane.

»Also, selbstverständlich«, sagte er, »war ich begeistert, als ich gesehen habe, daß Sandy Lyles Swing wieder stimmt. Bleibt bloß zu hoffen, daß sie die Faxen wegen der Auswahl für den Ryder Cup bis zur nächsten Saison geklärt haben.«

Ich ging weiter zur Duke Street, St James, und wartete vor Green's Oysterium, um die Meinungen der Mächtigen zu erhaschen. Ein führender Kopf des Geheimdiensts hatte Ansichten vorzubringen, die zu überhören tollkühn wäre.

»Der Krieg als solcher«, sagte er, »ist im Moment unumgänglich. Sie können doch nicht im Ernst erwarten, daß Präsident Bush einige Milliarden aus dem Fenster wirft, eine kolossale Streitmacht in den Mittleren Osten schickt, ein paar Monate abwartet und sie dann einfach wieder nach Hause holt, ohne daß die wichtigste Forderung, der bedingungslose Rückzug des Irak aus den von der UNO festgelegten kuwaitischen Gebieten, erfüllt worden ist. Daher muß man davon ausgehen, daß der Verlust von Hunderten und Tausenden junger Menschenleben zu beklagen sein wird. Der Wüstensand, um Newbolt zu paraphrasieren, wird blutgetränkt sein.«

»Gibt es keine andere Lösung?« fragte ich.

»Doch, eine«, erwiderte er, begleitet von einem Schluckauf, in dem ich eine Mischung aus Rossmore-Austern, Tabasco und – überraschenderweise – neuseeländischem Chardonnay ausmachen konnte. »Ich habe eine radikale Lösung, bei der nur ein einziges Leben ausgelöscht wird. Nur ein einziges Leben.«

»Aha«, sagte ich, »Sie beziehen sich darauf, Saddam Hussein ›unschädlich zu machen‹.«

»Mitnichtestens. Das meines Erachtens einzige Ereignis, das den Krieg beenden könnte, ist die unverzügliche Terminierung der Existenz von George Bush.«

Ich hob die Hand, um einen Einwurf zu machen, doch der distinguierte Agentenführer schien nicht gewillt, sich unterbrechen zu lassen.

»Lassen Sie mich ausreden, bevor Sie annehmen, ich sei völlig übergeschnappt«, sagte er. »Ich rede hier ganz hypothetisch. Stellen Sie sich bitte, wenn Sie so gut sein wollen, nur einen Augenblick lang vor, welche Auswirkungen es auf die amerikanische Moral hätte, wenn man dort annehmen müßte, der führende Kopf hinter den militärischen Aktionen im Mittleren Osten sei der von Dan Quayle.«

Mir klappte der Unterkiefer weg.

»Genau. Dan Quayle als Oberbefehlshaber, Dan Quayle bei täglichen Pressekonferenzen im Weißen Haus, Dan Quayle in Unterredungen mit britischen, syrischen, französischen, italienischen und Saudigenerälen, alles seine Verbündeten, Dan Quayle beim Versuch, den Ehrgeiz seiner eigenen Generäle zu beschwichtigen, Dan Quayle bei der Verkündigung einer allgemeinen Wehrpflicht – derselbe Dan Quayle, dessen Familie all ihre Beziehungen spielen ließ, um ihn aus Vietnam herauszuhalten, als er selbst eingezogen werden sollte. Die Vorstellung ist absurd, aber das plötzliche Verscheiden von George Bush würde sie zur nackten Wahrheit werden lassen. Denken Sie darüber nach.«

»Ziehen Sie ernsthaft in Erwägung, ein gewähltes Staatsoberhaupt ermorden zu lassen, um …?« begann ich.

»Für Ethik bin ich nicht zuständig, mein Bereich ist der von Logistik und Eventualitäten, guten Tag.«

Ein vom Zufall gelenkter Nadelstich auf der Landkarte machte Old Aversham zu meinem nächsten Anlaufhafen. Einem schwülstig parlierenden Kumpelchen mit fleckiger Krawatte der Royal Electrical and Mechanical Engineers stand ein unerschöpflicher Brunnen militärischer Erfahrungen zu Gebote.

»Haben Pläne gezeichnet, um Basislager in echt hartem Brocken von Wadi zwanzig Meilen vor Tobruk aufzubauen. Wachen am nächsten Morgen auf, ist das Wadi futsch. Sandsturm, vastehn Se, hat die Landschaft in vier Stunden total umgekrempelt. Dann hatt ich mal n Geordie zum Sergeant. Ich sag ihm, er soll die Männer rund um die Uhr arbeiten lassen, um eine Lage zu bereinigen. Da landet der gesamte Zug mit Entkräftung und Sonnenstich im Lazarett. Der Knallkopp hatte sie einen Vierundzwanzigstundenmarsch ohne Pause machen lassen. Kommunikation, klar? Für einen Geordie klingt *work* wie *walk*. Albtraum. Oder stellen Sie sich vier Panzerbrigaden in der Hitze des Gefechts in der irakischen Wüste vor, eine syrische, eine britische, eine französische und eine von den Yanks. Alle über Funk verbunden. Verdammter Turm von Babel, vastehn Se? Neenee, hat überhaupt keinen Sinn.«

Ich ging weiter.

»Stellen wir doch mal eins klar«, sagte ein Arzt aus Long Melford. »Soldaten bestehen aus Fleisch, Knochen und Gewebe, das, wie Wilfred Owen sagte, ›so teuer erkauft‹ wurde. Siebzehn bis dreißig Jahre hat es gedauert, bis sie zu dem herangewachsen waren, was sie sind. In Sekundenschnelle verwandeln sie sich in ein Gehedder aus Blut und Matsch, das sich nie wieder zusammenflicken läßt.«

»Hoppla!« sagte ich. »Das klingt mir aber ganz schön nach Drückeberger. Sie wollen unserem Gegner doch wohl keine moralische Unterstützung geben?«

»Nein«, sagte er. »Ich repariere Fleisch. Aber da können Sie sicher sein. Um Gottes willen sicher sein.«

Eine energische Dame, die auf dem Wochenmarkt in Hexham ihre Erbsenvorräte aufstockte, hatte auch eine eigene Meinung.

»Ich habe es absolut satt, diese Miesepeter und Friedenspfeifen zu hören, die behaupten, das Ganze dreht sich bloß ums Öl. Diese Leute haben anscheinend noch nie was von dem Wort Prinzip gehört. Auch wenn Kuwait das schäbigste, ärmste kleine Land der ganzen Welt wäre, wären wir zu seiner Hilfe herbeigeeilt. Prinzipien und Werte, das kann ich gar nicht oft genug sagen.«

»Und was ist mit den Geiseln?«

»Na, dieser Abgeordnete hatte doch recht, oder? Die Verwandten jammern und klagen doch bloß. Eine Schande ist das.«

»Vielleicht würden Sie und dieser Abgeordnete Ihre Familien gern gegen die da draußen austauschen? Auf die Weise könnte unsere Entschlossenheit dem Unterdrücker gegenüber gestärkt werden.«

»Spielen Sie bloß nicht den Schlaumeier. Es ist leicht, hier kluge Sprüche abzugeben, aber es ist viel schwerer, auf Werten und Prinzipien zu beharren, auf Prinzipien und Werten.«

»Stimmt genau.«

Die politische Partie spielen

Ich weiß nicht, ob der Premierminister (ich nehme an, daß M. H. Thatcher, wenn Sie das hier lesen, dieses große Amt noch innehat – dieser Artikel braucht circa drei Minuten zum Faxen, und drei Minuten sind, wie niemand einmal witzig bemerkt hat, in der Politik eine lange Zeit), wie gesagt, ich weiß nicht, ob der beim Faxen dieses Artikels amtierende Premierminister echtes Interesse am Cricket hat. Sie, glaube ich, hat es nicht. Ihre kürzliche Bemerkung an Neil Kinnocks Adresse, er »bowle vom Nursery End aus«, deutet an, daß ihre Bekanntschaft mit dem Spiel bestenfalls flüchtig sein kann. Für einen Cricketignoranten funktioniert ihre implizite Kritik, Mr Kinnocks Spielweise sei kindisch, wenigstens als Wortspiel; für einen Cricketspieler hingegen ist eine solche Aussage ein großes Kompliment. Wenn man zu hören bekommt, man werfe vom Nursery End aus, dann bedeutet das, man spielt erstklassiges Cricket, steht im Zentrum des Spiels und an dem Ende vom Wicket, von dem aus so viele der größten Werfer der Geschichte geworfen haben, um sich den berühmten Hügel zunutze zu machen. Linkshänder bevorzugen natürlich das Pavilion End, vor allem Hedley Verity 1934, aber Links*radikale* können sich ein Ende aussuchen.

Das alles ist noch ziemlich irrelevant; das beachtliche Gestöber an Cricketmetaphern jedoch ist psychologisch hochinteressant. Ausgerechnet Cricket als Bezugsrahmen zu wählen, verrät die hochentwickelte britische Solidarität, die sämtliche bei diesem Führungsgerangel beteiligten Personen vermitteln wollen. Besser kann man Europa gar nicht demonstrieren, wie privat die ganze Angelegenheit ist, als indem man sich auf eine Bildebene zurückzieht, die (zumindest in Europa) nur Engländer verstehen. Die kontinentale Presse ist offensichtlich fasziniert vom Gerumpel innerhalb der Conservative Party, aber letztendlich ist dieser Kampf, so hohe Wellen er auch schlagen mag, doch eine Privatangelegenheit, und auf einer unbewußten Ebene haben sämtliche Beteiligten beschlossen, den weit verständlicheren Fußballanalogien aus dem Wege zu gehen, die Europa Zugang zu den subtilen Untertönen der Debatte (soweit es die gibt) erlaubt hätten. So hingegen versteht man dort nicht einmal die Unter*titel* der Debatte.

Zweifellos wird der Waliser Neil Kinnock, wenn seine Zeit dann bald gekommen sein wird[1], die Sprache des Rugby in die premierministeriale Rhetorik einführen, die mit Ausnahme der Franzosen erneut sämtliche Beobachter unserer politischen Szene vor den Kopf stoßen wird.

Das alles demonstriert bloß, daß wir uns um unsere Souveränität keine Sorgen zu machen brauchen, egal wessen Kopf auf unseren Münzen zu sehen ist und welche Bank den Leitzinssatz festlegt, solange wir nur Herr einer Sprache sind, die uns so eng zusammenschweißt und unsere nichtenglischen Nachbarn außen vor läßt. Wie zerstritten wir auch erscheinen mögen, der Klang unserer Politiker, die ein bildhaftes Englisch voller *Stumps* und *Wickets* und *Bouncers* und *Boundaries* benutzen, hat selbst in der Hitze verheerender Parteischlachten einen merkwürdig einigenden Effekt.

Inzwischen gerät unser Cricketteam, das in Australien unterwegs ist, in das Sperrfeuer der Presse des Gastlandes. Die ›Melbourne Age‹, eine angesehene Tageszeitung, dachte laut darüber nach, ob dies wohl die schlechteste Mannschaft sei, die je Australien besucht habe. Ich frage mich, ob Graham Gooch im Geiste großzügiger Gegenseitigkeit jetzt zu seiner Verteidigung die Sprache der Politik wählen wird. »Ich habe oft genug am Scheideweg bedeutender Ereignisse gestanden und bohrende Fragen der Opposition über mich ergehen lassen müssen«, könnte er sagen, »aber mir ist es immer wieder gelungen, den Dingen eine andere Richtung zu geben. Noch immer stehe ich an diesem Platz, und ich hoffe, daß ich dort noch eine ganze Weile stehen werde. Das hängt einzig und allein vom Auswahlkomitee ab, nicht von den Medien. Ich möchte Sie daran erinnern, daß die Wurfrate und die Ausbeute höher sind als in den Siebzigern. Natürlich tut es mir für Ian Botham leid, daß er jetzt zu den Hinterbänklern gehört, aber was die entscheidenden Fragen unserer Zeit betrifft, stimmen wir grundsätzlich völlig überein. Beide hatten wir das Glück, der Mannschaft anzugehören, die England Anfang der Achtziger ein großartiges und wundersames Comeback beschert hat, und es wäre Wahnsinn, diese von uns eingeführten Grundsätze gering-

1 Verhängnisvolle Prophezeiung.

fügiger Rückschläge wegen über Bord zu werfen.« Es könnte klappen.

Derweil poliert Michael Heseltine den Ball an seiner Hose und geht zu seinem Mal zurück, um zu werfen. Es muß sich erst erweisen, ob Mrs Thatcher noch einmal mit einem ganzen Inning Vorsprung gewinnt, oder ob sie in Zukunft dem Vorsprung nachläuft.

Welchen politischen Standpunkt man auch einnehmen mag, niemand kann bestreiten, daß dies Unterhaltung allererster Güte ist. Seit Jahren ist im Parlament nichts mehr geschehen, was auch nur halb so aufregend gewesen wäre wie die Ereignisse der letzten Woche. Drama, Taktik, gelegentliche Längen, Timing, Glück und Können, alle haben sie ihre Rolle gespielt. Ich halte es keineswegs mit den aufgeblasenen Wichtigtuern und ihrer Ansicht, das sei schlecht für das Land oder schlecht für unser Image. Der Gewinner, Brian, ist wie immer das großartige Spiel selbst.

Mein Leonardo

Neulich habe ich ein Portrait von Leonardo geschenkt bekommen. Obwohl ich mich starkem Druck ausgesetzt sah, habe ich der Versuchung widerstanden, das Werk auf dem freien Markt feilzubieten. Ich bin fest entschlossen, es in diesem Land, in privater Hand zu belassen. Meinen privaten Händen, um genau zu sein. Es wäre katastrophal, wenn dieses bedeutende Werk seinen Weg ins Getty-Museum oder den Sitzungssaal eines japanischen Konzernvorstands fände, deren beider Verschwendungssucht den Kunstmarkt weit über Schicklichkeit und Anstand hinaus aufgebläht haben. Ich versuche gerade, einen Freund, der einen entzückenden Raphael besitzt, davon zu überzeugen, es mir in dieser selbstlosen Vaterlandsliebe nachzutun. Das Portrait wurde übrigens nicht von Leonardo *gemalt*, der vielmehr als noch ziemlich junger Mann, genauer gesagt als Teenager *Modell* stand. Es zeigt ihn in typischer Haltung, das charakteristische blaue Tuch um den Kopf geschlungen, der Panzer bebend vor spitzbübischer Energie, der Bauch etwas vorgewölbt von Pizza, die grüne Haut geradezu glühend vor robuster Gesundheit. Von allen vier pubertierenden, morphollaktischen Ninjitsu-Cheloniae, oder Teenage Mutant Hero Turtles, als die sie selbst sich bevorzugt stilisieren, ist Leonardo mir der liebste.

Das Portrait wurde aus hellsmaragdgrünem Plastik modelliert und befindet sich auf der Außenseite eines schneeweißen Trinkgefäßes, was sich in der geschickten, kunstvollen Kombination zu einem so ansprechenden Nippes vereinigt, wie man zu besitzen nur hoffen kann. Neil hat ihn mir geschenkt, mein getreues »Double« bei den Dreharbeiten zu *Jeeves and Wooster*, der ihn seinerseits von der Filiale des Blockbuster-Videoshops in Slough als Belohnung bekommen, weil er bei ihnen eine Videokassette ausgeliehen hatte. Wie er in ihre Hände gelangt war, kann ich nur vermuten; ohne Zweifel zieht sich die übliche Spur aus Blut, Ehrgeiz, Rachsucht und Mißgeschick, die allen berühmten Werken an den Fersen klebt, hinter ihm her, seit er die Fabrik in China verlassen hat, wo er hergestellt worden war. Ja, China. Merkwürdig, nicht wahr, daß die riesige Mauer aus Turtle-Gimmicks, das einzige, was an diesem Rezessionsweihnachtsfest noch zwischen der High Street und dem Bankrott steht, ausgerechnet den Manufakturen und Ausbeuterbetrieben in der Republik China soviel Arbeit gegeben hat, deren grauenhafte Gerontokratie doch für eines der ekelerregendsten und schamlosesten Massaker seit Kriegsende verantwortlich ist.

Die Turtles – für jene unter Ihnen, die sie noch nicht kennen – sind komische junge Wesen namens Leonardo, Raphael, Donatello und Michelangelo, die mit einer Ratte als Sensei und ihrer Menschenfreundin April in der Kanalisation leben. Ihre Hingabe gilt der Pizza sowie der Vereitelung der üblen Pläne ihres Erzfeindes, des Shredders. Bei Jugendlichen in aller Welt haben sie durch eine Zeichentrickserie und einen Kinofilm so phänomenalen Erfolg gehabt, daß einem auf die Schnelle kaum noch ein Gegenstand einfällt, der nicht mit den Turtles warb. Zahnbürsten, Tagesdecken, Geschirr, Puzzles, Kaugummi, Unterwäsche, Hüte, Mäntel, Handschuhe, Wecker, Toilettenpapier, Computerspiele, Dosenspaghetti, Tapeten, Hühneraugenpflaster, ich sollte mich nicht wundern, wenn selbst *Bücher* turtlisiert und in Läden ausgestellt worden sind. Aus den bestmöglichen Motiven haben die Verantwortlichen mit großer Sorgfalt die Preise dieser Artikel gerade noch niedrig genug gehalten, daß Mummy und Daddy ohne allzu lautes Gezeter dafür blechen können. Daher bleiben die Fabriken im Westen untätig, was die Produktion dieser Kloakalreptilien angeht. Die unterbezahlten Milliarden, die sich unter dem Joch der unaussprechlichen alten Bestien abplacken, die die Volksrepublik China terrorisieren, arbeiten daran, uns die Weihnachtsstrümpfe zu füllen.

Wir im Westen handeln bei dieser genauso wie bei allen anderen Angelegenheiten aus Motiven des reinsten Altruismus. WIR TREIBEN KEINEN HANDEL MIT TYRANNEN, außer natürlich, wenn diese Tyrannen über Fabriken verfügen, die auf die Produktion von Turtles-Erdnußbuttergläsern umgestellt werden können. Sosehr uns das Blutbad auf dem Tiananmen-Platz anwidert, so gut wissen wir doch, SANKTIONEN BEWIRKEN NICHTS, außer wenn die Sonne im Zeichen des Schützen steht, in welchem Fall wir als zivilisierte Nation selbstredend UNVERZÜGLICH SANKTIONEN DURCHFÜHREN müssen. Unsere Unterstützung der chinesischen Studenten und Liberalen sowie ihres Kampfes für Demokratie zeigen wir nicht, indem wir China vom Rest der Welt abschotten, sondern indem wir ihnen Pläne für Turtle-Bleistifthalter geben. Das alles ist Teil dessen, was wir EIN MORALISCHES BEISPIEL ABGEBEN nennen. Oder auch einen moralischen Bleistift.

Wenn alle Gegenstände, die wir benutzen und besitzen, die Gerüche und Töne und Wahrnehmungen abgäben, die in ihre Produktion eingeflossen sind, wäre die Welt dann nicht außergewöhnlich? Ein BMW würde Ordnung und straffe Effizienz ausstrahlen, ein handgefertigter Tisch würde nach einem Tischlerbetrieb und Stunden hingebungsvoller Handwerksarbeit riechen, und ein Turtle-Pyjama würde das enge, dunkle Geklapper einer Schinderfabrik hinausschreien, in der Kinder und junge Frauen Stunde um Stunde für den Gegenwert, sagen wir, einer Packung Corn Flakes schuften, die dann ein Turtle-Geschenk aus Plastik enthält.

Vielleicht, Himmel hilf, bin ich naiv. Aber vielleicht, Himmel hilf noch hurtiger, ist die Hoffnung noch naiver, das chinesische Volk könne um den Preis einer Million Leonardo-Kaffeebecher aus Plastik seine Freiheit erlangen.

Am besten schließt man wahrscheinlich die Augen, vergißt, woher die Dinge kommen, wer sie herstellt und unter welchen Bedingungen, und denkt daran, daß Handel Handel ist, Geschäft ist Geschäft, und jeder ist sich selbst der Nächste. Schließlich haben wir doch Weihnachten.

Ein Schwätzer schwatzt

Ich schätze mich glücklich, als Angehöriger einer heimtückischen Macht für Sie schreiben zu dürfen, als Teil einer im eigenen Saft schmorenden Clique gekränkter Nullitäten, die sich bösartig in einem Strudel um sich selbst drehen, den sie selbst zu verantworten haben. Wenn Ihnen diese Worte bekannt vorkommen, dann haben Sie wahrscheinlich neulich im ›Daily Telegraph‹ den Leitartikel eines Parlamentariers namens Alan Clark gelesen, der angetreten war, die Qualitäten und Charaktereigenschaften John Majors zu preisen. Dabei hob er Mr Majors »Klassenlosigkeit« hervor. Die alten Seilschaften, die Rebhuhnjagdgesellschaften und die Gewerkschaftsbosse »haben keinen Biß mehr«, beteuerte Mr Clark, »eine weit heimtückischere Macht – wenn auch bloß, weil ihre Angehörigen so zielstrebig auf ihr persönliches Wohlergehen hinarbeiten – ist jene im eigenen Saft schmorende Clique gekränkter Nullitäten, die als ›schwatzende Klasse‹ bekannt sind: Professoren, Schauspieler, Fernsehproduzenten, ›Kommentatoren‹, Dramatiker. In Wirklichkeit beschweren sie sich darüber, daß sie sich seit zehn Jahren von der Regierungsarbeit ausgeschlossen fühlen (ausgeschlossen, darf man hinzufügen, von Zugangsvoraussetzungen zu und Konsultation bei der Arbeit hinter den Kulissen).«

Das ist natürlich noch reines Wahlkampfgerede. Als Mitglied des zweiten aufgeführten Berufsstandes und als jemand, der überdies ein Theaterstück geschrieben hat, betrachte ich es als meine Pflicht, diesen irren Anschuldigungen entgegenzutreten. Versuchen wir doch einmal, diese so bedrohlichen und zugleich so ohnmächtigen Monster beim Namen zu nennen. Zunächst die Professoren: Moment mal... Maurice Cowley ist Professor, Roger Scruton auch, beide gehören zur »Peterhouse Mafia«, der man oftmals die Ausarbeitung eines begrifflichen Rahmens für den modernen Konservativismus zuschreibt. Auch Alan Walters, Mrs Thatchers berühmter Wirtschaftsberater, ist Hochschullehrer. Ebenso die Mitglieder des Adam Smith Institute, der Bow Group und anderer konservativer Institutionen. Wie steht's mit den Schauspielern? Es gibt so viele. Greifen wir mal nach dem Zufallsprinzip ein paar heraus. Wie wär's mit Sir Alec Guinness? Vielleicht sollten wir, wie das jetzt modern geworden ist, »eine Generation überspringen« und, sagen wir, einen Blick auf Anthony Hopkins oder Paul Eddington werfen. Ich kenne eine ganze Reihe Fernsehproduzenten, der erste, der mir je einen Job verschaffte, war der respekteinflößende Dennis Maine Wilson, der *Hancock* und *The Goons* berühmt machte, da hätten wir Biddy Baxter, den Schöpfer von *Blue Peter*, aber auch Roger Ordish, der *Sir James'll fix it* produziert. Für die Kategorie »Kommentatoren« kämen vermutlich Richie Benaud oder Brian Johnston in Frage, die großen Cricketkommentatoren, aber ich nehme an, Mr Clark dachte eher an die politische Sorte. John Cole von der BBC mit seinem fröhlichen nordirischen Dialekt und der großartigen Gabe, alles aus dem Stegreif erklären zu können, ist sowohl tüchtig als auch liebenswert. Dramatiker vervollständigen die sinistre Elite. Zu nennen wäre Sir Ronald Millar, der charmante Hofdramatiker, in dessen für Mrs Thatcher geschriebenen Reden das berühmt gewordene »Werden Sie sich meinetwegen untreu; die Dame bleibt sich treuer« auftauchte, eine Anspielung auf den Titel eines weiteren verruchten Dramatikers, Christopher Fry.

Welch eine Bande gekränkter, im eigenen Saft schmorender, heimtückischer, bösartiger, strudelwirbelnder Nullitäten! Und wie sie ihrer ganzen Klasse gleich schwatzen; welch eine Bedrohung der Demokratie sie doch darstellen. Mit welch erbarmungsloser Selbstsucht sie ihr Vorankommen fördern. Welche Berechtigung Mr Clark doch hat, unsere Aufmerksamkeit auf diese finstere Bruderschaft verbitterter und gefährlicher Niemande zu lenken.

Aber vielleicht habe ich ja auch die falschen Namen ausgewählt, nein, ich werde noch weiter gehen: *Natürlich* habe ich die falschen Namen ausgewählt. Mr Clark, der ein großer und wesentlicher

Jemand ist, hatte nicht an *diese* Professoren und *diese* Dramatiker gedacht, er dachte an andere Professoren und Dramatiker, Männer und Frauen, die sich nicht der Conservative Party verschrieben haben. Was ihn betrifft, so hält er jene für gefährlich, die die Frechheit besitzen, seine politischen Anschauungen nicht zu teilen. Er lebt in einer wunderbaren Welt, in der Professoren Artikel für die überregionale Presse schreiben, sich gegenseitig im Interesse *seiner* Partei beraten und unterstützen, ihren Einfluß mildtätig nutzen, mit unfehlbarer Verantwortung und Bescheidenheit, während jene Professoren, die sich außerstande sehen, die gegenwärtige Regierung von ganzem Herzen zu unterstützen, den Einfluß, über den sie zu ihrer Enttäuschung gar nicht verfügen, böswillig, schwatzhaft und heimtückisch nutzen. Sie stellen eine Bedrohung der Demokratie und unserer Lebensweise dar; sie müssen gebrandmarkt werden für ihren Frevel, Tendenz und Tenor des letzten Jahrzehnts nicht zu mögen.

Aber die Regierung der letzten zehn Jahre war doch beliebt, könnte man mir jetzt entgegenhalten. Daraus geht doch eindeutig hervor, daß jene, die nicht hinter ihr stehen, den Willen des Volkes mißachten, daß sie undemokratisch und elitär handeln. Wenn eine Labour-Regierung an die Macht kommt, sollen konservative Professoren, Dramatiker und Kommentatoren dann etwa die Klappe halten? Natürlich nicht, in einer großzügigen, pluralistischen Gesellschaft ist es zu ertragen, daß jeder, der eine Meinung hat, diese auch zum Ausdruck bringen kann, ob er nun an einem Tisch »schwatzt« oder in einer Zeitung schreibt. Völlig untragbar ist jedoch die Verweigerung solch freien Meinungsaustauschs. Jeder von uns, der leidenschaftlich von etwas überzeugt ist, verliert gelegentlich seine Ausgewogenheit und neigt dazu, seine politischen Gegner für Feinde der Gesellschaft zu halten. Als eine von Mr Clarks schwatzhaften Nullitäten liebe ich mein Land sehr, aber ich bitte mir das Recht auf meine eigene Vision eines besseren Britanniens aus, eines, in dem beispielsweise kein Bürger je von einem Politiker als Nullität beschrieben wird. Ich akzeptiere nur zu gern, daß die Professoren, Schauspieler, Kommentatoren und Dramatiker auf der konservativen Seite des Grabens ehrenwerte und anständige Absichten haben, umgekehrt wird Mr Clark mir doch sicherlich aufs liebenswürdigste dasselbe versichern können.

Daß ausgerechnet ein Politiker eine so zusammengewürfelte Gruppe der Befriedigung ihres Egoismus auf Kosten anderer zeiht, ist besonders befremdlich. Hoffen wir, daß der neue Premierminister, dessen Verstand Mr Clark als »kühl und rational« preist, eine etwas reifere Vorstellung davon hat, was es heißt, in einer Demokratie zu leben.

Im Himmel der Spielshows

Heute ist der letzte Tag der Dreharbeiten für *Jeeves and Wooster II*, mit denen ich und gut siebzig andere sich in den letzten dreizehn Wochen beschäftigt haben. Die glückliche Routine, mit der man allmorgendlich um sechs aus dem Schlummer gerissen und abends mehr oder weniger rechtzeitig zum Insbettgehen wieder zu Hause abgesetzt wird, endet heute. Ich beschwere mich nicht über die Arbeitszeiten; Schauspieler machen immer gern ein großes Trara darum, ihre Tätigkeit »Arbeit« zu nennen, aber sie ist, dem Himmel sei Dank, nichts als Spiel. Wir sind Spieler, und als Mann, der Spiele über alles liebt, schäme ich mich nicht die Spur, mein Tun ludisch zu nennen, wenn nicht verludert.

Ich habe das große Glück gehabt, im Laufe dieser Wochen eine ganze Menge jenes merkwürdigen Phänomens namens Vor- und Nachmittagsfernsehen zu erwischen. Während Drehorte ausgeleuchtet und Möbel und Requisiten herbeigeschafft werden, sehen die Techniker es am liebsten, wenn die Schauspieler mit ihren Zigaretten, ihren grauenhaften Eßgewohnheiten und ihren lästigen Stimmen und Gesprächsthemen ihnen aus dem Weg gehen und in ihren Garderoben bleiben, und wer wollte es ihnen verdenken? In meiner Garderobe steht ein Fernseher. Das bedeutet, daß ich meinen Riesenappetit auf triviale und idiotische Fernsehspielshows befriedigen konnte, die sich in einem Ausmaß vermehrt haben, wie es dieses Land noch nicht gesehen hat. Die Leser des ›Daily Telegraph‹ haben als bedeutende und resolute Geschäftsmänner und -frauen, wie ich weiß, wenig Zeit für solche Kinkerlitzchen.

Ich bezweifle, daß auch nur einer unter tausend von Ihnen sich je einen Stuhl zu *Four Square* herangezogen hat. Wahrscheinlich kennen Sie nicht einmal den Ursprung dieser unschätzbaren Sendung. Das ist schade. Ich bin nicht sicher, ob man dieses Land und seine Bürger (Schrägstrich Subjekte) jemals verstehen wird, solange man nicht weiß, daß hier nicht nur genug Menschen leben, um sich diese außergewöhnlichen Sendungen anzuschauen, sondern an ihnen sogar (und das ist das eigentlich Bemerkenswerte) als Studiozuschauer und Wettbewerber *teilnehmen*. Daß der Nachschub an ungeheuerlichen Ex-Discjockeys unerschöpflich ist, die bereit sind, diese Spiele zu moderieren, ist eine Sache, aber daß auch der Vorrat an Mitgliedern der Öffentlichkeit nie zu versiegen scheint, die willens und imstande sind, in einem Studio zu sitzen und ihnen zu applaudieren, das finde ich schlichtweg ehrfurchtgebietend.

An einem Durchschnittstag sind in den britischen, per Antenne zu empfangenden Programmen über den ganzen Tag verteilt mindestens fünf quizartige Spielshows im Angebot. Beim Satellitenfernsehen kenne ich mich nicht aus, bin aber sicher, daß man auch dort in dieser Richtung manches zu bieten hat. Die gegenwärtige Saison, die mit dem Weihnachtsfest zu Ende geht, enthält *Brainwave, Keynotes, Going for Gold, Talkabout, Catchword, Fifteen to One* sowie die unvergänglichen *Blockbusters*. Jede davon wird werktags zwischen 9.00 und 16.00 Uhr ausgestrahlt, jede hat ihr festes Studiopublikum, und jede verfügt über eine ständig wechselnde Auswahl von Teilnehmern. Die angebotenen Preise reichen von bescheidenen Geldsummen bis zum Safariurlaub in Kenia. Eine weitere, noch albernere Show wird dienstags und donnerstags um 15.15 ausgestrahlt und wird von einem äußerst unterhaltsamen Herrn mit hüftlanger Allongeperücke moderiert; die Parolen lauten hier »Ich weise den Herrn Abgeordneten auf meine vor wenigen Augenblicken abgegebene Erklärung hin« sowie »Ruhe! Ruhe!« Hier besteht der Preis in einem rechteckigen roten Aktenkoffer mit dem unverwechselbaren Fallgitterlogo der Show sowie der Aussicht, ins große Finale zu gelangen, das unter Peter Sissons Vorsitz am Donnerstagabend ausgetragen wird.

Es wäre ein leichtes, diese Amusements als schmerzlinderndes Geschwafel herunterzumachen, das ersonnen wurde, um einsame,

Sherry schlürfende Hausfrauen davon abzuhalten, wahnsinnig zu werden, aber in Wirklichkeit zeigen sie die Weiterentwicklung eines der besten und bedeutendsten Instinkte der Menschheit: des Spieltriebs. Der *Homo ludens* wuchs als erster über die anderen Geschöpfe hinaus, nicht der *Homo sapiens*.

Wenn Sie in diesen Wochen einen Spieleladen aufsuchen, sollten Sie sich nicht ärgern, wenn mit neuen und imposanten Spielen überquellende Regale an die Stelle der alten trauten Zweisamkeit von Monopoly und Scrabble getreten sind. Neben Trivial Pursuit, das zu einer Explosion von Quizteams in Pubs und Clubs geführt hat, finden wir Hunderte von spezialisierten Wortspielen, Brettspielen, Strategiespielen und albernen Spielen ohne Sinn und Zweck. Ein simpler Satz Spielkarten oder ein Würfelbecher können vielleicht immer noch mehr echtes Vergnügen bereiten, aber Tatsache ist, daß Gesellschaftsspiele als Zeitvertreib einsamen und unsozialen Formen der Freizeitbeschäftigung immer mehr den Rang ablaufen.

Wenn Sie mutterseelenallein zu Hause sitzen, dann hält das Zuschauen beim Spielen anderer im Fernsehen zumindest die Instinkte wach und befriedigt, wenn auch nur als Ersatzbefriedigung, die Freude an Lustbarkeiten.

Wenn meine Tätigkeit auch, wie gesagt, großenteils die eines Spielers ist, so vermag doch nichts meinen Hunger auf Spiele zu sättigen. Über Weihnachten werde ich der Miesepeter sein, der – während andere, umgeben von Mandarinen- und Nußschalen, lautstark darauf drängen, *ET* oder die Queen anzusehen – darauf besteht, daß die ganze Bagage mit Spielen antritt. Langzeitstudien haben ergeben, wie alle Lügner ihre Argumente einzuleiten pflegen, daß Spieler länger leben. »Aber was ist das für ein Leben?« rufen die Haarspalter. Worauf ich die Antwort des WOPR-Computers in dem Film *War Games* wiederholen möchte, nachdem er gefragt worden war, ob sein Tun real oder gespielt sei: Gibt es da einen Unterschied?

Eine Droge auf dem Markt

Auf einer Konferenz der Conservative Party vor einigen Jahren konnten Angehörige der Presse, der Partei und der Öffentlichkeit einen merkwürdigen Mann erblicken, der mit einem Transparent vor dem Haupteingang des Parteitagsgebäudes auf und ab schritt. Auf der einen Seite seines Banners standen die von Anmut und Liebreiz geprägten Worte SOFORTIGE RÜCKFÜHRUNG ALLER EINWANDERER.

»Aha«, denken Sie jetzt, »ich weiß, was er vorhat. Das unerträgliche Antlitz der Unerträglichkeit.« Ich frage mich jedoch, ob Sie wohl erraten, welches Motto auf der Kehrseite seines Wimpels hervorgehoben ward. Wenn Sie mit der schrägen Logik des rechtskonservativen Liberalismus vertraut sind, können Sie es ja mal probieren. Legen Sie die Zeitung weg, und denken Sie kurz nach.

Die Zeit ist um. Wenn Sie es richtig erahnt haben, teilen Sie entweder die politischen Ansichten dieses Mannes, oder Sie sind ein kultivierter und kenntnisreicher Beobachter der sozialen Szene, denn auf der anderen Seite des Plakats dieses Konferenzbesuchers stand: LEGALISIERT HASCHISCH SOFORT.

Die Legalisierung von Cannabis ist schon seit langer Zeit eine interessante Angelegenheit. Der Bericht, den die Baroness Wootton of Abinger vor gut zwanzig Jahren vorlegte, hatte an der Droge nichts auszusetzen und schien ihre Entkriminalisierung zu befürworten. Als jemand, der während seiner ganzen Erziehung mit Anti-Drogen-Literatur, Filmen und Predigten bombardiert wurde, habe ich seit langem das Gefühl, daß die Strategien der Leute, die den Konsum verbotener Betäubungsmittel verringern wollen, hoffnungslos fehlgeleitet sind. Wenn Drogenabhängige der leicht zu beeindruckenden Jugend permanent als picklig, kotzend, torkelnd und unzusammenhängend vor sich hin brabbelnd dargestellt werden, dann erscheinen Drogen natürlich nicht mehr als so verlockend, d'accord. Die Wirklichkeit ist jedoch weniger eingleisig. Jeder moderne Jugendliche muß einfach irgendwann im Laufe seines Lebens über einen Drogenkonsumenten stolpern. Ich erinnere mich noch sehr gut an das erste Mal, wo ich jemanden traf, der, wie man mir aufgeregt zuflüsterte, ein echter Junkie war, und das schon seit Jahren. Stellen Sie sich mein Erstaunen vor, als ich sah, daß seine Haut rein war, sein Haar seidig glänzte, seine Augen leuchteten, seine Aussprache gut moduliert und deutlich artikuliert und sein ganzes Benehmen untadelig war. All die warnenden Filme, die strengen Vorträge der in die Klasse eingeladenen Polizisten und die einschüchternden Flugblätter, die einem seit der Grundschule aufgedrängt worden waren, sie alle waren lediglich Sensationshascherei und hysterische Propaganda gewesen. Das Gefühl, der Verschwörung einer älteren Generation von Spielverderbern zum Opfer gefallen zu sein, war wirklich stark und ließ einen, wenn überhaupt, die verbotenen Früchte des Mohns nur noch mehr begehren, jetzt, wo feststand, daß sie beileibe nicht so verderbenbringend waren, wie die Warnungen suggerierten.

Es gibt die berühmte Geschichte einer vor einigen Jahren erst gedrehten Fernsehdokumentation über eine Gruppe Heroinsüchtiger. Die Gruppe war mittleren Alters, wohlhabend und erfolgreich. Ihre Mitglieder waren seit zweiundzwanzig Jahren Junkies. Ihr Benehmen, Erscheinen und ihre Lebensweise war völlig normal, tadellos und unaufregend. Die Dokumentation wurde nie gesendet, aus Angst, womöglich zu zeigen, daß Drogensucht nicht unbedingt der Albtraum sein muß, als den wir ihn unter Einsatz von soviel Zeit und Geld unseren jüngeren Generationen darstellen.

Die Wahrheit ist doch: Wenn Sie fleckige Haut sehen wollen, trübe Augen, sinnloses Gestammel, unkoordiniertes Schwanken, Stolpern und Würgen, dann suchen Sie keinen Junkie, suchen Sie einen Trinker. Eines der großen, unausgesprochenen Mysterien unseres wie der vorangegangenen Zeitalter ist die Vorherrschaft des Alkohols im öffentlichen wie im Privatleben. Einzelne Trinker machen wir zur Zielscheibe unseres Spotts: Oliver Reed, George Brown, George Best und andere, aber wir sehen über die Tatsache hinweg, daß ein sehr großer Anteil aller Journalisten, Politiker, Schriftsteller, Juristen, Richter, Bankiers und Beamten in einem Ausmaß trinken, das jeden Mediziner dazu brächte, sie als Alkoholiker einzustufen. Alkohol ist als Droge weitaus gefährlicher als die meisten anderen, die man nur auf Rezept bekommt. Reiche Alkoholiker können sich – genau wie reiche Junkies – jahrelang mit vergleichsweise gutem Qualitätsstoff über Wasser halten, nur die armen und ungebildeten Säufer und Süchtigen stolpern die

Straßen entlang, sind streitsüchtig und von mutwilliger Zerstörungslust, stehlen und fallen Obdachlosigkeit und Demütigung anheim.

Die alten Griechen kannten das Sprichwort, der Wein sei der Spiegel der Seele. Nur ein Narr macht dem Spiegel Vorwürfe, wenn das von ihm reflektierte Erscheinungsbild nicht gefällt. Den Alkohol zu verbieten, bloß weil manche Leute nicht mit ihm umgehen können, kommt den meisten von uns aberwitzig und undenkbar vor; dasselbe in bezug auf bestimmte Narkotika könnte man für genauso närrisch und repressiv halten. Bekanntlich setzen sich die Argumente für ihre Entkriminalisierung allmählich auch bei Ärzten und Mitgliedern von Regierungsstellen und privaten Organisationen durch, die für den Kampf gegen das riesige organisierte Verbrechen zuständig sind, das – wie die Schwarzbrenner – aus der Illegalität von Heroin, Kokain und Marihuana Profit schlägt.

Nüchternheit ist ein chemisch herbeigeführter Geisteszustand, der vielen Leuten nur kurze Zeit am Tag erträglich ist. Im Himmel, nehme ich an, trinkt man bedächtig und weise. Auf Erden müssen wir weniger dem Alkoholmißbrauch ins Auge sehen, als vielmehr dem Mißbrauch von Menschenleben, der sie zum Saufen verleitet. Für den gebildeten Trinker wäre das Verbot eines guten Islay-Malts oder eines Château Margaux ein Verbrechen gegen die reiche Fülle der Natur und die Kunstfertigkeit des Menschen; dasselbe könnte ein Connaisseur über besten Andenkoks oder Spitzencannabis aus Marokko sagen. Solange man nicht verrückt ist, löst man das Problem von Einbrüchen nicht, indem man Privatbesitz verbietet.

1991 rückt immer näher, und ich muß noch einkaufen, Sie ja wahrscheinlich auch, um mir ein paar hundert Einheiten Alkohol zu besorgen, um seine Ankunft anständig zu begießen. Auf Ihre Gesundheit!

Der Angriff der Killerschnurrbärte

Vor acht Jahren oder so, als ich noch jung und feucht hinter den Ohren war, habe ich wöchentlich einen Fünfminutenspot in einer Radiosendung namens *B15* gemacht, die sonntags auf BBC Radio One lief. Alle Leser des ›Telegraph‹ sind, wie ich weiß, absolute Radio-One-Junkies und hören nichts anderes, also brauche ich Sie kaum daran zu erinnern, daß die Nachrichtensendung von Radio One damals *Newsbeat* hieß. Mein wöchentlicher Job in *B15* war eine Parodie auf *Newsbeat,* unter dem tollkühnen und phantasievollen Titel *Beatnews*. Nachdem ich das ungefähr fünf Wochen lang gemacht hatte, erfolgte die Invasion auf den Falkland-Inseln. Als Reaktion darauf bastelte ich hastig eine »Figur« namens Bevis Marchant, einen dieser Reporter mit kugelsicherer Weste, die den allerneusten Militärjargon immer schon zehn Sekunden vor ihren Kollegen kennen müssen. Seine Meldungen beendete er immer mit »... Bevis Marchant, Port Stanley? Nein danke, Ollie.« Ein ziemlich flauer Witz, ich weiß, egal, wie tief man die Meßlatte legt. Dennoch kam der Tag, an dem Briefe und Anrufe über ihn herzufallen begannen. »Versteht dieser Mann nicht, daß es dort unten wahrscheinlich Auseinandersetzungen geben wird? Daß Menschen sterben werden? Wie kann er bloß Witze darüber machen?« Natürlich ließ ich diesen Job sofort wie eine heiße Kartoffel fallen.

Die ganze Frage nach der Funktion von Humor in Kriegszeiten bleibt dornig. Mir fällt momentan kein Komiker ein, der Interesse daran hätte, über Leiden und Opfer zu lachen; genausowenig fällt mir ein Komiker ein, der besonders erpicht darauf wäre, sich auf plumpe, linientreue Witzchen über Saddam Hussein zu beschränken.

Während des Zweiten Weltkriegs haben die besseren Komiker interessanterweise nicht nur Hitler, sondern auch die britische Bürokratie, Lebensmittelrationierungen, Luftschutzwarte, Stabsoffiziere und die ganze Palette des totalen Krieges lächerlich gemacht. Falls der Golfkrieg sich in die Länge zieht, was Gott verhüten möge, bildet sich vielleicht eine komische Reaktion darauf heraus. Im Moment ist das Leben jedenfalls streng und ernst.

Ich stehe in Korrespondenz mit mehreren Offizieren und Mannschaftsgraden der 7. Panzerbrigade draußen in der Wüste, und sie alle waren einfach baff, als sie hörten, daß *'Allo, 'Allo* aus dem Programm genommen worden war. Man vergißt leicht, daß der wichtigste Aspekt der Komödie, der einen letztlich mit ihr versöhnt, ihre Ambivalenz ist. Man kann gleichzeitig über eine Situation lachen *und* sie ernst nehmen. Sprüche zu klopfen ist nicht unbedingt ein Zeichen makabrer Gefühllosigkeit oder Frivolität.

Es gibt Menschen, die einfach gegen jeden Witz in Krisenzeiten heftig protestieren. Ihre monumental falsche Ansicht ist, daß ein Komiker, der im Krieg etwas zu lachen findet, sich irgendwie über Tod und Zerstörung lustig macht. Diejenigen von uns, die an der letzten Staffel von *Blackadder* beteiligt waren, die in den Schützengräben spielte, erhielten gelegentlich Briefe, in denen wir gefragt wurden, ob wir denn nicht wüßten, wie düster und schrecklich der Erste Weltkrieg war. Aber wir hatten den Eindruck, es müsse möglich sein zu verstehen, daß der Weltkrieg eine furchtbare Katastrophe war, voller Entsetzen, Erniedrigung, Gemetzel und Verlusten, und *gleichzeitig* darüber zu lachen. Das eine schließt das andere nicht aus.

In dieser traurigen Golf-Angelegenheit muß es, finde ich, mehr zum Lachen geben als bloß David Dimblebys lächerliche Entschlossenheit, seine persönliche Rund-um-die-Uhr-Kriegsberichterstattung trotz eines Anfalls von Halsentzündung und Grippe fortzusetzen, der einen Elephanten lahmgelegt hätte, und mehr zum Giggeln als bloß Saddams Schnurrbart. Übrigens ist es faszinierend, wie viele fiese Charaktere dieses Jahrhunderts einen komischen Schnurrbart hatten, finden Sie nicht auch? Der deutsche Kaiser hatte einen einfach unbezahlbaren Firlefanz auf der Oberlippe, der immerzu aussah, als würde er gleich wegschmelzen. Stalins Schnurrbart wuchs bekanntlich, sobald man einen Augenblick nicht hinsah, und machte den Eindruck, wie P. G. Wodehouse immer sagte, als wäre er im Treibhaus gezogen worden. Hitlers wird erst richtig witzig, wenn Sie ihn sich bei der Morgenrasur vorstellen. Sinn und Zweck fazialen Formschnitts bestehen schließlich gerade darin, daß er Absicht ist und also die Eitelkeit seines Besitzers laut herausbrüllt. Jeden Morgen muß Hitler sein Rasiermesser hervorgekramt und vorsichtig mit zwei sorgfältigen Abwärtsstrichen die Grenzen dieses albernen, schwarzen, daumennagelgroßen Stoppelfelds nachgezogen haben. Wäre sein Schnurrbart eine Laune der Natur gewesen wie Gorbatschows ketchupfleckige Rübe, hätten wir Mitleid mit seinem Träger gehabt, aber er war nun einmal völlige Absicht.

Saddam bevorzugt aus irgendeinem ihm allein bekannten Grund den Stil des Barkeepers aus den Stummfilmkomödien. Jedes Mal, wenn er in der Glotze auftaucht, bin ich absolut sicher, daß er im nächsten Moment zu schielen anfangen, sich die Schürze abreißen, in die Hände spucken und Laurel und Hardy wegen einer unbezahlten Rechnung an die Luft setzen wird.

Vielleicht ist die Zeit ja noch nicht reif, um in dieser Militäraktion nach komischen Elementen zu suchen. Aber wenn sich der Staub erst einmal gelegt hat, werden nicht nur Komiker, sondern wird jedermann anfangen, den überhaupt nicht zu rechtfertigenden Aufwand der letzten zehn oder zwanzig Jahre zur Rechenschaft zu ziehen, während der Professoren für Strategische Planung, Dozenten für Verteidigungsstrategie, Experten für den Mittleren Osten und Assistenten in Scudologie gehortet wurden. Diese Leute haben im Moment Sendevorrang, ich würde nicht sagen, daß sie schon Sendehoheit erlangt haben, aber das liegt nicht mehr fern. Das Geld für ihre Gehälter hätte doch wohl wirklich für etwas ausgegeben werden können, das für alle Zeit Frieden schafft. Beispielsweise die Herstellung einer Milliarde zuverlässiger Rasiermesser und ein energisches Programm, das die Rasur sämtlicher Oberlippenbärte weltweit gewährleistet.

Sie war bloß die Tochter des Präsidenten

Meine Damen und Herren, ich war dort. Im Herzen des Ganzen. Es war einfach einzigartig. Aber fangen wir vorn an.

Ich weiß nicht, ob es einen Gattungsbegriff für eine Gruppe britischer Schauspieler gibt; ein Gehabe Schauspieler, ein Gezwitscher Schauspieler, was auch immer. Egal, wie der genaue Begriff auch lauten mag – vielleicht einfach ein Gemenge –, letzte Woche war ich Teil einer solchen Versammlung in Amerika. Dort gibt es eine eindrucksvolle Institution namens *Masterpiece Theatre.* Sie dürfen diese für Amerika ungewöhnliche Schreibung durchaus als Hinweis auf den sehr britischen Blickwinkel dieses Programms ansehen. Das ist eine Fernsehsendung, die jeden Sonntagabend um neun im öffentlichen, nichtkommerziellen Netzwerk PBS gesendet wird. Sie strahlt nichts anderes als britische Filme und Fernsehserien aus, zum Beispiel *The Jewel in the Crown, Tom Brown's Schooldays, Bleak House, I, Claudius, Edward and Mrs Simpson* sowie, unter Amerikanern vielleicht am berühmtesten, *Upstairs, Downstairs.*

Das *Masterpiece Theatre* wurde letzte Woche zwanzig Jahre alt, und zur Feier dieses Jubiläums hat der verantwortliche Sender WGBH Boston mit Unterstützung seines langjährigen Sponsors Mobil Oil ein Geheul Schauspieler einfliegen lassen, die mit der Sendung zu tun haben. Hugh Laurie und ich wurden als Repräsentanten von *Jeeves and Wooster* eingeladen, das als letztes »einen Sendeplatz bekam«, wie Fernsehfritzen das nennen. Mit uns kam eine große Menge Mitkreischer: Diana Riggs, Sîan Philips, Keith Michell, Ian Richardson (dessen wunderbarer Francis Urqhart in *House of Cards* denen da drüben unmittelbar bevorsteht), Jeremy Brett, Geraldine James, Simon Williams, John Hurt... die Crème de la crème, in deren Gesellschaft Hugh und ich uns kaum blicken lassen durften.

Die Geburtstagsfeier fand in zwei Städten statt; zunächst gab es eine Pressekonferenz und ein Abendessen in Los Angeles, samt einer Rede des Menschen, der in den Augen der Amerikaner der Inbegriff des *Masterpiece Theatre* ist, Alistair Cooke. Der Erzeuger der Serie, ein in Amerika lebender britischer Produzent namens Christopher Sarson, war an Cooke herangetreten und hatte ihn gebeten, vor jeder Sendung eine kurze Einleitung zu geben, in der der Kontext, ungewöhnliche Anspielungen und so weiter erklärt werden sollten. Der eigentliche Grund dafür war, soweit ich weiß, daß viele dieser Sendungen aus dem britischen ITV-Programm stammten und ohne Werbespots nicht die volle Sendezeit erreichten. Alistair Cooke füllte diese Werbeblöcke wieder auf und brachte jede Show auf eine volle Stunde. Der Anblick von Mr Cooke, der in einem großen grünen Ohrensessel »Guten

Abend. Willkommen im *Masterpiece Theatre*« sagte, wurde im amerikanischen Fernsehen ein so vertrautes Bild wie Richard Nixons schweißnasse Oberlippe oder die Waltons, die sich gute Nacht wünschen.

Dieses Essen in Los Angeles verlief sehr angenehm, besonders weil am Ende von Mitgliedern der Satiregruppe Forbidden Broadway noch eine hervorragende Show aufgeführt wurde, die extra zu diesem Anlaß geschrieben worden war. Das zweite Essen war in Washington D.C., und da wurde es richtig aufregend.

Das Essen fand im Außenministerium statt, an jenem Abend, an dem das UN-Ultimatum an Saddam Hussein ablief. Der Saal war gerappelt voll mit noblen Moderatorinnen aus Washington, Botschaftern, hohen Tieren von Heer und Marine und politischen Kommentatoren. Bei Hugh Laurie und mir am Tisch saß Ben Bradlee, Herausgeber der ›Washington Post‹, der Mann, der mit Woodward und Bernstein zusammen die Watergate-Affaire durchstand und den Jason Robards in dem Film *Die Unbestechlichen* so fabelhaft gespielt hat. Ich saß neben seiner Frau, besser bekannt unter dem Namen Sally Quinn, ein ehemaliger Eckpfeiler der TV-Unterhaltung. Hugh saß auf der anderen Seite von Mrs Bradlee und neben einem Mädchen namens Doro, der Kurzform von Dorothy. Hugh erzählte dieser charmanten Frau, wie wir unseren Tag in Washington verbracht hatten. Wir waren die Pennsylvania Avenue in voller Länge hinabgelaufen, vorbei am für Besucher leider geschlossenen und von Demonstranten belagerten Weißen Haus, weiter zum Capitol, wo wir uns Eintrittskarten kauften, um eine Senatsdebatte zu verfolgen, die sich naturgemäß aus Senator Robert Dole zusammensetzte, der allein mit dem Parlamentspräsidenten und einem Protokollanten über die Sozialversicherung sprach. Der Fairness halber muß man sagen, daß ein Durchschnittstag im House of Commons auch nicht aufregender ist, aber wir waren doch etwas enttäuscht. Doro schlug vor, Hugh und mich am nächsten Morgen vom Hotel abzuholen und uns privat durchs Weiße Haus zu führen. Das fanden wir zwar sehr nett, brachten jedoch höflich eine gewisse Skepsis zum Ausdruck.

»Ich glaube kaum, daß es da Probleme gibt«, versicherte sie uns. »Wissen Sie, der Präsident der Vereinigten Staaten ist mein Vater.«

Doro stand zu ihrem Wort und holte uns in Gesellschaft eines

Geheimagenten, der aussah, als käme er direkt vom Besetzungsagenten, komplett mit Ohrstöpsel und Burberrymantel, vom Hotel ab, und wir jagten, begleitet von regem Funkverkehr zwischen unserem Wagen und den Wachmannschaften am Weißen Haus, zur Pennsylvania Avenue 1600.

Doro und ein Mädchen vom Weißen Haus namens Lydia veranstalteten eine Führung mit uns, die auch die Küche und die Blumenräume nicht ausließ. Einmal kamen wir an dem großen Photo eines Paars vor einem Weihnachtsbaum vorbei. »Die beiden nettesten Menschen der Welt«, sagte Doro. Es waren ihre Eltern, und sie meinte es ernst.

Auf dem Rückweg kamen wir am Oval Office vorbei. Ich schwöre Ihnen, ich habe auf keinen einzigen Knopf gedrückt. Jedenfalls bin ich mir fast sicher. Sollte ich's doch getan haben und dieser ganze Flächenbrand meine Schuld sein, dann tut es mir wirklich furchtbar leid.

Die Vorhänge des Oval Office waren geschlossen. Man konnte förmlich riechen, wie heftig die dahinter ablaufenden Diskussionen zwischen den Raubvogelgesichtern waren, die dem Vater dieses Mädchens dabei halfen, zu einer Entscheidung zu gelangen, die Tausende von Flugzeugen und Soldaten in Marsch setzen und die Weltgeschichte verändern würde. »Sollen wir kurz winken?« fragte Doro. »Er wird zu tun haben«, sagten wir. Und wirklich stellte sich heraus, daß genau in diesem Augenblick der Angriffsbefehl zu seiner Unterzeichnung vorbereitet wurde. Wir winkten trotzdem und gingen weiter.

Beim Nachhauseflug lud der Pilot der Concorde, Captain Riley, Hugh und mich ins Cockpit ein, um beim Start und bei der Landung dabeizusein.

Ist doch schön, wenn man Freunde ganz oben hat.

Die Sünde des Rades

Wenn Sie den eindeutigsten Beweis der Welt haben wollen, daß es so etwas wie Hellseher nicht gibt, dann brauchen Sie bloß mal ins Spielkasino zu gehen. Das sind Tempel, die der absoluten Gewißheit der Ungewißheit errichtet wurden. Auf jede Person, die behauptet, sie habe mal eine Vision der Zahl Zwölf gehabt, sei zum Roulettetisch gegangen, habe ihr gesamtes Hab und Gut auf die Zwölf gesetzt und sei mit einem Vermögen in den Taschen wieder abgezogen, kommen sechsunddreißig andere, die dieselbe Vision hatten, dasselbe Hab und Gut setzten und völlig pleite davonstolperten.

Kasinos leben von ihrem sogenannten Vigorish. Beim Roulette gibt es sechsunddreißig Zahlen. Wenn man einen einzigen Chip *en plein*, wie das dort heißt, auf eine der Zahlen setzt und diese gewinnt, dann erhält man dafür vom Kasino sechsunddreißig Chips steuerfrei – ehrliche Chancen von fünfunddreißig zu eins, denken Sie vielleicht. Aber nein, in Wirklichkeit sind *sieben*unddreißig Zahlen auf dem Rad: es gibt eine Null. Das Haus müßte ergo auf ein gewonnenes *en plein* das Siebenunddreißigfache auszahlen. Diese Differenz eines Siebenunddreißigstels ist der Vigorish. Dieser winzige Prozentsatz bezahlt die Croupiers, die Möbel und Requisiten, die Überwachungskameras und das ganze Drumherum eines gut ausgestatteten Kasinos und läßt noch genug Profit übrig, um Regierungsmitglieder zu bestechen, Bandenkriege zu führen und den Druck auf Rivalen und Autoritäten auszuüben, den ein eifriger Konzessionär braucht, um sein Haus der Spiele vor Störungen zu bewahren.

Kasinos mogeln nicht. Unter dem Rad sind keine Magneten, sie arbeiten nicht mit falschen Würfeln oder gezinkten Karten. Die Mathematik macht die ganze Arbeit. Ich mußte leider feststellen, daß es im amerikanischen Roulette nicht nur eine Null, sondern sogar eine Doppelnull gibt. Also verdoppeln sie ihren Vigorish sogar. Wie wir aus unzähligen Hollywood-Dialogen wissen, haben die Amerikaner gern »noch etwas in der Hinterhand«.

Ich erzähle Ihnen diesen ganzen Quatsch, weil ich gerade in Südfrankreich bin und in den zahlreichen Kasinos, die mir nur allzu gern die Gelegenheit geben, die Unabänderlichkeit der Gesetze des Wahrscheinlichkeitsrechnens unter Beweis zu stellen, kaum ein Würfelspiel an mir vorbeirollen lasse. Nach Gesprächen mit mehreren Croupiers wundere ich mich immer mehr über die erstaunliche Frechheit amerikanischer Kasinos mit ihren Doppelnullen.

Noch bevor im Golfkrieg vor über einem Monat der erste Feindflug stattfand, wurden im Fernsehen eine ganze Reihe von Straßeninterviews mit amerikanischen Bürgern gezeigt. Fast alle waren dafür, mit Gewalt gegen Saddam vorzugehen. Einer ihrer Gründe war, daß sie es »satt hatten, wie Amerika herumgeschubst wird«. Jedem Nichtamerikaner erscheint eine solche Vorstellung absolut unglaublich. *Amerikaner* werden herumgeschubst? Fragen Sie Angehörige eines beliebigen anderen Landes, ob die mächtigste Nation auf Erden ihrer Meinung nach wie der Prügelknabe auf der Weltbühne schikaniert und drangsaliert worden ist, und Sie werden das zu hören bekommen, was man ein »wieherndes Gelächter« nennt.

Wir selbst haben das ja schon hinter uns. Vom ersten Afghanistankrieg bis zur einseitigen Unabhängigkeitserklärung Südrhodesiens fühlten sich die Briten von kleineren Ländern mißbraucht. Sie müssen bloß die Pressekommentare aus den Zeiten des Burenkrieges oder des Indienaufstands nachlesen. Das Schicksal einer Großmacht ist es nun einmal, Paranoia zu verspüren, sich wie Gulliver vorzukommen, der von piepsenden Liliputanerhorden mit Haar und Fingern an den Boden gepflockt wird. Damit will ich keineswegs irgend etwas über die Legitimation des Krieges gegen den Irak oder eines anderen Krieges gesagt haben, sondern lediglich versuchen, den amerikanischen Standpunkt nachzuvollziehen. Dort sieht man es so, daß ihre Macht und das Gefühl moralischer Verantwortlichkeit ihnen das Recht und die Pflicht gibt, weltweit für Ordnung zu sorgen, und dennoch werden sie jedesmal verspottet und verleumdet, wenn sie genau das versuchen.

Als Großmacht sind sie es gewohnt, etwas in der Hinterhand zu haben – die Doppelnull; massive Überlegenheit in konventioneller Bewaffnung und nukleare Kampfkraft ohnegleichen. Aber aus ihrer Hinterhand können sie kein Kapital schlagen. Nuklearwaffen gegen eine Nichtnuklearnation anzuwenden, würde als wahnsinniger Genozid angesehen; ihre sämtlichen konventionellen Truppen in einer Region zu konzentrieren, wäre logistisch unmöglich und würde in anderen Weltgegenden gefährliche Lücken klaffen lassen. Ihre Hinterhand verfällt, und sie kommen sich fürchterlich verarscht vor. Plötzlich sieht jeder Zocker, der genug Chips hat, um bei aufeinanderfolgenden Drehungen des Rades große Verluste wegstecken zu können, so aus, als könne er die Bank sprengen. Die Chancen sind nahezu ausgeglichen, und Amerika hat seinen Vigorish verloren. Es beschwert sich bei der ganzen Welt, daß es herumgeschubst wird, und jedermann lacht, wenn er hört, wie der Riese sich beklagt, daß man ihn am Knöchel zwickt. Nächstes Mal, schwört dieser dann, nächstes Mal wird er mit einer Dreifachnull kommen – SDI, Laserstrahlen von Satelliten, was er sich bis dahin halt einfallen läßt; nächstes Mal wird er sich nicht mehr die Hammelbeine langziehen lassen.

Aber »nächstes Mal« ist der Schrei des Spielers, der unwiderruflich verloren hat. Wie der amoklaufende Computer am Ende des Films *War Games* entdeckt: Der einzige sichere Gewinnzug besteht darin, nicht zu spielen. Vielleicht merken das auch die Amerikaner und entscheiden sich das nächste Mal, gar nicht erst zu spielen. Wer könnte ihnen das verdenken?

Ich muß jetzt los – das Kasino öffnet. Ich bin ziemlich wild darauf, mein neues System auszuprobieren. Wenn es funktioniert, kann es gut sein, daß Prinz Rainier noch vor Ende der Woche meinen Wagen wäscht und mich mit »Sir« anredet.

Patriotische Glosse

Im Laufe der Jahre hat es eine ganze Reihe geistreicher Aphorismen über den Patriotismus gegeben. Ich glaube, Clemenceau oder jemand, der ihm ähnlich sah, meinte mal, ein Patriot liebe sein Land, ein Nationalist hasse alle anderen. Doctor Johnson wird bekanntlich die Sentenz zugeschrieben, der Patriotismus sei die letzte Zuflucht des Halunken, wohingegen der Lyriker Roger McGough der Ansicht war, bei Patrioten sei »einfach 'ne Schraube locker«.

Die verrückteste, wildeste und verruchteste Vorstellung von Patriotismus erhält man vielleicht modo negativo, indem man definiert, was *un*patriotisch ist. Man hat behauptet, auch wenn Ihnen das fast unglaublich vorkommen mag, es sei unpatriotisch, wenn Nachrichtensprecher oder Journalisten die Wendung »britische Truppen« statt »unsere Truppen« verwenden.

Ich habe dieses Land enorm gern, seine Sprache, seine Landschaft, seine Exzentrik, seine Traditionen, seine Bräuche und seine Menschen. Es ist schließlich meine Heimat. Wenn ich ehrlich bin, kann ich nicht behaupten, daß ich als gebürtiger Jugoslawe ständig bestürzt an den Fingernägeln knabbern würde, weil ich nicht als Brite geboren wurde – wer kann das schon? Aber ich empfinde echte Liebe zu meiner Heimat, und das bedeutet Patriotismus. Was ich an Britannien ganz besonders bewundere, ist das Ausmaß der seinen Bürgern gewährten freien Meinungsäußerung. Ich finde es daher besorgniserregend, daß in letzter Zeit zunehmend eine merkwürdige Ketzerei ins öffentliche Leben eingedrungen ist. Sie erscheint in Gestalt des durchgeknallten Glaubens, jeder öffentliche Gebrauch der Meinungsfreiheit sei automatisch ein Mißbrauch.

Als die Demonstrantinnen vor Greenham Common zelteten, konnte man von Politikern und interessierten Beobachtern oft die Bemerkung hören »In Rußland könnten die sich das nicht erlauben«. An derselben Einsicht ließ man die Menschen teilhaben, die sich Anfang dieses Monats versammelt hatten, um gegen den Golfkrieg zu demonstrieren. Egal, welche Einstellung man zu dieser Auseinandersetzung hat, Briten haben überall das Recht, sich friedlich zu versammeln, um ihre Besorgnis und ihre abweichenden Meinungen kundzutun. Nichtsdestoweniger wurde das Argument hervorgeblökt: »Im Irak könnten Sie sich das nicht erlauben, wissen Sie«, als müßten die Demonstranten deswegen sofort auf die Knie fallen, Gott danken, daß er sie zu Engländern machte, und schwören, nie wieder anderer Meinung sein zu wollen als ihre Regierung. Der Gebrauch der freien Meinungsäußerung wurde als Mißbrauch angesehen: Wenn Meinungsfreiheit aber noch irgend etwas bedeuten soll, dann muß sie doch wohl bedingungslos gelten.

»Wir stimmen alle darin überein, daß das Individuum dem Staat untergeordnet sein muß, wenn die Revolution Erfolg haben soll«, lautete die stalinistische Logik. »Daher muß alles, was für den Staat gut ist, richtig sein. Daher muß jeder, der den Staat anzweifelt, sich irren. Daher mußt du erschossen werden.« Es war eine entsetzliche Logik, und es wäre wahrhaftig eine Schande, wenn eine vergleichbare hier Fuß fassen würde, auch wenn sie natürlich viel fideler und britischer und weit weniger drakonisch wäre.

»Wir stimmen alle darin überein, daß Britannien wunderbar ist, es verfügt über Dinge wie Meinungsfreiheit und Schwurgerichte. Jedermann, der sich darüber zu beschweren anfängt, daß Regierungen Fehler machen oder gelegentlich Schwierigkeiten mit der Wahrheit haben, untergräbt den guten Ruf Britanniens. Regierungen werden demokratisch gewählt, daher kritisieren all jene, die die Regierung kritisieren, das Volk. Sie verhalten sich undemokratisch, aufrührerisch und subversiv. Daher sollten sie berappen oder die Klappe halten.«

Wenn Sie einen Menschen lieben, einen Sohn oder eine Tochter, sagen wir, dann sind Sie nicht blind für seine oder ihre Fehler, Sie verschließen Ihre Ohren nicht der Kritik, die sie in Form von Schulzeugnissen, sich beschwerenden Nachbarn oder eigenem Miterleben erreicht; Sie schämen und ärgern sich und werden alles tun, um diese Fehler zu korrigieren. Sie möchten, daß man Ihr Kind für netter und besser hält. So sei es auch mit dem eigenen Land. Ein Patriotismus, der für Fehler blind und für Kritik taub ist, ist überhaupt kein Patriotismus.

Wir können auf unsere Demonstranten stolz sein. Wir sind nicht verpflichtet, ihre Ansichten zu teilen, aber es ist Ehrensache, sie mit besseren Argumenten zu konfrontieren, als sie dazu aufzufordern, auf ihr Recht auf freie Meinungsäußerung bloß deshalb zu verzichten, weil sie stolz darauf sein sollten, es zu haben. Unsere Truppen, auf die wir ebenfalls stolz sein können, beteiligen sich nicht an einer Djihad für die Lebensweise westlicher Demokratien; sie ziehen nicht mit dem Schlachtruf »Freiheit!« auf den Lippen in den Kampf; sie setzen ihr Leben nicht nur für gute, gehorsame Briten aufs Spiel. Sie haben nicht den Wunsch, Gesabbel zu lesen über »unsere heroischen Kräfte, die glorreich durch die Verteidigungslinien des teuflischen Feindes brechen«. Nach ihrer Rückkehr werden sie genauso viele Geschichten über wahnwitzige

Inkompetenz und schnaufende Majore erzählen, die im Sand festgefahrene Zweitonner mit Nachschub freikriegen wollen, wie über Heldenmut und Aufopferung. Ich kann mir nicht vorstellen, daß der Gedanke ihre Moral hebt, wir in der Heimat hätten uns in den trüben Dunst von Zensur und einfältiger Propaganda hinabbegeben, um damit unsere Unterstützung zu demonstrieren.

Als in Kiplings *Stalky & Co* ein bedeutender General zu einer Ansprache in die Schule kommt, fängt er an, über die Flagge rumzutönen, den guten alten Union Jack, wie wir ihn lieben, und all das, wofür er steht. Empört fangen Stalky und seine Freunde an ihn auszuzischen. Das ist Patriotismus.

Hoppala...

Zunächst muß ich mich entschuldigen. Ich komme mir so dumm vor. Letzte Woche habe ich eine Anspielung auf *Stalky & Co* gemacht und dabei einen General mit einem Abgeordneten verwechselt. Ich bin voll des Dankes für die Briefe – das Sperrfeuer patriotischer Geschosse, zum Teil freundlich, zum Teil bloß scheußlich –, die meinen katastrophalen Fehler berichtigten. Die einzige Entschuldigung, die ich vorzubringen habe, ist, daß ich den anstoßerregenden Artikel in Frankreich geschrieben habe, wo ich keinen Zugang zu Kiplings Werken hatte. Lady Gedächtnis, muß ich leider sagen, gab mir einen Korb. Das wörtliche Zitat, darauf wies mich ein mitfühlender Briefschreiber hin, hätte meiner Behauptung noch größeres Gewicht verliehen als meine schlechte Erinnerung daran. Die weniger mitfühlenden Korrespondenten, fürchte ich, werden nichts Geringeres als meinen Selbstmord akzeptieren, den anzubieten ich im Augenblick nicht gewillt bin.

Ich werde wohl nie aufhören, mich über die Art von Post zu wundern, die man von Lesern und Fernsehzuschauern empfangen kann. Ich nehme an, erfahrenere Journalisten als ich denken sich nichts dabei, wenn sie alltäglich anonyme Postkarten und in merkwürdiger Blockschrift abgefaßte Nachrichten voll dunkler Drohungen und wüster Verwünschungen auf ihre Fußabtreter plumpsen hören. Für Bernard Levin, möchte ich annehmen, ist jeder Morgen gelaufen, an dem er nicht von erregten Bürgern aus allen Ecken und Enden des Landes in verschiedenfarbigen Tinten verleumdet und verflucht wird. Ich dagegen bin noch jung und unverdorben genug, um erstaunt zu gaffen und zu blinzeln, wenn ich mit den Beweisstücken von Verunglimpfung und dem Infarkt nahen Wahnsinn konfrontiert werde, zu denen Menschen sich von widersprechenden Meinungen hinreißen lassen.

Eine ansteckende und entmutigende Paranoia im ganzen Lande erfüllt die Rechten mit der fixen Idee einer marxistischen Verschwörung in der BBC und eines gefährlichen und unberechenbaren Strudels der schwatzenden Klassen, die darauf aus sind, die Demokratie zu untergraben; dieselbe Paranoia bringt die Linke zu dem Angstbild einer Tory-Presse, die darauf aus ist, jede Opposition zu ersticken und lächerlich zu machen, monolithischer Wirtschaftscliquen und Verwaltungen, die ihre gefährliche und nicht repräsentative Herrschaft über die ohnmächtigen Massen ausüben. Das ist vielleicht nicht neu, aber der blinde Haß, den jede Seite für die andere empfindet, hat eine neue Qualität. Auf der Rechten registrierte man verwundert und verzweifelt den Umfang und die Tiefe der Abneigung, die die Linke für Mrs Thatcher empfand; auf der Linken schnappte man überrascht nach Luft angesichts des Ausmaßes der Verachtung, die die Rechte für Mr Kinnock oder sogar den ehemaligen Vorsitzenden Mr Heath übrig hatte.

Ich habe viele Politiker kennengelernt: Torys mit Gewissen, Herz und Verständnis für das Elend der Armen, und Sozialisten mit Verstand, Maß und Charme. Ich habe gesehen, wie konservative Abgeordnete sich in aller Freundschaft mit den Produzenten von *Panorama* und *Newsweek* unterhielten, und ich habe führende Labour-Politiker gesehen, die mit Zeitungsherausgebern Pastetchen aßen. Das ist doch nichts Besonderes, denken Sie vielleicht. Warum existiert dann aber hinter diesen überwiegend ausgeglichenen und maßvollen Menschen eine Phalanx von Anhängern, die so entsetzlich wütend sind, daß sie keine Ansicht über Einwanderung oder Kartelle hören und keine Meinung über Patriotismus oder Religion lesen können, ohne sofort zu Schere, Klebstoff und der gestrigen Ausgabe des ›Telegraph‹ zu greifen? Ich bin ganz entschieden für Leidenschaft; wir alle sind jederzeit für Leidenschaft. Die Hitze der Kontrahenten treibt die Turbinen dieser großen Demokratie an, daran gibt es gar keinen Zweifel. Vitriol dagegen kann nur deren Gehäuse durchätzen und die mächtigen Maschinen zu ruckartigem Stillstand bringen.

Ich vermute, Leserbriefschreiber werden von einer ganz bestimmten Frustration angetrieben. Wütend fragen sie sich, warum dieser oder jener für seine oberflächlichen und verworrenen Ansichten auch noch eine öffentliche Plattform bekommt. Ohne selber über eine solche Plattform zu verfügen, können sie nur bei ihren Schreibtischen Zuflucht suchen, wo sie dann die Bitterkeit und das angesammelte Gift eines ganzen Lebens verspritzen.

Und sie haben ja nicht unrecht. Warum *soll* denn ein kleiner Journalist jede Woche seinen Senf abgeben dürfen? Was befähigt ihn dazu? Warum sollte ein Schauspieler oder ein Schriftsteller Gehör erhalten, ein Schweißer oder Baukostenkalkulator aber nicht? Welches Recht hat diese erlesene Minderheit, ihre törichten Ideen darzulegen und auszudrücken? Also, wo Sie das jetzt sagen, muß ich zugeben, daß ich, verflixt noch eins, nicht die geringste Ahnung habe. Mir fällt nur auf, daß niemand das Recht von Schriftstellern oder Journalisten in Frage stellt, deren Meinung er teilt. Wenn wir derselben Meinung sind, applaudieren wir dem gesunden Menschenverstand und der wortgewandten Polemik; wenn wir anderer Meinung sind, schäumen und wüten wir gegen den abfälligen, ungehobelten Ton und die unnötigen Beschimpfungen, und wir fragen uns, warum diese Schreiberlinge sich überhaupt in der Welt zu Wort melden müssen.

»Wir müssen einander lieben oder sterben«, schrieb W. H. Auden, der beides tat. Vielleicht bemühen unser neuer Premierminister und die Tradition des *One Nation Toryism*, der er angeblich entstammt, sich ja darum, den Mundgeruch der Tagespolitik etwas zu mildern. Der Royal Mail erwiese er damit vielleicht einen schlechten Dienst, aber das ist ja wohl ein geringer Preis für den Erwerb einer so seltenen und unmodischen Qualität wie Freundlichkeit.

Spott befohlen

Des Märzen Idus ist nun da. Ja, Caesar, doch nicht vorbei. Am heutigen Tag kann man daran teilhaben, wie Millionen Briten sich seltsamer benehmen als sonst – vielen ein Verdruß, einschließlich eines Leitartikelschreibers dieser Zeitung. Comic Relief und ihr Red Nose Day rufen in verschiedenen Herzen verschiedene Gefühle hervor. In meinem Herzen wird leichte, flatternde Panik nach und nach durch schreckliche Furcht ersetzt; die Ursache dafür ist, daß ich vor Tagesende noch allerlei Funktionen im Fernsehzentrum der BBC übernehmen muß. Heute abend gegen sieben Uhr muß ich mithelfen, jemanden in eine Wanne aus dampfender, zähflüssiger Schmiere zu kippen, eine Person, für die Hunderttausende von Britanniens Jugendlichen gestimmt haben, als es darum ging, wen sie am liebsten in etwas Grünem und Ekligem herumplanschen sehen wollen. Morgens um eins gibt es dann noch mehr zu tun, von geheimer und furchtbarer Natur. Vor der langen Pause zwischen diesen beiden Veranstaltungen graut mir am meisten. Wie um Himmels willen soll ein Mensch denn sechs bange Stunden verbringen, ohne sich sinnlos zu betrinken? Wahrscheinlich muß ich mich mit einem dicken, erbaulichen Buch und einer Flasche Mineralwasser in meine Garderobe zurückziehen und auf das Beste hoffen.

Aber das sind banale Probleme, und ich sollte mich schämen, Sie damit zu belästigen. Das eigentlich Wichtige an diesem Ereignis ist, daß die Energie, mit der Hunderttausende von Teilnehmern sich komisch aufführen und andere dafür sponsern, es ihnen gleichzutun, Summen in Millionenhöhe zusammenbringt. Vor zwei Jahren brachte der Red Nose Day 26 Millionen Pfund ein. Schon mehren sich die Stimmen, denen zufolge die Existenz solcher Veranstaltungen Regierungen völlig überflüssig machen würde; je länger wir uns auf Wohlfahrtsverbände verließen, desto weniger stellten wir die prekäre Verfassung der Welt in Frage, die zulasse, daß Abermillionen von solcher Wohltätigkeit abhängig werden. Veranstaltungen wie Comic Relief oder Live Aid werden als Heftpflaster beschrieben, unter denen die echten Wunden versteckt werden, um die man sich weltweit kümmern müßte. Das stimmt natürlich, und kaum jemand bezweifelt es. Aber wer von uns ist denn imstande, das Leid der Gegenwart in der Hoffnung auf zukünftige Gerechtigkeit in Kauf zu nehmen? Wenn es jetzt Leid gibt, wollen wir instinktiv jetzt Abhilfe schaffen.

Andere finden das Schauspiel konzessionierten Schabernacks so bemüht und grauslich, daß sie sich am liebsten die vollen vierundzwanzig Stunden lang verstecken würden, aus Angst, ihnen könnte noch ein weiterer herumblödelnder Typ mit roter Pappnase ins Auge springen, der im Namen spontanen Frohsinns gerade in Sahne badet oder im Kopfstand Rollmöpse futtert. So was ist natürlich Geschmackssache. Aber wer jetzt fragt: »Warum streichen wir nicht einfach diesen Tag mit seinen drögen Mätzchen und stellen statt dessen einen großen Scheck aus?«, der hat Sinn und Zweck des Ganzen nicht verstanden. Es wäre *herrlich*, wenn man den Tag streichen könnte, einfach herrlich: Die BBC würde eine Menge Geld sparen, Kühlergrills würden nicht von rotem Plastik verunziert, zweifellos würde es Millionen erfreuen; aber würde es auch Millionen *einbringen*? Wenn wir alle regelmäßig Schecks in dieser Größenordnung ausstellten, dann brauchten wir natürlich keinen Red Nose Day oder ähnliche Veranstaltungen. Dummerweise läuft die Welt aber leider nicht so. Es gibt allein in Britannien Hunderte von Wohlfahrtsorganisationen, die auf solche großen Spendenaktionen angewiesen sind.

Es wäre leicht, jeden, der Comic Relief aus ästhetischen oder politischen Gründen mißbilligt oder ablehnt, als Spielverderber, Geizkragen oder Zyniker abzustempeln; aber das halte ich für ziemlich unfair. Genauso leicht könnte man die Beteiligten als Profiteure von Schuldgefühlen – moralische Erpresser, wenn Sie so wollen –, Angeber oder Einfaltspinsel brandmarken; das wäre genauso unfair. Im Augenblick ist es am wichtigsten, sich klarzumachen, daß es gelaufen ist, daß es zumindest in diesem Jahr ein *Fait accompli* ist, und daß es überhaupt keinen Sinn hat, das schlechtzumachen. Wenn wir eine ellenlange Diskussion über die Erwünschtheit solcher Veranstaltungen vom Zaun brechen wollen, dann sollten wir damit wenigstens warten, bis die größtmöglichen Summen eingegangen und an die Verbände verteilt worden sind, die darum gebeten haben. Und wenn sich dann der Rauch verzogen hat, finden wir alle womöglich, daß die Tage der gigantischen Fernsehspendenaktionen gezählt sind und daß man auf andere

Weisen an Hilfe und Spenden gelangen kann, die jene weniger belästigen, die rote Nasen oder komische Hütchen nicht ausstehen können.

Anders als Weihnachten findet der Red Nose Day nur alle zwei Jahre statt, und auf nur einem von vier per Antenne zu empfangenden Sendern. Viele sonst gesetzte und nüchterne Menschen *genießen* es geradezu, sich alle Jubeljahre mal als Bananen oder Pandas zu verkleiden, es macht ihnen enormen Spaß, auf einem Faß voller Dillgurken zu steppen oder in wichtigen Geschäftssitzungen so oft wie möglich das Wort »feucht« zu benutzen. Das tun sie mit Begeisterung, Elan und oft mit erstaunlicher Phantasie. Ich kann einfach nicht glauben, daß das so furchtbar schädlich sein soll.

Schluß damit. Beim Blick auf die Uhr sehe ich, daß es Zeit wird, mich ins Fernsehzentrum zu begeben. Wie immer werde ich meine amüsante Hakennase tragen, die sich im Unterschied zur roten Plastikvariante nicht abnehmen läßt.

Das B-Wort

Heute werde ich etwas ziemlich Scheußliches tun und über einen der verachtetsten und gefürchtetsten Aspekte des Lebens im ausgehenden 20. Jahrhundert schreiben, eine schlimmere Geißel unserer Zeit als Mobilfunk und Automobilprunk zusammen.

Prominenz.

Schon das Hinschreiben des Wortes jagt einem kleine Schauer peinlicher Berührtheit den Rücken hinab. Seine schlimmste Inkarnation als eine Art deskriptives Semi-Adjektiv in Wendungen wie »Prominenten-Polospiel«, »Stock-Car-Rennen von Prominenten« und »prominente Überraschungsgäste« spricht in voller Düsternis für sich.

Das schlimmste an dieser abscheulichen Welt der Berühmtheiten ist, daß ich dazugehöre. Ohne Emily Post, Debrett oder Knigge zu Rate zu ziehen, bin ich ziemlich sicher, daß es absolut nicht *comme il faut* ist, jemals das Niveau der eigenen Berühmtheit zu thematisieren; dennoch muß ich leider gestehen, daß der Begriff auf mich zutrifft, möglicherweise – und das ist die erlesenste Peinlichkeit dabei – sogar der der »kleinen Berühmtheit«. Es wäre netter, als ein Typ zu gelten, dessen Job es mit sich bringt, gelegentlich im Fernsehen aufzutreten, aber was die Organisatoren merkwürdiger Wohltätigkeitsveranstaltungen angeht, zählt man traurigerweise zu den »vielen hundert Berühmtheiten, die bereitwillig ein Kleidungsstück für die Versteigerung gespendet haben«.

Lord Reith, der Gründer der BBC, verbannte den Gebrauch des Wortes »bekannt« als deskriptives Adjektiv aus dem Sender. »Wenn jemand wirklich bekannt ist«, raunzte er, »ist das Wort überflüssig. Wenn er es nicht ist, ist es gelogen.« Wie er auf das Wort »Berühmtheit« reagiert hätte, weiß Gott allein. Vermutlich hätte er Krämpfe bekommen.

Niemand sieht sich selbst gern als Berühmtheit, ebensowenig wie man sich selbst als Tourist bezeichnet, aber für die Zeitungsklatschspalten sind so himmelweit verschiedene Menschen wie Jeremy Beadle, Sir Peregrine Worsthorne, Russell Grant, Ian Botham, Anthony Burgess, Sir Isaiah Berlin und Felicity Kendal »Berühmtheiten«, sosehr die auch bei diesem Etikett zusammenzucken oder um sich schlagen mögen. Dabei haben sie nur eines gemeinsam: die Öffentlichkeit hat von ihnen gehört; viele Menschen überläuft ein Schauer, wenn sie von ihren amourösen oder sozialen Eskapaden hören, und andere würden weite Strecken in schlecht sitzenden Stiefeln zurücklegen, um dabeizusein, wenn sie vor einem neuen Supermarkt das Band zerschneiden oder ihr neuestes Buch signieren. Daß millionenmal mehr Menschen von Jeremy Beadle als von Anthony Burgess gehört haben oder daß Sir Isaiah Berlins Lebenswerk wahrscheinlich einen tieferen Eindruck auf die Menschheit hinterläßt als Russell Grants, tut dabei nichts zur Sache. Das ist das Grausige bei der ganzen Angelegenheit. Einmal habe ich sogar gehört, wie jemand im Fernsehen als »Mr (Name aus Höflichkeit verschwiegen), die gefeierte Berühmtheit« beschrieben wurde. Also, ich meine, häh?

Ich kenne Menschen, die es hassen, berühmt zu sein, die es verabscheuen, erkannt zu werden, und lieber dunkle Gassen hinabhuschen, als einem Mitglied der Öffentlichkeit zu begegnen, und ich kenne andere, die sich im Rampenlicht richtig suhlen, die liebend gern erkannt werden und direkt anfangen aufzuleuchten, wenn sie auf der Straße angesprochen werden. Ich finde nicht, daß die eine Einstellung der anderen moralisch überlegen ist. Der echte Nachteil, den jedenfalls mein bescheidener Prozentsatz an Fernsehberühmtheit mit sich bringt, besteht darin, daß ich keinen Ärger über schlechte Bedienung im Restaurant oder meckernde Ungeduld in der Supermarktschlange mehr zeigen darf. Man muß den Ärgernissen des Lebens mit gütig debilem Grinsen von Ohrläppchen zu Ohrläppchen begegnen. Andernfalls wird man zu hören bekommen, man erwarte wohl eine Extrawurst. Die Tage gehören der Vergangenheit an, als man noch auf den Tresen klopfen und fordern konnte, unverzüglich den Filialleiter zu sprechen.

Daß mit dieser ganzen Berühmtheitenchose psychisch etwas nicht stimmt, wurde mir klar, als ich vor Jahren zum erstenmal bemerkte, daß die Hände einer am Bühnenausgang auf mich wartenden Autogrammjägerin zitterten wie Wackelpudding, als sie mir ihr Buch zum Signieren überreichte. Im Gespräch mit Leuten, die schon länger im Licht der Öffentlichkeit standen, erfuhr ich, daß das absolut normal ist. Es klingt krank, ich weiß, aber es gibt Menschen, die bibbern und zittern von Kopf bis Fuß, bloß weil sie neben mir stehen. Das ist wirklich beunruhigend und verstörend. Daß der Ruhm, der bestimmte Berufszweige zufällig begleitet, solche Auswirkungen haben kann, kann doch nicht gesund sein. Wenn diese Reaktion sich auf Backfische beschränkte, könnte man vermutlich anregende und offensichtliche Schlüsse ziehen, aber das ist nicht der Fall. Unsere ganze Kultur scheint ruhmsüchtig geworden zu sein.

Letztlich wird sich Qualität natürlich durchsetzen. Vor fünfzig Jahren war Dornford Yates bestimmt bekannter als W. B. Yeats; heute trifft das Gegenteil zu, und es ist (wirklich wahnsinnig) schwer, sich irgendwo seinen Dornford Yates zu komplettieren.

Christopher Fry, der Lyriker und Dramatiker, wird noch gelesen und bewundert werden, wenn Stephen Frys letztes Videoband in irgendeinem Museum für Absonderlichkeiten des Fernsehens schon seit Jahren zu Staub zerfallen sein wird, und das ist auch gut so. Aber ich könnte verrückt werden bei dem Gedanken, daß Christopher Fry, der sein Gesicht der Mattscheibe wohlweislich vorenthalten hat, überdies das Privileg genießt, bei Sainsbury's sauer werden zu dürfen. Manchmal ist das Leben einfach nicht fair.

Danken Sie nicht Ihrem Glücksstern

Ich habe in dieser Kolumne schon einmal auf den großen kanadischen Zauberkünstler James (»The Amazing«) Randi hingewiesen. Randis Ruf als Magier wird übertroffen einzig von seiner Reputation als Ermittler in Sachen angeblich »paranormaler« Phänomene. Für Granada Television in Manchester hat er gerade eine Fernsehserie abgeschlossen, in der er sich jede Woche auf ein anderes Gebiet übernatürlicher Aktivitäten konzentriert – Geistheiler, Wünschelrutengänger, außersinnliche Wahrnehmung, Astrologie, Geisterwelt, Psychometrie, Graphologie und so weiter. Randi hat stets betont, er wäre entzückt, Beweise eines Phänomens vorgelegt zu bekommen, das nicht durch Vernunft, heutige Wissenschaft oder die Gesetze der Wahrscheinlichkeit erklärt werden könne. Und in einem langen, der Entlarvung von Betrug, Mißverständnissen und Leichtgläubigkeit gewidmeten Leben hat er nicht ein einziges Mal den Funken eines Beweises gesehen, der auch nur eine Spur von Wahrheit in den Behauptungen vermuten ließe, es gäbe Geister, telekinetische Kräfte, Hellsehen durch Handlesen, Tarotkarten oder Teeblätter, Medien, Horoskopie oder irgendein anderes skurriles System, das die hungrige Phantasie des Menschen je ersonnen haben mag. Der menschliche Geist ist schließlich schon bemerkenswert genug in seiner Fähigkeit, Symphonien zu komponieren, Hängebrücken zu bauen, tausenderlei verschiedene Korkenzieher zu erfinden, auf die Minute genau das Erscheinen von Kometen am Himmel zu berechnen und sich neue Fernsehspielshows auszudenken, ohne daß er Zugang zu unbewußten, unbekannten oder unüberprüfbaren Kräften nötig hätte, mit deren Hilfe er spirituelle Botschaften von Indianern empfangen oder Charaktereigenschaften aus Geburtsdaten ableiten könnte.

Als Zauberkünstler ist Randi genau der richtige, um zu erkennen, wie die Routiniers dieser dubiosen Mysterien ihre Effekte erzielen. Er wendet schließlich dieselben Techniken an. Damit will ich nicht gesagt haben, daß alle, die behaupten, prophezeien oder hellsehen zu können, bewußte Scharlatane und Betrüger sind, obwohl viele es sind (Randi hat beispielsweise demonstriert, wie man einen Löffel verbiegen kann, obwohl man scheinbar nur ganz sachte darüberstreicht). Meiner Meinung verlassen sich Zauberkünstler und Paranormale gleichermaßen darauf, daß die menschliche Natur die Arbeit für sie erledigt. Ich habe oft gehört, wie jemand ein Zauberkunststück folgendermaßen beschrieben hat: »Er gab mir einen versiegelten Umschlag, ließ mich ein Kartenspiel mischen, eine Karte wählen, sie mir einprägen und wieder unter das Blatt mischen. Ich öffnete den Umschlag, und der enthielt die von mir gewählte Karte, die im Spiel nicht mehr zu finden war.« Ein Kartentrick funktioniert so gut wie nie so, aber so erinnert sich das Publikum daran. Vergessen wird, daß der Zauberer den versiegelten Umschlag in Wirklichkeit etwa unter ein Buch gelegt hat; daß *er* das Blatt ebenfalls vor und nach der Kartenwahl gemischt hat, daß *er* dann dem Betreffenden den Umschlag zum Öffnen gab, nachdem die Karte ausgewählt und angeschaut worden war. Diese wichtigen Einzelheiten vergißt man, nur an den Effekt erinnert man sich. Zauberkünstler zählen hundertprozentig auf diese Selektivität des menschlichen Gedächtnisses, auf unsere Vorliebe, uns nur das Wunder selbst wieder vor Augen zu führen, nicht das ganze Drum und Dran.

Analog dazu habe ich Tarotkarten- und Handleser ungefähr folgende Richtung einschlagen sehen: »Ich sehe hier Anzeichen eines Hobbys, ich glaube, Sie sammeln etwas... leidenschaftlich? Etwas Schönes, Porzellan... Münzen... Möbel... antiquarische Bücher... etwas... Gemälde, Zeichnungen... Kunstdrucke, ach ja?... genau, Drucke.« Der Betreffende sülzt danach jedem, der den Fehler macht zuzuhören, begeistert die Ohren voll, wie dieser außerordentlich begabte Handleser aus heiterem Himmel mit der Information herausrückte, daß er Kunstdrucke sammle, und übersieht die sechs Blindgänger, die der richtigen Antwort vorausgingen.

Es gibt zahlreiche Bücher zum Thema »Mentalismus«, jenem Teil der Magie, der sich mit vorgeblichem Gedankenlesen beschäftigt. Alle beginnen sie mit dem Hinweis darauf, daß diese Fähigkeiten auf Menschenkenntnis beruhen und auf dem Vermögen, soziale Schichtzugehörigkeit und Charaktertypen schnell und einfach erfassen zu können. Sie können das selbst bei einer Party ausprobieren. Wenn Sie jemanden kennenlernen, können Sie ziemlich schnell beurteilen, ob er zu dem Menschenschlag gehört, der Dinge sammelt, skiläuft, angelt oder jagt, ob er Sportfan ist oder schmale Lyrikbände liest. Natürlich werden Sie sich gelegentlich irren, aber neun von zehn Malen kann man mit einiger Genauigkeit grundlegende Charakteristika und wahrscheinliche Freizeitaktivitäten festlegen. Wenn Sie dann noch die Frechheit besitzen und behaupten, Erfahrung in mystischer Kunstfertigkeit zu haben, und die Atmosphäre erzeugen können, in der ein Fremder Ihnen zuhört, werden Sie ihn verblüffen können. Das klappt natürlich nicht, wenn Sie Ihre »Lektüre« einfach so vorbringen; die Leute wollen glauben, daß hinter Ihren erstaunlichen Gaben ein System steckt. Nehmen Sie ihre Hand, verlangen Sie eine Schriftprobe, fragen Sie nach ihrem Geburtsdatum, fallen Sie in Trance, alles, was Ihnen die Pseudo-Autorität einer Tradition verleiht. Niemand will einsehen, daß sein Charakter oder Wesen sich seiner Kleidung, seinem Dialekt, seinen sprachlichen Manierismen oder seinem Gang ablesen läßt, das wirkt dreist und anmaßend; hingegen lieben die Menschen die Vorstellung, daß dieselben Wahrheiten ihrer Handfläche oder der Weise, wie sie den Querstrich am »t« anbringen, abzulesen sind.

In Amerika gibt es 2000 professionelle Astronomen und 20 000 professionelle Astrologen; in Britannien laufen ehemalige Sportreporter in Türkis herum und faseln was vom Mitschwingen in Strömen luziferischer Energie.

Aberglaube ist nicht einfach ein harmloser Spaß. In Wirklichkeit hat man Pech, wenn man abergläubisch ist, einfach weil man in dieser Welt Pech hat, wenn man ein Narr ist.

Die Jungs vom Lande

»Ich glaube an Amerika«. Die ersten Worte jenes unübertroffenen Meisterwerks des modernen Kinos, *Der Pate*, mögen mir als Anfangsworte dieses Artikels dienen. Auch ich glaube an Amerika; an die kitschigen Formulierungen seiner Verfassung, seine institutionalisierte Sentimentalität, seine Verrücktheit, Verkommenheit und Opulenz; alles Fanatische und Phantastische an den Vereinigten Staaten ergreift, entsetzt und elektrisiert. Ich kenne nur die dünnen Krusten beider Küsten; die großartige Fleischfüllung in der Mitte, das »wahre« Amerika, das Reagan wählte, das Nikaragua für eine gewalttätige Bedrohung seiner Sicherheit hielt und das der Meinung war, Senator McCarthy hätte doch echt recht – dieses Amerika kenne ich überhaupt nicht. Aber seinen Einfluß spüren wir alle.

Ich hatte in der letzten Woche das Vergnügen, meinen siebenjährigen Neffen unterhalten zu dürfen, und war wirklich platt, als ich merkte, wie weit amerikanische Populärkultur seine Sprache und seinen Horizont durchdrungen hat. Eine überreichliche Portion Baked Beans wurde als *stark* etikettiert; die Aussicht auf vier Bernard-Matthews-Hühnerkeulen galt als *mega*, und bei einem Haufen amerikanischer Pommes frites zum Aufbacken tat er's nicht unter *wild, cool* und *bad*. Das ist weder überraschend noch neu; den unaufhaltsam steigenden Einfluß Amerikas auf unsere Kultur in diesem Jahrhundert kann man mit dem unaufhaltsamen Aufstieg der Mittelklassen in diesem Jahrtausend vergleichen. Die Popularität von Bart Simpson, den Turtles, American Football und Baseballmützen ist nicht unbedingt größer als die Bewunderung in den zwanziger Jahren für Charleston, Glimmstengel, Bubiköpfe, Ragtime und Lillian Gish. Der überwältigende Erfolg der Beatles und der Rolling Stones in den Sechzigern lag nicht an ihrer heimatlichen musikalischen Originalität, sondern an ihrem Aufgehen in der amerikanischen Kultur, im Rhythm and Blues und Rock 'n' Roll.

Neu ist heutzutage jedoch, glaube ich, daß Amerika auch in der Provinz auf dem Vormarsch ist. Die städtische Amerikabegeisterung ist nachvollziehbar: Die Vereinigten Staaten haben das Stadtleben nach Dickens so gut wie erfunden. Die Discos und Kinos, die die Tanzsäle und Music Halls abgelöst haben, stammen aus Amerika, auch die Fast-Food-Ketten und Supermärkte, die den ABC-Teestuben und Kolonialwarenläden den Rang abgelaufen haben, sind amerikanischen Ursprungs. Das ländliche England dagegen, jener Teil unseres Vaterlands, der uns trotz der industriellen Revolution als Nation definierte und charakterisierte, schien immun zu sein. Unsere Städte mögen ihr eindeutig englisches Gepräge verloren haben, aber unsere Provinz fand bei keiner Nation auf Erden ihresgleichen.

Schau, Fremder, auf dies Eiland jetzt. Ich wuchs in Norfolk auf, half bei der Ernte, war Meßdiener beim Abendmahl, krächzte im Kirchenchor und radelte um die Hecken. In den Sechzigern und frühen Siebzigern war ich ein Junge vom Lande, ein Bauernbursche, ein Corydon. Jetzt wohne ich wieder in Norfolk, sooft ich dem lockenden Ruf der Metropole widerstehen kann, und welch ein Wandel hat hier stattgefunden!

Der ländliche Jugendliche von heute nimmt sich die Helden jener amerikanischen Fernsehserie *Ein Duke kommt selten allein* zum Vorbild. Seinen Wagen motzt er mit Firestone-Reifen auf, malt die Südstaatenflagge auf die Motorhaube und steht auf Beschleunigungsrennen mit frisierten Motoren wie irgendein amerikanischer Hinterwäldler. Daß es keinen spitzbäuchigen Sheriff mit Ray-Ban-Sonnenbrille gibt, der Tabak kaut und ihm die Ohren langzieht, wenn er aus der Reihe tanzt und einen Zahn zuviel drauf hat, muß für ihn und all die Jungs vom Lande East Anglia eine herbe und rätselhafte Enttäuschung sein.

Die Geschäfte, die die Autobahnen säumen, stellen Totempfähle mit Mehrfachwegweisern für die Gartencenter, Tankstellen und Imbisse auf, die sich am Straßenrand tummeln. Norwich hat inzwischen ein Drive-In McDonald's, und Autokinos gibt es auch.

Wenn diese Beschreibung bitter, versnobt oder unwirsch klingt, war das nicht meine Absicht. Das ländliche East Anglia im herkömmlichen Sinne existiert nur noch in jenen kleinen Dörfern, die zu Landgütern gehören, oder in jenen Küstenregionen von North Norfolk oder Suffolk, die man geradezu Kensingtons by the Sea nennen kann und die von den Londonern für so dörflich und pittoresk gehalten werden, die hinausfahren, »wann immer wir Zeit haben«: Londoner wie ich, nehme ich an. Das kulturelle Vakuum, das die Industrialisierung der Landwirtschaft und die Zerstörung der Dorfgemeinschaften hinterlassen haben, wurde von der amerikanischen Kleinstadt gefüllt. Um Cassius' Worte abzuwandeln – nicht durch die Schuld der *Stars and Stripes*, brutal gesagt, durch eigne Schuld nur sind wir so geschwächt.

Wer in Nestern auf dem Lande geboren wurde, dem kann man keinen Vorwurf machen, wenn er Idole, Archetypen und Helden sucht, die sein Verhalten rechtfertigen und bekräftigen. In der englischen Folklore findet man die nicht, kann sie aber sehr wohl täglich in Film und Fernsehen beobachten, die von der anderen Seite des Atlantik zu uns herüberschwappen. Wenn ich der Sohn eines Traktorfahrers aus Swaffham wäre, würde ich auch lieber einem wilden Südstaatenrebellen in einem alten Mustang nacheifern als einem unterwürfigen Bauerntölpel in einer zu engen Norfolkjacke.

Verzweifelt versuchen wir, das von uns so genannte ländliche England zu konservieren, so wie wir alte Dorfkirchen erhalten wollen. Aber eine Kirche besteht aus Gemeinde und Gottesdienst, so wie eine Schule aus Schülern und Lehrplan und eine Nation aus Land und Leuten. Wenn der Schuppen dem Aluminiumsilo gewichen ist und der *Barndance* in weniger als zwanzig Jahren dem *Country-Dance*, was wird in den nächsten zwanzig passieren? Volkstanzgruppen und Denkmalsschutzregeln können es jetzt auch nicht mehr retten.

»Ichabod«, wie das große Buch sagt, »die Herrlichkeit ist hinweg.«

Der Grammatik auf den Fersen

Den folgenden Witz hört man in der Weihnachtsmärchenzeit oft in Theatern in ganz Britannien.

Erste hässliche Schwester: Immer wenn mir die Decke auf den Kopf fällt, kauf' ich mir 'n neuen Hut.

Zweite hässliche Schwester: So sehen die auch aus.

Das bringt vielleicht nicht gerade jeden dazu, vom Theatersessel zu rutschen und sich vor Lachen auf dem Boden zu wälzen, ist aber ein ganz passables Gaglein.

Immer wenn *mir* jedoch die Decke auf den Kopf fällt, kauf' ich mir neue Software. Ich überschütte meinen Computer mit einer Liebe und Treue, die die meisten Menschen ihren Haustieren, Autos oder Sammlungen erotischer Exlibris vorbehalten. Das letzte Konfekt, mit dem ich den abgestumpften Gaumen meiner Maschine in Versuchung zu führen probiert habe, ist ein ganz sonderbares Programm namens GRAM•MAT•IK™ Mac. Fragen Sie mich bitte nicht, wofür die Kugeln zwischen den Buchstaben stehen, ich nehme an, die Tmesis ist aus Gründen des Urheberrechts erforderlich, genauso wie die merkwürdige Trennung des Wortes »Grammatik«. »Mac« bezieht sich auf die Tatsache, daß mein Computer Macintosh heißt, aber nach der Apfelsorte so genannt wird, nicht nach dem Regenmantel gleichen Namens.

Sinn und Zweck von GRAM•MAT•IK™ Mac ist die Unterstützung des Autors beim Korrekturlesen seiner Skripte und Texte, für die er grammatische und stilistische Verbesserungsvorschläge erhält. Das vielleicht seltsamste Extra ist eine »Vergleichstabelle«, mit deren Hilfe die Ausdrucksweise des Benutzers an drei verschiedenen Prosastilen gemessen wird: Lincolns Ansprache in Gettysburg, Ernest Hemingways Kurzgeschichten und die Police einer Lebensversicherung (Autor unbekannt). Der Verfasser erhält Punkte für Lesbarkeit, deren Skala von zwei beunruhigenden Kriterien namens Flesch-Kincaid-Stufenschema und Gunnings-Fog-Index bestimmt wird. Dem Verfasser wird außerdem mitgeteilt, welcher High-School-Klasse sein Schreibstil entspricht. Wie die meisten Briten habe ich keinen blassen Dunst vom amerikanischen Schulsystem und könnte einen Durchschnittswert nicht von einem Dritt-Trimester unterscheiden, und aus diesem Grunde weiß ich leider nicht, ob die Tatsache, daß mein Stil immer wieder den Wert »Stufe Elf« erreicht, gut oder schlecht ist. Vielleicht bedeutet sie, daß ich wie ein Elfjähriger schreibe, vielleicht bin ich auch Marcel Proust; ich bin froh, es nicht zu wissen.

Eben habe ich den bis hierher geschriebenen Text durch das Programm gejagt, weil ich wissen wollte, was der Computer von meinem heutigen Tagwerk hält. Leider muß ich gestehen, daß gleich der erste Satz dieses Artikels angefochten wurde. GRAM•

MAT•IK™ Mac sediert den Gebrauch des Passivs. »Überarbeiten Sie u. U. den Satz, und benutzen Sie das Aktiv. Weitere Informationen mit der HILFE-Funktion«, befahl es. Auch wurde mir aufgetragen, das Wort »Unterstützung« durch »Hilfe« zu ersetzen, das Wort »erreicht« durch »bekommt« und die Wendung »aus diesem Grunde« durch »deshalb«.

Auf der Flesch-Kincaid-Skala erreichte oder »bekam« ich eine 12, was leider heißt, daß meine Prosa »für die meisten Leser schwierig ist«. Andererseits schneiden Durchschnittswerte von 4,66 Buchstaben und 1,5 Silben pro Wort im Vergleich mit einer Lebensversicherungspolice ganz gut ab. Mit 23,6 Wörtern pro Satz liege ich mit Lincolns Ansprache in Gettysburg mit ihren 23,4 gleichauf, aber weit abgeschlagen im Mittelfeld, wenn ich mich mit Hemingways sparsamen 13,5 vergleiche. Anscheinend darf ich mich glücklich schätzen, daß 12,7 Prozent all meiner Wörter Präpositionen sind, muß aber noch an meinem übermäßigen Gebrauch des Passivs arbeiten.

Dem Leitartikel im ›Telegraph‹ vom Montag erging es kaum besser. Ein plausibel argumentierender Text über Mr Hurds Staatsbesuch in Hongkong wurde für den zu häufigen Gebrauch des Wortes »inakzeptabel« gerügt. Das offenbart beklagenswerte Unkenntnis des charakteristischen Stils eines ›Telegraph‹-Leitartikels. Ich jedenfalls bete inständig, der Tag möge niemals anbrechen, an dem ein ›Telegraph‹-Leitartikel das Wort »inakzeptabel« weniger als viermal benutzt.

Auch die Absatzlängen des Leitartikelschreibers fielen durch. »Vielen Lesern werden die Absätze zu lang sein, und sie werden ihnen nicht mehr folgen können. Versuchen Sie, Ihre Gedanken in kürzere logische Einheiten zu gliedern«, lautete der Rat des Programms.

Eine Flesch-Kincaid-Stufe 14 bedeutet, daß der Stil »für die meisten Leser schwierig ist« und ein High-School-Niveau »oberhalb der 11. Stufe« darstellt.

Da ich eine schöne Stange Geld für dieses Programm hingelegt habe, würde ich es nur ungern als nutzloses und unverschämtes Stück Müll bezeichnen, sondern werde mich vorläufig mit ihm zu messen versuchen.

Im Lauf der Zeit könnte etwas geschehen. Mein Stil könnte sich ändern. Er könnte Sie an Hemingway erinnern. Das war ein großer Schriftsteller. Er schrieb kurze Sätze. Sein Stil war gut. Er wußte, er war gut. Er wußte, er war gut, denn sein Gunnings-Fog-Lesbarkeitsindex war hoch. Er benutzte nie das Passiv. Er fand Adjektive weibisch. Er sagte nie »aus diesem Grunde«. Er sagte lieber »weil«. Er sagte lieber »bekommen« als »erreichen«.

Er bekam einen prima Ruf. Er war hart. Er hatte einen Vollbart. Er trank. Er angelte Schwertfische und Meeräschen. Er schoß. Er erschoß sich selbst. Vielleicht erschoß er sich, weil er dachte, sein Leben sei zu lang, wie ein schlechter Satz.

Vielleicht dachte er, sein Leben sei zu passiv.

Wer weiß.

Karrieren, wohin man auch schaut

Marinetti ist wahrscheinlich der einzige Künstler, der meine Schulzeit mit einigem Erfolg hätte malen können. Da er diese ganzen laufenden Maschinen abbilden mußte, wäre er eindeutig der Meister für die Wiedergabe bewegter Geschichten gewesen, und kaum eine Geschichte hienieden kann bewegter sein als die meiner Schulzeit.

Eine der wenigen Schulen, an denen ich lange genug bleiben durfte, um meine Koffer auszupacken, rühmte sich neben dem üblichen Lehrkörper noch eines Berufsberaters. Soweit ich es beurteilen kann, bestand der Job dieses Mannes darin, jeden Schüler ein Formular ausfüllen zu lassen und ihm auf der Grundlage seiner Antworten dann zu sagen, für welchen Job er im späteren Leben wie geschaffen sei. Wie jede Sinecure dieser Art war der Posten des Berufsberaters ausschließlich pensionierten Marineoffizieren vorbehalten. Admiräle bekamen den Job des Quästors, Fregattenkapitäne spitzten natürlich auf den Job des Berufsberaters.

Zu dessen Aufgaben gehörte es, ein mit Hochglanzbroschüren und Prospekten vollgestopftes Büro zu unterhalten, damit jene, die herausfinden wollten, wie das Leben bei Proctor & Gamble oder

Penguin Books aussieht, alles über diese unvergleichlichen Institutionen nachlesen konnten. Das Büro, das neun Zehntel der Zeit leerstand und mit einem kinderleicht zu knackenden Schloß gesichert war, wurde mein Schlupfloch, um den Aufmerksamkeiten der Autoritäten zu entgehen oder ungestört eine Zigarette schmauchen zu können.

Während meiner Stubenhockerei in diesem Refugium las ich immer die Akten über die älteren Schüler, die ihre Karrierebögen schon ausgefüllt hatten. Schnell wurde mir klar, daß der Job des Berufsberaters zu den ältesten Schlichen gehörte, wie man schnell zu Geld kommt. Unter die Frage »Welches Berufsbild schwebt Ihnen vor?« schrieb man etwa »Arzt«. Nach noch ein paar Fragen zur »Arbeit mit Menschen«, den Fächern, die man belegt hatte, und den Zensuren schrieb der Berufsberater dann unten auf die Seite: »Sollte Arzt werden.« Wenn der Bewerber bei der ersten Frage mit »Weiß noch nicht« geantwortet hatte, kritzelte der Berater statt dessen »Buchhalter?«.

Nach meinen O-Levels war ich an der Reihe, das Formular auszufüllen. Unter die erste Frage, »Welches Berufsbild schwebt Ihnen vor?«, schrieb ich natürlich »Berufsberater in der Schule«. Als ich das nächste Mal sein Büro aufsuchte, um mir in Ruhe eine Embassy Filter zu gönnen, und meine eigene Akte herauszog, entdeckte ich, daß der Berufsberater neben diese Antwort geschrieben hatte: »Komiker, was?«

Deswegen bilde ich mir gern ein, daß ich weltweit zu den ganz wenigen Menschen gehöre, die den Rat ihres Berufsberaters beherzigt haben.

Ich finde seit langem, das beste an meiner Lebensweise ist, daß ich es mir leisten kann, eine Art Bohème-Ideal auszuleben. Ich finde, es hat keinen Sinn, für sein Einkommen zu schreiben und zu schauspielern, wenn man nicht bereit ist, im Bett zu rauchen, spät aufzustehen, Klamotten zu tragen, die bequem bis an die Grenze der Verludertheit sind, und in puncto Moral und Sprache lockere Sitten zu pflegen. Hin und wieder fällt es schwer, diese Ideale zu erfüllen, aber was will man machen, sie gehören nun einmal dazu. Ich bin deswegen immer sehr überrascht, wenn ich Kollegen treffe, die zu Gesellschaften mit beschränkter Haftung geworden und dazu übergegangen sind, eigene Fernsehshows zu produzieren und

Büros zu leiten, die voller Sekretärinnen, Photokopierer und Espressomaschinen steckten. Das Wort, nach dem ich suche, lautet wahrscheinlich Verantwortung. In dem Augenblick, wo man anfängt, truppweise Mitarbeiter und Telephonistinnen einzustellen, wird man für andere verantwortlich. Ich lasse mich in meiner Bewunderung für Manager und die Funktionärsklasse im allgemeinen von niemandem übertreffen, aber irgendein Charakterfehler hat mich stets davor zurückschrecken lassen, zu heuern, zu feuern und Anordnungen zu geben.

Politiker haben in einer parlamentarischen Demokratie natürlich per definitionem eine ganze Menge Verantwortung. Sie dürfen in Sachen Moral und Sprache keine lockeren Sitten pflegen; sie dürfen nicht bis fünf Uhr nachmittags im Schlafanzug herumlaufen, und soweit ich weiß, ist der Fraktionszwang besonders streng, wenn es um das Rauchen im Bett geht.

In einem Anfall geistiger Umnachtung stimmte ich letzte Woche zu, mit Politikern zusammen bei der BBC in *Question Time* aufzutreten. Als der gewissermaßen »Blockfreie« der Sendung konnte ich mich nicht entscheiden, ob es leichter ist, als Unabhängiger eine Frage zu beantworten, oder wenn einem die strengen Richtlinien der Parteidisziplin einen eindeutigen Kurs vorgeben. Alle waren total nett und leutselig und keine Spur aufgeblasen, solange wir nicht auf Sendung waren. Einmal jedoch wurde dem Publikum vorgeworfen, parteiisch zu sein. Mir fiel ein in dieser Zeitung veröffentlichter Leserbrief auf, der jener Meinung beipflichtete.

Die BBC ist immer sehr bestürzt, wenn sie sich mit derlei Vorwürfen konfrontiert sieht. Jeder Bewerber für das Studiopublikum muß ein Formular mit detaillierten Fragen zu Wahlverhalten, Beruf, Haarlänge und allen möglichen, auf den ersten Blick unwichtigen Faktoren ausfüllen. Und dann wird ein Publikum ausgewählt, das einen haargenauen Querschnitt durch die britische Gesellschaft abgeben soll. Ich habe unerschütterliches Vertrauen in dieses System. Ich glaube an das Ausfüllen von Formularen.

Schließlich ist es keineswegs ausgeschlossen, daß diese Fragebögen von denselben Leuten entworfen wurden, die auch für die Karriereformulare an meiner alten Schule verantwortlich waren.

Toleranz gegenüber Krankheiten

Vor zehn Jahren (im Mai 1981) erschien auf Seite zwanzig der ›New York Times‹ ein Artikel. Er berichtete vom Ausbruch einer seltenen Krebsart, dem Kaposi-Sarkom, bei 41 bis dahin kerngesunden Männern im Alter von 26 bis 51 Jahren. Ein Dr Alvin E. Friedman-Kien vom New York University Medical Centre sagte, er habe neun dieser Männer untersucht und »schwerwiegende Defekte in ihrem Immunsystem festgestellt«.

Ein Jahr darauf hatte jeder von Aids gehört, einer Krankheit, die durch Infektion des Bluts mit dem Retrovirus HIV übertragen wird. Hierzulande wurde ebenso wie in Amerika deutlich, daß die überwältigende Mehrheit der an ihr Erkrankten in drei Kategorien fiel: homosexuelle Männer, Konsumenten zu injizierender Drogen und Bluter.

Eine Zeitlang zog die Seuche die hysterische Aufmerksamkeit der Medien auf sich, vor allem der Boulevardpresse, für die die Berichterstattung über den Krankheitsverlauf von Berühmtheiten wie Rock Hudson oder Liberace eine Sensation war. Wilde Gerüchte kursierten, die Krankheit stamme von haitianischen Schweinen oder zentralafrikanischen Affen, mit denen katastrophal abenteuerlustige amerikanische Touristen unkonventionelle Intimität genossen hätten. Die amerikanische Zeitung ›Globe‹ vertrat ernsthaft die These, Aids gehöre zum Fluch des Tut-ench-Amun, das Virus sei 1922 freigesetzt worden, als sein Grabmal geöffnet wurde, und habe Amerika erreicht, als in den siebziger Jahren dort eine Wanderausstellung gezeigt wurde.

Trotz all ihrer Monstrosität kann keine dieser Theorien mit der entsetzlichen Verbreitung Schritt halten, die diese Krankheit in der westlichen Welt fand. In Britannien und im Ausland sind viele Christen der Ansicht, Aids sei eine Heimsuchung Gottes, herabgesandt zur Bestrafung all jener, deren Lebensweise dem Allmächtigen verwerflich vorkommt. Das ist eine der bedenklichsten und verstörendsten Ideen einer für ihre Sturköpfigkeit und mangelnde Vernunftbereitschaft sattsam bekannten Spezies, die ich je gehört habe. Wir sollen uns also ein Höheres Wesen vorstellen, das jahrhundertelang auf die Erde herabgeblickt hat und tagtäglich Zeuge von Grausamkeit, Laster, Gewalt, Tyrannei und gnadenlosem Haß wurde, ohne je dagegen auch nur einen Finger krumm gemacht zu haben; ein Höheres Wesen, das nach der Sintflut schwor, sich nie wieder in menschliche Angelegenheiten einzumischen, das aber Ende des 20. Jahrhunderts beschließt, all jene, die sich mit Freunden desselben Geschlechts im Bett herumwälzen oder die sich ihr Gehirn wie vor ihnen Tausende respektabler Viktorianer mit einem Destillat aus Mohnsaft zu füllen belieben, müßten von der scheußlichsten, tödlichsten und unbarmherzigsten Plage dahingerafft werden, die die Erde je gesehen hat. Welches Höhere Wesen wäre launisch, grausam und irrational genug, sich so aufzuführen? Wo ist die Krankheit, die ausschließlich KZ-Wachen befiel? Wo das Virus, das Kindesmißhandler befällt, Korrupte, Mörder und Despoten?

Nun könnte man mir entgegnen, nur eine fundamentalistische Randgruppe vertrete so grauenerregende Auffassungen. Gleichwohl gibt es eine zunächst weniger extrem klingende Ansicht, derzufolge jene, die sich die Krankheit durch Bluttransfusionen zuzogen, also hauptsächlich Bluter, irgendwie »unschuldige« Opfer seien. Das impliziert natürlich, daß der Rest schuldig ist und unser Mitleid daher weniger verdient hat. Nun unterliegt Mitleid nicht der Berechnung, Qualifikation oder Kontingenz. Wie Gnade tropft es als sanfter Regen vom Himmel auf die Erde nieder. Natürlich läßt sich argumentieren, wer heute noch HIV-positiv werde, müsse jahrelang simplen und kostenlosen Rat in den Wind geschlagen haben und sei also ein Idiot. Aber wenn wir anfangen, die Welt in Verdienstvolle und Verdienstlose einzuteilen, wie die Viktorianer es mit den Armen taten, dann kehren wir jeder anständigen menschlichen Regung den Rücken.

Was hätte Jesus an unserer Stelle getan? Hätte er unterschieden und diskriminiert, hätte er verurteilt? Es kommt mir unwahrscheinlich vor, daß ein Mann, der Aussätzige berührte und Sünder zu seinen Freunden zählte, sich mit jenen verbünden würde, die mit unverhohlenem Vergnügen jauchzen und sich hämisch die Hände reiben angesichts des Elends und Leidens, das die Krankheit mit sich gebracht hat. Zwar könnte er sagen, »Gehe hin und sündige hinfort nicht mehr«, aber das würde er zum Bankmanager, Priester und Politiker genauso sagen wie zum Homosexuellen. Sünder sind wir schließlich alle. Immer noch ist Jesus der Mann, der da sprach: »Wer unter euch ohne Sünde ist, der werfe den ersten Stein.«

Wenn der Ratschlag der Prinzessin von Wales, wann immer wir einen Aidskranken träfen, sollten wir ihn umarmen, befolgt wird, wird diese Not zehn Jahre nach Fortschreiten der Krankheit vielleicht ihr Gutes gehabt haben, etwas, das *uns* ebenso wie die an ihr Leidenden zu besseren Menschen macht.

Denn eines steht fest: Selbst wenn Aids tausend Jahre anhalten sollte, wird die Krankheit niemals so viele Menschenleben fordern, wie Intoleranz seit Menschengedenken und bis heute fordert.

Ein seltsamer Mann

Im Radio war neulich ein seltsamer Mann zu hören. Das ist an sich nichts Neues, das Radio ist mehr oder weniger zur zweiten Heimat für seltsame Menschen geworden. Als Marconi mit seinem ersten funktionierenden Apparat aufs Patentamt kam, hat er als einen der Vorteile seiner Erfindung bestimmt die Möglichkeit angeführt, daß dadurch eines Tages seltsame Menschen von der Straße geholt und an einem mit grünem Filz bespannten Tisch, auf dem lediglich ein Mikrophon steht, Unterschlupf bei anderen seltsamen Menschen finden werden. Das Radio hat, ähnlich den Londoner Clubs, die Funktion übernommen, den Verstörten und fehlgeleiteten Imperialisten eine Zufluchtsstätte zu bieten.

Der seltsame Mann, den ich meine, war »Zeuge« in der Sendung *Der moralische Wirrwarr* auf Radio 4. *Meine* moralischen Bedürfnisse werden eigentlich immer von den *Archers* gedeckt, von der Ethik der Mineralwasserabfüllung bis zu den Pflichten des Schweinehütens, aber es gibt Menschen, die brauchen stärkeren Tobak, und für sie bietet die Programmleitung *Der moralische Wirrwarr* an. Diese Woche beschäftigte man sich mit dem Thema Zensur. Der seltsame Mann durfte den Standpunkt vertreten, wir sollten definitiv nicht nur unsere künstlerischen Produkte wie Film und Fernsehen zensieren, sondern auch die Erzeugnisse unserer Journalisten. Welchen erdenklichen Nutzen solle es wohl haben, fragte er, Berichte von Gewalt und Aufruhr aus Ländern zu bringen, die am anderen Ende der Welt lägen? Seine Kinder hätten es nicht nötig, so etwas ausgesetzt zu werden.

Zum Thema Film bemerkte er, der Wahnsinnige, der das Attentat auf Ronald Reagan verübt hatte, habe den Film *Taxi Driver* gesehen und in seiner Kleidung und Vorgehensweise dessen Helden Travis Bickle nachgeahmt. Und dann behauptete er, Michael Ryan habe Rambo imitiert, als er Hungerford terrorisierte. Wahrscheinlich wird mir jeder Cineast zustimmen, daß *Taxi Driver* ein hervorragender Film ist, einer der besten, die je gedreht worden sind, und daß *First Blood, Rambo* und *Rambo II* einfach abstoßend sind. Ob das zur Sache gehört, weiß ich nicht, den Zeugen kümmerte es jedenfalls nicht.

Eine Sache, die nicht angesprochen wurde, uns aber allen wohlbekannt ist, ist die, daß sehr viele Massenmörder, weit mehr, als uns lieb sein kann, sich auf Motive berufen, die sorgfältiger Bibellektüre entspringen. Peter Sutcliffe und viele andere, die durch die Gegend zogen und die Straßen »säuberten«, die Welt von Sündern und Prostituierten befreiten, behaupteten, sie hätten Gottes Stimme und die Worte des heiligen Johannes aus der Offenbarung gehört. Ich habe noch nie gehört, daß jemand aus diesem Grund die Bibel verbieten wollte, das wäre auch ziemlich unvernünftig. Pervertierte Geister haben die Bibel in der Geschichte oft genug als Vorwand für Antisemitismus, Gewalt, Tyrannei und Folter benutzt. Ein verstörter Geist scheint *Taxi Driver* benutzt zu haben, um sich den Mordversuch an einem Staatsoberhaupt genehmigen zu lassen. Ich behaupte nicht, *Taxi Driver* sei eine ähnliche Kulturleistung wie die Bibel, das wäre Unsinn, aber das Prinzip bleibt das gleiche.

Vielleicht ist die zunehmende Ausbildung auf Kosten der Bildung schuld, jedenfalls leiden wir an einer beachtlichen Abnahme im Verständnis für Fiktionen und das, was sie bedeuten. In einem gegenwärtig im West End gespielten Stück äußert sich eine Figur, die ihre Verteidigung gegen eine Klage vorbereitet, die eine Schauspielerin von der Royal Shakespeare Company gegen sie angestrengt hat, abfällig über ein nach ihrer Meinung typisches Publikum der RSC. »Wer geht zur RSC?« fragt sie. »Acht Reihen

Schwuchteln mit Dauerabos und 1500 Schulkinder, denen Shakespeare bis Oberkante Unterlippe steht.« Die Kritik dieser Inszenierung in einer seriösen Zeitung fragte am Tag darauf: »Hält der Dramatiker das wirklich für ein Abbild der Zusammensetzung des Publikums in Stratford?« Genausogut könnte man fragen: »Hält Mr Shakespeare es wirklich für angemessen, wenn Leute ihre Ehefrauen einzig und allein aufgrund eines verlorenen Taschentuchs und ein paar geflüsterter Anspielungen umbringen?«

Vielleicht entwickeln wir uns langsam zu einer Gesellschaft, in der auf literarischen Werken Warnungen angebracht werden müssen, wie sie jetzt auf Feuerzeugen, Taschenmessern und Plastiktüten stehen. Ich möchte also betonen, falls irgend jemand diesen Artikel zum Anlaß nimmt, die Hände in die Hosentaschen zu stecken, in der Öffentlichkeit zu rauchen oder halbstarkenmäßig herumzulümmeln, übernehme ich keinerlei Verantwortung. Falls dieser Artikel hingegen allen Krieg und alle Zwietracht endigt, nehme ich gern das Verdienst dafür in Anspruch.

Spaß mit Delphinen

Was bekommt man, wenn man ein Känguruh mit einem Schaf kreuzt? Einen Wolljumper. Weiß doch jeder. Was bekommt man, wenn man einen Mann aus Manchester mit einem Delphin kreuzt? Eine Klage an den Hals. Vielleicht haben Sie den Artikel im gestrigen ›Telegraph‹ überlesen, in dem enthüllt wurde, daß ein Mann aus Manchester (38) angeklagt worden ist, weil er angeblich auf unanständige, obszöne und ekelhafte Weise mit einem Delphin verkehrt habe, dessen Name, Geschlecht und Alter der Öffentlichkeit vorenthalten wurden, um dem Tier und seiner Familie nicht noch mehr Ungemach zu bereiten. Unanständiger Verkehr, denken Sie jetzt vielleicht, wäre schon schlimm genug; unanständiger und obszöner Verkehr läßt einen an der Menschheit zweifeln; bei einem unanständigen, obszönen *und* ekelhaften Verkehr fängt man wirklich an, sich zu fragen, wohin es mit der Welt gekommen ist. Nur energische und unerbittliche Sozialarbeiter, muß man annehmen, können den Delphin jetzt noch vor einem nachhaltigen Trauma bewahren, Verhaltensauffälligkeiten vorbeugen und verhindern, daß er – in jenem Teufelskreis, der bei sexuellem Fehlverhalten so oft anzutreffen ist – selbst zum Sittenstrolch wird und an der Kette von Erniedrigungen bis ins zehnte Glied weiterschmiedet.

Ich weiß natürlich nicht, wie es um den bestimmten, hier verhandelten Fall bestellt ist, aber eventuell läßt sich argumentieren, daß solches Verhalten auf gegenseitigem Einverständnis beruht. Delphine sind schließlich hochintelligente Lebewesen mit eigener Sprache und Etikette – sie haben sogar Schulen, die wahrscheinlich besser organisiert sind als unsere. Vielleicht ist ihnen also nichts lieber als eine gelegentliche Vereinigung von Spezies zu Spezies. Man muß gar kein abgedrehter französischer Strukturalist oder formalistischer Anthropologe sein, um in ungezählten Mythen und Fabeln erotische Elemente aufzuspüren, die sich um Menschen und Delphine ranken, von Arion bis hin zu *Flipper*.

Ich bin zuversichtlich, daß man die Einzelheiten dieses Falles noch zutage fördern wird, aber im Moment beschäftigt mich viel mehr, welcher Vorbereitung es bedurft haben muß, um sich mit dieser Kreatur zu tummeln oder meinetwegen zu tümmlern. Nach meiner Erfahrung kann man selbst in Manchesters Straßen nicht so ohne weiteres herumstreunen und erwarten, über willige Delphine zu stolpern. Da bedarf es sorgfältiger Planung. Brecheisen, Drahtschere, Badehose und Unterwasserlampen müssen zur Minimalausrüstung gehören. Für den romantischeren Sexabenteurer wären ein Strauß Plankton und eine Schachtel Heringe bestimmt ein *sine qua non*.

Wenn man auf dem üblichen Wege der Kontaktanbahnung Name und Adresse eines geeigneten Delphins herausbekommen hat, ist das Risiko groß, daß er sich in Gefangenschaft befindet und also schon auf das unwürdige Dasein reduziert worden ist, alle möglichen sinnlosen und erniedrigenden Tricks aufzuführen, mit der bloßen Aussicht auf glitschigen alten Dorsch und eine getätschelte Nase, was bereits eine Art Prostitution darstellt, die immer mehr Leute für genauso unanständig, obszön und ekelhaft halten wie ein privates leidenschaftliches Stelldichein im Mondschein am Pool.

Ich will wirklich nicht Motive der reinsten Liebe in etwas hineinlesen, was im Grunde eine schmutzige und verkorkste Affaire gewesen sein mag. Wenn Tiere Menschen unschicklich gegenübertreten, wie das bei Hengsten und Stieren oft genug der Fall ist, drücken Richter oft ein Auge zu, ihre Wollust wird entschuldigt, unsere nicht. Vielleicht ist das nur gerecht.

Rein juristisch, glaube ich, kann niemand dafür verurteilt werden, etwas verübt oder versucht zu haben, was zu verüben unmöglich ist. Vor einigen Jahren wurde ein Mann, der sich einer Ente unsittlich genähert haben sollte, mit der Begründung freigesprochen, so etwas sei rein körperlich unmöglich, wobei ich nicht weiß, ob die ganze Spezies der Enten für so verwahrloste und so sündige Kreaturen gehalten wird oder weil ihre physischen Dimensionen einfach nicht ausreichen. Jedenfalls war es ein aufsehenerregender Präzedenzfall.

Wie stets versagen wir, wenn es darum geht, unser kulturelles Erbe in Betracht zu ziehen. Dankbar nehmen wir von den alten Griechen all die Prinzipien der Logik, Mathematik, Demokratie, Architektur und der gleichseitigen Dreiecke an und glauben, mit dem Erbe von Blutrache, Inzest und Barbarei würden wir schon fertig. Das liegt in unserer Natur. Zeus praktizierte Dinge mit Schwänen und Färsen, für die er aus sämtlichen Londoner Clubs ausgeschlossen würde – abgesehen vom Garrick oder vielleicht noch dem Naval and Military. Wir verdanken unsere Kultur einem Volk, das nach dem Motto lebte: »Eine Frau aus Notwendigkeit, einen Knaben zum Vergnügen, eine Ziege für die Ekstase.« Irgendwo in diesem berauschenden Spektrum wird auch Platz für Delphine, Ozelots und – bei passender Kleidung – Stachelschweine und Ameisenigel sein.

Ich frage mich, was die Nachwelt für das schlimmere Verbrechen halten wird: das, was ein einzelner Mann einem Delphin anzutun versucht, oder das, was wir alle seit Jahren und erfolgreich der gesamten Spezies antun.

Meine selige Tante

Finden Sie es nicht auch merkwürdig, wie eine ganze Nation in nur einer Generation ihre Gewohnheiten, ihre Eigenart und selbst ihre Lieblingskrankheiten ändern kann? Noch vor gar nicht langer Zeit trugen Männer Hüte und rauchten. Als wäre es vorgeschrieben. Schauen Sie sich nur öffentliche Versammlungen in alten Wochenschauen an, von Ascot bis zu Wahlveranstaltungen, und Sie werden mit Kopfgenüssen aller Art bedeckte Männer sehen, die, wo sie gehen und stehen, Zigaretten in den Händen halten. Über Kinos, Music Halls und Theatern lag unentwegt eine blaue Rauchwolke. Gute Nachrichten wurden von wildem Hochwerfen der Behutung begleitet; ich möchte nicht wissen, wie man in den Sekunden nach solch impulsivem Tun durcheinanderkrabbelte, um seinen eigenen Deckel zurückzubekommen. Hüte und Tabakwaren waren so allgegenwärtig, daß kein Komiker mit auch nur einem Quentchen Selbstachtung gewagt hätte, die Bühne zu betreten, wenn er nicht mit Hut und Fluppe umgehen konnte. W. C. Fields, ihrer aller Meister, konnte mit Kreissäge, Spazierstock und Zigarre Dinge anstellen, die einen daran erinnerten, was Mozart mit Viertelnoten, Versetzungszeichen und geborgten Violinschlüsseln zustande brachte.

Ich hatte eine Großtante, die inzwischen leider das Zeitliche gesegnet hat und die ich sooft wie möglich besucht habe. Sobald ich ihre Schwelle übertrat, wies sie mir einen Sessel an und schob mir eine silberne Dose zu, die eine Handvoll Zigaretten mysteriösen Alters enthielt.

»Nein danke, Tantchen, wirklich«, protestierte ich pausenlos.

»Blech und Blödquatsch«, sagte sie dann, sie erinnerte einen immer etwas an David Copperfields Tante Betsy, »ich seh' Männer gerne rauchen.« Also mußte ich jedesmal einen ihrer unvorstellbar alten Glimmstengel nehmen und rauchen, während sie zusah und zufrieden nickte. Alles war, wie es sich gehörte: sie nippte an ihrem Sherry, ich rauchte. Sie selbst hat nie geraucht, und ich nehme an, daß es ihrer neunzig Jahre alten Lunge, wenn sie eine Meinung hätte äußern dürfen, lieber gewesen wäre, auch ich hätte davon abgesehen, Rauchschwaden in ihre Richtung zu pusten, aber nichts geht nun einmal über Konditionierung.

Heutzutage läuft die Konditionierung in die umgekehrte Richtung. Im Theater ist das am offensichtlichsten. Es gibt zahllose Dramen, eigentlich alle zwischen 1900 und 1970 geschriebenen, in denen Zigaretten geraucht werden müssen. Der Dramatiker Noël Coward setzt, wie man argwöhnen muß, Zigaretten strategisch in bestimmten Augenblicken ein, um sich selbst als Schauspieler Trost und Komfort zu spenden.

Nichts ist angenehmer im Leben, als in einer Salonkomödie aufzutreten. Die armen Hascherln, die in unseren großen subventionierten Ensembles arbeiten, müssen ohne die angemessenen Zigarettenpausen auftreten, auf abstrakten leeren Bühnen, in Leder und oft (mein ganz persönlicher Albtraum) mit nackten Armen. Dieser römische Gruß mit hochgerecktem Arm, den RSC-Schauspieler sich entbieten müssen, wenn sie auf die Bühne marschieren und drauflosplappern, daß des mächt'gen Caesar Macht im Norden wachse, ist der Grund dafür, daß ich mich immer vor den großen klassischen Rollen gedrückt habe. Das, und weil ich lose um mich rumgewickelte Stoffbahnen nicht ausstehen kann.

Zurück zum Thema. Coward, Maugham, Rattigan, Orton, Pinter, Osborne, Gray und Stoppard haben ausnahmslos Zigaretten in ihre Stücke hineingeschrieben. Und was ist heute los, wenn ein Schauspieler sich auf der Bühne eine Zigarette ansteckt? In einer Pikosekunde, bevor der Rauch auch nur Gelegenheit gehabt hat, in die Lungen des Schauspielers hinabzureisen, geschweige denn in die Lungen eines anderen, bekommen die Leute haufenweise laute, mißbilligende Hustenanfälle; Anfälle von der Art »Wie können Sie es wagen, wußten Sie nicht, daß mein Arzt mir ausdrücklich versichert hat, daß ich auf Rauch allergisch reagiere?« Dieselben Leute hätten, wären sie eine Generation früher geboren worden, ganz selbstverständlich in einer rauchverschlierten Öffentlichkeit gesessen und ans Husten nicht einmal im Traum gedacht. Heute dagegen schnauben sie drauflos wie ein betrogener Wasserbüffel, sobald sie etwas sehen, das in der Regel ohnehin nur eine Herbalzigarette ist, schließlich sind Schauspieler inzwischen genauso abstinent wie alle anderen. Auch nur Konditionierung.

Seit die Nichtraucherlobby Hollywood ernsthaft dazu zwingen will, aus seinen alten Filmen die Rauchszenen herauszuschneiden (stellen Sie sich bloß *Casablanca* oder *Reise in die Vergangenheit* ohne Zigaretten vor), und seit in der Öffentlichkeit immer häufiger ein allgemeines und ohne Zweifel lobenswertes Rauchverbot besteht, fragt man sich, wie lange es noch dauert, bis man in Theaterstücken die Zigaretten streicht. Fiktionale Figuren dürfen ihre Frauen umbringen, Gelder ihrer Arbeitgeber veruntreuen und abscheulich schlecht sitzende Anzüge tragen – kein einziger vorwurfsvoller Muckser. Aber kaum baumelt ihnen eine Zigarette zwischen den Lippen, ist des Getöses kein Ende mehr.

Blödsinn, wie meine Tante gesagt hätte. Blödsinn, Stuß und Wörterplunder.

Ein reger Hinterwörtler

Letzte Woche wurde ich zu einem Literaturtreffen im West Country eingeladen und sollte dort an einer Podiumsdiskussion teilnehmen. Gehst du zum Dichter-Festival, zum Vortrag dort den Steffi wähl.

Der äußerst nette Nigel Forde, der auf Radio 4 *Bookshelf* präsentiert, Philip Howard von der ›Times‹ und Jane Mills, eine feministische Etymologin, die meiner Vorstellung kaum mehr bedarf, und ich sollten über den »Zustand der Sprache« diskutieren.

In der Runde herrschte völlige Einmütigkeit. Wir alle fanden, daß die Sprache gesund und munter ist. Sie ist, wie Philip Howard betonte, die einzige wahre Demokratie, da sie von ihren Benutzern verändert wird. Das Publikum war sich weniger sicher, viele glaubten, die Sprache degeneriere. Hoffnungsträger, gefühlsmäßig, wegen dem, etwas andenken, ein Mehr an Demokratie wagen und andere Schreckgespenster wurden gesichtet. Natürlich ist es manchmal schwer, zuversichtlich in die Zukunft unserer Sprache zu sehen, wenn George Bush, immerhin Präsident der Vereinigten Staaten, imstande ist, bei der Eröffnungsansprache eines Museumsausbaus in Houston zu sagen, »Diese wunderbare Einrichtung, auf die wir alle so stolzvoll sind«.

Ich konnte das Niveau noch weiter absenken, indem ich einen Satz beisteuerte, in dem zweimal drei Demonstrativpronomina hintereinander auftauchen. Kennen Sie den schon? Sie müssen sich Julia vorstellen, die Romeos schmutzigen Hut betrachtet. »Daraufhin nahm dieselbe demselben denselben ab, um denselben zu reinigen, woraufhin dieselbe denselben demselben zurückgab.« Alles klar?

Und wo wir gerade dabei sind, es gibt einen absolut einwandfreien Satz, der das Wörtchen »und« fünfmal in einer Reihe enthält. Erneut müssen Sie sich ein Szenario denken. Stellen Sie sich zwei fröhliche Schildermaler vor; wir wollen sie Miroslav und Neville nennen, weil uns das so in den Kram paßt. Miroslav malt gerade die Buchstaben des neuen Schilds für »Das Schwein und die Pfeife«, einen Pub in einem kleinen Dorf vor den Toren von Nailsworth, dessen Namen ich vergessen habe. Neville schaut zu. Er legt den Kopf auf die eine Seite, dann auf die andere. Er tritt einen Schritt zurück. Er macht sich Sorgen wegen der Wortzwischenräume. Neville ist von den beiden der Perfektionist. Miroslav enttäuscht ihn manchmal. Ängstlich sieht Miroslav, wie Neville nicht aufhören kann, das Schild anzustarren. Endlich macht dieser den Mund auf.

»Die sind völlig falsch, Miroslav. Die Zwischenräume. Völlig falsch.«

»Wieso falsch?« fragt Miroslav verletzt.

»Du mußt größere Lücken zwischen ›Schwein‹ und ›und‹ und ›und‹ und ›die‹ lassen«, sagt Neville.

Ich nehme an, solche Spiele und Rätsel sind flatterhaft, aber ich muß gestehen, ich bewundere sie, und auf das Risiko hin, zum Gyles Brandreth der Party zu werden, von dem sich irgendwann alle auf Zehenspitzen fortstehlen, werde ich Ihnen ein Palindrom präsentieren. Palindrome, also Wörter oder Wendungen, die vorwärts und rückwärts gleich lauten, sind normalerweise nur dann interessant, wenn sie Sinn ergeben. In Kondolenzbriefen liest man oft ein Palindrom: »Die liebe Tote! Beileid!« Die meisten anderen Palindrome, die ich kenne, sind nicht besonders aussagekräftig. »O Genie, der Herr ehre dein Ego«, und der gute Rat für U-Bahnfahrer in der Bronx, »Eine Horde bedrohe nie«, haben natürlich einen gewissen Charme, aber mein Lieblingspalindrom ist zu meinem Leidwesen völlig sinnlos, obwohl es ein korrekt gebildeter Satz ist. Zum Ausgleich enthält es allerdings das vornehme Wort

»oszillieren«. Ich weiß nicht, ob Sie mir zustimmen werden, aber ich finde es erbaulich, fast schon erhebend, daß dieses Universum die Möglichkeit enthält, ein Palindrom mit dem Wort »oszillieren« zu bilden. Ich werde den Satz gleich in dem einzigen Kontext bekanntgeben, in dem er eine Bedeutung hat.

Die Hundstage stehen unmittelbar bevor, also veranstalte ich ein Preisausschreiben. Wem das nach meiner Meinung beste neue Palindrom einfällt, der gewinnt eine Kassette mit der Aufnahme der drei Beethoven-Sonaten Nr. 8, 14 und 15 mit dem kürzlich verschiedenen Wilhelm Kempff. Diese Aufnahme ist digital aufbereitet und Queen Elizabeth II. gewidmet worden. Das ist keineswegs nebensächlich, wie Sie gleich sehen werden, sondern äußerst relevant. Teilnahmebedingung ist, daß das Palindrom einen ganzen Satz ergibt, je sinnvoller, desto besser. Einsendeschluß ist Freitag, der 21. Juni.

Der stolze Gewinner wird sich in einzigartiger Lage wiederfinden. Er oder sie wird seine oder ihre Preiskassette allen widrigen Umständen zum Trotz auf den Tisch legen, die Vorhänge zuziehen und das folgende Gebet an den Herrscher der Finsternis richten können: »Satan, oszilliere! Trotz Tort ereil Liz' Sonatas!«

Und der Gewinner ist…

Voller Behutsamkeit erkundigte ich mich vor zwei Wochen, ob Leser des ›Telegraph‹ sich wohl eigene Palindrome ausdenken könnten. Die Reaktion war beeindruckend. Aus dem einfachen Grunde, daß Gott dem Tag bloß magere vierundzwanzig Stunden und der Woche nicht mehr als sieben Tage gegeben hat, sehe ich mich leider außerstande, jeden einzelnen der Hunderte von Briefen zu beantworten, die ich zu diesem und ähnlichen Themen erhalten habe.

Über hundert schrieben Variationen auf »Wenn hinter Fliegen Fliegen fliegen…«, wo mindestens sechs »Fliegen« hintereinander herfliegen, viele Leser offerierten Sätze mit sieben aufeinanderfolgenden Präpositionen und andere Wortspiele von faszinierender Vielfalt und Einfallsfülle, für die ich ausnahmslos sehr dankbar bin.

Es war angenehm, von W. H. Audens Gewandtheit im Umgang mit Palindromen zu erfahren; wahrscheinlich ist es nur natürlich, daß ein so großartiger Logophile und Prosodist über die Gabe verfügt, den Buchstaben die Cour zu machen. Seine Einschätzung von T. S. Eliot hat es verdient, hier abgedruckt zu werden. Mr Phillips aus Hampshire und anderen zufolge kabelte Auden einem Freund folgende Auffassung: »T. Eliot, top bard, notes putrid tang emanating, is sad. I'd assign it a name: ›Gnat dirt upset on drab pot toilet.‹«[1] Weiterhin wird Auden »Sums are not set as a test on Erasmus«[2] zugeschrieben sowie die folgende, recht prägnante Zusammenfassung der rivalisierenden Ansprüche von Photographie und Malerei aus der Sicht eines verärgerten Malers. »Ein Porträtmaler, den die Konkurrenz der Photographie aus dem Geschäft gedrängt hatte, grummelte: ›No, it is opposed, art sees trades opposition.‹«[3] Mr Phillips bezeugt des weiteren, der erste Satz eines romantischen Romans von Auden mit dem Titel *I can't have Norm* laute »Norma is as selfless as I am, Ron«.[4]

Was nun den Großen ›Telegraph‹-Palindrom-Wettkampf angeht, so muß ich mich uneingeschränkt für die schlaflosen Nächte entschuldigen, die dieser Wettbewerb verursacht hat; viele Leser haben seinen Veranstalter leidenschaftlich verflucht und verwünscht, und das kann ich ihnen nicht verdenken. Worte und Buchstaben drehen sich unablässig in endlosen Rädern vor den Augen, während man versucht, Unelegantes wie »behend' 'ne Heb'...« oder ähnliches zu vermeiden. Ich glaube, mit Recht sagen zu dürfen, daß die Klassiker wie »Erika feuert nur untreue Fakire«, Schopenhauers »Ein Neger mit Gazelle zagt im Regen nie« und andere seelenruhig weiterschlummern können. Was den kolossalen Einfallsreichtum und die mentale Muskelkraft, die in die Einsendungen investiert wurden, nicht im mindesten herabsetzen soll.

Einige der eingegangenen Beiträge sind Nonsense: Nonsense, zu dem sich offen und frei bekannt wird: Aus dieser Kategorie

---

1 Ungefähr: »T. Eliot, Spitzendichter, bemerkt fauligen Gestank, ist traurig. Ich würde es nennen: ›Fliegendreck umgeworfen auf tristem Nachttopf‹.«

2 »Addieren wird beim Erasmus nicht getestet.«

3 »Nein, es ist umgekehrt, Kunst sieht Geschäftsgegensätze.«

4 »Norma ist genauso selbstlos wie ich, Ron.«

stammt mein Favorit von einem H. D. Radieschenheck, bei dem sich nicht schlüssig sagen läßt, ob man auf dem Friedhof, bei IKEA oder im Wald steht: »Eherne Sarglager Regal grasen Rehe«.

Die Welt von Essen, Trinken und Liebe stachelte zu Höchstleistungen an: »Nie reib Tim mit Bier ein«, sagt man sich hier, statt dessen feiert man mit »Rum am Amur« eine »Eigrogorgie«; der eine lobt seine bessere Hälfte: »Nie fragt sie: ›Ist gefegt?‹ Sie ist gar fein«, der andere beteuert seine Treue: »Ein Eheleben stets, Nebelehe nie«, aber gleichgeschlechtliche Zuneigung wird harsch untersagt: »Anni, meide die Minna!«

Ein hintergründiges und albernes Palindrom, das mir gefiel, lautete »Retten S' Ili Etetiewz, Red? Re: Bat U. G. … gut, aber der zweite Teil is' netter«.

Kleinere Offerten enthielten »nette Pipetten« einer Laborantin und den Merkspruch einer um Intimpflege besorgten Ärztin, »Einlage egal? Nie!«

Tagespolitisch am besten fand ich eine Einsendung von T. Evans aus Cheltenham: »Nie, Amalia, lad 'nen Dalai Lama ein«, was – im Gegensatz zu »Renate bittet Tibetaner« – das Gebaren westlicher Politiker spiegelt, sich lieber mit den chinesischen Herren des himmlischen Friedens gutzustellen. Rodney Barnett aus Budleigh Salterton brachte den alten Lieblingsalbtraum weißer Männer auf den Punkt, ihre Frauen könnten lasziv den Afrikaner anstöhnen: »Red, Neger! Red erregender!« Und das epische Flehen zu Mnemosynes Tochter modernisierte B. V. Blomper (Colchester) aus gegebenem Anlaß: »Muse, her da! Dreh es um!«

Aber die Trophäe geht an Mr V. Miles aus Bracknell, sowohl für seine zahlreichen Einsendungen (darunter auch den hausfraulichen Ratschlag »Leg in eine so helle Hose nie 'n Igel«) als auch seines schieren Namedroppings wegen für das Gewinnerpalindrom: »It's Ade, Cilla, Sue, Dame Vita, Edna, Nino, Emo! Come on in and eat; I've made us all iced asti.« Das Einbauen einer Wendung wie »Kommt rein, es gibt Essen« neigte die Waagschale dann endgültig zugunsten Mr Miles', aber Ihnen allen, den Erwähnten wie den verbrecherisch Ignorierten, vielen, vielen Dank.

Und ich werde nicht sonderlich traurig sein, wenn ich Worte wie Marktkram, Liebebeil und Sarggras nie wieder sehe.

Taxi!

Während der Dreharbeiten zu einer Folge von *Jeeves and Wooster* im vorigen Jahr blätterte ich *en passant* in den alten Zeitschriften, die die Requisitenabteilung am Drehort verteilt, um den authentischen Zeitgeschmack herzustellen. Den Cartoon in einer Ausgabe des ›Punch‹ von 1934 fand ich unerklärlich komisch. Er zeigte einen Mann, der in ein Taxi springt und dem Fahrer zuruft, »Zur Königlichen Handarbeitsschule, und fahren Sie wie der Teufel!«

Letzte Woche fiel mir dieser Cartoon wieder ein, als ich die Londoner Marylebone Road entlangfuhr, eine Melodie von Cole Porter vor mich hin summte und mich angesichts des gigantischen Verkehrsstaus, in den ich für alle Zeit eingekeilt zu sein schien, in stoischer Gelassenheit übte. Meine versponnenen Träumereien fanden ein rüdes Ende, und die Töne der schwierigen Mittelpassage von »In the Still of the Night« erstarben mir auf den Lippen, als eine Hintertür aufging und ein Mann sich mit barschem »Pimlico, und trödeln Sie nicht« hineinsetzte.

Ein ziemlich peinlicher Augenblick, wie Sie sich denken können. Soweit ich weiß, wird eine gesellschaftliche Situation wie diese von Debretts *Handbuch der Etikette* nicht abgedeckt. Natürlich war es einzig und allein meine Schuld. Sehen Sie, in London fahre ich ein schwarzes Taxi. Das habe ich mir schon immer gewünscht. Nicht gerade eine originelle Idee, ich weiß; Nubar Gulbenkian, der Finanzmagnat, war vor mir auf den Gedanken gekommen. »Es kann auf einem Sixpence-Stück wenden, was immer das sein mag«, sagte er stolz von seinem Cab. Ich freue mich, sagen zu können, daß der Wendekreis des Taxis sich seit den Tagen des großen Armeniers nicht nennenswert verschlechtert hat. Im Prospektjargon der Autosalons gesprochen, hat es jedoch zahllose Verbesserungen gegeben: Servolenkung, Automatikgetriebe und Zentralverriegelung gehören heute zur Grundausstattung. Viele Versionen haben sogar elektrische Fenster.

Die meisten Leute brauchen die Zentralverriegelung nur, wenn sie aus dem Wagen steigen; man dreht nur einmal den Schlüssel um oder drückt nur einen Knopf, und das ganze Auto ist abgeschlossen; Schluß mit dem ewigen Fummeln nach den Türknöpfchen aller Hintertüren. In meinem Fall wird die Zentralverriegelung allerdings von einem Schalter *im* Wagen bedient, um sicherzustellen, daß keine Leute hineinspringen und »Pimlico, und trödeln Sie nicht« rufen, während ich gerade im Stau vor mich hin summe. Diesen Schalter hatte ich neulich zu drücken vergessen.

Ich habe weder Kosten noch Mühen gescheut, um mein Taxi echt aussehen zu lassen. Es gibt Cab-Besitzer, die ihren Wagen gelb spritzen und mit Sitzbezügen aus Hermelin, Kopfstützen aus Leder, Wiltonteppichen, Picknicktischchen aus Walnußholz und kostspieligen Stereoanlagen ausstatten. Für mich läuft das der Absicht zuwider, mit der man in London Taxi fährt, schließlich will man doch für echt gehalten werden. Augenscheinlich dürfen wirkliche Cabs ohne Blinken in den Verkehr hinausstoßen, und andere Cabs erweisen ihnen alle Höflichkeiten der Straße. Selbstverständlich würde ich mich nie so weit hinabbegeben, Busspuren zu benutzen oder auf Taxistreifen zu parken: um Himmels willen. Gute Güte, wofür halten Sie mich denn? Aber die legalen Vorteile genieße ich aus vollem Herzen.

Alle Cabs mit vorschriftsgemäßer Lizenz haben am Rückfenster eine Plakette mit einer Nummer und dem Satz »Licensed to carry 4 passengers, Metropolitan Police«. Ich habe mir eine eigene anfertigen lassen, auf der steht »Not licensed to carry any passengers, Neapolitan Police«. Sie müssen sehr genau hinschauen, um den Unterschied zu bemerken. So ausgerüstet, stehen mir alle Abenteuer echten Taxifahrens offen, ohne die Nachteile, mich mit erzürnten Mitgliedern der Öffentlichkeit abplagen oder packende Ansichten zu Themen wie Abschiebung oder jene Verräter entwickeln zu müssen, die Mrs Thatcher in den Rücken gefallen sind. Das heißt, bis neulich mußte ich das nicht.

Nun fuhr ich zufällig in Richtung Pimlico und kannte die Straße, die der Gentleman auf dem Rücksitz genannt hatte. Die Peinlichkeit begann erst, nachdem ich ihn abgesetzt hatte.

»Seh' Ihren Taxameter gar nicht«, sagte er.

»Ähm«, sagte ich.

Nach einer spannungsgeladenen Pause kam mir eine Idee.

»Das war gratis«, sagte ich. »Heut' ist der erste Tag, wo man sich hinten anschnallen muß. Ich hatte mit mir abgemacht, daß ich den ersten, den ich nicht an die neue Regelung erinnern muß, umsonst fahre. Sie haben sofort nach dem Gurt gegriffen, also ist die Fahrt gratis.«

»Meine Güte«, sagte er.

Als er ging, kam eine Frau auf mich zu und beugte sich zum Fenster herab.

»Chelsea Arts Club, Old Church Street«, überschrie sie den praktisch unhörbaren Motor und den so gut wie nicht vorhandenen Straßenlärm.

Jetzt war schon alles egal. Chelsea lag eigentlich auch auf meinem Weg.

»Hereinspaziert«, sagte ich.

Noch eine Frage der Zuschreibung

Im *Ulysses* gibt es eine Szene, wo Stephen Dedalus, der als Lehrer arbeitet, im Büro seines Schuldirektors Deasy sitzt. Deasy, der zum Salbadern neigt, hält Dedalus sein Gehalt hin sowie eine Predigt über Geld: »Aber wie sagt Shakespeare? *Tu Geld in deinen Beutel!*« Für Deasy unhörbar murmelt Dedalus, »Jago«.

Es ist immer leicht, ein Shakespearezitat anzubringen, als garantiere sein Ursprung seinen Wert. Dedalus hat geschnallt, daß es sich nicht unbedingt lohnt, auf den Rat Jagos, eines böswilligen, manipulativen Mörders zu hören. Jedes einzelne Shakespearewort in seinen Stücken wird nun einmal von einer Figur gesagt, nicht vom Dramatiker. Der Mann Shakespeare sagte kein einziges Wort. Na ja, in einem einzigen Sonett natürlich, da legte er los von wegen Sommers Pforten und Des Maien Lieblinge an den Zweigen, aber abgesehen von diesem Titelservice für Romanciers in der ganzen weiten Welt hat Shakespeare persönlich wenig an Sprichwörtern, Axiomen oder Motti zu bieten, die uns das Leben erleichtern könnten. Er war schließlich Künstler und nicht Philosoph oder Werbetexter.

Das hält die Leute aber keineswegs davon ab, ihren Sprößlingen mit dem Finger zu drohen und »Kein Borger sei und auch Verleiher nicht« anzustimmen, mit dem schleimigen Zusatz »Shakespeare«, als wollten sie »Da hast du's!«sagen. Dabei wird gerne übersehen, daß der Sprecher dieses Satzes die eigentlich komisch-absurde Figur des Polonius ist, dessen Realitätssinn wohl selbst von einem ihm gewogenen Kritiker nur als beschränkt bezeichnet werden kann. Den Rat erteilt er seinem Sohn: Alle Eltern sind verzweifelt darum bemüht, daß ihre Kinder keine Schulden machen; schließlich müssen jene am Ende immer die Rechnung begleichen. Im dramatischen Kontext ist das ein amüsanter Vers, dürfte aber kaum Shakespeares eigene Ansichten wiedergeben.

Die Widersprüche der Leute, die Shakespeare benutzen, um eine These zu bekräftigen, wenn sie in Wirklichkeit Macbeth, Jago, Oberon oder Polonius benutzen, ist noch gar nichts im Vergleich zur Verschrobenheit jener, die auserlesene Bibelpassagen vorzuweisen haben. Im 3. Buch Mose gibt es zum Beispiel ein paar Verse, wo explizit gesagt wird, es sei »ein Greuel«, wenn ein Mann bei einem Manne liege wie bei einer Frau. Das greifen jene Leute dann ganz begeistert auf, die die Verderbtheit der Homosexuellen anprangern wollen. Benachbarte Verse, die mit derselben Inbrunst konstatieren, man solle kein Kleid anlegen, das aus zweierlei Faden gewebt sei, noch sein Haar am Haupt rundherum abschneiden oder seinen Bart stutzen, noch seinem Leibe Zeichen einätzen, noch zweierlei Art unter seinem Vieh sich paaren lassen, werden alle fröhlich ignoriert. Doch das 3. Buch Mose legt fest, daß *alle* Vorschriften und Verbote zu befolgen sind, vom koscheren Essen bis zum Opfern eines Schafes durch eine Frau (oder zweier Turteltauben, so sie ein Schaf nicht aufzubringen vermöge), wenn nach einer Geburt die Tage ihrer Reinigung um sind. Falls sie übrigens empfängt und einen Knaben gebiert, so soll die Mutter sieben Tage unrein sein; gebiert sie aber ein Mädchen, so soll sie zwei Wochen unrein sein. Bei diesen exzentrischen Befehlen hat man nicht die Wahl, den einen zu befolgen, den anderen aber nicht.

Das Zitieren ist also ein gefährliches Geschäft. Trotzdem sagte ich mir neulich: »Der Strom der menschlichen Geschäfte wechselt. Nimmt man die Flut wahr, führet sie zum Glück.« Ich stand auf einer Badezimmerwaage und beschloß, meinem Herzen einen Stoß zu geben, bevor es zu spät ist. Nachdem ich in der Schule immer als »mager« bezeichnet wurde, habe ich lange gebraucht, um mein

Selbstbild als dürres, schlaksiges, staksiges Individuum loszuwerden. In den gelegentlich anfallenden Interviews der letzten Zeit bezieht man sich auf mich zunehmend mit Worten wie »kräftig«, »breit gegürtet« und in einem denkwürdigen Artikel sogar mit »matschweich«. Der Weg meines Bauches von konkav zu konvex war garstig kurz. Optisch und akustisch gleicht mein Körper inzwischen einem Mülleimerbeutel voll Joghurt, und es wird Zeit, etwas dagegen zu unternehmen. Einige unter Ihnen werden jetzt nach ihren Bibeln greifen und die Verse über die Eitelkeit der Priester nachschlagen, und ich befürchte, Sie haben da nicht ganz unrecht. Die einzigen Sporen, die ich meinen Plänen in die Flanken rammen kann, bildet überragender Ehrgeiz. Der Ehrgeiz, daß man mir auf der Straße nicht »Fettsack!« hinterherruft.

Ich habe fünf Wochen Proben und Dreharbeiten für eine Fernsehsendung vor mir und werde daher in diesem Zeitraum meine Kolumne hier unterbrechen. Nach meiner Rückkehr hoffe ich, ranker, schlanker und nicht ganz so wie ein Walfisch auszusehen, wie Polonius sagen könnte. Allerdings kann niemand meine Willenskraft als beeindruckend bezeichnen, also bitte – zitieren Sie mich nicht.

Weinkonserven

Peter Cook, einer der witzigsten Männer, die je in einen Keks gebissen haben, zog mal die Gründung einer Selbsthilfegruppe für Komiker in Erwägung, die Anonyme Melancholiker heißen sollte.

Von Roscius bis hin zu Roscoe Arbuckle und darüber hinaus hat im Laufe der Geschichte das Image vom traurigen Komiker Bestand gehabt. Farbkreidezeichnungen auf schwarzem Samt mit Clowns, denen Krokodilstränen die Wangen hinablaufen und von den Halskrausen wegspritzen, stehen jeden Sonntag an den Parkzäunen der Bayswater Road zum Verkauf. Die Arie »Vesti la giubba« aus *I Pagliacci* wird alljährlich von »Non, je ne regrette rien« auf den zweiten Platz der *Desert-Island*-Lieblingshits verwiesen. Die rote Nase des Komikers, bilden wir uns immer ein, ist vom Weinen oder vom Whisky rot, nie von *Joie de vivre*.

Warum? Mit welchem Recht sollen Komiker eigentlich dauerunglücklich sein, dürfen Sie fragen. Viele von ihnen sind überbezahlt und überschätzt, zu häufig zu sehen und zu heiß umworben. Man sieht sie heutzutage in den besten Kreisen; sie treiben sich im Stewards' Enclosure in Henley herum und machen sich ungestört im Long Room von Lord's Cricket Ground breit; sie zählen gekrönte Häupter und Staatenlenker zu ihren engsten Freunden – ja, einige schreiben sogar wöchentlich Artikel in angesehenen Tageszeitungen. Charlie Chaplin war zu seiner Zeit berühmter als Lloyd George oder der Zar; Bill Cosby ist einer der reichsten Männer Amerikas; Leslie Crowther nennt die vielleicht zweitschönste Sammlung emaillierter Schnupftabaksdosendeckel in Südenglands Grafschaften sein eigen. Das sind harte Fakten.

Ich frage also noch einmal, warum das Gejammer und Gezeter? Der Mythos ist ja nicht völlig unbegründet. Ich muß zugeben, daß dieser »Herzeleid und Tränen hinter dem Lachen«-Quatsch auf viele Komiker meines Bekanntenkreises zutrifft. Auf idiotische, syllogistische Weise hatte ich früher ziemliche Angst, daß mein allgemeiner Frohsinn und Optimismus der sichere Beweis seien, daß ich es als Komiker nie zu etwas bringen würde. Eine Zeitlang habe ich Alkoholismus als Chance gesehen; vielleicht würde mir das Elend der Kater, Säufernase und kotzebesprenkelten Hosen den authentischen, trübseligen Ausdruck von Überdruß und Weltschmerz verleihen, die den echten Witzereißer auszeichnen, und mich so mühelos wie einen Stabhochspringer über jenen Abgrund hinwegsetzen lassen, der die mittelmäßig Unterhaltsamen von den unbezahlbar und wahnsinnig Komischen trennt. Aber es klappte einfach nicht: Ich bin bloß alle naselang gestolpert und mußte immerzu kichern.

Die allgemeine Niedergeschlagenheit von Komikern erklärt sich vielleicht aus der Frustration, die entsteht, wenn sie interessierten Mitmenschen erklären müssen, daß das britische Fernsehen kein Lachen vom Band einspielt. Viele Leute – was man so »lautstarke Minderheit« nennt – regen sich über den »Hintergrundapplaus« in Komödien auf. Lachen vom Band, muß man dazusagen, ist eine bestimmte, ziemlich dubiose Technik, mit der in nominell komischen Sendungen Archivaufzeichnungen von Publikumslachen eingeblendet werden. Am deplaciertesten ist das in amerikanischen Zeichentrickfilmen, wo selbst dem beschränktesten Intellekt völlig klar ist, daß Scooby Doo und Fred Feuerstein nicht vor einem Live-Publikum auftreten.

Hierzulande wurden und werden Komikshows von *ITMA* bis hin zu *Yes, Prime Minister* vor Studiogästen aufgezeichnet. Die meisten Komiker werden Ihnen sagen, daß Unwägbarkeiten wie Selbstsicherheit und Timing erst mit Live-Zuschauern so richtig zur Geltung kommen: Wissenschaftliche Studien haben gezeigt, daß es leichter ist, auf dem Parkplatz eines vorstädtischen Einkaufszentrums romantisch zu werden, als in einem leeren Fernsehstudio auch nur eine Spur witzig zu sein.

Im Fall eines unumstrittenen Meisterwerks wie *Fawlty Towers* ist das Lachen dem Zuschauer zu Hause egal – wahrscheinlich ist er viel zu sehr mit seinem eigenen Lachen beschäftigt, um es überhaupt zu bemerken. Ich hatte mal eine Auseinandersetzung mit jemandem, der Stein und Bein schwor, in *Fawlty Towers* gebe es überhaupt kein Lachen; der Streit konnte nur beigelegt werden, indem wir in einer Videothek die Kassette kauften. Und selbst dann glaubte dieser Mensch mir noch kein Wort und behauptete steif und fest, das Lachen sei erst für die Videoversion hinzugefügt worden.

Im Normalfall einer Feld-, Wald- und Wiesen-Sitcom oder Sketchshow kann einem der Lärm eines kriecherischen Publikums natürlich tierisch auf die Nerven gehen. Ich kann Ihnen jedoch versichern, daß auch dieses Lachen nicht vom Band stammt, sondern so frisch und frei ist, wie die Witze abgestanden und verstaubt sind.

Eine Schwierigkeit erwächst vielleicht daraus, daß jene Individuen, die so gern Studiogäste werden, unbedingt einen Eindruck hinterlassen wollen, und das kann man ihnen kaum verdenken. Sie haben daher die Gewohnheit entwickelt, im unpassendsten Moment vor Lachen loszukreischen, damit sie, wenn die Sendung dann Wochen später ausgestrahlt wird, ihre Gatten oder Freunde anstubsen und sagen können: »Hörst du den irren Schrei da? Das war ich!«

Trotzdem bevorzuge ich Studiolachen. Allerdings hätten Komiker es leichter, wenn ihre seriösen Gegenspieler sich revanchieren würden. Deswegen trete ich bei Nachrichtensendungen so vehement für Weinen vom Band ein.

Die schnurrende Maus

Die Arbeit mit weißen Mäusen muß ungeheure Erfüllung bieten. Kürzlich haben Wissenschaftler bewiesen, daß weiße Mäuse genauso genußsüchtig sind wie Menschen. In das Gehirn einer Maus läßt sich eine kleine Elektrode implantieren, die die Maus selber aktivieren kann, indem sie mit ihrer Nase einen Knopf drückt. Diese Elektrode setzt dann große Mengen Enkephaline in den Blutkreislauf des Nagetiers frei. Diese Enkephaline oder Endorphine verschaffen Lustgefühle – ganze Ströme reinen, überwältigenden Vergnügens. Endorphine werden in uns ausgeschüttet, wenn wir essen, wenn wir sorgfältig die Anweisungen von Zeitschriften wie dem ›Cosmopolitan‹ befolgen und zum Orgasmus kommen, wenn wir einem Baby in die Augen schauen, wenn wir von einem Freund gekitzelt oder gestriegelt werden. Sie sind das Gegenstück zum Schmerz und spornen uns an, gesund zu essen, uns mit den richtigen Partnern zu paaren, wehrlose Säuglinge zu beschützen und auf Mutter Naturs bewährte Weise Haare zu spalten.

Alkoholiker spüren einen Endorphinstoß, wenn sie den ersten Gin des Tages schlürfen; ich nehme an, Lord Hanson bekommt einen anständigen Kick, wenn er die ersten 15 Prozent eines angeschlagenen Unternehmens kauft, und es besteht wohl kein Zweifel daran, daß Herausgeber von Boulevardblättern hohe Endorphinmargen erreichen, wenn sie auf ihren Schreibtischen das Photomaterial ausgebreitet sehen, das beweist, daß die Frau eines Cricket-Nationalspielers als Prostituierte angefangen hat. Andere erschüttern vergleichbare Flutwellen des Entzückens, wenn sie Konzerte von Motley Crue beim Monsters of Rock Festival am Castle Donnington hören, Brancusi-Skulpturen betrachten, Alastair Sims Augenbrauen in voller Entfaltung sehen oder, mein persönliches Gift, Wagner hören.

Das einzige wirkliche Äquivalent dieser Euphorie-Peptide, das die Menschheit je ersonnen hat, stammt vom Mohn. Opiate können auf dieselbe Weise Vergnügen bereiten und Schmerz unterdrücken – sie werden, wie Mediziner das ausdrücken, von denselben Rezeptoren im Gehirn gebunden. Wissenschaftler arbeiten seit Jahren daran, unsere körpereigenen Endorphine chemisch zu synthetisieren, um eine Droge ohne die unerwünschten Nebenwirkungen – oder Kontra-Indikationen, wie diese Schamanen das euphemistisch umschreiben – von Heroin oder Morphium zu produzieren. Die weißen Mäuse lehren uns gleichwohl, daß dieser Forschungsansatz Unsinn ist.

Wenn sie nämlich die Wahl zwischen einem Napf mit nahrhaftem Futter und einem Knopf haben, der auf Druck hin Endorphine ausschüttet, entscheiden sich die weißen Mäuse jedesmal für den Knopf. Sie sitzen permanent am Abzug ihrer Elektroden, träumen, wälzen sich und schäumen vor reiner Lust, bis sie buchstäblich verhungert sind.

Puritaner mögen dies als Indiz dafür deuten, daß die Fähigkeit des Menschen, neue lustvolle Dinge wie Wein, Kunst, Drogen, Sport und Stellung Nr. 42 aus dem Kamasutra zu kreieren, eine Perversion des natürlichen Lustprinzips ist, die sich von seiner ursprünglichen Überlebensfunktion so weit entfernt hat, daß sie als Teufelswerk anzusehen ist. Es kommt der Tag, mahnen sie uns mit buschigen Augenbrauen unter hohen konischen und hochkomischen Puritanerhüten, an dem wir die Knöpfe nicht mehr für weiße Mäuse, sondern für uns selbst anfertigen, und *wir* werden die Kreaturen sein, die vor Lust schäumen auf Kosten von Mühsal, Schuften, Gotteslob und Kartoffelessen. Die weißen Mäuse werden sich derweil hinter unseren gekrümmten und schnurrenden Rücken von dannen machen und fortfahren, die Welt in Gang zu halten, was sie dem Schriftsteller Douglas Adams zufolge sowieso schon immer getan haben.

Vielleicht erklärt das, warum unsere Herren so gegen die BBC wüten und rasen. Ein Fernsehgerät hat schließlich Knöpfe, die nach Ansicht zahlreicher Zeitgenossen viel zuviel gefährlich passives, süchtig machendes Vergnügen ausstrahlen. Wenn seltsame

Politiker und Bären von sehr geringem Verstande der BBC dafür zürnen, daß sie die alte Garde der Sowjetunion »rechts« oder »konservativ« nennen, dann hat das natürlich nichts mit einem Streit zu tun, den sie längst verloren haben: so doof sind die schließlich auch nicht. Schließlich hat sogar Präsident Bush den Staatsstreich im Kreml in der letzten Woche rechts genannt; auch amerikanische, französische, deutsche, italienische und nicht zuletzt russische Zeitungen belegen das reaktionäre Element in der sowjetischen Gesellschaft mit den Begriffen »konservativ« und »rechter Flügel«. Nein, in Wirklichkeit gehört diese simulierte Stupidität zu einer Verschwörung, die das Fernsehen selbst untergraben will. Daher auch das neue ITV-System, das extra ersonnen wurde, um das Lustempfinden bei unabhängigen Produktionen zu reduzieren. Das System, Lizenzen zu vergeben, dieses ineffizienteste und katastrophalste System »der gesamten Unternehmensgeschichte«, wie das Finanzinstitut James Capel es ausdrückte, die Angriffe auf die BBC und das Aufkommen des Satellitenfernsehens sind allesamt Teil des Versuchs, unser Vergnügen zu reduzieren und uns zur Arbeit zu zwingen. Es ist puritanisch, es ist unhöflich, es ist unmoralisch, und es ist raffiniert, aber Omi weiß immer alles besser. Natürlich ist das auch der Grund, warum Kunst und Sport nie ausreichend subventioniert werden. Einen anderen kann ich mir nicht denken.

Und jene weißen Mäuse, die ihre ersten Mutationen schon hinter sich haben, werden sich in diesem Sommer eins ins Fäustchen lachen.

Eine Runde Monopoly

Ich erinnere mich daran, daß vor einigen Jahren, als die Welt noch unschuldig war und alles passieren konnte, jemand bei einer Abendgesellschaft die Frage stellte: »Waren Sie je auf einer Party, wo man nicht im Laufe des Abends auf den Immobilienmarkt zu sprechen kam?«

Für unsere jüngeren Leser: das bezieht sich auf eine Zeit, die schon lange, lange her ist, als noch Immobilienmakler das Land durchstreiften, eroberten und auskundschafteten, wen und was sie verschlingen könnten, mit Schlüsselbunden klimperten, die Motoren ihrer Peugeot 205 GTIs aufheulen ließen und die Hauptstadt ganz allgemein in unsicheres Terrain für unbescholtene Bürger verwandelten. Dann geschah etwas. Niemand weiß genau, was. Uns ist unerklärlich, wie eine dominante, zuversichtliche Spezies in – geologisch betrachtet – weniger als einer Millisekunde ausgerottet werden konnte. Waren sie *zu* erfolgreich gewesen? Oder schrumpfte, wie gelegentlich angenommen wird, ihr warmer, fruchtbarer Lebensraum angesichts vordringenden ökonomischen Treibeises, und ließ diese Rezession sie aussterben? Vielleicht erzeugte ihr unaufhörliches Recycling von Phrasen wie »in hervorragendem Zustand«, »zunehmend begehrte Wohnlage« und »realistisches Preisangebot« so viel heißes Methan, daß der Sauerstoff der Glaubwürdigkeit aufgezehrt wurde und sie erstickten. Oder sind sie wie Bunbury »einfach explodiert«? Auf jeden Fall finden wir noch diverse *mementote mori*, Spuren ihrer Existenz in Form leerstehender Grundstücke in den Einkaufszonen und fossile Zu-vermieten-Schilder. *Et in Acacia Avenue ego*, scheinen sie uns zu bedeuten.

Zurück zur Abendgesellschaft. Auf die oben zitierte Frage erwiderte ein anderer Gast: »Hat jemand je eine Party erlebt, wo nicht irgendwann jemand fragte: ›Waren Sie je auf einer Party, wo man nicht im Laufe des Abends auf den Immobilienmarkt zu sprechen kam?‹?« So allgegenwärtig war das Problem. Die Tatsache, daß Immobilien ein um sich greifendes Thema waren, war selbst ein um sich greifendes Thema. In kultivierteren Kreisen war auch *diese* Tatsache ein um sich greifendes Thema. Und so weiter.

Aber es gab noch ein anderes beliebtes Gesprächsthema: Wissenschaft. Die Veröffentlichung von Büchern mit so aufrüttelnden Titeln wie *Eine kurze Geschichte der Zeit* und *Der Mann ohne Endorphine* führte dazu, daß bei Tische Konversationsthemen wie Chaosphysik, morphische Resonanzen und Schrödingers Katze mit Immobilien um Aufmerksamkeit konkurrierten. Eines der meistgelesenen Bücher war – vielleicht allein seines Titels wegen – Dr Oliver Sachs' *Der Mann, der seine Frau mit einem Hut verwechselte*. Das exzentrische Verhalten des fehlfunktionierenden menschlichen Gehirns versorgte einen mit netten Anekdoten und Spekulationsmöglichkeiten für andere Gespräche als die ewigen Diskussionen um viktorianische Badezimmer, Wölbungen und echte Stuckrosetten – jedenfalls bevor der Käse gereicht wurde.

Letztes Jahr stellte die Zeitschrift ›New Yorker‹ einen Vergleich an zwischen einem Patienten aus Dr Sachs' Fallstudiensammlung *Zeit des Erwachens* und Geschehnissen der Weltpolitik. In den fünfziger Jahren wurde Sachs konsultiert, um ein Mädchen mit hysterischen Anfällen zu untersuchen. Eine reine Routinesache, aber Sachs kam nicht umhin, einen alten Mann zu bemerken, der während der gesamten Untersuchung ruhig in einem Sessel am Fenster gesessen hatte. Ruhig? Der ohne jegliche Bewegung oder das geringste Geräusch dagesessen hatte. Fasziniert untersuchte Sachs den Mann, der, wie er erfuhr, seit Jahren in diesem Zustand verharrte: er rührte sich nie, aß kaum, sprach nie. Seine Körpertemperatur war erstaunlich niedrig, sein Puls lag unter vierzig. Sachs fiel außerdem ein unbedeutender kleiner Magentumor auf, der aber nicht Ursache seines wie eingefrorenen Zustands war. Er diagnostizierte eine Art Hormonmangel und injizierte ein entsprechendes Gegenmittel. In kürzester Zeit war der Mann wieder auf den Beinen; quicklebendig, gesprächig, wach und von seiner Siebenschläfrigkeit geheilt.

Drei Wochen später starb er an Magenkrebs. Der schlafende Tumor war ebenfalls erwacht.

Der ›New Yorker‹ verglich den Fall dieses Mannes mit dem großen sowjetischen Bären, erstarrt im Eis einer ineffizienten politischen Hegemonie, katatonisch verlangsamt durch die Bürokratie, eine nicht funktionierende Planwirtschaft und hoffnungslos verstopfte Verteilungskanäle. Die Krebsgeschwüre des Nationalismus waren lange Zeit genauso eingefroren gewesen wie der Rest des Systems. Sobald die Gegenmittel Demokratie und Freiheit verabreicht worden waren, erwachten diese bösartigen Geschwulste zusammen mit dem Rest des Körpers. Das sei natürlich kein Grund, argumentierte die Zeitschrift, die Therapie abzubrechen, aber, herrjemine!, wir sollten ihnen besser die Daumen drücken.

Inzwischen ist sichtbar geworden, wie genau und prophetisch diese These war. In kurzer Zeit werden Slowenen und Kroaten,

Slowaken und Serben, Armenier, Aserbeidschaner und Georgier, Sibirier und Kamtschadalen, Anatolen, Letten, Pommern, Bosnier und Herzegowinier, Kleinrussen, Ruthenen, Ukrainer, Weißrussen und Moldau-Walachen miteinander um Grundstücke in der Londoner Innenstadt wetteifern, um dort Botschaften zu bauen. Die Immobilienmakler werden aus ihrem Eis auferstehen und sie willkommen heißen, die Grundstückspreise werden explodieren, und die Konversation auf Londoner Abendgesellschaften wird zurückkehren zum Thema Immobilien.

Und das ist der Lauf der Welt.

Bildung ist eine wunderbare Sache

Als ich jung war und die Welt noch so frisch und knackig wie ein Eisbergsalat, stand ich vor der Frage, was ich zwischen Schule und Universität anfangen sollte. Sollte ich in Waughs und Audens Fußstapfen treten und mich einer Prep School als Junglehrer andienern, oder sollte ich mich wie andere Altersgenossen tapfer ins Ungewisse stürzen und mit nichts als zwanzig Pfund und einer Schafschere in der Tasche nach Australien aufbrechen? Vielleicht sollte ich in Bordeaux Trauben stampfen oder in Wisconsin jene Rinder treiben, die getrieben werden mußten? Da das erlesene, tapfere Blut aller Frys durch meine Adern pulsiert, wählte ich natürlich die Prep School.

Dort erfuhr ich, daß sich die Dinge seit meiner eigenen Schulzeit verändert hatten. Elterliche Mitbestimmung erhob ihr häßliches Haupt, und glauben Sie mir, es gibt keine häßlicheren Häupter. Der traditionelle Tag der offenen Tür, an dem Eltern durch Klassenzimmer gescheucht wurden, die auf einmal so blitzblank waren wie Hauptstraßen bei königlichen Stippvisiten, groteske Kunstwerke an den Wänden bewundern mußten, in der Turnhalle Tee und klitschige Gurken-Sandwiches in die Hand gedrückt sowie die Gelegenheit bekamen, den Lehrern ein paar Fragen zu stellen, war durch elterliches Gouvernement, regelmäßig tagende

Lehrer-Eltern-Ausschüsse und jederzeit freien Schulzutritt für alle Eltern ersetzt worden.

Elterliche Mitbestimmung ist heute ein wichtiger Faktor im Wahlkampf. In einer Welt, deren Politik über mehr Statuten verfügt als das British Museum über Statuen, wird dem Elternstatut in der laufenden Konferenzsaison an jedem Rednerpult Platz eingeräumt.

Das Prinzip von Statuten, wie ich es verstehe, soll die Rechte des Konsumenten stärken, des »Nutzers« der jeweiligen Dienstleistung. Das Patientenstatut erlaubt Ihnen, Ärzten zu sagen, was sie machen sollen, das Schokoladenstatut sichert Ihnen Entschädigung für den Fall zu, daß Sie sich mit einem Marsriegel den Magen verdorben haben, das Wetterstatut gewährt Ihnen das Recht, Gottvater zu verklagen, wenn ein Sturm Ihr Dach abdeckt. Merkwürdigerweise gibt es kein Statutenstatut, das dem Wähler das Recht gäbe, einer Regierung eine Geldstrafe dafür abzuverlangen, daß sie uns mit lächerlichen Gesetzesvorlagen überhäuft und Benimm und gesunden Menschenverstand durch opportunistische Parteiprogramme und hochtrabende Gesten ersetzt.

Aber das Elternstatut ist und bleibt das unsinnigste aller Diplome und Vierwochengarantien, mit denen Politiker uns dazu einladen, unser Leben zu verbessern. Denn niemandem scheint aufgefallen zu sein, daß *Kinder* und nicht Eltern die Nutzer des Bildungswesens sind.

Bislang bin ich nicht mit Nachwuchs gesegnet, aber wenn im Laufe der Zeit mein Stammbaum einen neuen Zweig hervorgebracht haben sollte, werde ich es ganz sicher nicht begrüßen, wenn mein Sprößling mit demselben Quatsch, denselben Vorurteilen und unausgegorenen Ideen nach Hause kommt, die mir die Hirnwindungen verkleistern. Bei der Vorstellung, daß Kinder lernen sollen, ihren Gott, ihr Vaterland und ihr politisches »Erbe« hochzuhalten, wird mir schlecht. Wenn Sie ein System haben wollen, das Kindern religiöse Werte, Patriotismus und Respekt für Zucht und Ordnung eintrichtert, dann gehen Sie doch nach Saudi-Arabien oder in den Iran.

Ich rede keineswegs der Ansicht das Wort, Kinder sollten mit Rebellion, Opposition, Anarchie und Haß auf ihr Land vollgepumpt werden. Sie sollen gebildet werden. Bildung bedeutet nicht, daß man das zu hören bekommt, was die Eltern wollen, daß man die Werte seiner Eltern aufsaugt oder nach einem Lehrplan lernt, der den Eltern gefällt. Das kann man auch zu Hause haben.

Die Generation aus den Sechzigern, die von manchen Leuten verachtet wird, weil sie so »trendy« ist und so angegammelte liberale Werte vertritt, wurde in Grammar Schools und Secondary Modern Schools entlang den rigiden Richtlinien und disziplinierten Pfaden erzogen, die viele jetzt wieder so erstrebenswert finden. Das Produkt *ihrer* Lehrtätigkeit wiederum ist die altmodische, nüchterne und konservative Jugend von heute. Wenn Eltern wirklich wollen, daß ihre Kinder ihre Weltauffassung teilen, dann sollten sie auf Lehrern bestehen, die genau der entgegengesetzten Meinung sind. Schüler schlucken ihren Unterricht nicht so ohne weiteres, sie sind keine leeren Gefäße, in die man Vorurteil und Gesinnung gießen kann.

Jenen Eltern, die von der Schule fordern, die Überlegenheit der britischen Lebensart zu lehren, die Regierungsdaten unserer Könige und Königinnen, den Ruhm des Empire und daß Tennyson ein besserer Dichter war als Auden, Turner ein besserer Maler als Pollock und Mozart ein besserer Musiker als Motörhead, möchte ich ins Stammbuch schreiben, nicht die Rechte in Anspruch zu nehmen, die ein Elternstatut ihnen verleiht, keine Schule zu wählen, die ihre eigenen Standpunkte vertritt, denn dann werden ihre Sprößlinge aufwachsen und an die Verkommenheit des Empire glauben, an den Glanz von Rock 'n' Roll und den Triumph der Gewerkschaften über den Kapitalismus. Und sie werden in Essex Soziologie und Friedens- und Konfliktforschung studieren.

Das Kinderstatut, das meine Handschrift trägt, wird erkennen, daß Bildung einen in einer pluralistischen Gesellschaft einzigartig macht.

Abspann

In letzter Zeit habe ich zahlreiche Beschwerden über den immer längeren Abspann am Ende von Filmen gehört. Wenn jede Rolle Smarties, wird dann dargelegt, die Namen des Farbenmischers enthielte, des Packers, des Abschmeckers, des Schokoladenrührers, des Fließbandölers, des Deckelaufsetzers und des Aufhebers-und-Abstaubers-der-Pille-die-ab-und-zu-vom-Produktionsband-zu-Boden-gefallen-ist, dann würden wir in Teufels Küche geraten. Smartiesrollen wären zwei zwanzig lang und die Tornister kleiner Kinder noch teurer, als sie so schon sind.

Also, in *den* Streit möchte ich mich nicht einmischen. Einerseits Ehre, wem Ehre gebührt; andererseits hätte ich gegen eine Eindampfung des Nachspanns nichts einzuwenden.

Bekümmert werden Sie zur Kenntnis nehmen, daß vorige Woche die Dreharbeiten zu einer dritten Staffel von *Jeeves and Wooster* begonnen haben, und ich habe mir gedacht, daß ein kleines Glossar von Filmbegriffen für jene unter Ihnen angebracht sein mag, die Abspänne verwirrend finden.

Actor unerträglicher Müßiggänger mit Ansichten und einem ulkigen Glauben an Horoskope und Kristalle. Schauspieler arbeiten am Drehort am wenigsten und reden am meisten

Armourer verantwortlich für Feuer- und andere Waffen. Erschreckend verwirrte Geister

Best Boy nach dem *Gaffer* zweiter Mann an der Spritze

Boom Operator hält die riesige Wollwurst von Mikrophonangel hoch. Großer Bizeps

Chargehand (auch **property master**) Leiter der Requisitenkammer

Chippy Schreiner

Clapper Loader bedient die Klappe und beschreibt die Tafel, legt neue Filme in die Kamera ein, prüft ihre Akkus, befestigt die Filter, poliert die Linsen und trägt die T-Shirts

Director trägt einen Wollschal. Sonst keine erkennbare Funktion

Director of Photography (auch **Cinematographer** oder **Lighting Cameraman**) wie der Schiedsrichter beim Cricket ein Mann, der mit einem Belichtungsmesser herumsteht und das Licht mißt. Seine Scheinwerfer heißen HI-Lampen, Pinza, Strahler, Fluter, Janebeams, Brenner und Babyspots und haben Zubehör wie Scheunentore, Gitter, Tüllfilter, Blaufolien, Eskimos, Neger, Tuten und Wäscheklammern

Dolly ein großer Wagen, auf dem die Kamera sitzt, manchmal auf Schienen (daher auch der Ausdruck »Kamera*fahrt*«). Der Dolly wird bewacht, poliert und beschützt vom …

Dolly Grip, einem Mann mit reichlich Muskelpaketen, der die Kamera mitsamt *Kameramann* vor und zurück zieht und schiebt, mit den *Riggers* zusammen Schienen legt und sich wie ein Bauarbeiter bückt, um seine Arschritze zu zeigen

Dressing Props versieht den Drehort mit Möbeln und Requisiten

Featured Artist von den »tragenden Nebenrollen« akzeptierter Begriff für den sonst sogenannten »Statisten«, aber das Wort sollte Ihnen *niemals* über die Lippen kommen!

First Assistant Director meist kurz »The First«. Mit ihm steht und fällt der ganze Laden. Eine Art Oberfeldwebel und Adjutant in einer Person. Erledigt das meiste Geschrei und die ganze Arbeit

Focus Puller verantwortlich für die Schärfen- und Zoomeinstellung der Kamera. Hofft, eines Tages *Kameramann* zu werden. Spielt in den Mittagspausen heimlich mit der Kamera

Foley Artist nach Abschluß der Dreharbeiten verantwortlich für Geräusche wie Schritte und Explosionen

Gaffer *Capo di tutti capi* in der Welt der *Sparks*

Grip einer, der die Kamera oder dazugehöriges Equipment schleppt, Stative aufbaut und die Hauptlast des Jeanstragens auf sich nimmt

Jenny Driver fährt und bedient den LKW mit dem Generator

Key Grip (amer.) Chef-*Grip*

Make-up versteckt die Tränensäcke der *Schauspieler*, bringt sie aber abends liebevoll wieder zum Vorschein

Operator bedient die Kamera. Der einzige im Team, der tatsächlich sieht, was das Publikum sehen wird

Producer schaut um die Mittagszeit herum am Drehort vorbei

Riggers Gerüstbauer und Schienenarbeiter

Runner tollt herum; bringt Tee und Kaffee hierhin und dorthin

Script Supervisor (auch **Continuity Girl**) prüft die Anschlüsse zwischen einzelnen Shots, damit nicht plötzlich Zigaretten aus einer Hand in die andere springen oder Hüte von einer Einstellung zur nächsten verschwinden

Second Assistant Director paßt auf die *Featured Artists* auf und hilft bei der Verkehrsumleitung. Kann nur mit Hilfe eines Walkie-Talkies sprechen

Sound recordist hält die Filmarbeit auf, weil er angeblich ein Flugzeug hört

Sparks Elektriker, die für Strom, Bedienung und Installation der Scheinwerfer zuständig sind. Verbrennen sich ab und zu die Finger

Stand-in doubelt einen *Schauspieler* (der sich in seinem Wohnwagen erholt oder dämliche Artikel schreibt) beim Ausleuchten des Drehorts. Assistiert bei der Abwehr der Schaulustigen und deckt den Mittagstisch der *Schauspieler*

Stand-out ein *Stand-in*, der davonspaziert und unauffindbar ist

Standby Props verantwortlich für die Pflege der für die Filmhandlung benötigten Requisiten

Stuntman damit beauftragt, die *Schauspieler* bei Liebes- und Nacktszenen und anderen gefährlichen Arbeiten zu doubeln

Third Assistant Director Verkehrspolizist in Zivil. Hat die wenig beneidenswerte Aufgabe, motorisierte Verkehrsteilnehmer zu fragen, ob sie mit der Weiterfahrt nicht warten wollen, bis der Dreh im Kasten ist

Wardrobe verantwortlich für die Garderobe. Wo so viele Socken gewaschen und Hemden gebügelt werden müssen, stehen sie als erste auf und gehen als letzte ins Bett. Schnippen zwei Sekunden vor Beginn einer Szene unsichtbare Staubkörnchen von den Manschetten eines *Schauspielers*

Writer siehe Produzent

Der »Analogizer®«

Vor drei Jahren sah alles noch ganz anders aus. Wir waren jung, und die Welt stand uns offen. Die absurden Ideale unserer Jugend waren weder auf dem Amboß der Erfahrung zerschmettert worden noch im See der Gegebenheiten verschlammt, noch hatten die Fluorchlorkohlenwasserstoffe der Enttäuschung und die Abgase der Kompromisse sie durchlöchert ... oje, ich fürchte, mich hat der »Analogizer™« erwischt, der neue Online-Metapherngenerator (»Bringen Sie Ihre Vergleiche auf Vordermann und reanimieren Sie Ihre Metonyme«), kompatibel mit allen gängigen Textverarbeitungen.

Vor drei Jahren standen wir, ob nun mit oder ohne computergesteuerte Redewendungen, voller Hoffnung an der Schwelle zu einem neuen Zeitalter. Trugen wir *wirklich* Hemden mit solchen Kragen? War unser Haar *so schmierig* eingegelt? Glaubten wir *ehrlich*, Rik Astley würde der Popmusik ein neues Gesicht verleihen? Es ist natürlich leicht, die Klasse der Neunundachtziger zu verspotten ... die Frisuren, die Freude an Sushi, die Designerhosen, der naive Glaube an den freien Markt, aber das war v. F., vergessen wir das nicht. Für Aldous Huxley bedeutete v. F. vor Ford, für uns stehen diese Buchstaben für etwas ganz anderes.

Verdrängen wir das Bild eines hoffnungsvollen, unschuldigen 1989 v. F. für ein paar Sekunden, und überblenden wir zum September dieses Jahres. Wir befinden uns im luxuriös ausgestatteten Dorchester Hotel des Sultans von Brunei. Britanniens Schriftstellerverband gibt ein Abendessen. Lord »Ted« Willis will gerade den Gewinner in der Kategorie »Bestes Kinderbuch« vorstellen. Er hält eine bezaubernde, passende und sehr witzige Rede. Die Paparazzi lassen ihre gelangweilten Mienen von einem Lächeln kräuseln; sie haben immer noch das Gefühl, der Besuch von Mel Brooks' Party ein paar Häuser weiter wäre lohnender gewesen, aber diese Rede hat sie wenigstens etwas munter gemacht.

Endlich greift Lord Willis zu dem Umschlag, der den Namen des Gewinners enthält. »Ich kann mir kaum vorstellen, daß dieser Mann anwesend sein wird«, sagt er, »denn der Gewinner ist Salman Rushdie für sein Buch *Harun und das Meer der Geschichten.*«

Plötzlich bahnt sich eine römische Schildkrötenformation aus grauen Anzügen der Sicherheitspolizei einen Weg zum Podium. Aus dem Kammgarnrückenpanzer dieser Formation schält sich ein Mann, so blaß wie Schreibpapier. Wir schreiben das Jahr 2,7 nach Fatwah, also flattern die Paparazzi auf und ab wie die Schmetterlinge, nach denen man sie benannt hat, und unsicher erhebt sich die ganze Versammlung.

Alle starren wir Mr Rushdie ehrfurchtsvoll und mit offenen Mündern an. Ehrfurcht gebietet uns weniger sein Mut oder auch nur der Anblick eines asiatischen Teints, der durch den Entzug des Sonnenlichts kalkweiß geworden ist. Wenn wir ehrlich sind, starren wir eher wie Leute, die an den Überresten eines Verkehrsunfalls vorbeifahren oder die Photos von Aidskranken in der Zeitung begaffen.

So wie Mr Rushdies Haut vom jahrelangen Leben im Schatten ausgebleicht ist, so ist seinem Fall auch (wenn Sie mir noch einmal den Griff zum Analogizer™ gestatten) das ultraviolette Licht öffentlicher Aufmerksamkeit entzogen worden. Er ist rachitisch vor Vernachlässigung.

Ob Sie sein Buch gelesen haben oder nicht, ob es ein formvollendetes Kunstwerk der Phantasie ist oder großkotziger, opportunistischer Quatsch, ob er rechts oder links steht; egal, ob die Politik unserer Regierung eine »Normalisierung« der Beziehungen zum Iran anstrebt; egal, welche Ansichten wir zu Fiktion, Religion, Politik oder Rasse hegen, die schlichte Wahrheit ist und bleibt, daß Mr Rushdie eine Geisel im eigenen Land ist. Seine Zelle ist genauso wirklich und entsetzlich wie die, die Jackie Mann und Terry Waite gefangenhält: vielleicht noch wirklicher und entsetzlicher, weil sie dauerhafter zu sein scheint und nicht durch Verhandlungen geöffnet werden kann. Nach den Gesetzen und Gebräuchen, die uns auf unser Land stolz sein lassen, hat er so wenig ein Verbrechen begangen wie der unbescholtenste Bürger unter uns.

Dennoch wurde sein japanischer Übersetzer in diesem Jahr ermordet und sein italienischer Übersetzer von Angreifern totgeschlagen, die Rushdies Adresse aus ihm herausprügeln wollten. Der Tag wird kommen, an dem die Leute anfangen werden, ihm die Kosten der zu seinem Schutz abgestellten Polizisten übelzunehmen, der Tag, an dem die Rushdie-Affaire in keiner Zeitung auch nur einen Zweizeiler unter der Rubrik »Kurznachrichten« mehr wert sein wird, der Tag, an dem wir die schreckliche Schlichtheit seines Falles vergessen haben werden.

Vielleicht ist es politisch wenig opportun, sich international für den Fall Rushdie stark zu machen, solange die Geiseln im Libanon noch nicht frei sind. Danach dürfen wir die Welt vielleicht daran erinnern, welche Schandtat die Mullahs begangen und welches Unverständnis sie *unserer* Religion gegenüber gezeigt haben, einer Religion der Toleranz und freien Meinungsäußerung.

Heute ist kein besonderer Jahrestag der Fatwah, sondern bloß ein neuer Tag der Gefangenschaft und Furcht für Mr Rushdie und für uns daher so geeignet wie jeder andere Tag, um uns daran zu erinnern.

Wenn es Analogizer™ gäbe, würde er dem Mann wenigstens ein oder zwei Tage im Jahr einen Platz an der Sonne gewähren.

Ein Unterzeichnen der Zeit

Schauen Sie sich bloß die Buchbranche an. Zufälligerweise habe ich ohne Rücksicht auf die Protestschreie der breiten Öffentlichkeit gerade einen Roman herausplumpsen lassen. Natürlich bin ich mir völlig im klaren darüber, daß es ganz grauenhaft ungehörig wäre, würde ich den mir hier anvertrauten Raum als eine Art Forum nutzen, um diesen fürchterlichen Erguß feilzubieten. Lassen Sie mich daher so klar und deutlich sagen, wie ich kann, daß mein Buch scheußlicher Unsinn ist, Mumpitz, wie man in alten Filmen zu sagen pflegte; Sie sollten nicht einmal im Traum die Idee in Erwägung ziehen, sich den Gedanken durch den Kopf gehen zu lassen, den Plan zu entwickeln, sich womöglich dem Ansinnen zu nähern, daß die vage Möglichkeit bestünde, die Spur eines Fünkchens eines Teilchens einer Andeutung eines Jotas eines Hauchs eines Anflugs eines Zählers eines Bruchteils Ihres Vermögens für so unsägliche Schweineschlempe zu vergeuden.

Verlegt zu werden ist gleichwohl eine ganz bemerkenswerte Erfahrung. Wenn ein Vorabexemplar bei einem auf dem Küchentisch landet, komplett mit Umschlag, ist das genauso aufregend, wie Sie vielleicht annehmen. »Jungejunge«, denken Sie sich. »Da ist es. Ich meine, es ist wirklich *da.* Ausgestattet mit ISBN-Nummer, Urheberschutzklausel, Katalognummer der Library of Congress und allem Drum und Dran.«

Sie stellen es aufs Kaminsims und treten ein paar Schritte zurück, um es in der Totale wahrzunehmen. Sie legen es hin und gehen in die Knie, um es auf gleicher Höhe anzuspähen; Sie werfen es *en passant* aufs Sofa; Sie stellen es zwischen *Ulysses* und le Carrés *Krieg im Spiegel* ins Bücherregal; Sie blinzeln ihm durch halb zugekniffene Augen zu; Sie schnuppern und lecken daran, knuffen, streicheln und pieksen es; Sie reden es schüchtern an; Sie schlagen es auf und gewähren seiner Titelseite den ehrfürchtigen Kuß eines Rabbiners; Sie bieten ihm einen Keks und ein Glas Sherry an; Sie fahren mit ihm spazieren; Sie balancieren es auf dem Kopf, stecken es unter den Arm und stopfen es in die Tasche; kurz, Sie machen alles mögliche, hüten sich aber, auch nur eine einzige Zeile zu lesen.

Nach der Veröffentlichung fangen dann die heimlichen Besuche in den Buchläden an, um zu sehen, ob sich irgendwer blicken läßt, der es tatsächlich kauft. Ich habe da gewisse Probleme, da mein Gesicht weit hurenhafter zu Markte getragen worden ist als das echter, respektabler Autoren. Wenn der Buchhändler einen erkennt, könnte er als erstes argwöhnen, man wolle sich über die miserable Präsentation beschweren – das machen Schriftsteller ja ständig –, oder er bedrängt einen, seinen Bestand zu signieren. Trägt man jedoch eine Kopfbedeckung, eine dunkle Sonnenbrille und einen falschen Schnurrbart, was man sich alles von einem befreundeten Maskenbildner geliehen hat, dann kann man stundenlang an einem Picador-Drehständer herumlungern und die Gewohnheiten der bücherkaufenden Öffentlichkeit observieren. Ich hätte noch die Alternative, aufs genaueste die Kleidung zu kopieren, in der ich für die peinlich riesigen Pappkameraden photographiert worden bin, die man gegenwärtig in so vielen Buchläden findet, mich stocksteif neben einen der Behälter mit Programmen zu stellen und so zu tun, als wäre ich aus Pappe. Aber ich glaube, diese Strategie klappt nur in Abbott-und-Costello-Filmen.

Die Entscheidung, wem ich die Frucht meiner Romancierslenden widmen sollte, fiel mir so schwer, daß ich mich am Ende dafür entschieden habe, auf die erste Seite »Für .... *(Vor- und Zunamen bitte einsetzen)*« drucken zu lassen, so daß es jedem Leser gewidmet ist. Das hatte den unerwarteten Vorteil, daß Signierstunden viel einfacher geworden sind, als es sonst vielleicht der Fall gewesen wäre.

Signierstunden sind ein potentielles Minenfeld der Beschämung. Höfliche, anständige Menschen stehen Schlange vor einem Tisch, Sie sitzen mit gezückter Feder dahinter und sind bereit, auf Befehl draufloszudedizieren. Manche Kunden, wahrscheinlich Sammler, haben feste Vorstellungen von dem, was geschrieben werden muß: »›Mit besten Wünschen‹ und dann bitte Ihren Namen«, fordern sie. »Sonst nichts.«

»Mit besten Wünschen« ist aber irgendwie nicht ganz meine Art. Das riecht nach der Weihnachtskarte eines Kohlenhändlers, der sich bei Ihnen für Ihre hochgeschätzte Aufmerksamkeit bedankt. Aber lieber die Wildnis solcher »bester Wünsche« als manche der persönlichen Widmungen, die gelegentlich verlangt werden. »Können Sie einfach schreiben, ›Für Martin, verreck, du alter Furzknochen, den letzten beißen die Hunde‹ und dann bitte unterschreiben?« oder »Schreiben Sie ›Das wird dich lehren, über meine Arbeitsflächen aus Kunstharz zu lachen, du Schlampe. Dein, bis die Hölle gefriert‹.« Man willfährt dem natürlich gern. Wie der Fürst ebenfalls bemerkte, des Dichters Aug, in schönem Wahnsinn rollend, mag wohl zum Himmel auf-, zur Erd hinabblitzen, aber das andere ist die ganze Zeit starr auf die nebenliegende Tantiemenspalte gerichtet.

Aber ich muß zum Zug nach East Anglia, wo ich morgen signieren soll.

Mit besten Wünschen.

Feiner Kerl

Ich halte mich für einen Optimisten, fast sogar Eudaimonisten; fröhlich und zuversichtlich bis an den Rand des Pollyannaismus. Das ist keine bewußt erworbene Befindlichkeit, kein Standpunkt, zu dem ich auf dem Wege der Reflexion oder des Prinzips gelangt wäre, sondern ein durch Erfahrung eingeimpftes Gebaren. Wenn Sie ein Päckchen Kaffeeweißer auf pflanzlicher Basis in eine belebte Hauptstraße werfen würden, dann, behaupte ich, fiele es einem feinen Kerl vor die Füße, einer anständigen, höflichen, toleranten und sympathischen Seele, kurz, jemandem von engelsgleichem Wesen.

Vielleicht liegt das daran, daß ich bei Norwich groß geworden bin, einer Stadt, die seit langer Zeit in dem Ruf steht, die höflichste, umgänglichste Siedlung in diesem unserem Vereinigten Königreich zu sein. Eine Tageszeitung hat mal einen Reporter dorthin geschickt, der die Liebenswürdigkeit und Freundlichkeit des durchschnittlichen Norwizensers eigens auf die Probe stellen sollte. Diese Ausgeburt der Hölle versuchte sich in Ladenschlangen und an Bushaltestellen vorzudrängeln, nur um zu sehen, ob sie jemandem Unmut und Zorn entlocken könne. Alles, was er zu hören bekam, war: »Schon in Ordnung, guter Mann, gehen Sie ruhig vor... na klar, Sie haben's eilig.«

In Norwich, nehme ich an, könnte man immer noch versuchen, mit P. G. Wodehouses Methode Post aufzugeben. Im London der dreißiger Jahre pflegte er, sobald er mit seiner morgendlichen Post fertig war, die Briefe aus dem Fenster auf die Straße zu werfen. Er meinte, wenn der durchschnittliche Engländer einen zugeklebten, frankierten und adressierten Umschlag auf dem Bürgersteig fände, würde er ihn aufheben und in den nächstbesten Briefkasten stecken. Er behauptete, auf diese Weise sei ihm nie auch nur ein einziger Brief verlorengegangen.

Heutzutage wird oft behauptet, wir seien eine härtere, selbstsüchtigere Nation geworden; angeblich würden einen die Leute, bräche man auf der Straße zusammen, einfach ignorieren, vielleicht sogar angewidert auf die andere Straßenseite wechseln. Die gebetsmühlenhafte Wiederholung dieser Ansicht ist genauso abgedroschen und allgemeingültig wie das dauernde Jammern, der

Winter breche immer so überraschend über uns herein, oder die Lobeshymnen, wie großartig doch Marks & Spencer's sei. Aber wenn *jeder* es so abstoßend findet, daß die Briten immer herzloser werden, welche Briten legen diese Herzlosigkeit dann eigentlich an den Tag? Oder sollen wir etwa glauben, daß die Leute, die ihrem Abscheu vor der Gleichgültigkeit anderer Ausdruck verleihen, dieselben sind, die beim Sturz eines Fußgängers auf der anderen Straßenseite weitergehen?

Es stimmt, daß es keinen einzigen Autofahrer gibt, Sie und mich eingeschlossen, der noch nie gesagt hat, »Also wirklich! Neulich war ich in dichtem Nebel auf der Autobahn unterwegs, und du hättest mal das Tempo sehen sollen, mit dem die Leute da langgerast sind! Verrückte, alles Verrückte!« Sie können sicher sein, daß die Leute, die kürzlich erst vor Gericht vergattert wurden, weil sie bei schlechtem Wetter zu schnell gefahren waren, was Anfang des Jahres zu der tragischen Massenkarambolage auf der M4 geführt hatte, mehr als einmal in ihrem Leben gesagt hatten: »Ich verstehe einfach nicht, wie manche Leute bei Nebel auf der Autobahn fahren ... Das sind doch Verrückte. Alles Verrückte.«

Vielleicht sind wir also alle Pharisäer. Wir verdammen andere für unsere eigenen Fehler. Wir zählen die Mängel der »Leute« auf, um mit jenen Geistern fertig zu werden, die uns in Versuchung führen. Auf jeden Fall läßt sich feststellen, daß die, die sich am meisten über das hemmungslose Trinken anderer auslassen, sich die meisten Sorgen über ihre eigene Gewohnheit machen.

Indem wir unsere Befürchtungen, Mängel und Selbsthaß auf andere projizieren, erhalten wir uns diese Schwächen. Wie jeder Arzt Ihnen sagen kann, besteht der erste Schritt zur Heilung einer Sucht darin, anderen gegenüber laut zu bekennen, daß man abhängig ist.

So sei es auch mit anderen Problemen. Es ist paradox, aber sobald Sie anderen sagen, was für ein lausiger Autofahrer Sie sind, sind Sie kein lausiger Autofahrer mehr. »Jetzt muß ich aufpassen«, sagen Sie sich wie jeder gute Fahrer, »es ist ziemlich neblig, und ich bin ein verdammt schlechter Fahrer.« Jeder Workaholic wird Ihnen bestätigen, daß er sich nur deshalb so zur Arbeit treibt, weil er so schrecklich faul ist.

G. K. Chesterton, der moderne Meister des Paradoxen, hatte

das eingesehen, als er eine lange Leserbriefdebatte zum Thema »Was läuft falsch in diesem Land?« mit den Zeilen zum Abschluß brachte, »Sir, ich weiß ganz genau, was in diesem Land falsch läuft. Ich bin es.«

Wenn alle geschrieben hätten, es sei *ihre* Schuld, daß das Land so heruntergekommen sei, statt es der Jugend in die Schuhe zu schieben, den Reichen, den Eltern, den Armen, den Lehrern, den Experten, den Medien, den Politikern – allen, nur nicht sich selbst, dann hätte von vornherein alles gestimmt im Land. Eine Nation aus Chestertons, ein Land, dessen Bürger sich selbst und niemand anders die Schuld geben, wäre ein Utopia oder möglicherweise das Reich Gottes.

Wohlgemerkt hätte Chesterton wahrscheinlich hinzugesetzt, daß man mit den Geistern am besten fertig wird, indem man sie austrinkt.

Verrückt wie eine Schauspielerin

Ich hoffe, eines Tages die Neuausgabe von *Roget's Thesaurus* zu bearbeiten, nicht weil ich die Stunden der Schufterei und Forschung so genießen würde, die das mit sich brächte, auch nicht, weil ich mir einrede, über besondere Einsichten in das Wesen englischer Synonyme zu verfügen. Es gibt nur einen Grund für solch Job, Dienst, Beruf, Amt, Arbeit, Aufgabe, Beschäftigung, Fach, Gewerbe, Berufung, Handwerk, Metier, Posten, Funktion, Pflicht, Plackerei, Rolle, Streben, Broterwerb, Engagement, Obliegenheit: Ich bekäme endlich die Gelegenheit, eine langjährige Lücke in den Standardausgaben dieses unverzichtbaren Werkes auszufüllen. Denn meine erste Amtshandlung bestünde darin, unter der Kategorie »Wahnsinnige« das Wort »Schauspielerin« aufzunehmen.

Ich verstehe einfach nicht, warum frühere Herausgeber seit der Zeit des seligen Roget persönlich es verabsäumt haben, dem unzerstörbaren Glied zwischen diesen zwei Arten und Zuständen des weiblichen Menschen ihr offizielles Siegel aufzudrücken. Meine

Mitarbeit würde mir die Möglichkeit eröffnen, der Gelehrsamkeit und Wissenschaft diesen Dienst zu erweisen.

Von der Auslieferung meiner Neuausgabe an brauchte niemand mehr zu sagen: »Ich hab' neulich 'ne Schauspielerin getroffen, die war total durchgeknallt.« Eine solche Aussage wäre so überflüssig wie »Mir ist gestern was ganz Außerordentliches passiert! Abends wurde es dunkel. Die Sonne verschwand einfach im Westen«, oder »Ich hab' gestern 'n Typ mit gefärbter Brille gesehen. Fürchterliche Macke.«

Man darf natürlich nicht den umgekehrten Schluß ziehen, alle wahnsinnigen Frauen seien Schauspielerinnen. Das wäre völliger Quatsch. Indes ist es auf gewaltige, wunderbare und umfassende Weise wahr, daß alle Schauspielerinnen wahnsinnig sind.

Ich habe überhaupt nichts gegen Verrückte. Jeder, der Jonathan Millers ausgezeichnete Sendung über die mental Erregten gesehen hat, weiß, daß sie in der ganzen Menschheitsgeschichte den gemeinsten Gemeinheiten zum Opfer gefallen sind. Wenn man sie nicht in engsitzenden Westen festhielt, jagte man ihnen Strom durch den Körper oder ließ sie trepanieren. Das wünsche ich Schauspielerinnen keineswegs, die meistenteils charmant, großzügig und gütig sind. Behämmert bis über beide Ohren, wie gesagt, aber einfach bezaubernd.

Aber warum sage ich, Schauspielerinnen seien wahnsinnig? Es liegt nicht daran, daß so viele von ihnen an Astrologie glauben: das ist kein Zeichen von Wahnsinn, sondern bloß von Dummheit; ein Leiden, das Gesunde und Verrückte gleichermaßen ereilt. Und sie sind auch nicht wahnsinnig im öden Sinne des »Hah! Man muß einfach verrückt sein, wenn man diesen Job macht!« Wir alle wissen doch, daß niemand auf Erden so bedrückend normal ist wie derjenige, der einen Button mit der Aufschrift »Man muß nicht verrückt sein, um hier zu arbeiten – aber es hilft!« trägt.

Nach meiner Erfahrung laufen mehr gute Schauspielerinnen herum als gute Schauspieler. Verrückt zu sein, liegt mit gutem Schauspielen keineswegs im Widerstreit. Ganz im Gegenteil. Der Wahnsinn entspringt gerade der Auffassung, mit der sie an ihre Arbeit herangehen.

Im Probenraum sind die meisten Schauspieler – durchaus verständlich – sehr verlegen. Stellen Sie sich das erste Lesen mit verteilten Rollen von, sagen wir, *Oedipus Rex* vor. Der Schauspieler, der den Ödipus spielt, kommt zu der gewaltigen Passage, wo er erkennt, daß er ein Vatermörder und Mutterbesteiger ist. Sophokles will einen Schrei hören. Einen lauten Schrei, ein monumentales »Aieeeeeeeeeee«, ein durchdringendes schrilles Heulen der Todespein. Jeder britische Mann, der sich ohne Kostüm diesem Moment konfrontiert sieht, bloß mit Ensemble und sonstigen Mitarbeitern als Publikum, wird sofort rot anlaufen, grinsen, mit den Füßen scharren und murmeln, »Und dann kommt der Schrei, ähm, dazu kommen wir, ömph, später ja noch«, und so schnell wie möglich weiterlesen. Die Darstellerin der Iokaste dagegen, die im kalten Probenraum zu ihrer großen Szene kommt, wird mit einem Plastikbecher in der einen, Skript in der anderen Hand, ein so markerschütternd nacktes Klagegeheul anstimmen, daß es jedem Hörer tief in die Seele fährt. Null Verlegenheit. Wenn es eine befriedigende Definition des Wahnsinns gibt, dann ist es der vollständige Mangel an sozialem Schamgefühl.

Englische Schauspieler sind ebenso wie die von ihnen gespielten Figuren hochnotpeinliche Wesen. Ironie, Selbsthaß, Scham, Schuld und Verlegenheit sind Eigenschaften, in denen der englische Schauspieler als unübertroffener Meister gilt. Macbeth, der über Duncan und Degen jammert, Hamlet, der sich hinter Witz und vorgeschützter Überspanntheit versteckt, beide werden von Lady Macbeth und Ophelia in den Schatten der Normalen gestellt. Lear ist natürlich eine Ausnahme, aber schließlich weiß jeder, auch wenn er sonst nichts weiß, daß Lear unspielbar ist, zumindest für englische Schauspieler. Darum geht's ja grade.

Wenn man die Verlegenheit, geistige Verstopfung und Ablehnung von Gefühlsregungen, die den britischen Mann kennzeichnen, durch das andere Ende des Fernrohrs betrachtet, kann man diese Eigenschaften natürlich mit einiger Berechtigung als wahrhaft verrückt ansehen, und vielleicht haben ja Schauspieler wie ich alle vier Räder ab, und die unverlegenen, emotional offenen Schauspielerinnen sind so normal wie Teelöffel.

Das muß der Thesaurus entscheiden.

Das Alphabet der Motoren

Ein Bekannter zeigte mir mal einen Artikel im *Boy's Wonder Book of Science* aus den Dreißigern, der mit typisch jungenhafter Verwunderung über den neu aufgekommenen Elektromotor spekulierte. Elektromotoren, so behauptete der Artikel, würden die Welt verändern. Schon bald würde sich jedermann an diese magischen Requisiten gewöhnen müssen. Eine ganzseitige Federzeichnung entwarf das Haus der Zukunft: auf dem Dachboden stand ein gigantischer Elektromotor, der mit einem Treibriemensystem Wasserpumpen, Rasenmäher, Salatschleudern, Waschmaschinen, Mausefallen, Küchenmixer und Gott weiß was noch alles antrieb.

In einer Hinsicht hatte der Artikel recht: Elektromotoren haben unser Leben wirklich verändert. Was die Verfasser jedoch nicht vorhergesehen haben, war, daß nicht wir uns an sie gewöhnen mußten, sondern daß sie sich an uns gewöhnt haben. Anstelle eines riesigen, alles kontrollierenden Elektromotors auf dem Dachboden verfügen wir heute über Dutzende kleine, über das ganze Haus verteilt, die alle im verborgenen arbeiten. Jeder Videorecorder, Geschirrspüler, Gartenshredder, elektrische Rasierapparat und jedes schnurloses Instrument zur körperlichen Erholung und Massage hat einen. Was Elektromotoren angeht, haben wir als Zivilisation uns ihnen nicht mehr angepaßt als die Phönizier.

Als der Heimcomputer auf den Markt kam, waren düstere Prognosen zu vernehmen. »Herrjemine«, schrien die Leute, »der Heimcomputer ist auf den Markt gekommen, und ich bin viel zu alt, als daß ich mich da jemals einarbeiten könnte. Videorecorder sind schon schlimm genug – ich muß immer meine vierjährige Tochter holen, um meinen zu programmieren –, aber Computer...«

Alle Welt befürchtete, die Bevölkerung würde sich in eine computernde und eine nichtcomputernde Klasse aufspalten, und die letztere würde sich in einer Welt abstrampeln, die sie nicht versteht.

Diese pessimistischen Vorhersagen waren genauso unbegründet wie die über den Elektromotor. Heutzutage stecken in den meisten elektronischen Geräten Chips, also kleine Computer, die unauffällig im Hintergrund arbeiten.

Wir dürfen nie vergessen, daß nicht wir schuld daran sind, wenn wir unseren Videorecorder nicht zum Aufzeichnen oder unseren Computer nicht zum Datenverarbeiten bringen können, sondern die Maschine. Ein Dampfbügeleisen beispielsweise, das eine alphanumerische Tastatur, einen Bildschirm und eine Programmiersprache brauchte, um anständig zu funktionieren, wäre lächerlich. Es wäre schlecht designt, primitiv und nutzlos. Ein Computer, der einen blinkenden Cursor in der Befehlszeile, eine niedere Betriebssystemsprache und ein dickes Benutzerhandbuch erfordert, ist genauso lächerlich. Jene monströsen PCs von IBM, die vor einigen Jahren den Markt überfluteten, glichen den ersten Automobilen, waren primitiv und laut; sie erforderten enthusiastische Amateure, die, bildlich gesprochen, alle zehn Kilometer anhalten mußten, um unter der Kühlerhaube an der Zündung herumzufummeln.

Ein Team, das in den Siebzigern im Xerox Palo Alto Research Centre (PARC) arbeitete, ging damals von einem Gerät aus, das sie *Dynabook* nannten. Das war ein Computer, so groß wie ein Taschenbuch, ohne Tastatur und von jedermann einfach und spontan zu bedienen. Das PARC-Team nahm nie an, dieses Gerät selber produzieren zu können, aber es war eine platonische Idee, auf deren Verwirklichung man dort hinarbeiten wollte. Unterwegs entwarfen sie ein System namens WIMP, was für Windows, Icons, Mäuse und Pull-down-Menüs stand. Das war eine graphische Benutzeroberfläche, die es einem Computeranwender ermöglichte, den Bildschirm analog zu einer Schreibtischfläche zu handhaben. Wir Menschen funktionieren mittels Analogien am besten. Wer von uns erfährt die Uhrzeit nicht lieber von einer Analoguhr, die uns eine Repräsentation der Zeit in 360 Graden zeigt und uns erlaubt, auf den ersten Blick verflossene Zeit und noch kommende Zeit zu sehen, als von einer Digitalanzeige in schmucklosen Zahlen mitgeteilt zu bekommen, daß es jetzt 19.38:07 ist? Als daher Apple Computers die WIMP-Technologie übernahmen und 1984 den ersten Macintosh-Computer herausbrachten, war klar, daß, wie ihr Werbeslogan lautete, »der Computer für alle anderen« angekommen war.

Big Blue, wie IBM genannt wird, hat im Schneckentempo aufgeholt: ihr größter Software-Hersteller hat eine Betriebssystemerweiterung für IBM herausgebracht, die den Apple-Stil fast plagiiert. Da Geschwindigkeit und Speicherkapazitäten von Computern zunehmen und die Kosten fallen, werden selbst die überraschend freundlichen und produktiven Macintoshe schon bald schwerfällig und primitiv wirken. In wenigen Jahren werden wir über Spracherkennung verfügen, die von riesigen Speichern und hoher Prozessorengeschwindigkeit abhängt. Spezielle Großrechner im Büro oder zu Hause werden so überflüssig wie Elektromotoren auf dem Dachboden.

Angesichts all dieser Entwicklungen müssen jetzt jene, denen die eigene Technophobie soviel Spaß macht, sich Sorgen darum machen, welche Seite des modernen Lebens ihnen als nächstes Angst einjagen soll. Die korrekte Höhe der staatlichen Nettokreditaufnahme im laufenden Haushaltsjahr vielleicht. »Ich bring' diese verflixte neumodische Ökonomie einfach nicht zum Laufen ... Sie haben nicht zufällig einen fünfjährigen Sohn, oder?«

Vim und Vitalität

In meiner Familie benutzen wir wie Millionen anderer Haushalte im Lande das Scheuermittel Vim. Das war nicht Resultat einer politisch oder sozial bedeutsamen Konsumstrategie unsererseits, wir haben einfach die Marke Vim benutzt. Wenn wir eine andere Familie besuchten und ich dort ein anderes Scheuermittel entdeckte, drehte sich mir der Magen um.

»Mami!« zischte ich, »die nehmen hier *Ajax!*«

Soweit ich wußte, war immer das richtig, was wir zu Hause benutzten; Abweichungen waren minderwertig und ein kleines bißchen peinlich; ich ließ keinen Ersatz gelten: Wenn man woanders Omo statt Persil benutzte, Quaker-Haferflocken anstelle von Scott's aß oder sich mit Colgate und nicht Gibbs die Zähne putzte, so war man dort schlichtweg unten durch und Mitleid die einzige Regung, die ich aufbrachte.

Das gleiche galt für die Politik. Jahrelang habe ich mir vorzustellen versucht, wie jemand sich so erniedrigen könnte, wirklich und wahrhaftig Labour zu wählen, ohne rot zu werden. Das war fast so entsetzlich, wie wenn man Zewa statt Hakle kaufte.

In jenem Jahr, das mich vom ekelhaften Zwölfjährigen zum widerlichen Dreizehner heranwachsen sah, wurde mal wieder das Parlament gewählt. Das erregte in North Norfolk großes Aufsehen, wie Sie sich werden denken können. Wenn unser Daheim auch nicht wirklich mit den großen politischen Salons der Vergangenheit Schritt halten konnte, so gab es zu Hause doch allerlei Kommen und Gehen in jener schwindelerregenden und bewegten Zeit, durchaus vergleichbar mit Cliveden in seiner Blütezeit. Wirklich, jeden Dienstag sah man den konservativen Wahlkampfleiter von North Norfolk mit dem Stadtkämmerer von Aylsham (nach der Eingemeindung von Cawston und Yaxham) ins Gespräch vertieft und Angelegenheiten diskutieren, die die Höchsten im Staate betrafen. Manchmal war sogar der Abgeordnete höchstpersönlich da. Bei solchen Anlässen, das kann ich Ihnen versichern, floß das Vim wirklich in Strömen. So manches Mal mußte ich Nachschub aus dem Keller holen. Ich trat ins Speisezimmer, strich mir die Spinnweben aus dem Haar, stemmte den Kanister auf den Tisch und lauschte, glubschäugig vor Ehrfurcht, wie in jenem Zimmer Staatsangelegenheiten geklärt wurden. Auf wie vielen Telegraphenstangen an der Straße nach Cromer man blaue Wahlplakate anbringen würde, ob das Lautsprechersystem auf dem Wahlkampfbully laut genug war, um die Einwohner von North Walsham aus dem Schlaf zu rütteln, und wer im Wahlkreis Booton die Senioren in die Wahlkabinen schippern würde.

Historisch ist nicht daran zu rütteln, daß die Angelegenheiten, die an jener Tafel von den Männern und Frauen der North Norfolk Conservative Association entschieden wurden, schwindlig vom guten Vim, wie sie es gewesen sein mögen, geröteten Kopfes von Scott's Haferflocken und fuchsig von Hakle, wie sie es unzweifelhaft waren, das Schicksal der Nation verändert haben. Das Ergebnis unserer Anstrengungen war, daß Edward Heath in den Buckingham Palace zitiert wurde und wir ihm treu ergebene East Anglianer bis in die stillen Stunden der Nacht hinein mit feinstem Gibbs SR auf sein Wohl anstießen.

Dann kam ein Referendum zu Europa, was wir heute bestimmt ein Euroferendum nennen würden. Ungefähr zu jener Zeit entschied ich mich aus Gründen, die ich immer noch nicht ganz verstehe, zum offenen Aufstand. Obwohl der Parteilinie noch treu, kam ich zu dem Schluß, ein fanatischer Europagegner zu sein.

Es war zweifellos die Pose eines närrischen Teenagers; ein Versuch, Unabhängigkeit zu zeigen, oder um, wie man heute sagen würde, bei Handlungsbedarf eigenverantwortlich vorzugehen.

Meine Helden wurden Barbara Castle und natürlich Enoch Powell, dem ich vergab, daß er mir wie jedem Schüler mit seiner Ausgabe des Thukydides das Leben schwergemacht hatte: Ich ging sogar so weit, ihm zusammenhanglose Fanpost zu schicken, in der ich ihn meiner Unterstützung versicherte.

Zwanzig Jahre danach ist es mir egal geworden, welches Toilettenpapier ich benutze oder welche Zahnpasta ich futtere, und politisch neige ich inzwischen zur Labour Party, aber bei der Europafrage wechsle ich immer noch täglich meine Meinung, werde wie eine Hoteldusche abwechselnd heiß und kalt. Manchmal sorge ich mich wegen gesichtsloser Eurokraten, dann wieder denke ich, wenn ich's mir richtig überlege, zeigen unsere Herren in Whitehall ja auch nicht viel Profil. Regierung per Dekret kann vermutlich genausogut von Westminster ausgehen wie von Brüssel. Auch auf europäischer Ebene gibt es schließlich Wahlen. Und wenn die gegenwärtige Rezession zu einem weltweiten Abschwung gehört, wie soll da das Konzept ökonomischer Souveränität noch eine Bedeutung haben? Dann aber fällt mir wieder ein, daß Brüssel, worauf Martyn Harris neulich erst im ›Telegraph‹ hingewiesen hat, Kindern verbieten will, Zeitungen auszutragen, und ich kriege sofort eine Gänsehaut.

Letztlich ist die Vetternwirtschaft, die damit anfängt, Leute nach Scheuermitteln zu beurteilen, und mit der Bombardierung von Dubrovnik endet, keine Kraft, mit der man sich glücklich verbünden könnte. Auch die Häuser anderer Leute haben ihr Gutes.

Zustand kritisch

Vor einigen Tagen ging ein ziemlich bekannter Kritiker in den Ruhestand, begleitet vom Jubel aller für die Bühne Arbeitenden oder von ihr Begeisterten. Sein Ruhm, vermute ich, verdankte sich mehr seiner Langlebigkeit als irgend etwas anderem, denn er schrieb für ein Londoner Abendblatt, und für diejenigen unter Ihnen, die außerhalb unserer Hauptstadt leben, bleibt die Karriere eines Lokaljournalisten gleichermaßen unbekannt wie uninteressant.

Woher der Jubel? Sie befürchten vielleicht, ich sei drauf und dran, den Raum meiner Kolumne als Schleifstein zum Wetzen völlig privater Messer zu nutzen, aber ich versichere Ihnen, daß ich, soweit ich weiß, keinen persönlichen Grund zum Groll gegen diese drollige Figur habe, die ungefähr so sehr ein »Mann des Theaters« ist, wie Attila ein Föderalist war, was er mit dem Rest seines furchtbaren Berufsstandes gemein hat.

Trotzdem stehen persönliche Gefühle auf dem Spiel. Als Kind habe ich im Fernsehen einen Film mit Alastair Sim namens *Der grüne Mann* gesehen. Wie fast alle Filme dieses unvergleichlichen Genies enthält er Augenblicke so absoluter Freude, wie uns in diesem irdischen Jammertal nur zuteil werden können. In einer Szene versucht er, ein weibliches Trio aus einem Palmensaal zu scheuchen, weil er den Raum eben räumen muß, und diese Szene gehört zum Witzigsten, was je auf Zelluloid gebannt worden ist. Als ich sie sah, hab' ich mich gekrümmt vor Lachen, aber mehr noch wollte ich seither etwas, *irgend etwas* mit dieser Welt zu tun haben, die so ein Vergnügen bereiten kann. Vor einiger Zeit wurde der Film wiederholt. In der Spielfilmvorschau einer Sonntagszeitung wurde er als »dünnes, letztlich unbefriedigendes Ausdrucksmittel für Sim« beschrieben. Nun möchte ich ganz und gar nicht behaupten, daß mein Faible für diesen Film das letzte Wort haben muß, *de gustibus* und so weiter, aber schauen Sie sich bloß den *Stil* dieser Bemerkung an. Er demonstriert doch wieder einmal alles, was einen an Kritikern ärgert und abstößt. Die niedere, besitzergreifende Unverschämtheit dieses parvenühaften Schmierfinks, sich auf den Mann nur mit Nachnamen zu beziehen, das Abtun *ex cathedra*, das Kalte-Schulter-Zeigen, der völlige Mangel an allem, was Enthusiasmus oder Liebe auch nur ahnen ließe; keine Spur von Zuneigung zu diesem Medium, von Lust, von allen Gefühlen, die bei echten Filmfans mit Händen zu greifen sind, bei Liebhabern der Komödie, des Dramas, der Aufführungen oder Erzählungen in jeglicher Form.

Es ist eine Binsenweisheit: Wenn die Leute, die diese Dinge den ganzen Tag lang be- und verurteilen, sie selber machen könnten, dann würden sie es tun.[1] Daß die Nachwelt zuletzt lacht, ist auch klar. Wer wird sich je an den galligen Schrott von Typen wie Martin Cropper, Michael Coveney und Lewis Jones erinnern oder gar davon inspirieren lassen? »Ruhig Blut, Stephen«, mögen Sie hier einwerfen, »kein Grund, unnötig beleidigend zu werden.« Durchaus. Ganz meine Meinung. Aber vielleicht ist eben auch der Schmerz überflüssig, den Kritiker bereiten. Jawohl, Menschen werden von ihren Spitzen verletzt; aber ja, Menschen weinen. Am Wochenende hat Sir John Mills mir erzählt, wie er vor einem Schminkspiegel saß und in Tränen ausbrach, als ihm die Bemerkung eines Kritikers einfiel, dessen Namen er längst vergessen hatte.

»Ach, Pustekuchen«, rufen Sie jetzt, »und der böse Bube hat ihn ganz durcheinandergebracht, ja? Schauspieler bekommen doch hohe Gagen, oder nicht? Wenn sie die Sticheleien nicht vertragen, sollten sie aus dem Rampenlicht verschwinden.« Das kann man so sehen. Vielleicht ist es auch richtig, daß Schauspieler eine *Dienstleistung* erbringen, daß man dem Ego von Schauspielern und Schriftstellern und Künstlern mal die Luft ablassen muß, daß die Öffentlichkeit Beratung braucht, wie, wo und wann sie ihr Geld für künstlerische Veranstaltungen ausgeben soll, daß »ein gewisser Standard« gewahrt werden muß.

---

1 Als Milton Shulman, der Kritiker, auf den ich mich eingangs bezog, im ›Evening Standard‹ diesen Artikel erwähnte, zitierte er seltsamerweise nur diesen Passus. Er vermittelte seiner kleinen Leserschar den Eindruck, ich hätte der Tatsache große Bedeutung beigemessen, daß Kritiker zu dem, worüber sie reden, selbst nicht in der Lage sind, vergaß aber dazuzusagen, daß ich es nur *en passent*, als Binsenweisheit eben, angeführt hatte. Im Anschluß daran zählte er große Schriftsteller auf, die auch als Kritiker tätig waren. Ein offensichtlicher Trugschluß. Ich habe nie impliziert, große Schriftsteller könnten nicht kritisieren. Ich rede ausschließlich von professionellen Kritikern, die nicht schreiben können. Den Rest meines Arguments ignorierte er, weil er ihm nicht in den Kram paßte.

All das eben Gesagte mag eine durch und durch überzeugende Existenzberechtigung für Kritiker sein. Das Problem ist bloß, daß niemand sich freiwillig für diesen scheußlichen Job meldet, abgesehen von dem wertlosen und verbitterten Ausschuß, den wir im großen und ganzen kriegen. Welcher anständige Kerl möchte denn schon sein ganzes Leben lang nörgeln und kritteln? Wie kann man da nachts noch schlafen?

Stellen Sie sich folgende Szene vor. Ein Kritiker klopft an die Himmelspforten. »Und was hast du getan?« fragt Petrus. »Na ja«, sagt die tote Seele, »ich hab' Sachen kritisiert.« – »*Wie* bitte?« – »Sie wissen schon, andere Leute haben Sachen geschrieben, aufgeführt, gemalt, und ich hab' dann gesagt, ›dünn und wenig überzeugend‹, ›schwülstig und uninspiriert‹, ›kompetent und brauchbar‹ ... so was halt.«

Ich glaube, wir erraten Petri Reaktion.

Kritik ist wie die Prügelstrafe: Man kann die Meinung vertreten, sie sei gut für das Opfer, aber die Aussicht, jene Leute auch noch zu ermutigen, die ihre Kinder schlagen, ist entsetzlicher als eine Welt voller unverbleuter junger Spunde. »Der Standard« der Künste ist heute vielleicht niedrig, aber so niedrig wie der der Kritik?

Heartbreak Hotels

Ich fühle mich heute morgen wie eine Hydra mit mehreren schmerzenden Köpfen. Das ist nicht die Folge eines Katers. Einen Kater würde ich begrüßen. Wie Frank Sinatra immer sagte: »Mir tun die Leute leid, die nicht trinken: wenn die morgens aufwachen, können sie sich gar nicht darauf freuen, daß es im Lauf des Tages aufwärtsgeht.« Ein Kater ist, offen gesagt, ein guter, reiner, gesunder Schmerz, verglichen mit den jämmerlichen Beschwerden, an denen ich heute leide.

Je mehr wir uns dem Abschluß der Dreharbeiten von *Jeeves and Wooster 3* nähern (»Sie sind wieder da ... und diesmal sind sie wütend«), desto länger werden unsere Tage. Das heißt Logis nehmen. Letzte Nacht habe ich in einem Hotel geschlafen, wo früher die

Postkutsche hielt, eine stolze Karawanserei, die Bier, Wein, Spirituosen, frisch gelüftetes Linnen, Hammelschultern, gefüllte Kapaune und die besten Stallknechte anbot, die in der Grafschaft Buckinghamshire je knechteten. Jetzt gehört es natürlich zu einer Hotelkette und dient als trauriges Wahrzeichen dieses unglückseligen Landes. Es könnte genausogut Albion Hotel heißen und zwischen den Buchdeckeln einer allegorischen Satire dahinvegetieren.

Im traurigen Gebaren seiner größtenteils jungen Angestellten, unter den kränkend ekelhaften Polyesterlivreen, in die man sie gesteckt hat, unter den Schichten der falschen und schmierigen Managementausbildung und des Personalprotokolls, die sie so dick überziehen wie billiges Make-up, unter der schweren Last der Plackerei und stumpfsinnigen Befolgung von Konzernvorschriften, die jede einzelne Bewegung festlegen, kann man manchmal noch Spuren der einst fröhlichen, einfachen, quietschvergnügten und hoffnungsvollen Schulabgänger entdecken: In den Ohren dieser Pechvögel müssen noch die Echos des Spielplatzlärms klingen, obwohl sie wie Leonard Bast in *Howard's End* »die Glorie des Tiers für einen Frack und ein paar Ideen aufgegeben haben«.

Solche Hotels überleben mit dem klassischen Paradox der Unternehmensökonomie und seinen Parolen »Qualität« und »Wettbewerb«, indem sie kleine, unabhängige Hotels und selbst mittelgroße oder ganze rivalisierende Gruppen aufkaufen und bis ins kleinste Detail Stil und Sitten ihrer Konkurrenten beobachten und übernehmen, womit sie garantieren, daß all ihre »Filialen« dasselbe »Produkt« anbieten. Sie sind inzwischen Supermärkte in Sachen Beherbergung: Das Frühstück ist zum großen Teil ein Selbstbedienungsritual geworden, das auch bei wohlwollender Beleuchtung oder mittels anschaulicher Prospekte nicht zu einem Landhausfrühstück wird. Kaffeemaschinen stehen »für Sie bereit« (niemals, wo denken Sie denn hin, zur Arbeitserleichterung für das Personal), komplett ausgestattet mit Sahne und Kaffeeweißer auf pflanzlicher Basis; kleine Kühlschränke enthalten ein paar Getränke und Erdnüsse. Sogar ein Formular liegt aus, in das man eigenhändig die Plünderungen eintragen muß, die man in diesem Kühlschrank unternommen hat. In Amerika hat dieses System zu Minibars geführt, die »honor bars« genannt werden. Ich warte ja nur darauf, diese Nomenklatur auch hierzulande anzutreffen.

Der Service wird also auf ein absolutes Minimum reduziert und zum großen Teil vom Kunden selbst übernommen, der 85 Pfund für das Privileg bezahlt, in einer solchen Gehenna übernachten zu dürfen, mit den grotesken Teppichen, Ornamenten und Einrichtungen. Was das Hotel noch bereithält, beschränkt sich auf einen standardisierten Horror von »Details«: Irgendein absurder Lump in der Chefetage der Forte-Gruppe beschließt, es wäre einfach stark, wenn man das herabhängende Toilettenpapierende in ein neckisches und provokantes Hütchen falten würde, und vierzehn Tage später wiederholten die Crest-Gruppe und die deVere-Gruppe und jede andere Kette im Land diesen idiotischen Einfall. Eines Abends erschienen Seifestückchen, die versehentlich die Aufschrift »goodnight chocolate« trugen, auf Kissen in einem Hotel in Newport Pagnell: Vierzehn Tage später hatte sich das landesweit durchgesetzt.

Der neue Brauch, der heute morgen diese Springflut des Elends über mich hereinbrechen ließ, besteht darin, die Morgenzeitung des Gasts in eine kleine Plastiktüte mit dem überflüssigen Aufdruck »Your morning paper« zu stecken und sie ihm an die Klinke zu hängen. Wird sie dadurch seltener gestohlen als eine gefaltete und in den Flur gelegte Zeitung? Oder eine unter der Tür durchgeschobene? Nein. Es ist lediglich ein weiterer grausiger Versuch, sich eine persönliche Note zu verleihen. Eine weitere phänomenale Verschwendung von Geld und globalen Ressourcen, ein weiteres aberwitziges Grinsen der anzüglichen und ehrlosen Hure, zu der die internationale Hotelbranche heruntergekommen ist.

Nicht daß der amerikanische Hotelstil nicht mit ein bißchen Erquicklichkeit zu verknüpfen wäre: Holiday Inns (inzwischen ironischerweise unter britischer Leitung) verstehen sich nach wie vor gut darauf in ihren für diesen Zweck errichteten Gebäuden. Aber der Anblick billiger, nervtötender Teppichverkleidungen und stumpf abgezogener Eichendielen und billige, nervtötende Management-Orthodoxie, die gute britische Spontaneität überdeckt und abtötet, brechen einem das Herz.

Lieber Fawlty als Forte, finde ich.

Mercury, der Götterbote

Bei manchen Dingen auf der Welt möchte ich mir die Klamotten vom Leib reißen, auf und ab springen und in wildes Geheul ausbrechen. Toilettensitzbezüge, Strohblumensträuße, von »führenden, international anerkannten britischen Künstlern« handbemalte Teller mit Feldmäusen, die auf unseren englischen Fluren an Brombeeren schnuppern, in einer Andenkenedition, die man einfach für immer behalten möchte, *Gardener's Question Time*, Leute, die sagen, »Möchtest du noch ein Täßchen?«, Schleifen an Yorkshire-Terriern, Geschirrtücher mit aufgedruckten Sinnsprüchen, Geschenkideen, die mit Golf zu tun haben, und Schulchöre, die »Lord of the Dance« singen: das sind ein paar meiner besonderen Lieblinge. Wenn ich diesen Dingen begegne, überkommt mich wie ein Samum der Wunsch, die Luft mit Obszönitäten zu verpesten, die alle Schadstoffgrenzwerte übersteigen.

Aber das ist noch gar nichts, verglichen mit dem wilden, schwindelerregenden und bacchischen Sturm, der mein ganzes Wesen verschlingt, wenn ich auf solche Leserbriefe stoße, wie sie letzte Woche im ›Telegraph‹ zum Thema Freddy Mercury veröffentlicht wurden. Eine Frau beschrieb den verstorbenen Rockstar als »Monster« mit »ekelerregender« Lebensweise. Als ich diesen und andere Artikel und Briefe las, die das Leben dieses Mannes verurteilten, packte mich auf einmal der überwältigende Drang, mich auch ekelerregend zu benehmen: urplötzlich wollte ich ein Monster sein. Mir wurde auf einmal klar, die wirkliche Kluft in Britannien besteht nicht zwischen Reich und Arm, zwischen Labour und Conservative, zwischen Mann und Frau, zwischen Nord und Süd, sondern zwischen den Gnädigen und den Gnadenlosen. Im Namen des »Wohls unserer Kinder« ist jede unchristliche Verdammung, jedes schleimige Urteil, jeder heuchlerische Greuel erlaubt.

Die tiefe, grausame Verderbtheit eines Frank Beck in der grünen Vorstadt ist die wahre Bedrohung für Kinder, nicht die dionysische Zügellosigkeit und der befreiende Überschwang eines Rockkonzerts. Mord, Mißhandlung, erstickende Unterdrückung und geistlose Grausamkeit sind vornehmlich zu Hause anzusiedeln, wie Ihnen jede Zeitung zeigt, tief eingebettet in den einladenden Schoß der großen britischen Familie.

Die Menschen, die einen halben Hektar Blumen für die Straße vor Mercurys Haus schickten; die Mädchen, die um die halbe Welt reisten, um ihm Lebewohl zu sagen; die Viertelmillion Südamerikaner, die vor einigen Jahren ein einziges Queen-Konzert in Rio besuchte; die Abermillionen, für die er die Judy Garland, der Pagliacci, Falstaff, Don Giovanni und Dionysos unserer Tage war... sind sie von ihm verdorben worden? Hat er sie vom rechten Wege abgebracht? Hat er ihnen Standpauken gehalten? Ihnen gesagt, wie sie leben müssen? Sie zu Rauschgiftexzessen und analen Unschicklichkeiten gezwungen? Sie zu Rebellion, Verkommenheit oder Verbrechen angestachelt? Natürlich nicht. Er hat sie unterhalten. Unterhalten auf geistreiche, elegante und unerhörte Weise und im Geiste eines so gigantischen Grand Guignol, daß man es auch Genialität nennen kann.

»Millionen Fliegen verzehren Exkremente«, mögen Sie sagen, »das ehrt den Brauch noch nicht.« Vielleicht nicht. Insofern Rockmusik keine Massen aufwiegelt, kann ein Revolutionär sie als Beschwichtigung bezeichnen, als die kapitalistische Version von Brot und Spielen; insofern sie »wild und warm und frei« ist, kann ein moderner Puritaner sie lasterhaft nennen. Aber für Millionen ist sie *ihre* Musik, *ihre* Welt, *ihre* Antwort auf die Panik und die Leere von Verkehrsstaus und Hypotheken.

Was für eine leere Phrase ist »Werte des Familienlebens« doch, und wofür steht sie eigentlich? Welche Tugenden hat sie anzubieten? Mit Christentum hat sie jedenfalls nichts zu tun. Hätte Christus spießige Selbstgefälligkeit mit moralischer Stärke und bigotte Vorurteile mit Nächstenliebe verwechselt?

Verstehen Sie mich nicht falsch. Ich liebe Familien. Elternschaft, Kinder, Weihnachten, Geborgenheit, Erziehung, gegenseitiges Vertrauen, all das sorgt für mehr Sicherheit und Freundlichkeit in der Welt. Ich liebe meine eigene Familie und viele Familien, die ich kenne. Aber »eine Familie« ist etwas ganz anderes als »Familie«. So wie Swift für jene Kreatur namens Mensch nur Haß und Verachtung übrig hatte, aber John und Peter und Andrew jeden für sich liebte, so habe auch ich nur Haß und Verachtung übrig für jene Kreatur namens Familienleben und die erstickende, bleierne, gekünstelte, falsche, todgeweihte, opportunistische Lebenseinstellung, für die man in ihrem Namen Partei ergreift.

Unsere Kinder müssen geschützt werden, natürlich: vor Ignoranz, Konventionen, der Übernahme elterlicher Vorurteile, der Verweigerung einer Jugendzeit voller Experimente und Freiheit und vor jener intoleranten Cliquenwirtschaft, die die eigentliche Bedrohung der Menschheit darstellt. Natürlich sollten wir sie dazu auffordern, sich keine giftigen Rauschmittel zu spritzen oder mit Fremden Körperflüssigkeiten auszutauschen – auch das Arkadien der Bohème aus »Bohemian Rhapsody« hat schließlich seine Slums; aber wer darf denn sein Kind zu einer Welt des Porzellans mit naiver Malerei und Dralonrüschen verdammen, ohne es zunächst einen Blick auf Kunst und Sensation werfen zu lassen?

Ein gutes Vorbild sein? Was soll das heißen? Churchill trank zuviel, sein Vater starb an einer Geschlechtskrankheit. Kennedy ging fremd. King George V. fluchte. Gladstone verkehrte mit Prostituierten. Ich selbst bin auch kein Engel. Und Sie?

Freddie Mercury fuhr auf seine eigene Weise in die ewige Verdammnis hinab; unterwegs gab er Millionen von Menschen etwas; er unterhielt, entzückte, verzauberte und bereicherte ihr Leben. Es ist richtig, um ihn zu trauern. Wenn Britannien sich keine diplomatischen Beziehungen zu Bohemia leisten kann, dann sind wir wirklich verdammt.

Eigner Film ist Goldes wert

Stellen Sie sich, wenn Sie so liebenswürdig sein wollen, nur eine Minute Ihrer ausnehmend wertvollen Zeit lang folgendes Szenario vor. Ein paar Menschen haben in Britannien Öl entdeckt. Sie sind verzückt. Sie tanzen vor Freude und lenken ihre Schritte wie in Trance auf die Portale von Risikokapitalgebern in der City of London zu.

»Bitte!« rufen sie. »Leiht uns nur etwas Geld, um Bohrköpfe zu kaufen, und bald wird das Öl aus den Quellen sprudeln, und wir werden reich sein über alle Habgier hinaus.«

Die Risikokapitalgeber reiben sich ihre Kinne. »Und wann

sehen wir eine Rendite?« fragen sie. »Werden *alle* Quellen fördern? Haben Sie Sicherheiten?«

Erstaunt, verletzt und ein bißchen geknickt machen sich die Ölgräber zur Downing Street auf.

»Wir sind auf Öl gestoßen«, sagen sie, schon nicht mehr ganz so schwungvoll. »Können wir bitte etwas Geld für Bohrköpfe haben?«

»Herrjemine«, sagt der Mann vom Finanzministerium, »Bohrköpfe sind doch ganz schön teuer, ne?«

»Aber verstehen Sie denn nicht«, greinen unsere Helden. »Öl... wir haben Öl, *hier*, in Britannien. Wir werden Millionen verdienen. Wir brauchen bloß noch Geld für das eigentliche Bohren...«

»Grundgütiger Himmel«, murmeln die Minister. »O mein Schlaf, mein Bier und Whiskey... Bohren ist doch so teuer, oder nicht?«

Die Geologen und Ölgräber schütteln verwundert die Köpfe, trollen sich und lassen als nächstes aus Amerika von sich hören, wo sie mithelfen, Öl aus den Quellen ins amerikanische Staatssäckel umzuleiten.

Klingt absurd, oder nicht? Schließlich *haben* wir Öl auf unserem Territorium entdeckt, und britische Firmen *haben* ihren Vorteil daraus gezogen.

Aber es gibt nicht nur die eine Sorte Öl. Mehr als eine Substanz kann die Menschheit ölen, den Wohlstand einer Nation befeuern und die Gesellschaft mit Energie versorgen.

Schauen Sie sich den außergewöhnlichen Erfolg der Vereinigten Staaten an. Sie sind nicht mehr die ganz große Handelsmacht wie noch vor ein paar Jahren, dennoch werden heute mehr Länder von den heiligen amerikanischen Namen durchdrungen als vor zwanzig Jahren: Namen wie Levi, Zippo, Harley-Davidson, McDonald, Coca- und Pepsi-Cola, Apple, Disney, Marlboro, Häagen-Dasz, Budweiser und IBM. Warum?

Sie können den Planeten vom einen zum anderen Ende durchkreuzen und durchqueren, ohne einer Seele zu begegnen, die schon mal was von Daks, Bryant & May, Rover, Wimpy, Vimto, Sinclair, Ealing, Woodbines, Lyons Maid, Double Diamond oder ICL gehört hat. Warum?

Die Antwort ist kinderleicht. Filme. Spielfilme. Das amerikanische Kino und der von ihm propagierte, verbreitete, analysierte und ausgestrahlte Lifestyle – ein häßliches, hier aber unumgängliches Wort – reichen bis in den letzten Winkel unserer winkellosen Erde. Amerika ist keine mit Japan vergleichbare Handelsnation, dennoch hat uns die japanische Kultur, abgesehen von einer Hokusai-Ausstellung hier und einem Sumo-Turnier dort, nie so beeinflußt oder durchdrungen wie die amerikanische.

Briten drängen sich in Pubs, um Budweiser zu trinken und Marlboro zu rauchen, weil Filme ihnen das vormachen; sie tragen Kleidung, die sie aus Filmen kennen, sie streben nach einem Leben, Slang, Vokabular und *modus vivendi*, die ihnen auf siebzig Millimeter Eastmancolor und in Dolby Stereo vorgeführt werden. Das macht sie nicht schwach, feige oder dumm. Viele von denen, die dieses offensichtliche Diktat der Mode verspotten, leben ihrerseits in einem Stil, den sie aus einem Roman von Evelyn Waugh haben, trinken Drinks, die von John Buchans Figuren getrunken werden, oder sprechen eine Sprache, die sie bei Trollope und Macaulay aufgeschnappt haben. Nicht die Menschen sind schwach, sondern die Kultur ist stark. Deswegen verbrennen Tyrannen Bücher, zensieren Filme und werfen Künstler ins Gefängnis.

Ob amerikanische Filme sich ästhetisch mit Waugh, Buchan oder Trollope messen können, steht hier nicht zur Debatte. Unbestreitbar ist, daß wir als Nation unseren kulturellen Einfluß verloren haben, und, was für unsere Regierung und Industrie viel wichtiger ist, damit haben wir unsere Macht und Autorität in der Herstellung kultureller Markenzeichen verloren.

Wir haben keine Stimme in der Welt. Die einzige Stimme, die wir haben könnten, ist die des Kinos in Verbindung mit Popmusik und Fernsehen. Weise, wie sie sind, sehen die Japaner allmählich ein, daß sie zwar fast alle Maschinen produzieren, die das Produkt aufzeichnen, vervielfältigen und wieder ausstrahlen, das Produkt selbst aber nicht herstellen können. Deswegen hat Sony Columbia gekauft, und andere japanische Hardware-Konzerne kaufen die Filmstudios, deren Archive, die »geistigen Urheberrechte«, wie es so schön heißt, und die Schöpfer dieser ganzen Populärkultur.

Alle Jubeljahre mal bringt Britannien ächzend einen Film heraus, der die Vergangenheit des Empire feiert – wunderbar gefilmt und gespielt, ohne Frage –, aber kaum ein Schaufenster des Landes und seiner Waren.

Dabei haben wir hektarweise Studios, Tausende der begabtesten Filmtechniker der ganzen Welt, Hunderte von beachtlichen Schauspielern und Schauspielerinnen, Dutzende von potentiell brillanten Drehbuchschreibern und, ganz wichtig, den ureigensten Vorteil, von Geburt an per definitionem anglophon zu sein.

Wir haben Öl. Aber niemand, weder im öffentlichen noch im privaten Sektor, scheint zu verstehen, daß der Nutzen für unsere ganze Nation unabsehbar ist, sobald man nur die Bohrspitzen bezahlt und das Öl sprudeln läßt; Fish-and-Chips-Läden in Rio, Cricket in Tokio, Marks & Spencer in Moskau.

Valete

Schweren Herzens greife ich zum Keyboard und zur voll integrierten datenverarbeitenden Multitasking-Textverarbeitung, um diese Wörter zu schreiben. Keine postfestale Tristesse bekümmert mich und auch keine Magenverstimmung, herbeigeführt von einer ätzenden Mischung aus Preiselbeeren, Taylor's 1966 und *Birds of a Feather* auf BBC 1. Ich weiß verdammt genau, was es bedeuten soll, daß ich so traurig bin, wie Heine gesagt hätte (übrigens ein Dichter, mit dem ich mütterlicherseits verwandt bin).

Ich weine, weil dies auf lange Zeit die letzte Kolumne sein wird, die ich für den ›Telegraph‹ schreibe. Das ganze Warum-denn-bloß und Was-zum-Teufel brauche ich Ihnen kaum aufzubürden. Es reicht wohl, wenn ich sage, daß meine Arbeit mich ein paar Monate aus dem Verkehr zieht; möglicherweise – bevor Sie auf Ihre Stühle steigen und einen Jubelanfall bekommen, der das Firmament erbeben macht –, möglicherweise kehre ich zurück, eh' noch die Knospe verblüht am Zweig. Es mag sein, daß ich wie Psmith wiederkehre, wenn auf den Wiesen weiß das Gänseblümchen steht. Ihr Frohlocken könnte verfrüht sein.

Es war eine aufschlußreiche Erfahrung, zwei Jahre lang wöchentlich 800 Worte für diese Zeitung auszudünsten. Angenommen, ich hätte von 1986 bis 1988 kolumnisiert. Welche großen

Ereignisse ließen damals die Erde erbeben? Der eine oder andere Konzern wurde privatisiert, der eine oder andere Minister trat zurück, das eine oder andere königliche Baby wurde geboren.

Aber von '89 bis '91 ... da schwankten doch die Zwillingssäulen der Welt. Gorbatschow und Thatcher schwanden dahin, wir führten Krieg gegen den Irak, die Geiseln kehrten zurück, die politische Landkarte Europas änderte sich mehr und schneller, als sie es seit Hitler getan hatte, Maxwell starb und entpuppte sich als das, wofür ›Private Eye‹ ihn schon immer gehalten hatte, John Major entstieg dem azurnen Mainstream, und die Labour Party wurde selbst in den Augen ihrer Feinde plötzlich wählbar.[1]

Jeder hält sein eigenes Zeitalter für das der wahren Veränderungen. Ich habe immer gespürt, daß die Welt zu meinen Lebzeiten ihre tiefgreifendsten Mutationen durchgemacht hat ... daß ich eine Spur zu spät geboren wurde, um die Dinge noch so zu erleben, wie sie seit unvordenklichen Zeiten gewesen waren. In meiner Schulzeit wurde Präfekten untersagt, die Prügelstrafe anzuwenden; in meiner Studienzeit wurden an meinem College – nach sechshundert Jahren – Frauen zugelassen; in meiner Fahrschulzeit wurde das Anschnallen Pflicht; in meiner Zeit bei der BBC mußte diese plötzlich modern werden und sich dem Wettbewerb stellen. Für sich genommen ist keine dieser Reformen bedeutsam, großenteils sind sie sogar erhebliche Verbesserungen. Ich glaube nicht einmal, daß dieser Eindruck, Wandlungen zu erleben, bei mir größer ist als bei Schriftstellern anderer Epochen.

Dennoch kann niemand bestreiten, daß die globalen Verrenkungen der letzten beiden Jahre klappeverschlagend, schnauzeversohlend und visageverdreschend waren.

Wie kann ich mir also im Spiegel noch in die Augen schauen, wenn ich auf meine Schriften dieses Zeitraums zurückblicke und sehen muß, daß ich, während um mich herum Mauern zum Einsturz kamen und Weltreiche verfielen, es nicht geschafft habe, auch nur ein einziges der riesigen Ereignisse dieser Zeit vorherzusagen? Ich glaube nicht, daß ich für meinen geopolitischen Scharfblick und meine tiefschürfenden Einsichten angestellt wurde, aber

---

1 Tja ...

es ist doch betrüblich, wenn ich bedenke, daß ich nicht mal den Grips hatte zu erkennen, daß Gorbatschow lediglich eine zum Scheitern verurteilte Kerenskij-Figur im Umschwung war und daß Saddam immer noch an der Macht sein würde, anderthalb Jahre nachdem die volle Macht des Westens ausgesandt worden war, um ihm auf dem Schlachtfeld gegenüberzutreten.

Welche Ereignisse erwarte ich also in den nächsten Jahren? Werden Chinas verruchte Führer endlich abserviert? Wird Jelzin ermordet und Südafrika in Flammen aufgehen?

Das einzig Vorhersagbare auf dieser Welt ist, daß nichts vorhersagbar ist. Egal, in welchem Abstand und wie tief die Seismographen gesetzt werden, und egal, wie sensibel sie sind, Erdbeben werden die Geologen weiterhin überraschen. Egal wie viele Auslandskorrespondenten wir hinausschicken, egal wie weit sie von einem Faxgerät entfernt sind, noch immer erstaunt uns jede politische Umwälzung.

Also lebe wohl, Leser, und lebe wohl, 1991. Ich war einfach überwältigt von der Unterstützung und dem Interesse, das viele Hunderte von Ihnen mir mit ihren Briefen im Laufe der letzten beiden Jahre erwiesen haben. Wenn ich nicht immer mit der Sorgfalt und Konzentration antworten konnte, die Ihre Mitteilungen verdienten, möchte ich mich an dieser Stelle entschuldigen und die üblichen Gründe dafür vorbringen. Auf das Risiko hin, als Sykophant zu erscheinen: Ich bin letztlich zu der Einsicht gelangt, daß die Leser dieser Zeitung breiter gestreut, besser informiert, weiser und toleranter, witziger und weniger konservativ sind, als ihr Ruf erwarten läßt.

Ich danke Ihnen allen vielmals für Ihre Geduld mit mir.

Ertönt, ihr wilden Glocken, zum wilden Himmel hinauf ... läutet das Alte aus, läutet das Neue ein. *Valete.*

Eine Sache der Gewichtung

Der äußerst nette Max Hastings bat mich eine Woche vor den Parlamentswahlen um einen Leitartikel, in dem ich ausführen sollte, warum ich für Labour stimmen würde. Sehr nett für eine Zeitung, die aus ihrem Konservativismus keinen Hehl macht. Hat aber nicht viel geholfen, oder? Oder vielleicht doch ... in die falsche Richtung.

Bernard Levin schrieb einmal, während er seine politische Meinung oft geändert habe, sei ein Standpunkt unverrückbar geblieben, seine »tiefe und unerschütterliche Verachtung der Conservative Party«. Solch bewundernswerter Beständigkeit kann ich mich leider nicht rühmen. Ich weiß sogar noch, wie wir in der Schule einem Jungen die Hölle heiß gemacht haben, weil ihm in einem unbedachten Augenblick herausgerutscht war, daß sein Vater liberal wähle. Mit dem unerbittlichen Gruppengefühl des Knabenalters waren wir entsetzt, daß aus unseren Reihen einer nicht durch und durch konservativ eingestellt sein sollte. Wie konnte es also dazu kommen, daß ich mich gut zwanzig Jahre später als leidenschaftlicher Anhänger der Labour Party wiederfinde, einer Organisation, deren Name meinem jüngeren Ich so wenig über die Lippen gekommen wäre wie die im aufstiegsorientierten Mittelstand beheimateten Wörter »toilet«, »serviette« und »portion«, und deren Vorsitzende, Wilson, Brown und Jenkins, in mir einen Ekel erregt hätten ähnlich dem, der einen radikalen Vegetarier beim Anblick eines blutigen Steaks befällt? Woher stammt dieser Wankelmut? Die anderen Charakteristika meiner Kaste habe ich ja schließlich auch nicht zusammen mit der Loyalität zur Sache des Konservativismus über Bord geworfen. Ich liebe mein Vaterland auf eine Weise, die grausame Menschen wenn auch nicht nationalistisch, so doch sentimental nennen könnten; emotional bin ich immer noch so reserviert und spirituell verstopft wie jeder stolze Brite; ich teile die Liebe zum Sport, zur Landschaft, zu Festumzügen und zu all dem Tweed, Twill und Twinings Teetugenden, die man mit dem traditionellen England verbindet. Ich habe das widerwärtige Shibboleth der politischen Korrektheit in all seiner frömmlerischen Scheußlichkeit nie in die Arme geschlossen. Ich bin mir mehr oder weniger darüber im klaren, daß die Songs von heute den Weisen von gestern nicht das Wasser reichen können, daß Browning ein besserer Lyriker als Pound war und daß Disziplin und anständige Manieren einen bedauerlichen und beklagenswerten Niedergang erfahren haben; ich bin der festen Überzeugung, daß Unwissenheit, Gesetzlosigkeit und ehrloses Verhalten von Übel sind; ich glaube, daß Tugend belohnt werden und Laster nicht unbestraft bleiben sollte; ich habe keine Probleme mit Fuchsjagden, Ascot, der Monarchie oder Bernard Manning; ich lese lieber den ›Daily Telegraph‹ als den ›Independent‹, und mir wird ganz anders, wenn ich an Churchill, Nelson, Shakespeare, die King-James-Bibel, Celia Johnson, Jack Hobbs und Richard Hannay denke.

Aber bei der Conservative Party hört's bei mir auf.

Es gibt da etwas, was ich als britischen Sinn für Fair play in Verbindung mit einer natürlichen Zuneigung zum Underdog bezeichnen würde. Die nahezu alltägliche und in der gesamten gedruckten Öffentlichkeit geführte Schlammschlacht gegen Neil Kinnock die ganzen achtziger Jahre hindurch hinterließ bei mir den Eindruck, da müsse doch etwas Gutes dran sein. Wie könnte man jemanden nicht mögen, den die ›Daily Mail‹ verabscheut? Das soll mir erst mal einer vormachen.

Die Labour Party hat sich verändert; sie mit den einst von ihr bewohnten wilden Gefilden der Unvernunft in Verbindung zu bringen, wäre ungefähr so, als brächte man die Tory Party in Verbindung mit ihrer historischen Opposition gegen den Wohlfahrtsstaat. Selbst wenn er niemals Premierminister werden sollte, wird Neil Kinnock als einer der eindrucksvollsten Politiker der letzten Jahre dastehen, allein wegen seiner Rehabilitation der British Labour Party. Diese Rehabilitation als prinzipienlos zu verdammen, obwohl sie die Veränderungen bewirkt hat, die nach einhelliger Meinung erforderlich waren, um Labour wieder wählbar zu machen, ist Blödsinn. Würden wir die Torys dafür verdammen, die Poll Tax gekippt zu haben? Natürlich nicht, wir hätten sie für den Versuch verdammt, sie durchzuziehen, wo sie doch so überdeutlich gegen den Willen der Wählerschaft war. Nur schlechte Politiker bewegen sich nicht. Margaret Thatcher beispielsweise hat den Heath-Kabinetten gute Dienste erwiesen, als sie Maßnahmen in Richtung gemischter Wirtschaftsformen, Pragmatismus, konsensorientierter Politik, hoher Steuern und Interventionspolitik vorantrieb. Im Laufe der Siebziger hat sie sich von diesen Zielen zunehmend entfernt, eine Bewegung, die von konservativer Seite als Anzeichen der Entwicklung politischer Reife gedeutet wurde. Was dem einen recht ist, ist dem anderen billig. Thatcher wechselte von der Mitte zu einer extremeren, orthodoxeren Ideologie; Kinnock hat sich in umgekehrter Richtung bewegt, gewissermaßen von der Dogmatik zur Pragmatik. Ich weiß genau, welche Richtung ich für gesünder und stimmiger halte.

Britische Politik ähnelt dem, was bei Surfern »die Welle erwischen« heißt. Die Torys haben '79 einen richtigen Brecher erwischt, der vielleicht noch nicht ganz abgeebbt ist, sich aber bestimmt schäumend im Sand verläuft. Die Labour Party hat eine neue Welle erwischt, weniger dramatisch, vielleicht eher eine anschwellende Woge, aber dafür auch nicht so überstürzt und gefährlich.

Der moderne Konservativismus wurde auf dem Prinzip eines Atomismus errichtet, der Gesellschaft ablehnte und Menschen als diskrete, autonome Individuen ohne Abhängigkeit von oder Verbindung mit einem holistischen, organischen Ganzen ansah. Margaret Thatcher brachte das nur auf den Punkt, als sie bemerkte, so etwas wie Gesellschaft gäbe es gar nicht. Eine natürliche Folge dieser Mentalität waren die Spaltung, Vulgarität, Rüpelhaftigkeit, Aggression, Intoleranz, Herzlosigkeit, der Verfall und das Chaos einer Brownschen Molekularbewegung, die Britannien seit einiger Zeit charakterisieren.

Seither ist die Produktivität der Industrie um 20 Prozent zurückgegangen, unsere Straßen, Infrastruktur, Gesundheits- und Bildungswesen sind völlig verfallen, und die Verbrechensrate ist wie ein aufgescheuchter Fasan in die Höhe gestiegen. Als Nation desertifizieren wir zusehends, wie jeder Landstrich, der nur des schnellen Geldes wegen ausgebeutet wird, ohne daß man sich um Neugestaltung, Reinvestition und ordentliche Landwirtschaft kümmert.

Ziehen wir den unausbleiblichen Quark von »Visionen« ab, den beide Seiten absondern, dann bleibt uns die Wahl (der Herr sei gepriesen, daß uns Parlamentswahlen bevorstehen, von denen man wenigstens *das* sagen kann) der *Gewichtung*.

Zur Wahl stehen nicht massive staatliche Planungen, Interventionen und Regierungseinmischungen auf der einen und gänzlich uneingeschränkter Wirtschaftsliberalismus auf der anderen Seite; auch nicht vollständige Abschaffung von Steuern unter der einen und böswillige Erhebung extremer Steuersätze unter der anderen Regierung. Die Konservativen werden wie eh und je Steuern auferlegen und in Industrie, Handel und Familienleben eingreifen, sowohl durch Steuerpolitik als auch durch direkte Maßnahmen. Auf der anderen Seite wird unternehmerische Initiative von einer Labour-Regierung nicht behindert werden. Wenn John Majors Weg aus Brixton nach Chequers als beispielhaft für die Tugenden der Torys angeführt wird, sollte man sich vor Augen führen, daß sein Aufstieg vom gescheiterten Busschaffner zum erfolgreichen Bankier und Abgeordneten unter einer Reihe von Labour-Regierungen erfolgte. Für jeden Wirtschaftswissenschaftler, der höhere Steuern als Hemmnis für unternehmerische Initiative und Wirtschaftswachstum ansieht, finden Sie einen anderen, der das (besonders in Rezessionszeiten) für legitime ökonomische Anreize hält. Für jeden Geschäftsmann, der den Interventionismus verabscheut, finden Sie einen anderen, der sich nach einer stärker geplanten Wirtschaft sehnt, die Anreiz für Investitionen bietet.

Ich bin kein Marxist: meine bekannten Schrullen und Vorlieben machen mich wahrscheinlich zum Mitglied einer, wenn man so will, Flottes-Buffet-Fraktion, also nicht bloß Champagnersozialist, sondern Rosésozialist vom Scheitel bis zur Sohle (und zweifellos zum Versohlen). Gelegentlich hört man eine ermüdende Ansicht, die die Vorstellung eines reichen Sozialisten scheinheilig findet, als verträte der Sozialismus wie das Christentum die Doktrin, man müsse all sein Hab und Gut als Almosen geben. Dazu gehört dann auch, daß die Reichen die Pflicht haben, konservativ zu wählen, und es nur den neidischen, verlotterten und unwürdigen ärmeren Bevölkerungsgruppen nachzusehen, wenn sie für Labour stimmen.

Ich kann mir nicht vorstellen, daß ich mich vom Arbeiten abhalten lassen würde, bloß weil ich mehr Steuern zahlen müßte: Krankenschwestern, Lehrer, Unfallsanitäter und Feuerwehrleute bekommen, wenn sie höhere Löhne fordern, immer zu hören, sie hätten eine Berufung und dürften die Öffentlichkeit nicht erpressen; diese Bestimmung sei *ihr* Arbeitsanreiz. Bei Spitzenverdienern darf man anscheinend eine andere Logik anwenden: die können damit drohen, außer Landes zu gehen (gleichbedeutend mit Streik, wenn Sie so wollen), ohne daß sie dafür in der Zeitung auseinandergenommen werden.

Ich berufe mich nicht auf eine erhabene Moral. Ich bin's zufrieden, wenn man mich für einen Labour-Anhänger hält, weil ich gierig bin. Ich bin gierig nach einem Britannien, das gerechter, höflicher, toleranter, besser ausgebildet und allgemein lebensfroher ist, als das seit vielen Jahren der Fall ist. Aber streiten wir uns nicht darum: es ist, wie gesagt, eine Sache der Gewichtung. Ich halte nicht alle Torys für böse, dumm oder verdammt; das mindeste, was ich andererseits von Anhängern der Konservativen erwarte, ist die Einsicht, daß auch die Labour Party keine schurkischen Pläne in der Hinterhand hat. Was auch geschieht, die Kreidefelsen werden stehen bleiben, und während des Tennisturniers wird es in Wimbledon regnen, Gott sei Dank.

Abschnitt fünf

Latein!

Programmhinweis

Das Folgende wurde für eine Inszenierung von Latein! *am New End Theatre in Hampstead geschrieben, die Richard Jackson, ein guter Freund des Stückes, 1989 vorbereitet hatte (zusammen mit* Fräulein Julie... *auf dem Programmheft stand in fetten Lettern »Doppelvorstellung: Strindberg und Fry«, was ich einfach köstlich fand).*

Jetzt sucht *Latein!* mich wieder heim. Es ist wirklich hart für einen Mann, der in der Welt vorankommen möchte, sich den Respekt von seinesgleichen zu erwerben trachtet, die Zuneigung seiner Freunde und das Bargeld seiner Kunden, wenn er plötzlich mit den Taten seiner heißen Jugend konfrontiert wird. Man begegnet gleichsam seinem vergangenen Selbst. Ich versuche den Eindruck zu erwecken, das Stück wäre das frühreifste Juvenilium, das die Welt je gesehen hat: In Wirklichkeit habe ich *Latein!* mit zweiundzwanzig geschrieben und hätte es, wie Sie denken mögen, vielleicht besser wissen sollen.

In Cambridge hatte ich zwei Freunde, Caroline Oulton und Mark McCrum, die ein neues Theater gründen wollten, oder eher einen »Platz«, wie wir das in jenen Tagen seltsamerweise nannten. Dabei handelte es sich um einen L-förmigen Raum, der »Spielzimmer« genannt werden sollte, neue Stücke waren gefragt, und angestiftet von diesen beiden studierenden Impresarios wurde während der langen Trimesterferien 1980 *Latein! oder Tabak und Knaben* geschrieben, um ihm seinen vollen, marlowesken Namen zu geben.

Komischerweise kümmerte mich der Stoff des Stückes am allerwenigsten. Ich war lange vorher zu der Ansicht gelangt, daß es einen gewissen Reiz haben könne, in der ersten Szene eines Stücks das Publikum so anzusprechen, als bestünde es aus fiktionalen Figuren, und dann durch eine bloße Veränderung der Beleuchtung plötzlich die vierte Wand theatralischer Distanz vor ihm aufzubauen – ein blitzschneller Wechsel vom Teilnehmer zum Zuschauer. Bei der Wahl des Themas einer englischen Prep School hatte ich das Grundprinzip aller Romanciers und algebraischen Aufgabenlöser befolgt: »Schreib hin, was du weißt.« Mit Prep Schools kannte ich mich aus. Mit sieben Jahren war ich auf eine solche, inzwischen leider geschlossene Institution geschickt worden, und später, in dem Jahr vor Beginn meines Studiums, hatte ich an einer anderen unterrichtet.

Keinesfalls sollten Sie heute abend mit dem Eindruck aus dem Theater laufen, Chartham School, der *locus* von *Latein!*, »spiegle« in irgendeiner Hinsicht diese beiden respektablen und unheimlichen Institutionen. Nichts dergleichen. *Latein!* zu schreiben war vielmehr ein Experiment, mit den Techniken des Theaters und der Komödie, in Kombination mit dem nicht nur skandalösen Bestreben des Studenten, zu schockieren. Tod, Homosexualität, Inzest, Sadismus und Thatcherismus hatte man allesamt jahrelang stolz auf der Bühne vorgeführt, und die Sinne des Theaterpublikums waren ziemlich abgestumpft für die Schrecken, die diese Themen hervorrufen konnten. Päderastie hingegen, hoffte ich, würde noch ein paar Ganglien zum Erzittern bringen.

Sollten Sie in Erwägung ziehen, den sorgfältig gewobenen Subtext des Stückes in einem Essay über Kunst oder Theater für Ihren Gemeindeanzeiger zu analysieren, so könnten Sie beispielsweise den Namen Dominic auf das lateinische *dominus* (oder schottisch *dominie*) zurückführen, und beachten Sie auch den anagrammatischen Zusamenhang von Rupert und lateinisch *puer*, von dem wir – und keineswegs zufällig, wie Sie mir zustimmen werden – unser »pueril« herleiten. Auch fällt Ihnen vielleicht auf, daß Rupert die Initialen »R.C.« hat und daß ausgerechnet ein Dominikaner in der zweiten Hälfte des Stückes Dominics Betrug auf die Schliche kommt.

Vielleicht kommt es in unseren hysterischen Zeitläuften gerade recht, daß das Stück augenscheinlich die Sache des Islam verficht, ebenso wie die einiger aufsehenerregender Praktiken, die in muslimischen Ländern noch gang und gäbe sind. Von solchen Dingen verstehe ich nichts. Ich weiß bloß, daß ich mich königlich amüsiert habe, als ich das Stück geschrieben und in Cambridge und Edinburgh darin aufgetreten bin: Ihnen wünsche ich heute abend ein Viertel dieses Vergnügens. *Valete.*

Latein! oder Tabak und Knaben

Ein Stück
in zwei unziemlichen Akten
von Stephen Fry

DRAMATIS PERSONÆ

MR DOMINIC CLARKE, *Lehrer Mitte zwanzig*
MR HERBERT BROOKSHAW, *Lehrer Ende fünfzig*
BARTON-MILLS
CARTWRIGHT *(Deponens und Deponent)*
CATCHPOLE
ELWYN-JONES
FIGGES
HARVEY-WILLIAMS
HOSKINS *(fehlt)*
HUGHES
KINNOCK
MADISON *(auf dem Weg nach Eton)*
POTTER
SMETHWICK *(bäh)*
SPRAGG
STANDFAST
WHITWELL *(Tolpatsch)*

Handlungsort des Stückes ist Chartham Park Preparatory School für Knaben, Hampshire, England. Handlungszeit ist die Gegenwart. Das Stück kann durch eine Pause in zwei Akte unterteilt werden. Spielzeit ohne Pause beträgt etwa eine Stunde.

Menschen, die mit dem Prep-School-System weniger vertraut sind, mag der Hinweis dienlich sein, daß eine Prep School eine Privatschule für Kinder im Alter von 7–13 ist und diese Individuen auf eine Public School vorbereiten soll (wobei eine Public School wiederum eine *Privat*schule für ältere Schüler ist: Rugby, Winchester, Eton usw. werden »Public« Schools genannt). Im Alter von dreizehn Jahren machen Prep-School-Knaben eine Aufnahmeprüfung, die als *Common Entrance*, CE, bekannt ist, eine allgemeine Prüfung, von deren Ergebnissen es abhängt, ob man von der

Public School akzeptiert wird. Einige Public Schools machen ein sehr gutes Abschneiden im CE zur Bedingung (ab 65 Prozent aufwärts), andere geben sich mit intellektuell weniger bemittelten Jungen zufrieden. Bei dem im Stück erwähnten Ampleforth handelt es sich um eine berühmte katholische Public School in Yorkshire.

I. Akt

Ein Klassenzimmer. Die Bühne ist das Lehrerpodium, der Zuschauerraum dient als eigentliches Klassenzimmer, wo die vom Publikum gespielten Schüler sitzen. Das Bühnenbild ist schlicht gehalten. In der Mitte ein Tisch. Dahinter ein Stuhl und dahinter die Tafel. Irgendwo steht ein zweiter Stuhl. Es gibt einen Eingang, eine Tür, ob links oder rechts, spielt keine Rolle. Auf dem Tisch liegen ein Stapel Aufgabenhefte, eine Kreideschachtel, ein Tafelschwamm, ein Notenbüchlein, ein Aschenbecher und eine Schachtel Sobranie »Jasmine« oder eine vergleichbar feminine Marke. Eine gute Idee wäre, einige Stunden vor Beginn der Aufführung im Auditorium gekochten Kohl und gebratene Leber mit Zwiebeln aufzuwärmen, um die Nasenlöcher sofort mit dem authentischen Schulgeruch vertraut zu machen. Davon abgesehen sind alle Requisiten oder sonstige Mittel erlaubt, die die Atmosphäre einer leicht verfallenen, traditionellen englischen Prep School herstellen.

DOMINIC CLARKE *sitzt am Tisch, bevor und während das Publikum hereinkommt. In fliegender Eile korrigiert er Aufgabenhefte, ungeduldig und mit Kugelschreibern in drei verschiedenen Farben. Er ist ein junger Mann, dünn und schwächlich. Er trägt eine graue Hose, einen rostbraunen Pullover mit V-Ausschnitt und ein grünes Kordjackett, das über der Lehne seines Stuhls hängt. Während des Unterrichts ist seine Stimme klar und scharf, im normalen Gespräch jedoch jünger. Seine Arme verfügen erst unterhalb der Ellenbogen über eine gewisse Gelenkigkeit, die Oberarme preßt er meistens auf verrenkte, knochige Weise an den Oberkörper.*

Wenn es Zeit zum Anfangen ist, was DOMINIC *mit seiner Armbanduhr bestimmt, steht er auf und beginnt zu sprechen. Das Saallicht bleibt an. Nachzügler können aus dem Stegreif abgekanzelt werden oder wie unten mit* POTTER *und* STANDFAST *angedeutet. Die Zuschauer sind seine Schüler, und der Schauspieler muß Pausen und einzelne Sätze völlig auf das jeweilige Publikum abstimmen. Im Idealfall werden keine zwei Abende jemals gleich verlaufen. Der Schauspieler kann nach Belieben Zeilen weglassen oder aus der zweiten Szene vor der 6B übernehmen, vorausgesetzt natürlich, daß er mit dem richtigen Stichwort für* BROOKSHAWS *Auftritt schließt.*

DOMINIC Gut, nun setzt euch endlich. Hughes! Sieh zur Tafel, Junge. Ruhe dahinten! Harvey-Williams, was habe ich gerade gesagt? »Ruhe, Sir!« Na, dann halt auch die Klappe! Flasche. So... Potter und Standfast, wo kommt ihr denn noch her? Also, *wir* alle haben das Läuten sehr gut gehört, was ist denn mit euch los?... *(leise)* Na ja, vielleicht hört ihr ja besser, wenn ich euch **anschreie!** Hinsetzen. Yahoos. Elwyn-Jones, setz dich grade hin, du bist ein Schmutzfink. Und wenn ich dich diese Stunde wieder dabei erwische, wie du aus dem Fenster guckst, kriegst du ein Minus. Dann ist ja alles klar – Cartwright, gibt es in deinem Pult etwas, wofür du dich mehr interessierst als für mich, hm? »Nichts Besonderes, Sir?« Also, ich werd' dich gleich besondern, wenn du nicht aufpaßt. Hör auf zu kichern, Standfast, das ist kein schöner Anblick. So, dann wollen wir mal... Figgis, ich will bloß hoffen, daß das kein Sherbert-Füller ist, den du da vergeblich in deinen Wurstfingern verstecken willst. Entziehe ihn sofort meinem stählernen Blick, Kerl, oder ich konfisziere ihn und schick' ihn zu Oxfam. Ich werde nicht dafür bezahlt, Sherbert-Füller zu unterrichten – obwohl sie wahrscheinlich längst nicht so begriffsstutzig sind wie du, oder, Hughes? Catchpole? Potter? Ja, ich habe gerade eure Hausaufgaben korrigiert, und ich bin nicht gerade... das gibt zwei Minuspunkte, Smethwick. Du weißt ganz genau, warum, und wasch dir vor der Pause gefälligst die Pfoten, du abstoßendes Element, Smethwick. Und jetzt Ruhe im Karton. Ich habe gerade einen entsetzlichen Vormittag damit verbracht, die gemeinschaftliche Beleidigung Roms durchzusehen, die ihr Hausaufgaben nennt. Und ich fürchte, sie ist gar nicht gut ausgefallen. Ja, Barton-Mills, ich rede von *deinen* Hausaufgaben, und von deinen, Figgis. Chaotisch, ka-ram-ba-otisch. Wann, glaubt ihr wohl, ist das *Common Entrance*, hm? In einem Jahr? Ist es nämlich nicht, Madison, es ist in zwei Wochen. In zwei Wochen, Standfast,

Whitwell und Co., zwei Wochen, und ihr könnt euch nicht mal die einfache Tatsache merken, daß *pareo* mit dem Dativ steht. Zwei Wochen, Spragg, und du glaubst immer noch, *gradus* wäre o-Deklination. So gern es mir leid täte, aber das ist einfach zu schlecht. Die 4A kann das besser, und die haben noch zwei Jahre Zeit. Höhnisches Grinsen macht das auch nicht besser, Elwyn-Jones, du ungehobelter Prolet, für dich sind sie vielleicht Knirpse, aber diese Knirpse haben wenigstens den Grips und das Rückgrat, um mit den elementarsten Grundlagen klarzukommen – und setz dich endlich *grade* hin! Wenn ich's dir noch mal sagen muß, wirst du dafür büßen müssen. Jungs, die sich auf falsche Weise an mir reiben, Elwyn-Jones, nehmen ein schlimmes Ende. Das süffisante Grinsen kannst du dir von der Backe putzen, Cartwright. Also, dann wollen wir uns das mal anschauen, was? Ich kann sie euch auch erst zurückgeben.

DOMINIC *steigt ins Auditorium und teilt Aufgabenhefte aus, sucht nach Gesichtern, die zu den Namen passen, teilt die einen Hefte aus, wirft die anderen in typischer Lehrermanier in die letzte Reihe. Einigen Zuschauern kann er ermahnende Klapse mit den Heften versetzen, falls er sich traut.*

DOMINIC Barton-Mills? Cartwright? Du bist ein fauler Sack, Cartwright. Catchpole? Du Schussel. Elwyn-Jones? Also, ich hab' dir gesagt, du sollst einen Füllfederhalter nehmen, oder nicht, Elwyn-J., hm? »Jawohl, Sir.« Also, ich fürchte, fluoreszierende Filzstifte akzeptiere ich einfach nicht. Du schreibst mir das noch mal in Schönschrift ab, das kannst du heute nachmittag beim Nachsitzen erledigen. Widersprich mir nicht, Bursche, es ist mir egal, selbst wenn du heute nachmittag ein Testmatch auf *Lord's Cricket Ground* hast, elegantes Latein zu schreiben, ist auf dieser Welt wichtiger als Cricket. Ich glaube nicht, daß Mr Greys Ansicht dazu mich sonderlich interessiert, danke, Elwyn-Jones, meine kennst du jetzt. Wenn sich beim CE die ersten Prüflinge mit Essays über Cricket vorstellen, dann kannst du widersprechen, allerdings nicht mir, denn ich werde gekündigt haben, wenn jener Tag naht. Bis dahin tust du, was man dir sagt. Und guck nicht so wütend aus der Wäsche, sonst kannst du auch Samstag nachmittag nachsitzen. *(betrachtet das nächste Heft)* Rowdy. So. Figgis? Figgis? Was hast du denn auf dem Boden zu suchen, Figgis, hör auf, zwischen Standfasts Beinen rumzufummeln, da gibt es nichts zu holen. Woher ich das weiß, geht dich einen feuchten Schmutz an, Cartwright, du siehst nach vorn. Du hättest sie wohl kaum verloren, wenn du nicht damit rumgespielt hättest, oder? *(seufzt)* Kann irgend jemand Figgis für den Rest der Stunde eine Kontaktlinse leihen? Dann, fürchte ich, wirst du mit einem Auge von der Tafel abschreiben müssen, Figgis. Die andere hast du gestern verloren? Und wie? Du hättest sie doch aus deinem Nachtisch wieder rauspulen können, oder nicht? Ach so. Das war ziemlich dämlich und gierig, was, Potter? Ja, tut mir leid, Figgis, dann wirst du wohl ein paar Tage mit Potter aufs – ins Bad gehen und hoffen müssen, daß sie beim Waschen wieder auftaucht. Und der Rest ist jetzt mal ruhig, seid nicht so pueril. Hier hast du's, Figgis, fang. *(wirft Heft)* 'tschuldigung! Stell dich nicht so an, ist doch bloß 'ne Schramme. Harvey-Williams? Hoskins? Hoskins? Weiß jemand, wo Hoskins ist? Verstehe. Achje. Weiß jemand, *wie* er gestorben ist? Verstehe. Ich hatte ja keine Ahnung. Nein, du kannst sein Pult *nicht* haben, Barton-Mills, du bleibst, wo du bist. Der arme Hoskins. Wahrscheinlich behalt' ich sein Heft dann besser. *(schiebt das Heft unter den Stapel)* Wo waren wir stehengeblieben? Hughes. Ja, wo bist du, Hughes? Wie heißt die dritte Person Singular Imperfekt Konjunktiv aktiv von *moneo*? Moner*et*. Genau. Siehst du, du *weißt* es, aber sobald du's aufschreiben sollst, ist alles zappenduster. Sonst nicht schlecht. Kinnock? Ja, ganz ordentlich, Kinnock. Madison? Völliger Schwachsinn, Madison. Potter? Fang auf, Junge! Smethwick? Bäh! *(teilt das Heft mit den Fingerspitzen aus)* Standfast! Trottel. Lutschst du schon wieder am Daumen, Harvey-Williams? Dafür gibt's Nachsitzen. Ich hab' dich gewarnt, oder nicht? Wenn du einen Nippelersatz brauchst, geh zur Wirtschafterin, die kann dir einen Schnuller geben. Und *du* kannst dein Nachsitzen *nach* dem Sport erledigen, ja, ich dachte mir, daß dir das die Sprache verschlagen würde. Ich weiß, daß Elwyn-Jones seine während der Sportstunde macht, aber der ist eh schon widerlich weit entwickelt, während du ein zurückgebliebener Schwächling bist, der jede Minute Bewegung brauchen kann. Wie bitte? Ich glaube nicht, daß die Aussicht auf einen Brief deiner Mutter an den Direktor mir sonderlich Angst einjagt, Harvey-Williams, putz dir die Nase und sei still. *(beiseite)* Waschlappen. Whitwell? Je nun, du bist ein Tolpatsch, nicht wahr, Whitwell? Was bist du, Bursche? »Ein Tolpatsch, Sir.« Ganz recht. *(er kommt zum letzten Heft des Stapels)* Und Hoskins? Ach ja, der arme Hoskins. Jetzt seid mal alle ruhig, wir gehen die durch, wir haben schon genug Zeit verplempert.

DOMINIC *setzt sich an den Tisch. Ihm fällt auf, daß die Blumen in der Vase auf seinem Tisch verwelkt sind. Er wirft sie Stück für Stück in den Papierkorb.*

DOMINIC *Sic transit*, Jungs, *gloria*, wie ihr noch früh genug am eigenen Leibe erfahren werdet, *mundi*. So, jetzt aber weiter, aus diesen Sätzen muß sich schließlich was Sinnvolles machen lassen. Nummer eins: »Der Herr zog aus, um die Sklaven zu fangen.« Gut, dann lest vor, was ihr geschrieben habt… *(läßt seinen Blick über die Klasse schweifen)*… nehmt die Hände runter… Madison!

Während MADISON *scheinbar seine Lösung aufsagt, schreibt* DOMINIC *sie an die Tafel.*

DOMINIC *»Dominus… progressit… ut capere servos est.« (legt die Kreide hin)* Schon schon, nur ist das kompletter Blödsinn, gell, Madison? Ich weiß nicht, was es deiner Meinung nach bedeutet, aber ich fürchte, es birgt wenig Ähnlichkeit mit der römischen Muttersprache, die dir eine Rabenmutter zu sein scheint. So witzig ist das auch nicht, Potter. Du bist ein fauler und lästiger Lümmel, Madison. Laß dir von Cartwright erklären, wo dein Fehler lag, ja, Cartwright? Cartwright? *(Singsang)* Hu-huh! Schlummerdecke gefällig? Gut. Dann verrat uns doch bitte schön die Antwort, ja, wir sind schon ganz aufgeregt. Also was für eine Satzkonstruktion haben wir hier vorliegen? Genau, einen Finalsatz. *Ut* plus Konjunktiv, Madison, nicht *ut* plus Infinitiv. Nimm die Hand runter, Smethwick, ich will's gar nicht wissen. Nein, du wartest, bis die Stunde vorbei ist. Solange wirst du's schon aushalten. Dann mußt du dich eben besser im Griff haben. Ich meine das im übertragenen Sinn, Smethwick, du widerlicher Kriecher. Also schreibt das alle fein säuberlich ab. Folgendes hättet ihr schreiben sollen. *(schreibt es beim Sprechen an) »Dominus profectus est, ut servos caperet.« »Dominus«*, Standfast, merk's dir, nicht *»magister«. »Magister«* bedeutet Lehrer, und Lehrer halten keine Sklaven. Das ist keine Ansichtssache, Potter, das ist Tatsache. Nein, Figgis, ich kann nicht größer schreiben, und laß endlich das Flennen, es hat längst aufgehört zu bluten. Wir kommen sehr gut klar, ohne daß deine *pluvia lacrimarum* das Klassenzimmer überfluten. Zerleg bitte *pluvia lacrimarum*, Elwyn-Jones. Macht nichts, schlaf weiter. Ochse. Okay. Nummer zwei. »Da Cäsars Armeen …«

Es klopft an die Tür.

Herein!!

Das Saallicht geht aus, als BROOKSHAW *auftritt. Ein weit älterer Mann als* DOMINIC, *und viel schulmäßiger. Er trägt Harristweed, eine Hose aus Kavallerietwill voller Kreidestaub und eine unmögliche Brille. Er raucht eine uralte, schmatzende Pfeife.* DOMINIC *korrigiert wieder wie vor der Stunde. Die Schüler sind nicht da.*

DOMINIC Ach, Sie sind's.
BROOKSHAW Ja. Hoffentlich störe ich Sie nicht, Clarke.
DOMINIC Nein nein, nur herein mit Ihnen. Ich seh' grad die Hefte für die dritte Stunde durch. Setzen Sie sich, bin sofort fertig. *(streicht etwas durch)* Die meisten hab' ich schon durchgesehen.
BROOKSHAW Und sahst auch auf den Schneefall du, / Bevor die Scholle ihn besudelt?
DOMINIC *(abwesend)* Hm?
BROOKSHAW Ich hab' grade mit Jane gesprochen, Dominic.
DOMINIC Tatsächlich?
BROOKSHAW Ja. Sie sagt, daß Sie beide *(putzt sich die Nase)* verlobt sind.
DOMINIC Ja.

BROOKSHAW Und heiraten wollen.
DOMINIC Ja.
BROOKSHAW Dann stimmt das also?
DOMINIC Ja.
BROOKSHAW Verstehe.
DOMINIC Aber sie hätte es Ihnen nicht sagen sollen. *(sieht auf)* Es sollte ein Geheimnis bleiben, bis meine Position hier etwas – gefestigter ist. Und das hängt ziemlich stark von den CE-Ergebnissen ab, es wäre mir daher lieb, wenn Sie es vorerst für sich behalten würden. *(korrigiert weiter)* Ach, Potter, du bist doch ein Idiot. T! *(streicht heftig etwas durch)*

Pause, während BROOKSHAW *sich die Pfeife anzündet.*

BROOKSHAW Sagen Sie, Dominic, glauben Sie wirklich, ich wüßte nicht, was Sie im Schilde führen?
DOMINIC Bitte?
BROOKSHAW Ich weiß ganz genau, warum Sie diese arme, hirnlose Seuche heiraten wollen.
DOMINIC Mr Brookshaw, nun machen Sie mal 'n Punkt, Sie reden von der armen, hirnlosen Seuche, die ich liebe.
BROOKSHAW Sie spinnen doch. Ich meine die arme, hirnlose Seuche, die rein zufällig die Tochter des Direktors ist.
DOMINIC Und?
BROOKSHAW Ach, nun gestehen Sie mir doch ein winziges bißchen Grips zu. Sie heiraten das Mädchen aus – bewunderns-wertem! – Ehrgeiz heraus. Wenn der alte Herr stirbt, erben Sie die Schule. Ganz einfach, ich würde an Ihrer Stelle dasselbe tun, wenn ich glauben dürfte, auch nur die geringste Chance zu haben, daß das Mädchen mich erhört. Aber statt dessen werde ich das Zweitbeste tun und die Hochzeit verhindern.
DOMINIC Tatsächlich? Wie?
BROOKSHAW Gott hat es in seiner unendlichen Güte und Weisheit für gut erachtet, mir gewisse nützliche Informationen auf den Weg zu streuen. Informationen, die Sie betreffen, Dominic.
DOMINIC Was für Informationen? Wovon reden Sie eigentlich?
BROOKSHAW Verraten Sie mir eins, Clarke. *(Pause)* In welchem Haus wohnt Cartwright?

DOMINIC Cartwright? Cartwright? Was soll denn der mit der ganzen Sache zu tun haben? Äh, er ist ein Otter, oder?

BROOKSHAW Dominic, Sie wissen genausogut wie ich, daß er ein Eisvogel ist.

DOMINIC Ach ja? Ich verstehe immer noch nicht...

BROOKSHAW Damit sind Sie sein Hausvorsteher, oder etwa nicht?

DOMINIC Ja-a.

BROOKSHAW Ich habe gestern abend die Punkte für die zweiwöchentlichen Disziplinarmaßnahmen addiert, Dominic.

DOMINIC Sie? Punkte gezählt? Aber das macht doch der alte Herr –

BROOKSHAW Dafür ist die Krankheit des Direktors viel zu weit fortgeschritten, fürchte ich. Es fällt ihm inzwischen schwer, Zahlen im Kopf zu behalten. Als rangältester Kollege wurde naturgemäß ich gebeten, es zu übernehmen.

DOMINIC Sie Glückspilz, Sie...

BROOKSHAW Dieses Privileg habe ich mir mit dreißig Jahren Geduld auch sauer verdient, Dominic. Sie sind noch neu hier, das sollten Sie nie vergessen. Und genauso werde ich auch als Direktor an die Reihe kommen, wenn der alte Herr endgültig abtritt. Und deswegen darf ich nicht zulassen, daß Sie Jane heiraten. Falls Sie jedoch noch zwanzig Jahre warten, lasse ich *Sie* vielleicht mal die Punkte addieren. Falls Sie brav gewesen sind. Man weiß ja nie.

BROOKSHAW *wendet sich an das Publikum.*

Denjenigen Damen und Herren unter Ihnen, die mit Chartham Park School nicht vertraut sind, sollte ich vielleicht kurz das Wesen des Punktesystems erläutern. Worum handelt es sich? Wie funktioniert es? Hat es die beabsichtigte Wirkung? Seine Wurzeln liegen im Seelengrund der Ethik von Chartham, einer ethischen Methode, die sich kein politpädagogischer Theoretiker von der London School of Economics aus den Fingern gesogen hat, die auch nicht gedankenlos einem scholastischen Traktat entnommen wurde, sondern eine ethische Methode, die dem jahrelangen Einblick in den normalen englischen Schuljungen erwuchs. Der durchschnittliche englische Schuljunge ist letzten Endes offen, großzügig und geschmeidig. Bekommt man dieses Material rechtzeitig in den Griff, so kann man Männer erschaffen, die ihren Freunden, ihrem Vaterland und ihrem Gott so treu ergeben sind, wie Engländer das *immer* gewesen sind, voller Integrität, Takt, Respekt und Wahrhaftigkeit. Wie also verwirklichen wir in Chartham das Potential all diesen formlosen, doch formbaren Materials, das uns überlassen wird? Nun, es wird Sie kaum überraschen, daß die Chartham-Methode den uralten Prinzipien von Belohnung und Bestrafung folgt. Die Eigenschaften, die beim Charthamer Knaben erwartet werden, der dann zum Grundstock der besten Schulen des Königreichs wird, sind Eigenschaften, die mit Hilfe von drei extrinsischen Anreizen und drei extrinsischen – ähm – Entreizen erzielt werden, und diese bilden das Rückgrat des Systems Chartham.

BROOKSHAW *geht an die Tafel und schreibt nach und nach den Inhalt von Abb. 1 an.*

Da hätten wir als erstes das Gut.

Er unterteilt die Tafel säuberlich in zwei Hälften. Oben auf die linke Seite malt er ein Häkchen, oben auf die rechte ein Kreuz. Unter das Häkchen schreibt er »Gut«.

Dann haben wir das Schlecht. *(schreibt »Schlecht« unter das Kreuz)* Das Gut ist 5 Punkte wert und das Schlecht – 5. *(schreibt jeweils »= 5« und »= –5«)* Das Gut erhält man für eine selbstlose Tat, eine gute Arbeit oder gekonntes Abschneiden auf dem Spielfeld. Das Schlecht bekommt man für unsoziales Verhalten, armselige Arbeit oder dämliches Verhalten beim Sport. Drei Schlechts an einem Tag disqualifizieren den betreffenden Jungen eine Woche lang davon, Süßigkeiten zu erhalten.

In die rechte Spalte schreibt BROOKSHAW *»3 Schlechts = Leckereien eine Woche verweigert«.*

Mr. Brookshaws Vortrag

Die Chartham Methode

✓ Punkte		✗ Punkte	
Gut	= 5	Schlecht	= -5
+ Plus	= 10	- Minus	= -10
3 + = Gratisleckereien		3 - = HIV oder gar keine Leckereien	
✳ Stern	= 25	• schwarzes Loch	= -25
+ £ 5.00 Leckereiengutschein		Übeltäter lebt vom Trockenkot des Direktors, bekommt den Prügel und täglich einen geblasen	

Ohne Punkte keine Leckereien

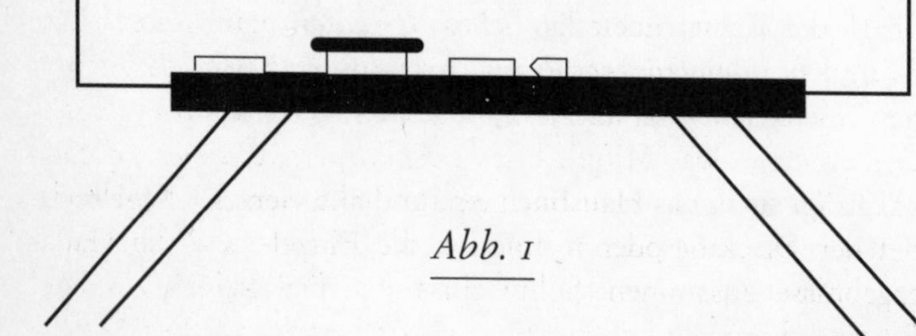

Abb. 1

Die nächsthöhere Währungseinheit ist das Plus. Das ist 10 Punkte wert *(schreibt in die linke Spalte: »+ Plus = 10«)* oder, im Fall des Minus, –10 Punkte *(schreibt in die rechte Spalte »– Minus = –10«)*. Das Plus wird für ausgezeichnetes Verhalten, ausgezeichnete Arbeit oder ausgezeichnetes Mitspielen verliehen. Drei Plusse an einem Tag berechtigen ihren Empfänger am Leckereientag, für zusätzlich 10 Pence Leckereien zu erstehen. Ich muß hinzufügen, daß für Otter Montag der Leckereientag ist, für Sumpfbiber Mittwoch, für Eisvögel Donnerstag und für Aalfänger Freitag. *(schreibt »3 + = Gratisleckereien«)* Drei Minusse dagegen bedeuten automatisch *entweder* drei Stunden Häftling in Verwahrung, wie das bei uns heißt, *oder* Leckereienentzug für den Rest des Halbjahrs. Die Wahl ist dem jeweiligen Jungen anheimgestellt. Häftling in Verwahrung oder Leckereienentzug. *(schreibt: »3 – = HIV oder gar keine Leckereien)* Schließlich kommen wir zu den Spitzenauszeichnungen, den Sternen. Der Stern wird einem Jungen nur dann verliehen, wenn seine Arbeit weit brillanter und tapferer ist und von weit mehr Eigeninitiative zeugt, als in seinem Alter erwartet werden darf, oder für ganz außerordentliche sportliche Leistungen. Das ist 25 Einzelpunkte wert und einen Bonbongutschein im Wert von 5 Pfund. *(schreibt: »* Stern = 25 + £ 5.00 Leckereiengutschein«)* Das Gegenstück für den Bösewicht, das schwarze Loch, kommt selten zur Anwendung. Es bedeutet –25 Einzelpunkte und wird einem nur zuteil, wenn man gröblich gegen die Schulordnung verstoßen hat, etwa durch bewaffneten Raubüberfall, Völkermord oder Onanie. Außerdem hat es den sofortigen Rohrstock zur Folge. Der betreffende Junge bekommt für den Rest des Trimesters nur noch trockenes Brot vom Direktor, und außerdem wird ihm jeden Morgen vor versammelter Mannschaft der Marsch geblasen. *(schreibt: »● schwarzes Loch = –25. Junge lebt vom Trockenkot des Direktors, bekommt den Prügel und täglich einen geblasen«)* Das sind die Punkte, und so funktionieren sie. Das Mitglied des Lehrkörpers, das sie verliehen hat, trägt sie in das Hausbuch ein, und alle vierzehn Tage rechnet der Direktor oder rechne ich die Einzel- und die Hausergebnisse zusammen. Sollte ein Junge mal keinen einzigen Punkt bekommen haben, so wird er ebenfalls auf Leckereienentzug gesetzt. Schließlich ist es in Chartham alles andere als unser Ziel, langweilige Mitläufer hervorzubringen. *(schreibt unter beide Spalten: »Ohne Punkte keine Leckereien«)* Das Haus, das am Ende des Halbjahrs am meisten Punkte gesammelt hat, wird zum Schmatzhaus ernannt, seine Bewohner machen eine Spritztour nach draußen und dürfen sich im Kino oder am Strand vergnügen. Das Verliererhaus muß das Schwimmbad der Schule saubermachen, wobei es reichlich Gelegenheit zum Nachdenken darüber findet, warum es bei seinen Pflichten der Gemeinschaft gegenüber so jämmerlich versagt hat. Des weiteren wird es vom Film am Halbjahrsende ausgeschlossen, in der Regel die enorm aufregenden *Kanonen von Navarone*. Das System ist gerecht, psychologisch durchdacht und einfach in der Handhabung. Wenn jemand von Ihnen es an seiner Schule einführen möchte, oder am College, in Büro, Fabrik oder zu Hause, so würde ich mich glücklich schätzen, Sie nach Ende der Vorstellung zu diesem Punkt beraten zu dürfen. Vielen Dank für Ihre Aufmerksamkeit.

BROOKSHAW *wischt die Tafel ab.*

Womit ich wieder beim Thema bin, Dominic. *Ich* habe gestern abend Punkte gezählt und stolperte über eine merkwürdige und zweideutige Entdeckung.

DOMINIC Die wäre?

BROOKSHAW Es ging um Cartwrights Ergebnis der letzten beiden Wochen.

DOMINIC Soso.

BROOKSHAW Infolge der Gesamtsumme dieses Jungen gewinnen die Eisvögel in diesem Halbjahr auf jeden Fall die Spritztour.

DOMINIC Er hat sich also ordentlich ins Zeug gelegt, ja, dieser Cartwright?

BROOKSHAW In zwei Wochen, Clarke, hat er es geschafft, 800 Guts, 70 Plusse und 24 Sterne anzuhäufen! Das zersprengt den Schulrekord in tausend Stücke.

DOMINIC Aha.

BROOKSHAW Mit Ausnahme von 2 Guts wurden all diese Auszeichnungen von Ihnen eingetragen, Dominic. Das sind 5290

Punkte, Mann! Mehr als die Sumpfbiber und die Aalfänger zusammen geschafft haben. Also? Haben Sie etwas zu Ihrer Verteidigung vorzubringen?

DOMINIC Hören Sie, Brookshaw, Sie unterstellen mir doch hoffentlich nicht, ich hätte die Hausbücher manipuliert, damit die Eisvögel den Schmatzhauspokal gewinnen, denn eins kann ich Ihnen versichern...

BROOKSHAW *(lachend)* Meine Güte, Clarke, das will ich in keiner Weise sagen!

DOMINIC Aha. Na, dann ist ja gut.

BROOKSHAW Nein, ich habe weit gravierendere Vorwürfe.

DOMINIC Ach ja?

BROOKSHAW Ja. Sehen Sie, zunächst dachte ich, Cartwright selbst hätte die Unterschrift neben seinem Namen im Hausbuch gefälscht. Also habe ich dem Burschen höchstpersönlich einen Besuch abgestattet. Dieser Cartwright ist ein netter Kerl; offene, ehrliche Gesichtszüge und makellose Zähne, ich glaubte ihm. Ich bin lange genug Lehrer, um zu wissen, wann ein Schüler Vertrauen verdient und wann nicht, und binnen kurzem hatte ich mich davon überzeugt, daß er von diesem kolossalen Ergebnis überhaupt nichts wußte. Also drang ich tiefer in ihn. Kurz, ich fragte ihn, ob er sich vorstellen könne, womit er sich all diese Sterne und Plussen verdient habe. An dem Punkt, Dominic, säuselte der Junge. So wahr ich hier stehe, der Junge säuselte!

DOMINIC Wissen Sie, ich...

BROOKSHAW Und was ich erfahren mußte, war die bizarrste und entsetzlichste Geschichte, die ich in 30 Berufsjahren als Lehrer je gehört habe. Und ich dachte, 30 Jahre hätten mich immunisiert gegen...

DOMINIC Ja, *was* hat er denn erzählt?

BROOKSHAW Mr Clarke, ich will ganz offen zu Ihnen sein. Mit Tränen in seinen neugierigen blauen Kulleraugen gestand er alles.

DOMINIC Aha.

BROOKSHAW Ganz recht, »aha«.

DOMINIC *Alles?*

BROOKSHAW Alles.

DOMINIC O Gott. Äh, was genau *war* alles?

BROOKSHAW Daß Sie ihm seit einem Jahr abends in Ihrem Zimmer Lateinnachhilfe erteilen, und daß Sie dem Jungen während dieser Nachhilfestunden wüstere und vielfältigere sexuelle Mißhandlungen zugefügt haben, als einem normalen Menschen je in den Sinn kommen könnten. Zunächst voller Stolz, später jedoch voller Scham, nachdem ich ihm nämlich ernsthaft auseinandergesetzt hatte, welche Kreise diese Ereignisse ziehen könnten, setzte Cartwright mich darüber in Kenntnis, daß im Laufe dieser wüsten Verrichtungen jedes einzelne Körperteil des Jungen wie auch Ihrer selbst einbezogen worden ist. Verrichtungen, Clarke, die unter anderem, was ich einfach immer noch nicht nachvollziehen kann, die Vergewaltigung und Verletzung der... der... Kniekehlen beinhalteten. Also, haben Sie dazu etwas vorzubringen?

DOMINIC *(ruhig)* Nein. Es stimmt. Das ist richtig. Wir haben auch die Kniekehlen eingesetzt. Wiederholt sogar.

BROOKSHAW Ist das alles?

DOMINIC Mit einigem Erfolg, wie ich voller Freude sagen darf. Wir mußten dafür allerdings...

BROOKSHAW Jetzt passen Sie mal auf, Clarke...

DOMINIC Nein. Sie passen jetzt mal auf –

BROOKSHAW Ich hab's aber zuerst gesagt.

DOMINIC Mir doch egal. Lassen Sie mich jetzt mal ausreden. Wie Sie wissen, Brookshaw, bin ich ein junger Mann, der im Leben wenig zu gewinnen oder zu verlieren hat. In der Schule war ich immer der Prügelknabe, *das* wußten Sie wahrscheinlich nicht. Sehen Sie, ich habe dort versucht, mich gegen die Banausen durchzusetzen. Mein Plan war, für das Ästhetische gegen das Athletische einzustehen. Aber das Athletische hat von jeher den Vorteil körperlicher Kraft gehabt, folglich ließ man mich leiden, ziemlich schlimm sogar. Physisch bin ich nicht nur ein Feigling, sondern auch schwach und ungeschickt, und es machte den Barbaren einen Heidenspaß, mir Rollschuhe an die Füße zu binden und sich dann zu verdünnisieren, um die Katastrophe von ferne zu genießen. Bei einer solchen entsetzlichen Gelegenheit gelang es ihnen, mir unter Mithilfe eines Feuerlöschers eine saubere Beckengürtelfraktur zuzufügen. Diesen Bruch vergab ich ihnen, aber ich habe ihnen nie vergeben, meinen Geist gebrochen zu haben. Ich schwor, mich an der ganzen Meute zu rächen. Rache per Indoktrination und Propaganda, die sich gegen die Quelle des ganzen Übels richten sollte. Ich aber beschloß, Lehrer zu werden.

Ich dachte – Gott allein weiß, wie ich darauf kam –, in Cambridge würde mir das Leben etwas leichter fallen, es würde dort einen Kreis geben, der meine Vorlieben und Interessen teilt, der Swinburne und Elizabeth Barrett-Browning genauso versteht und liebt wie ich. Ich war jedoch am Boden zerstört, als ich erfahren mußte, daß der Wind mir aus Paris, von Postmoderne und amerikanischem Roman her ins Gesicht wehte, und daß alles, was mir lieb und teuer war, in demselben kalten, grellen, harten Licht betrachtet wurde, vor dem ich schon immer Angst hatte. Mir wurde *ex cathedra* mitgeteilt, daß Swinburne, mein geliebter Algernon, kitschig und wenig konkret war. Selbst in Cambridge war ich also ein Sensibelchen in einer Welt literarischer Rugbyspieler. Im Land von Rupert Brooke, benetzt von seinem Flusse, behütet von seinem Cambridger Himmel und beschattet von seinen Kastanien und unsterblichen Ulmen, und dennoch umgeben von Leuten, die alles verhöhnten, was ihm so viel bedeutet hatte, und die Grantchester aussprachen, als reime es sich auf Manchester. Ich kämpfte mich durch Cambridge hindurch und verließ es als gerupftes und welkes Veilchen. Für mich liegt Lust zwischen den Schenkeln eines Knaben, unter fünfzehn, blond und willig, oder auf den Seiten eines romantischen Lyrikers, der in seinen Versen vergang'ner Lieb' und Schönheit nachseufzt. Cambridge bot mir keins von beidem: Heute verstehe ich, warum, aber inzwischen ist es zu spät für mich. Und so kam ich hierher, teils, um die Samen dieser Lüste den Geistern und Schenkeln der Buben in meiner Obhut weiterzugeben, teils, um einer Welt zu entkommen, die ich nicht länger verstand. Statt dessen muß ich Common-Entrance-Latein lehren und Cricket schiedsrichten. Das war bitter, wirklich bitter. Doch fand auch ich meine halkyonischen Tage – ich entdeckte Cartwright, den Eisvogel. Er ist entzückend, Brookshaw, einfach entzückend. Eine strahlende Sonne, deren bloßes Lächeln Früchte reifen läßt und Blüten öffnet. Mir fehlen die Worte, um die fabelhafte Schwerstarbeit, Initiative, Hingabe, das Flair und die auffällige Galanterie zu beschreiben, die er an den Tag legte, um sich diese Hauspunkte zu verdienen. Am Sonntagabend bin ich in Morgenmantel und Hausschuhen ins Lehrerzimmer hinuntergeschlichen, um sie einzutragen. Wahrscheinlich hatte ich geahnt, daß man mich erwischen würde, aber ich mußte einfach etwas unternehmen. *(holt Luft)* Jane saß beschwipst unten und roch nach Desinfektionsmittel. Ihr Feierabend hatte eben erst begonnen, und sie trug noch die weiße Kunststoffhaube ihrer Wirtschafterinnentracht. Sie saß in einem Sessel, in *Ihrem* Sessel, glaube ich, mit einem Glas Gin und Gee's Likör in der Hand. Sie sah, daß ich zitterte – ich überlegte gerade, wie ich all diese Punkte auf einmal ins Hausbuch eintragen sollte, ohne ihre Aufmerksamkeit zu erregen –, und auf einmal, ohne jede Vorwarnung, brach sie in Tränen aus und erzählte alles. Sie gestand mir, daß sie sich seit meiner Ankunft in Chartham körperlich zu mir hingezogen fühle und nach dem Beischlaf mit mir sehne. Sie ist von dunkler Lüsternheit, Brookshaw, und sie erstickt hier. Ich weiß nicht, was plötzlich in mich fuhr, ob es an der Hitze lag oder an den Dämpfen von Gee's Likör oder sonst etwas, jedenfalls begann ich Byron zu zitieren. »Die Schönste schreitet durch die Nacht, beglänzt nur von der Sterne Licht. Und alles Hell und Dunkel lacht aus ihrem Aug' und Angesicht.« Na ja, danach kam es mir ganz natürlich vor, ihr einen Antrag zu machen. Sollte sie mir einen Korb geben, dann konnte ich ihr meinen Körper immer noch aus religiöser Überzeugung verweigern, und sollte sie einwilligen, so konnte ich die geschlechtliche Vereinigung in dem Wissen über mich ergehen lassen, daß dies halt der Preis ist, den ich zahlen mußte, um das Direktorenamt zu erben, sobald ihr Vater stirbt. Das schien mir ein sauberer Ausweg zu sein. Aber nun wissen Sie ja um meine... Affaire mit Cartwright. Letztlich war es eben doch dumm von mir, diese ganzen Punkte einzutragen, ich weiß nicht, warum ich mich nicht gebremst habe... und Cartwright verläßt uns am Trimesterende. Nur noch sechs Wochen, bloß sechs Wochen!

Hören Sie, ich habe nicht das Gefühl, daß Sie sich in einer Lage befinden, aus der Sie mich unter Druck setzen können. Ist Ihnen denn nie der Gedanke gekommen, daß jemand anders das

Mädchen heiraten würde, jemand von außerhalb? Sie sind ein alter Mann, Brookshaw, Sie schaffen's nicht mehr bis zum Direktor. Wenn ich nicht der nächste Häuptling werde, wird es jemand, den Sie nicht kennen, und dieser Jemand könnte einen Freund mitbringen, der dann Ihre Position übernimmt. Denken Sie mal drüber nach, bevor Sie sich jetzt hinreißen lassen. Nun?

BROOKSHAW Sie sind ein schlauer Fuchs, Dominic, aber ich bin immer noch am Zug. Ich kann jederzeit die Polizei holen.

DOMINIC Selbstverständlich.

BROOKSHAW *(seufzt)* Aber ich fürchte, Sie haben recht. Ich kann wirklich nicht mehr Direktor werden. Es ist zu spät. Ich glaube, im Grunde ist mir das seit einiger Zeit klar. *(überlegt)* Sie werden folgendes tun, Dominic, falls Sie wünschen, daß ich über Ihre kleinen Eskapaden Stillschweigen bewahre.

DOMINIC Erpressung ist illegal, wissen Sie.

BROOKSHAW *(etwas gereizt)* Meine Kenntnis des Strafrechts mag beschränkt sein, aber ich habe doch eine recht gute Vorstellung davon, daß es nicht gerade *comme il faut* ist, wenn ein sechsundzwanzigjähriger Lehrer geschlechtlich mit einem Dreizehnjährigen verkehrt, den er *in loco parentis* erziehen soll. Jawohl, Dominic, *in loco parentis*.

DOMINIC Inzest können Sie mir aber nicht in die Schuhe schieben!

BROOKSHAW !

DOMINIC 'tschuldigung. Gut, also wieviel?

BROOKSHAW Wie bitte?

DOMINIC Wieviel wollen Sie?

BROOKSHAW Das ist keine Frage des Geldes, Sie dummer Junge!

DOMINIC Ja, was wollen Sie denn dann?

BROOKSHAW Ich werd' Ihnen sagen, was ich will. Hören Sie gut zu, Dominic. Sie werden ganz genau tun, was ich Ihnen sage. *(blättert in einem Notizbuch oder Kalender)* Wie Ihnen bekannt ist, sind einzig der alte Herr und ich als Senior befugt, bei den Jungen die Prügelstrafe für schlechtes Benehmen zu erteilen. Nun haben Sie, Dominic, die Unsitte, wenn ich so sagen darf, den Übeltäter stets zum Direktor zu schicken und nie zu mir. Dieses Ärgernis wird ab sofort ein Ende haben. Von nun an werden Sie Ihr möglichstes tun, um sicherzustellen, daß alle bösen Buben zu mir aufs Zimmer geschickt werden, wo *ich* sie prügeln werde. Die Verabreichung des Rohrstocks ist eines der wenigen Vergnügen, die das Leben mir noch zu bieten hat, und ich werde es mir nicht von Ihnen nehmen lassen.

DOMINIC W…, w…

BROOKSHAW Und zweitens werden Sie mich künftig zweimal die Woche in meinem Schlafzimmer besuchen – dienstags und donnerstags würde mir gut passen, jeweils um Mitternacht. Dort werden Sie mir eine halbe Stunde lang mit einem Kleiderbügel oder einem nassen Handtuch den Hintern versohlen und danach in Cricketschuhen über mich hinwegtrampeln. Ich freue mich schon darauf. Alles verstanden?

DOMINIC S…, S…

BROOKSHAW Wenn Sie ein guter Junge sind und meine Anweisungen befolgen, erlaube ich Ihnen, die Tochter des Direktors zu heiraten. Ich glaube, Sie haben recht; wenn Sie das unglückliche Mädchen nicht heiraten, könnte ein Schlimmerer an Ihre Stelle treten. Wahrscheinlich werden Sie der nächste Direktor. Ich hoffe, Sie machen Ihre Sache gut. Ich denke schon. Sie haben alle erforderlichen Fähigkeiten.

DOMINIC Mit einem nassen Handtuch? Sie sind ja völlig pervers.

BROOKSHAW Ich muß Sie jetzt wirklich bitten, sich zu entscheiden, Dominic. Jeden Moment beginnt die erste Stunde, und wie ich sehe, sind Sie noch nicht mit dem Korrigieren fertig. Also. Hole ich die Polizei, oder erledigen Sie die erwähnten Gelegenheitsjobs?

DOMINIC *(hastig)* Nein, nein! Lassen Sie die Polizei aus dem Spiel. Ich… ich tue alles, was Sie sagen.

BROOKSHAW Wunderbar! Ich wußte es. Na, ist doch großartig. Jetzt muß ich mich aber sputen, die sechste hat Konfirmationsunterricht.

DOMINIC Aber dienstags und donnerstags erteile ich doch Cartwright Lateinnachhilfe.

BROOKSHAW Nun, ich fürchte, die werden Sie wohl verlegen müssen… Schließlich haben Sie noch sechs Wochen. Ich erwarte Sie dann also morgen abend zur ersten Sitzung. Bis dann. *(dreht sich an der Tür um)* Ach, und bringen Sie doch etwas Erdnußbutter mit, ja? Crunchy. Tschüs!

Brookshaw *ab. Sobald er aus der Tür ist, geht das Saallicht an, und wir befinden uns wieder in der Lateinstunde, die sich dem Ende nähert.* Dominic *schreibt den letzten lateinischen Satz an. Es ist also wichtig, daß er sich am Ende des Wortwechsels mit* Brookshaw *schon in die beste Position begibt, um sogleich mit dem Anschreiben beginnen zu können, also diskret nach einem Kreidestück greift usw., um den Szenenwechsel so rasch wie möglich zu bewerkstelligen.*

Dominic *(schreibt an und liest zugleich vor) Ne desperarent... neve... progredi nollent... Hannibal militibus... quietem... dedit.* Gut, wer war noch nicht dran? Hände runter. Figgis, hier ist die Tafel. Finger aus der Nase, Spragg. Na und, wenn Elwyn-Jones popeln will, kann er seinen eigenen nehmen, oder ist der kaputt? Aber nicht im Unterricht, Elwyn-Jones, du geistloses Subjekt! Also, Barton-Mills, dann lies bitte mal vor, wie du das übersetzt hast. »›Seid ihr nicht bereit zu verzweifeln oder voranzuschreiten?‹ fragte Hannibal seine stillen Soldaten.« Je nun, den haben wir aber ganz schön versaubeutelt, was, Barton-Mills? Kinnock, ich glaube, du hattest den Satz richtig, lies du bitte deine Lösung vor. Ja, sehr gut, Kinnock, die Prosaversion wird völlig ausreichen, danke.

Dominic *wischt* Barton-Mills' *Antwort ab und ersetzt sie durch »Auf daß sie nicht die Hoffnung oder den Angriffswillen verlören, gewährte Hannibal seinen Soldaten Ruhe.«*

Ne, Barton-Mills, bedeutet, was *ut non* bedeuten würde, wenn man *ut non* in Finalsätzen benutzen könnte, was man aber nicht kann, deswegen nimmt man *ne*, kapiert? *(steht auf)* Ihr alle solltet euch merken, daß das Englische über doppelt so viele Wörter verfügt wie das Latein, was – wie die Mathematiker unter euch, Madison, einsehen werden – auch bedeutet, daß das Latein über nur halb so viele Wörter verfügt wie das Englische, was...

Es läutet zur Pause.

...das herrlich komprimierte Wesen des – ja danke, Potter, ich hab's gehört. Ich bin vielleicht doof, aber nicht taub. Also schließ dein Pult und halt die Klappe, du kannst raus, wenn ich es erlaube, und keinen Moment früher. Also, wo war ich stehengeblieben? Richtig. Latein ist eine wunderschöne Sprache, ernst, kompakt und poetisch. Keiner von euch scheint davon bisher eine Vorstellung zu haben, weswegen ihr auch soviel Schwierigkeiten mit der Umsetzung habt. Schaut her.

DOMINIC *geht an die Tafel und schreibt das Folgende an. Er spricht beim Schreiben weiter.*

Magister amat puerum. Puerum amat magister.	Puer amat magistrum. Magistrum amat puer.
Der Lehrer mag den Jungen.	Der Junge mag den Lehrer.

Also, wenn ich schreibe *Magister amat puerum*, ist völlig klar, was das bedeutet, oder nicht... Elwyn-Jones? Allerdings, ich halte »mögen« für eine absolut angebrachte Übersetzung, danke, Elwyn-Jones. Der Lehrer mag den Jungen. Aber wenn ich schreibe *Puerum amat magister*, dann bedeutet das was? *Ganz dasselbe*, »der Lehrer mag den Jungen«; »der Junge mag den Lehrer« wäre *puer amat magist***rum**, oder *magistrum amat puer* oder jede beliebige Kombination dieser Wörter. Das Englische kann die Satzbedeutung nur mittels der Wortfolge ändern; im Lateinischen kann man die Bedeutung nur ändern, wenn man das Wort selbst verändert, und deswegen ist Latein auch die bessere und wahrhaftigere Sprache. Wenn ihr also in zwanzig Jahren alle fette Manager seid, deren einzige Begegnung mit der Natur auf dem Weg zum Squashcenter stattfindet, dann solltet ihr euch noch nicht für erfolgreich halten, bloß weil ihr eine schnelle Frau und ein schönes Auto euer eigen nennt. Denkt immer daran, einst gab es ein Volk, das eine Sprache sprach, die ihr nie gemeistert habt, und das das Wort Zivilisation erfand. Und von ihren griechischen Vettern erbten sie ein Wort zur Beschreibung von Engländern und anderem Proletenpack mit Haarausfall, für die imperativische Satzkonstruktionen sich ausschließlich auf einen Plausch mit dem Vorstandschef beziehen können, und dieses Wort lautet Barbaren, meine Herren, und es beschreibt euch alle: *ab ovo, ad sepulcrum*, Barbaren. *(er hält kurz inne und faßt dann schnell und routiniert zusammen)* Als Hausaufgabe lernt ihr die Stammformen aller Deponentien und Semideponentien auf euren Arbeitsblättern für einen Test in der Doppelstunde am Freitag. Smethwick, vergiß nicht, dir vor der Pause die Hände zu waschen, Potter, du hilfst Figgis bei der Suche nach seiner Kontaktlinse, und Cartwright ... komm nach der Pause doch bitte noch mal her, Cartwright, ja? Das wär's. Laßt euch säugen.

DOMINIC *ab.*

Bühnenlicht BLACKOUT.

PAUSE, in der Milch und Törtchen gereicht werden.

Ende des I. Akts

II. Akt

Dominic *tritt auf. Saallicht bleibt an.*

Dominic So, setzen, 6B, ich hab' euch einige wichtige Mitteilungen zu machen, also seid still und paßt auf. Dreh dich nach vorn, Hughes, und du auch, Spragg. Eure CE-Ergebnisse sind heute zurückgekommen. Ja, ich dachte mir, das würde euch verblüffen. Ich werde zunächst nur die Lateinergebnisse und dann erst die Gesamtergebnisse bekanntgeben, auf die Weise hört ihr länger zu. Also, Common-Entrance-Latein, Klasse 6B. Barton-Mills, 48 Prozent; für die Aufnahme in Rugby sind das 3 Prozent zu wenig, Barton-Mills, Kretin. Cartwright, 97 Prozent. Das ist ein überwältigendes Ergebnis, Rupert, gut gemacht. Ich habe mir deine Arbeit übrigens angesehen, bevor sie weitergeleitet wurde, und hatte gleich den Eindruck, daß du dich ziemlich wacker geschlagen hast. Glückwunsch, Cartwright, und ihr anderen seid bitte ruhig, neidische Bagage. Also weiter, Catchpole, 39, na ja. Elwyn-Jones, 52, erstaunlicherweise. Figgis? Deine Arbeit hat man wegen Unleserlichkeit zurückgeschickt, Figgis, und dich als Durchschnitt gewertet, womit du ganz gut gefahren bist, denn du hattest während der ganzen Zeit das Aufgabenblatt verkehrtrum vor dir liegen. Blöder Figgis. Harvey-Williams, 72 Prozent, gute Arbeit. Hoskins, ach ja, der arme Hoskins. Hughes, 42. Ganz, wie ich's erwartet hatte, Hughes, die Leistung eines Schimpansen. Kinnock, 71 Prozent. *(lächelt vergnügt)* Gut, Kinnock, aber nicht überwältigend. Madison, 4 Prozent, besser als ich zu hoffen gewagt hatte, Madison, aber immer noch 2 Prozent zu schlecht für Etons Ansprüche, fürchte ich. Potter, 69, prima, Potter, auch wenn du ein Flegel bist. Smethwick? Nachdem deine Arbeit gereinigt und sterilisiert worden ist, Smethwick, hat man dir 78 Prozent gegeben, das ist ausgezeichnet. *(kann trotzdem ein Schaudern und »Bäh!« nicht unterdrücken)* Spragg, 51 Prozent, verblüffend mittelmäßig, Spragg. Standfast, 38 Prozent, *ich* bin von dem Ergebnis nicht begeistert, Standfast, und ich finde nicht, daß *du* Grund dazu hast, also stell den Löscheimer wieder hin und guck zur Tafel. Wassermolch. Und schließlich Whitwell, 22 Prozent, du bist und bleibst ein Tolpatsch, nicht wahr, Whitwell? Was bist du, Bursche? »Ein Tolpatsch, Sir.« Genau. Was jetzt eure Gesamtergebnisse angeht, kann ich euch zum Glück verraten, daß dank eines außergewöhnlichen Wunders an mangelndem Beurteilungsvermögen, Narrheit und fehlgeleiteter Großzügigkeit jeder einzelne von euch die Aufnahmebedingungen seiner zukünftigen Public School erfüllt hat und im nächsten Schuljahr dort anfangen kann. Eure Eltern wurden informiert und sind entzückt, und die Fähigkeiten des Lehrkörpers haben sie umgehauen. Ihr alle werdet gute Schulen besuchen, bis auf Madison natürlich, und ich wünsche euch alles Gute. Also, sieht so aus, als hätte ich euch nichts mehr beizubringen, ihr alle habt soviel Latein gelernt, wie ihr braucht, und ich hab' meine Schuldigkeit getan. Wie sollen wir also den Abgrund der Zeit überbrücken, der zwischen diesem Augenblick und dem Pausenläuten klafft? Irgendwelche Vorschläge? Was woll'n wir machen? Nein, Smethwick, unappetitlich. Sonst jemand? Ja, Spragg? Sirs lateinischer Spezialfußball, ja? Klasse Idee. Also, wir haben zwei Mannschaften.

DOMINIC *beginnt das Tafelbild anzuzeichnen (siehe Abb. 2) und spricht währenddessen weiter. Die Spielregeln sind unmittelbar einleuchtend: Jedesmal, wenn Team A oder Team B eine Frage richtig beantwortet, rückt das Kreuz auf den Punkten in der Spielfeldhälfte der anderen Mannschaft näher ans Tor. Bei* BROOKSHAWS *Auftritt hat das Spiel folglich den Stand von Abb. 2 erreicht.* FIGGIS *in Mannschaft B zielt gerade auf das Tor von A, nachdem Team B durch* FIGGIS' *und* CARTWRIGHTS *richtige Antworten dem Tor von Team A näher gekommen ist.*

DOMINIC Barton-Mills, Elwyn-Jones, Spragg, Whitwell, Smethwick, Catchpole und Potter bilden Mannschaft A: Urbs Roma, und Cartwright, Figgis, Standfast, Harvey-Williams, Hughes, Madison und Kinnock bilden Mannschaft B: Oppidum Londinium. Inzwischen kennt ihr alle die Regeln, eine richtige

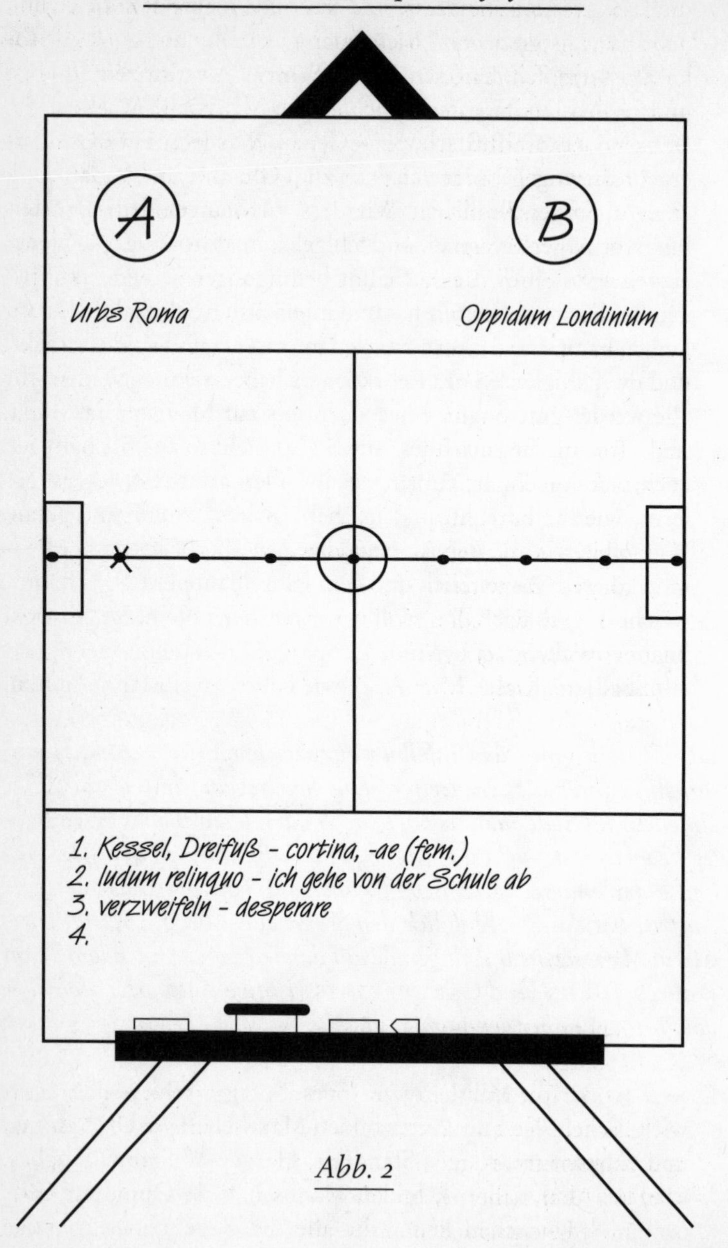
Sirs lateinischer Spezialfußball
A
B
Urbs Roma
Oppidum Londinium
1. Kessel, Dreifuß - cortina, -ae (fem.)
2. ludum relinquo - ich gehe von der Schule ab
3. verzweifeln - desperare
4.

Abb. 2

Antwort führt zum Ballbesitz, bei falschen Antworten geht der Ball ans gegnerische Team, und die richtige Antwort bringt ihn näher ans gegnerische Tor. Also. Urbs Roma mit Barton-Mills und – Anpfiff. *(spricht im Spielverlauf immer hektischer)* Also, Barton-Mills nennt mir das lateinische Wort für Kessel. Ein Kessel oder Dreifuß. Er muß sich beeilen ... nein? Und der Ball geht rüber ans Oppidum Londinium und an Cartwright. Cartwright, ein Kessel oder Dreifuß? Und das ist goldrichtig! Wunderbare Abwehr von Cartwright, einfach großartig. *Cortina, cortinae,* feminin, Kessel oder Dreifuß, das hätte Barton-Mills wissen können, das war in Buch eins dran. Cartwright immer noch am Ball und übersetzt mir den Satz *relinquo ludum* oder *ludum relinquo.* Ja? »Ich gehe von der Schule ab« ist die richtige Antwort! Cartwright kämpft und dribbelt sich tapfer weiter aufs Tor zu, lateinisch verzweifeln. Verzweifeln? Nein? Cartwright kennt keine Verzweiflung? Dann geht der Ball in den Besitz der Urbs Roma über, Whitwell am Spiel. Verzweifeln, Whitwell? Nein? Tolpatsch. Dann zurück an die Stadt London und Figgis. Verzweifeln, Figgis, heißt ...? *Desperare*, gut, der Mann. Figgis am Ball und die erste Torchance – beruhigt euch, Leute. *(er selbst hat jegliche Beherrschung verloren)* Figgis nennt mir das lateinische Wort für – und das muß hundertprozentig stimmen, um als Tor anerkannt zu werden –, Figgis nennt mir das lateinische Wort für ...

Es klopft an der Tür.

Herein!

BROOKSHAW *tritt auf.*

Nein, nicht *intrate*, Figgis, du dummer Junge, ich meinte ... oh, Mr Brookshaw.

BROOKSHAW Tut mir leid, Ihren Unterricht stören zu müssen, Mr Clarke. Bleibt sitzen, Jungs. Könnte ich Sie wohl einen Moment sprechen, es ist ziemlich wichtig.

DOMINIC Aber sicher. Ähm, okay, Jungs, ihr könnt dann gehen, sagen wir Unentschieden, ja? Ja, das Leben ist nun einmal nicht fair, Figgis. Bis zur Pause habt ihr frei, aber tollt nicht durch die Gänge, denkt dran, daß die anderen Klassen noch Unterricht haben.

DOMINIC *sieht zu, wie sie hinausgehen. Saallicht wird heruntergedimmt, bis auch die letzten imaginären Nachzügler das Klassenzimmer verlassen hätten.*

Konnte ihnen jetzt sowieso frei geben, gibt nichts mehr, was ich Ihnen noch beizubringen hätte.

Pause. Das Saallicht ist inzwischen ganz aus.

Also, was kann ich für Sie tun?
BROOKSHAW Was wollen Sie zuerst hören, die schlechte Nachricht oder die schlechte Nachricht?
DOMINIC Oje.
BROOKSHAW Ich glaube, ich sag' Ihnen zuerst die bessere schlechte Nachricht. Jane hat dem alten Herrn heute vormittag von den CE-Ergebnissen erzählt.
DOMINIC Hat er sich gefreut?
BROOKSHAW War hocherfreut. Er hat sich zum ersten Mal seit Monaten im Bett aufgesetzt.
DOMINIC So ist's recht.
BROOKSHAW Danach ist Jane zu weit gegangen. Sie hat ihm von Ihrer Verlobung erzählt.
DOMINIC O Gott. Was hat er gesagt?
BROOKSHAW Eigentlich nichts. Er starb.
DOMINIC **Starb?**
BROOKSHAW Ich fürchte ja.
DOMINIC Aber warum?
BROOKSHAW Herzinfarkt. Hat den Schock nicht verkraftet, nehm' ich an.
DOMINIC Du meine Güte. *(kurze Pause)* Wie geht's Jane?
BROOKSHAW Erleichtert, ehrlich gesagt. Wenigstens hat er nicht lange gelitten.
DOMINIC Nein, das stimmt. Soso, der alte Herr ist von uns gegangen.

BROOKSHAW Anscheinend hat er all sein Hab und Gut, einschließlich der Schule, Jane vermacht. Damit werden Sie als ihr Verlobter zum neuen Direktor, Dominic.

DOMINIC Ja, das werd' ich wohl. Ha, bloß gut, daß die Schule keine Stiftung ist, was? Kein Ärger mit der Trägerschaft.

BROOKSHAW *(trocken)* Ganz recht.

DOMINIC Obwohl's mir ganz lieb wäre, wenn Sie bis Ende des Schuljahrs übernähmen, Brookshaw. Würden Sie das tun? Die Sommerferien über werd' ich den ganzen Laden mal richtig unter die Lupe nehmen, mir überlegen, wo's in Zukunft langgehen soll und so. Ab jetzt weht hier ein anderer Wind, das kann ich Ihnen flüstern.

BROOKSHAW Wie Sie wünschen. *(reibt sich die Hände)* Jetzt kommen wir zu der Neuigkeit, die Ihnen weniger schmecken wird.

DOMINIC Ach ja? *(meilenweit weg)*

BROOKSHAW Ampleforth hat vor ein paar Minuten angerufen. Der dortige Fachleiter für Altphilologie hat sich die Klausuren noch mal angesehen, um die neuen Jungen des nächsten Schuljahrs in Leistungsgruppen einzuteilen.

DOMINIC *(mit einem Schlag wieder auf der Erde)* Ach ja?

BROOKSHAW Es sei ihm ein völliges Rätsel, meinte er, aber Cartwrights Klausur sei anscheinend in zwei ganz leicht voneinander verschiedenen blauen Tinten geschrieben worden.

DOMINIC O Gott.

BROOKSHAW Noch mehr hat ihn erstaunt, daß sämtliche Fehler und sehr wenige richtige Antworten mit der einen Tinte geschrieben wurden, und alle Streichungen und Korrekturen, die zunächst für die Überarbeitungen kurz vor Abgabe der Arbeit gehalten worden waren, mit der anderen. Ist das nicht sonderbar?

DOMINIC *(mit zusammengebissenen Zähnen)* Scheiße.

BROOKSHAW Bruder Aloysius wurde aus der Abtei herbeizitiert. Er ist Manuskriptilluminator und anerkannter Handschriftenexperte.

DOMINIC Glaub' ich gern.

BROOKSHAW Und der verkündete, ja schwor sogar beim heiligen Dominik…

DOMINIC Hah!

BROOKSHAW ... daß zwei völlig verschiedene Schreiber an dieser Klausur gearbeitet haben. Bevor sie Cartwright ganz ausgeschlossen und eine offizielle Untersuchung der IAPS eingeleitet haben, haben sie mich angerufen, um sich zu erkundigen, ob wir uns das erklären können. Ich hab' gesagt, ich lasse Sie zurückrufen. *(kurze Pause)* Und? Haben Sie eine Erklärung?

DOMINIC Das war's dann ja wohl, nehm' ich an, oder? Gott, wie dämlich von mir. Ich konnte mich nicht zurückhalten, ein oder zwei Flüchtigkeitsfehler zu korrigieren ... na, Sie wissen ja, wie das ist, Herbert, und dann bin ich ein bißchen ausgeklinkt und hab' immer weiter- und weiterkorrigiert. Ach, Exkrement! Ich bin am Ende, Herbert. Das gibt einen Riesenskandal. Danach kann ich unmöglich noch Direktor werden, die Eltern würden sich beschweren, und die IAPS würde es gar nicht zulassen ... und Jane wird jetzt sowieso die Verlobung auflösen, also ist eh alles egal. O Gott. Das war's, Herbert, ich bin erledigt.

BROOKSHAW *(zärtlich)* Werden Cartwrights Eltern Sie verklagen, was meinen Sie?

DOMINIC Wußten Sie das gar nicht? Er ist Waise.

BROOKSHAW Tatsächlich? Wie kann er's sich denn dann leisten, hier zur Schule zu gehen?

DOMINIC *(abwesend)* Ach, es gibt da so 'ne Art Stiftung für ihn, das ist alles etwas unübersichtlich. Rupert ... äh, Cartwright kontrolliert sie selbst ... *(seine Stimme ändert sich)* ... er kontrolliert sie selbst!

BROOKSHAW Dominic, ist alles in Ordnung? Was ist denn los?

DOMINIC *(richtet sich auf)* Was? Ach nichts! Gar nichts. Ich habe bloß gerade überlegt, wie ich das wieder hinbiegen kann, das ist alles.

BROOKSHAW Wollen Sie meine ehrliche Meinung dazu hören?

DOMINIC Das würde ich sehr zu schätzen wissen.

BROOKSHAW Dann, fürchte ich, ist es meiner Meinung nach für alle Beteiligten das beste, wenn Sie Chartham auf der Stelle verlassen.

DOMINIC Ja. Ich glaube, Sie haben recht, ich glaube, das wäre das »beste«.

BROOKSHAW Ich spreche mit Ampleforth, wenn Sie selbst es Jane und Cartwright beibringen ... ich fürchte, wir werden ihm eine neue Schule suchen müssen. Schade eigentlich, er hätte sich in Ampleforth bestimmt prima gemacht. Na ja, je eher wir die Sache hinter uns haben, desto besser, wir wollen doch nicht, daß Charthams neue Zeit mit einem Skandal beginnt. Auf diese Weise müßten wir es schaffen, einen zu vermeiden. Schließlich haben wir bis zum Ende des Schuljahrs noch ein paar Wochen Zeit.

DOMINIC Ja. Ehrlich gesagt, wäre es mir ganz lieb, wenn Sie auch Jane übernehmen könnten, Brookshaw. Ich kann mit Frauen echt nicht besonders gut umgehen. Wenn ich mich mit denen zu unterhalten versuche, fangen sie immer entweder an zu weinen oder zeigen mir ihren Busen. Jane tut beides, und ich glaube, im Augenblick wäre mir das ernsthaft zuviel. Einverstanden?

BROOKSHAW Wie Sie wünschen. Ich muß schon sagen, Dominic, Sie tragen das wirklich mit Fassung...

DOMINIC Ich weiß nicht, was für einen Direktor Sie abgeben werden. 'ne ziemliche Flasche, könnt' ich mir denken. Die Jungen haben Sie ja einigermaßen unter der Fuchtel, aber wie steht's beim Lehrkörper? Ihnen ist es doch am liebsten, wenn man Ihnen sagt, was Sie tun sollen, oder?

BROOKSHAW Also, da bin ich mir nicht so sicher. Ich kann mich vielleicht nicht so gut ausdrücken, aber...

DOMINIC Ich wäre gut gewesen, Brookshaw, wär' ich wirklich. Nicht so wie Sie. Ich bin nicht so derb und krankhaft veranlagt wie Sie. Ich... ich benehm' mich bloß von Zeit zu Zeit mal daneben. Ich glaube, im Grunde widern Sie mich an, Brookshaw. Versager find' ich immer oberpeinlich. Tut mir leid, aber so ist das nun mal.

BROOKSHAW Also, jetzt hören Sie aber mal zu, Clarke...

DOMINIC Ach halten Sie doch den Rand. Was wollen Sie denn jetzt machen, wo keiner mehr da ist, der Ihnen den Hintern versohlt?

BROOKSHAW Ich glaube, Sie gehen jetzt lieber packen, Dominic.

DOMINIC Ja. *(läßt seinen Blick lange über das Publikum schweifen)* Sorgen Sie dafür, daß die Pulte voll sind, Brookshaw. Normalerweise sind da mehr Süßigkeiten drin als Schulbücher. *(er entnimmt seinem eigenen Pult konfiszierte Wasserpistolen, Gummitiere, Süßigkeiten usw.)* Und suchen Sie sich eine sinnvolle

Beschäftigung für dienstags und donnerstags. Apropos, die Erdnußbutter können Sie wohl behalten. Mir fällt nichts ein, was ich jetzt noch damit anfangen sollte. Essen kann man sie ja wohl kaum noch.

BROOKSHAW *(förmlich)* Danke. Und Sie können die Toastgabel[1] behalten. *(Pause)* Gut, ich werd' dann mal in Ampleforth anrufen … äh, auf Wiedersehen und … Sie tun mir leid, Dominic, aber ich fürchte …

DOMINIC Nein, Brookshaw, Sie tun mir leid. Und nun laufen Sie schon.

BROOKSHAW Äh, ja.

BROOKSHAW *verwirrt ab. Blackout. Ein Spotlight auf* DOMINIC *an seinem Pult. Hinter ihm stehen ein Koffer und eine kleine Süßigkeitenschachtel mit den Initialen »R. C.«.*

DOMINIC Als ich noch ein Junge war, benahm ich mich wie ein Junge: dachte, aß, schlief und spielte wie ein Junge. Dann begann Mutter Natur, Hinweise auf einen Statuswechsel fallenzulassen: Stimmbruch, Haare auf den Backen, Akne. Aber immer noch dachte, aß, schlief und spielte ich wie ein Junge. Da mischte sich die Schule ein und übernahm das Szepter, und dort sorgte man bald dafür, daß ich dachte, aß, schlief und spielte wie ein *Mann*. Ein schmerzhafter Schritt ins Mannesalter war meine erste Zigarette. Das war hinter der Sporthalle an meinem Schulhaus, mit einem Jungen namens Prestwick-Agutter. Das weiß ich noch, als wär's erst fünf Minuten her. Prestwick-Agutter machte seine Schachtel Carlton Premium auf und zog eine kurze, dünne, runde Zigarette heraus. Als meine Lippen sich um die Spitze schlossen, spürte ich, wie Panik in mir aufstieg. Ich hörte, wie in meinem Innern mein Knabenalter erwürgt wurde und ein neues Feuer aufloderte. Prestwick-Agutter zündete das Ende an, und ich saugte und inhalierte. Meine Ohren dröhnten, mein Blut fing Feuer, und irgendwo in der Ferne stöhnte meine Knabenzeit auf. Aber ich hörte nicht darauf und saugte weiter.

---

1 Oder Fahrradpumpe oder Portrait der Queen Mother oder was gerade als besonders outriert gilt.

Diesmal jedoch wollte mein Körper nichts davon wissen, und ich hustete und spuckte. Meine Knabenlungen konnten den schmutzigen Rußwirbel nicht ertragen, mit dem ich sie unbedingt hatte bekanntmachen wollen, und so hustete ich immer weiter. Trotz meiner inneren Erregung und meines großen Hustenanfalls gelang es mir, ein cooles, gelassenes Äußeres zu bewahren, womit ich Prestwick-Agutter imponieren wollte, den mein cooler Schneid sichtlich amüsierte. Ich strotzte nur so vor Britensaft und -kraft, und in mir ward der Geist der Public School geborn. Nach ungefähr einer Stunde fing es an zu regnen, also flitzten wir in die nächste Halle und lehnten uns gegen die Pfeiler. Es war ein Nachmittag erlesener Pein. Später an jenem Abend, als eine Rotte ungehobelter Banausen, darunter auch Prestwick-Agutter, über mein Zimmer herfiel, bekam ich endgültig eine Männerstimme. Wirklich, mit einem Mal. Ich war fast siebzehn, eigentlich ziemlich peinlich. Nachdem ich mich also mehrere Jahre lang wie ein Mann benommen hatte, während mein Jungenkörper langsam zu männlichen Formen heranwuchs und -knackte, wurde ich zum richtigen Mann und bin heute einer zum Behagen der Welt, mir jedoch zu Trotz und Verdruß. Ich habe nie darum gebeten, ein Mann zu sein. Ich wollte nie ein Mann sein. Verstehen Sie mich nicht falsch, ich will auch keine *Frau* sein, ich habe das Gefühl, das wäre noch scheußlicher, ich könnte mir nie vorstellen, eine Frau zu sein. Nein, sehen Sie, ich bin das, was die Ärzte einen ekelhaften Perversen nennen. Ich will ein Junge sein. Ich hätte von Anfang an gar nicht wachsen sollen. Ich will ein Junge sein. Manchmal ziehe ich Jungensachen an, auch wenn sie zu klein und zu eng sind, und ich mag das. Es wäre so schön, wieder ein Junge zu sein, diese prekäre Balance zwischen weicher Passivität und komplettem Schwachsinn wiederzufinden. *(wird immer erregter)* Wenn ein Junge nicht wie ein Mann denken und sich benehmen müßte, wenn ein Junge in der Zeit, wo die Natur ihm Pickel und Haare durch die Haut treibt, der Schule und der Männerwelt fernbleiben und sich einfach weiterhin wie ein Junge aufführen könnte, dann würde die Natur vielleicht kapitulieren, und die Pickel und Haare würden wieder verschwinden. Der ewige Junge wäre erschaffen. Einen Versuch wär's doch wert. Hm. *(Pause)* Als ich herkam, hatte ich ein ganz einfaches Ziel. Einerseits kam ich natürlich aus schierer päderastischer Sehnsucht und andererseits, wie ich Brookshaw erklärte, um die barbarische Fäulnis mit Stumpf und Stiel auszurotten. Aber ich war auch auf der Flucht vor der Verantwortung des Erwachsenen. Hier bin ich schließlich bloß der ranghöchste Präfekt. Aber zweimal bin ich zu weit gegangen. Jetzt habe ich eine absolut respektable Schule an den Rand des Abgrunds gebracht, einem Jungen, der nach Ampleforth wollte, einen Strich durch die Rechnung gemacht, und mir eine Direktorenstelle verscherzt: bloß weil ich die Handschrift eines Jungen nachgeahmt habe, übrigens eine Tat, die mir zusätzlich eine gewisse sexuelle Erregung verschaffte. Gott weiß, was passieren würde, wenn ich hierbliebe. Oder weiterginge. *(Pause)* Obwohl ich genau das vorhabe. Ich sehe nur einen Weg vor mir, um diesem traurigen Durcheinander ein Ende zu setzen, und den werd' ich auch beschreiten. Kennen Sie noch das alte Sprichwort: »Der Junge am anderen Flußufer hat einen Po wie ein Pfirsich, aber ich kann nicht schwimmen«? Aber *er* kann dafür schwimmen, das ist auch so etwas, was alle Jungen können. *(ergreift Süßigkeitenschachtel und Koffer)* »Anmutig schreitet täglich neu / Er über Felder voller Lieder, / Und was da glänzt im gold'nen Heu, / Fließt von der Grazie seiner Glieder.«

Dominic *ab. Blackout. Bühnen- und Saallicht gehen an, als* Brookshaw *auftritt, in Talar und steifem Kragen, seine Pfeife paffend. In der Hand hat er einen Luftpostbrief. Er bedeutet der Klasse, sich zu setzen, räuspert sich und schreitet zu Beginn seiner Ansprache hin und her.*

Brookshaw. Setzt euch, Jungs. Folgendes. Wie ihr wißt, pflege ich die Klasse, die uns am Ende des Sommerhalbjahrs verläßt, immer mit einer Ansprache zu verabschieden, die sich üblicherweise um Religion, Sex und das Leben an der Public School dreht. Auch heute werde ich mich diesem Thema widmen… **Potter**, egal was es ist, **schluck's runter!**… jedoch in Form eines anderen Mediums. Wie euch allen bewußt ist, haben wir ein ungewöhnliches Schuljahr hinter uns. Zwei Tode, die des Direktors und des jungen Hoskins, haben uns schmerzhaft daran erinnert, daß Gott unser Vater jederzeit jeden von uns rufen kann, ob jung, ob alt, um zu ihm und seinen himmlischen Heerscharen versammelt zu werden. Ich habe in den letzten Monaten eine Art Übergangsdirektor gespielt, und Miss Puttenham hat mich gebeten, in diesem Amt zu verbleiben, solange ich möchte. Gern und dankbar habe ich ihr Angebot angenommen. Euch betrifft das nicht mehr, da ihr euch in neue Wälder und auf frische Weiden verstreuen werdet, aber es drängt mich, euch wissen zu lassen, daß Chartham in alten Händen ist und sich nicht ändern wird, solange ich am Ruder stehe, mit Gott und seinen himmlischen Heerscharen der Cherubim und Seraphim an meiner Seite. *(nickt leutselig nach links)* Eine weitere Entwicklung in diesem Jahr war das aufsehenerregende Verschwinden von Mr Clarke und eurem Klassenkameraden Rupert Cartwright, beide am selben Tag. Die Polizei sah sich außerstande, einen der beiden aufzuspüren, und wir alle waren über ihren Verbleib im ungewissen *(Kunstpause)*, bis ich gestern morgen diesen Brief von Mr Clarke erhielt. Einen Brief, den ich euch gleich vorlesen werde, meine Herren. Davon abgesehen unterschied sich dieses Sommerhalbjahr alles in allem nicht wesentlich von früheren. Wir mußten eine ordentliche Portion Enttäuschungen auf dem Cricketplatz einstecken, aber wir konnten auch Siege feiern. Potters Hattrick gegen die Old Charthamians verdient hier ebenso Erwähnung wie Kinnocks tüchtige fünfzig gegen Gauntstone Manor. Cricket kommt nicht ganz an Kunst oder Unendlichkeit heran, Jungs, aber die meisten von uns werden keinen näheren Blick auf sie erhaschen dürfen, daher führe ich diese Leistungen als achtbare Erfolge an, auf die wir stolz sind in Chartham. Gut gemacht. Akademisch war dieses Jahr ein durchschlagender Erfolg. Die 6Aler haben insgesamt vier Ausstellungen, zwei Stipendien und beachtliche drei Schulbeihilfen erworben, wie das Füllhorn von Quasiferien der letzten Zeit zur Genüge demonstriert hat. Einen lauten Lobpreis der 6A also, und natürlich den Engelsscharen und Dienern des Allmächtigen, die ihre Bemühungen so gütig gelenkt haben. Auch ihr, 6B, seid von den Himmlischen nicht übersehen worden. Ich habe keinen einzigen Ausfall zu vermelden. Das heißt, daß dies für jeden einzelnen von euch die letzte Woche in Chartham ist, und im September wird es euch in alle vier Himmelsrichtungen des Königreichs verschlagen haben, so weit auseinander gelegen wie Sherborne und Fettes, King's Canterbury und King William's auf der Isle of Man. Verlassen werdet ihr diese Stätten der Gelehrsamkeit als Männer und ... immer mit Ausnahme von Madison! ... als Männer von jenem Schrot und Korn, auf das Chartham stolz ist. Von dem England, in das ihr dann hinaustreten werdet, das bekenne ich freimütig, weiß ich nicht mehr als ihr, aber wie Generationen von Charthamians vor euch werdet ihr ihm zu starken und festen Bürgern heranwachsen, und ein höheres Privileg könnte man ebensowenig erstreben wie ein größeres Glück. Und vergeßt niemals, als Engländer habt ihr absolut das Recht, Gott sozial als euresgleichen zu behandeln und den Teufel als Knecht, auf diesem Wege liegt das Heil. Dem habe ich nur noch meinen üblichen Rat an Schulabgänger hinzuzufügen: Schlagt unter gar keinen Umständen eine Frau, die eine Brille trägt, nennt Schreibpapier niemals »Briefpapier«, und tragt euer Taschentuch stets im Ärmel, nie in der Hosentasche. Mehr als das, glaube ich, habe ich euch nicht mit auf euren Lebensweg zu geben: Erinnert euch daran, gehorcht ihm, und euer Leben wird euch unendlich viel leichter fallen. Und nun zu dem Brief, den ich von Mr Clarke erhalten habe. Nach langer Prüfung meines Gewissens bin ich zu dem Schluß gekommen, daß ihr ihn hören solltet. Für Jungen ist er, ehrlich gesagt, nicht sonderlich geeignet, aber ich glaube, ich darf euch heute die Ehre erweisen, euch als Männer zu behandeln, nicht als Jungen. Ich weiß, daß ihr alle Mr Clarke geliebt und respektiert habt, und seine Tragödie wird euch eine strenge moralische Lehre sein. Der Brief wurde vor zehn Tagen in Tanger abgestempelt. Für diejenigen unter euch, die es all meinen Bemühungen zum Trotz geschafft haben, in Common-Entrance-Erdkunde durchzufallen: das liegt in Marokko, was – für Madison – in Nordafrika liegt. Das große Ding unterm Mittelmeer, Madison! So, dann will ich ihn euch mal vorlesen: »Tanger, 6. Juli. Lieber Herb ... ähem! Lieber Mr Brookshaw, ich schreibe dies mit Blick auf die Kasba. Rupert sitzt neben mir und trinkt mit einem Strohhalm einen ziemlich flotten Cocktail.

Zu guter Letzt haben wir uns also hier in Marokko niedergelassen. Dank der umsichtigen Vergabe von Bakschisch ...« – das ist nichts anderes als Bestechung, Jungs – »... haben wir es blitzschnell geschafft, die marokkanische Staatsbürgerschaft anzunehmen, wofür wir natürlich auch zum Islam übertreten mußten, was eigentlich ziemlich Spaß macht. Mein neuer mohammedanischer Name lautet Ghanim Ibn Mahmud, und Rupert, den ich offiziell adoptiert habe, heißt Abu Hassan Basim: echt 'n Brüller, was? Sein Geld leistet uns hier draußen gute Dienste, wir haben eine recht ordentliche Villa am Meer gekauft, direkt vor den Toren von Tanger, und den größten Teil des Tages verbringen wir am Strand und machen Liebe-« *(dreht hastig das Blatt um)* »-voll Sandburgen und gehen viel schwimmen. Die Luft hier draußen ist ganz außerordentlich, ich brauch' mich kaum noch zu rasieren, und meine Stimme erhebt sich allmählich zum Diskant. Das muß an der vielen Eiscreme liegen. Wir werden langsam zur lokalen Berühmtheit: Rupert nennt man ›Junger Hassan mit den blauen Augen und der Million Goldstücke‹, und ich laufe als ›Ghanim, den Allah mit einem Sohn und keiner Frau gesegnet hat‹. Jetzt muß ich aber los. Viel Glück als Direktor, körbevoll Grüße an Chartham, und kommen Sie uns in den Ferien doch mal besuchen. Bis dahin, gelobt sei Allah, der wohltätige Herrscher, der Schöpfer des Weltalls, der Herr der drei Erdkreise, der die Erde so flach wie ein Bett erschaffen hat. Gesegnet sei unser Herr Mohammed, der Herr der Menschheit, und seine Wettkampfbetreuer. Gebete und unentwegter Segen, und bis zum Jüngsten Tag sei die Gnade im Namen Allahs, des Mitfühlenden und Mitleidenden mit euch allen. Amen!« Der Brief ist unterzeichnet mit »Ghanim Ibn Mahmud und Abu Hassan Basim, mit vielen Grüßen und Küssen«. *(faltet den Brief zusammen)* Nun, Jungs, dies ist ein trauriger Brief. Auch ihr konntet wahrscheinlich zwischen den Zeilen die Einsamkeit, die Verzweiflung und das qualvolle Elend eines Engländers spüren, der seine Nationalität und seine Religion verloren hat, in anderen Worten sowohl seine tatsächliche als auch seine seelische Identität. Der Ton ist unmißverständlich; sie haben die einzigen Dinge verloren, die sie auszeichneten, und man kann nur Mitleid mit ihnen haben. In kurzer Zeit werde ich euch bitten, gemeinsam mit mir zu Gott und seinen mystischen Heerscharen der Engel und Erzengel, der Pastoren und Meßdiener, der Heiligen und Märtyrer zu beten, und gemeinsam wollen wir die heilige Gemeinschaft anflehen, unsere verlorenen Freunde zum Glauben zurückzuführen. Als Briten geboren zu sein, hat man zu Recht gesagt, heißt, in der Lotterie des Lebens den ersten Preis gewonnen zu haben. Als Christ getauft zu sein, könnte ich hinzufügen, heißt, in der Lotterie des Lebens nach dem Tode den ersten Preis gewonnen zu haben, eine ansehnliche Investition. Diese beiden Unglücklichen haben ihre Lose weggeworfen und sind nun verloren. Sie glauben, Jungs, sie glauben, sie hätten Freiheit und Glück gefunden, aber wir alle wissen doch, und sie wissen es im Grunde ihres Herzens auch, daß sie nur Ausschweifung und Ruin gefunden haben. Geld, Sonne und Sinneslust, das ist alles, was sie haben, und das ist eitel Tand, Jungs, eitel Tand. Cartwright oder Hassan oder wie er jetzt auch heißen mag, hat sich sogar dauerhaft um die beste Bildung gebracht, die einem Katholiken hierzulande verstattet ist. Möge das Beispiel dieses unseligen Paars uns allen eine Lehre sein... ja, Elwyn-Jones, was ist? Ja, woher soll ich denn wissen, wieviel ein Kinderflug nach Marokko kostet? Cartwright konnte sich das bekanntlich leisten, zum Schaden seiner unsterblichen Seele... hört auf zu flüstern, da drüben... also, wenn ihr nächstes Jahr an euren neuen Schulen anfangt, denkt gelegentlich... wo willst du denn plötzlich hin, Potter? Ich bin noch nicht fertig. Figgis? Elwyn-Jones? Was habt ihr denn...? Kinnock? Whitwell? Ihr alle! Wo wollt ihr denn hin? Kommt zurück! Ich bin noch nicht fertig! Kommt zurück!

Das Saallicht erlischt langsam.

Ich wollte euch doch noch von Gottes...

Stille. Brookshaw *sieht sich verzweifelt im für ihn jetzt leeren Klassenzimmer um. Er zieht* Clarkes *Brief wieder heraus, betrachtet ihn und setzt sich an den Tisch. Er beginnt einen Brief zu schreiben, den er laut mitspricht. Dem Publikum sollte jetzt zum ersten Mal richtig auffallen, daß die Tafel mit kindischem Gekritzel bedeckt ist:* »Puer magistrum amat. Magister puerum amat. *Jungen lieben Lehrer lieben Jungen lieben Lehrer.* Dominus Rupertum amat. Rupert dominum amat. *Brookshaw fickt Feigen. Die Wirtschafterin frißt Smegma. Usw. usf.*«

BROOKSHAW. An Ghanim Ibn Mahmud und Abu Hassan Basim, von Herbert Brookshaw, M. A., Grüße! Danke für Ihren Brief. Ich hoffe, es geht Ihnen gut. Sie erwähnten, Sie seien imstande gewesen, binnen kurzer Zeit die marokkanische Staatsbürgerschaft zu erwerben ... *(schreibt weiter, während das Licht heruntergedimmt wird)* ... Ich wäre Ihnen zu Dank verpflichtet, wenn Sie mir Einzelheiten mitteilen könnten, die mir dasselbe ermöglichen würden. Ich habe nicht unbeträchtliche Ersparnisse ...

Fade zum BLACKOUT. *Der Gesang eines* SCHULJUNGEN, *der das Nunc Dimittis singt, verwandelt sich in den Aufruf des Muezzins zum Gebet.*

VORHANG

Personen- und Sacherläuterungen

Aufgenommen habe ich lediglich in Deutschland schwer zugängliche Informationen zu Land und Leuten, große Gestalten der britischen Literatur- und Kulturgeschichte wie Dickens, Kipling und Marlowe jedoch nur, wenn Fry auf hierzulande unbekannte Details ihres Lebens oder Werks anspielt. Auch habe ich dem werten Leser wie der geneigten Leserin Informationen erspart, die im Kontext einzelner Glossen erläutert werden. Für unermüdliche Hilfe bei der Informationssuche danke ich Tony Davis, Martina Derviş, Dr. Theodor Dopheide, Reinhard Hiß, Gunnar Kwisinski, Gerburg Lindner, Reinhard Markner, Thomas Mohr, Dr. Dirk Quaschnowitz und Walter Witte, die mir in den Gewässern der Populärkultur das Schwimmen beibrachten.

Sieben Texte aus *Paperweight* sind nicht in die Übersetzung aufgenommen worden, da sie mehr Anspielungen auf Cricket, Glamour-Welt und Fernsehen Britanniens enthalten, als selbst durch Anmerkungen aufzuschlüsseln wäre.

U. B.

Abschnitt 28: 1988 verschärfter Paragraph des englischen Strafrechts, der Homosexuelle wieder stärker diskriminierte und die positive Darstellung gleichgeschlechtlicher Liebe erneut unter Strafe stellte.

Adams, Douglas (*1952): englischer Autor der inzwischen auf fünf Bände angewachsenen Trilogie *The Hitchhiker's Guide to the Galaxy* (1979–92, dt. *Per Anhalter durch die Galaxis*) sowie von *The Deeper Meaning of Liff* (1990, dt. *Der tiefere Sinn des Labenz*).

Addison, Joseph (1672–1719): mit *Richard Steele* (1672–1729) zusammen Herausgeber des ›Spectator‹, der erfolgreichsten frühen moralischen Wochenschrift des 18. Jahrhunderts.

Alban: erster Märtyrer Englands, der um 303 in der Nähe Londons hingerichtet wurde.

A-Levels: Teil der britischen Oberstufe, der grob den Leistungskursen an deutschen Gymnasien entspricht.

'Allo, 'Allo: 1984/85 erstmals ausgestrahlte Sitcom der BBC, die im von den Nazis besetzten Frankreich angesiedelt ist.

Amis, Kingsley (*1922): englischer Schriftsteller, gehörte in den Fünfzigern zur Gruppe der *Angry Young Men* (*Lucky Jim*, 1954, dt. *Glück für Jim*).

Arbuckle, Roscoe »Fatty« (1887–1933): Dickerchen im komischen Stummfilm.

Archer, Jeffrey (1940–92): Politiker und Kriminalschriftsteller.

The Archers (seit 1950): auf dem Lande angesiedelte, täglich ausgestrahlte Radio-Seifenoper der BBC.

Ascot: auf der gleichnamigen Rennbahn in der Nähe von Windsor (südwestlich von London) jährlich stattfindendes Pferderennen, bei dem die Damen der britischen Königsfamilie die neueste Hutmode spazierentragen.

Ashcroft, (Dame) Peggy (1907–91): englische Charakterdarstellerin auf der Bühne ebenso wie im Film *(The Thirty-nine Steps*, 1935, dt. *39 Stufen; A Passage to India*, 1984, dt. *Auf der Suche nach Indien).*

Astley, Rick: Popstar aus der Hitfabrik von Stock/Aitken/Waterman, dessen Stil eine Musikzeitschrift als »Kloakenpop« bezeichnete; erster großer Hit: »Never Gonna Give you up«.

Atkinson, Rowan (*1955): populärer Fernsehkomiker, dessen Serien *Mr Bean* und *Black Adder* (seit der zweiten Staffel mit Stephen Fry) inzwischen auch in Deutschland ausgestrahlt werden.

Auden, W(ystan) H(ugh) (1907–73): sozialkritischer und philosophischer englischer Lyriker, der mit Christopher Isherwood politische Lehrstücke verfaßte.

Ayer, Alfred Jules (*1910): englischer Philosoph, der sich unter dem Einfluß → Bertrand Russells und der Wiener Schule zu einem der Hauptvertreter der analytischen Philosophie entwickelte.

Baker, Kenneth (*1934): 1984–90 Generalsekretär der Conservative Party.

Barbican Centre: Kulturzentrum in der City of London; bis 1995 Londoner Sitz der Royal Shakespeare Company.

Baron Corvo: Pseudonym von *Frederick William Rolfe* (1860–1913); exzentrischer Schriftsteller (*Hadrian the Seventh*, 1904; *Don Tarquinio*, 1905).

Beadle, Jeremy: zunächst Moderator der Fernsehserien *Game for a Laugh* und *Beadle's About* auf ITV, die ungefähr dem deutschen *Verstehen Sie Spaß?* entsprechen. Moderiert neuerdings *You've been framed* (ebenfalls ITV), Zuschauervideos, die Kleinkatastrophen des Alltags dokumentieren.

Beaton, Cecil (1904–80): Photograph, Bühnenbildner, Schriftsteller, Filmschauspieler; zeitweiliger Lebenspartner von Greta Garbo.

Beaverbrook, Baron (1879–1964): mit bürgerlichem Namen *William Maxwell Aitken*; Politiker und Verleger (›Daily Express‹, ›Evening Standard‹, ›Sunday Express‹), gehörte 1940–45 als Liberaler Churchills Kriegskabinett an und verfaßte eine für die Sozialreformen der Nachkriegszeit grundlegende Expertise.

Beecham, Thomas (1879–1961): seit 1928 Dirigent des London Symphony Orchestra, 1946 Gründer des Royal Philharmonic Orchestra.

Benn, Tony (*1925): wichtigster Exponent des linken Flügels der Labour Party; 1975–79 Energieminister.

Bennett, Alan (*1934): Dramatiker und Schauspieler.

Benson, E. F. (1867–1940): Verfasser von rund 80 Biographien und Romanen, am bekanntesten die Sozialkomödien der sechsbändigen *Lucia*-Serie, die nach ihrem Erscheinen in den Zwanzigern zu Kultbüchern wurden.

Bentine, Michael (*1922): Fernsehkomiker (→ *The Goon Show; It's a Square World*).

Berlin, (Sir) Isaiah (*1909): Philosophieprofessor am All Souls College in Oxford: *Karl Marx; His Life and Environment* (1939, Neuausgaben 1959 und 1963), *Historical Inevitability* (1955), *Four Essays on Liberty* (1969).

Best, George: Fußballidol; »eröffnete auf dem Scheitelpunkt seines Ruhms eine Boutique in Manchester und kaufte sich einen Friseursalon. Kutschierte gerne auch im Jaguar umher. Womanizer. Enfant terrible« (Gerhard Henschel/Günther Willen, *Supersache! Lexikon des Fußballs*, 1994).

Betjeman, John (1906–84): besang in *Tennyson* nachempfundener Lyrik das England der guten alten Zeit (*Collected Poems*, 1958); wurde dafür 1972 mit dem Amt des *poeta laureatus* belohnt; kritisierte alle britische Architektur, die seit dem Ersten Weltkrieg entstand (*English Churches*, 1964; *Ghastly Good Taste*, [2]1970).

Birds of a Feather: in Essex angesiedelte Sitcom der BBC um zwei Schwestern, Sharon und Tracy, die, ohne es zu wissen, mit zwei Bankräubern verheiratet sind, die nach ihrem letzten Coup zu 25 Jahren Gefängnis verurteilt wurden. In nahezu jeder Folge geht es um die Verwicklungen der beiden Frauen mit ihrem Nachbarn Dorian.

Birkenhead, Frederick Edwin Smith, First Earl of (1872–1930): Politiker, Anwalt und berühmter Redner; mitverantwortlich für das Aushandeln des britisch-irischen Abkommens von 1921, das 1922 zur Gründung des Irischen Freistaats führte.

Black Adder: → Rowan Atkinson.

Blankety Blank (seit 1977): Spielshow der BBC, deren Konzept in Deutschland in den Siebzigern von *Schnickschnack* (ARD) und in den Neunzigern von *Punkt, Punkt, Punkt* (SAT 1) nachgeahmt wurde.

Blue Peter: seit Mitte der fünfziger Jahre wöchentlich ausgestrahlte Kinderserie.

Bodyline: Die Australientour der englischen Cricket-Mannschaft 1932/33 wurde als »Bodyline-Tour« berühmt und berüchtigt, nachdem die englischen *Fast Bowler* Larwood und Voce den australischen *Batsman* mit aggressiven, als unfair geltenden Würfen zum Körper in die Enge getrieben hatten.

Botham, Ian: Cricketspieler und Captain der Nationalmannschaft in den Achtzigern.

Bough, Frank (*1933): Sportkommentator und erster Moderator von *Breakfast Time*, dem Frühstücksfernsehen der BBC.

Box, Sydney (1907–83): Filmautor, -regisseur und -produzent, der im Jahrzehnt nach Kriegsende einige Erfolge hatte (*The Seventh Veil*, 1945, dt. *Der letzte Schleier; Holiday Camp*, 1947, dt. *Viel Vergnügen; The Brothers*, 1948).

Bracknell, Lady: alte Adlige in Oscar Wildes *The Importance of Being Earnest* (1895), die die anderen Figuren in Angst und Schrecken versetzt.

Bradbury, Malcolm (*1932): Literaturwissenschaftler und Romancier (*Eating

People is Wrong, 1959; *The History Man*, 1975).

Braden, Bernard (*1935): aus Kanada stammender Moderator der in den sechziger Jahren ausgestrahlten Verbraucherschutzsendung *On the Braden Beat*.

Bragg, Melvyn (*1939): Schriftsteller, arbeitet seit 1961 als Moderator für die BBC in Fernsehen und Radio.

Brandreth, Gyles Daubeney (*1948): Schriftsteller und Journalist, von 1983–90 Moderator beim privaten Frühstücksfernsehen *TV-am*.

Brett, Jeremy (*1935): Fernsehschauspieler, der mit *The Adventures of Sherlock Holmes* (1984/85) bekannt wurde.

Bron, Eleanor (*1940): Revueschauspielerin mit Cambridge-Hintergrund.

Brooke, Rupert (1887–1915): englischer Lyriker, dessen Sonett »The Soldier« als das klassische englische Gedicht des 1. Weltkriegs gilt.

Brown, (Lord) George (*1914): unter → Harold Wilson Minister mit verschiedenen Ressorts (Arbeit, Landwirtschaft, Äußeres); rechter Gewerkschaftsführer.

Brown, Gordon (*1951): seit 1987 Wirtschaftssprecher der Labour-Opposition, 1992–94 Vorsitzender der Labour Party.

Browne, Thomas (1605–82): Arzt der elisabethanischen Renaissance, Botaniker und Schriftsteller, der in *Religio Medici* (1635/43, dt. *Die Religion des Arztes*) ein voraufklärerisches Plädoyer für Gedankenfreiheit hielt.

Browning, Elizabeth, geb. Barrett (1806–61): englische Lyrikerin, deren bekanntestes Werk die Verserzählung *Aurora Leigh* von 1856 ist.

Buchan, John (1875–1940): Politiker, der durch fünfzig in seiner Freizeit geschriebene Abenteuergeschichten bekannt wurde: *Prester John* (1910); *The Thirty-Nine Steps* (1915; 1935 von Alfred Hitchcock verfilmt, dt. *39 Stufen*).

Bunbury: in Oscar Wildes *The Importance of Being Earnest* (1895) das Pseudonym der Figur Algernon, wenn dieser auf dem Lande weilt.

Burgess, Guy Francis de Moncy: floh 1951 unter dem Verdacht, britische Staatsgeheimnisse an den KGB verraten zu haben, in die Sowjetunion.

Burns, Robert (1759–96): schottischer Nationaldichter (u. a. von »Auld Lang Syne«), dessen von Trefusis zitiertes Gedicht »Wie groß auch eure Armut sei« unter dem Einfluß von Thomas Paines Formulierung der Menschenrechte den Gleichheitsgedanken der Französischen Revolution propagiert.

Captain Furillo: Leiter des *Polizeireviers Hill Street*, wie die amerikanische Fernsehserie *Hill Street Blues* (1981–87) auf deutsch hieß. Frank Furillo wurde von Daniel J. Travanti gespielt.

Castle, Barbara (*1910): 1958/59 Vorsitzende der Labour Party; 1964–76 Ministerin in verschiedenen Ressorts (Verkehr, Arbeit und Soziales, Entwicklung).

Channon, Paul (*1935): konservativer Politiker; 1981–89 Minister in verschiedenen Ressorts (Kultur, Wirtschaft, Verkehr).

Charters & Caldicott: sechsteilige Fernsehserie um zwei pensionierte Diplomaten, die in einen Mordfall verwickelt werden.

Clarke, Alan: berühmter Schürzenjäger; Sohn des konservativen Schatzkanzlers Kenneth Clarke; gehörte dem Kabinett Margaret Thatchers an, über die er sagte, »sie hat so wunderschöne Waden«.

Cleese, John (Marwood) (*1939): Mitglied der Komikertruppe Monty Python; zusammen mit Connie Booth (*1944) Autor der Sitcom *Fawlty Towers* (dt. *Fawltys Hotel*, Zürich 1995) und von *A Fish called Wanda* (1987, dt. *Ein Fisch namens Wanda*).

The Colbys (dt. *Die Colbys*): nach dem Muster von *Dallas* gestrickte Fernsehserie über eine sex-, geld- und machtbesessene amerikanische Familie.

Cole, John (*1927): 1981–92 politischer Redakteur der BBC.

Compton, Denis (*1918): bis 1957 Cricketspieler, seitdem Cricketkommentator.

Conran, Shirley (*1932): Herausgeberin verschiedener Frauen- und Modemagazine sowie Bestsellerautorin (*Lace* und *Lace 2*).

Cook, Peter Edward (1937–95): Schriftsteller und Fernsehkomiker, der mit *Beyond the Fringe* (1960) die später so genannte *Alternative Comedy* aus der Taufe hob; schrieb und spielte in den sechziger Jahren für die und in der Fernsehserie *Not Only But Also* zusammen mit → Dudley Moore.

Cook, Roger: investigativer Journalist in Angelegenheiten des Verbraucher- und Mieterschutzes, der für seine Fernsehsendung *The Cook Report* gelegentlich filmen läßt, wie er seine berühmten Opfer zu Hause aufsucht und für seine Fragen im Krankenhaus landet.

Cooke, Alistair (*1908): Journalist und langjähriger USA-Korrespondent für die BBC.

Cooper, Jilly (*1937): »zahlreiche kurzlebige Jobs als Model für Babyspeck, Telephonvermittlungsruineuse und ganz kurz als Tippse« (J. C.). 1969–82 Kolumnistin der ›Sunday Times‹; Bestsellerautorin (*Bella; Emily; Harriet; Imogen; Lisa & Co.; Octavia; Prudence...*).

Cooper, Tommy (1921–84): Fernsehkomiker, der sich auf mißlingende Zaubertricks spezialisiert hatte.

Cosby, Bill (*1937): schwarzer Fernsehkomiker und bestbezahlter Entertainer der Welt, der mit *I, Spy* (1966–68, dt. *Tennis, Schläger und Kanonen*) die Farbbarriere durchbrach und mit seiner Familien-Sitcom *The Cosby Show* (seit 1984) NBC zum größten Network der USA machte.

Cotman, John Sell (1782–1842): englischer Aquarellist, malte fast ausschließlich Landschaften.

Coveney, Michael (*1948): seit 1990 Theaterkritiker beim ›Observer‹.

Coward, (Sir) Noël (1899–1973): Verfasser geistreicher und frivoler Komödien; auch Schauspieler sowie Revue-, Musical- und Filmautor (*Private Lives*, 1929).

Cowling, Maurice (*1926): Professor für Politologie in Cambridge.

Cranmer, Thomas (1489–1556): Erzbischof von Canterbury und Kaplan von Henry VIII.; verfaßte die Fassungen des *Common Prayer Book* von 1549 und 1552 sowie die 42 Artikel von 1553; starb unter der katholischen Queen Mary auf dem Scheiterhaufen.

Crewe, Quentin (*1926): Schriftsteller und Journalist.

Crick, Francis Harry (*1916): entschlüsselte zusammen mit James Dewey Watson (*1928) die Struktur der DNS, wofür beide 1962 den Nobelpreis für Medizin erhielten.

Crippen, John (1862–1910): Arzt, der seine Frau umbrachte, die Leiche zerschnippelte und an verschiedenen Stellen im Keller verbuddelte.

Crowther, Leslie (*1933): Fernsehkomiker, der die ewige Unschuld mimt.

Cryer, Barry (*1935): Fernsehkomiker und Drehbuchschreiber; passabler Groucho-Marx-Imitator.

Currie, Edwina (*1946): konservative Parlamentarierin, ehemalige Gesundheitsministerin, seit neuestem Romanautorin (*A Parliamentary Affair*).

Debrett: britisches Adelsregister.

Deedes, William (*1913): 1974–86 Herausgeber des ›Daily Telegraph‹.

Deighton, Len (*1929): Spionageschriftsteller (*The Ipcress File*, 1962, dt. *Ipcress – streng geheim; The Billion Dollar Brain*, 1967, dt. *Das Milliarden-Dollar-Gehirn*).

Dench, (Dame) Judi (*1934): Mitglied der Royal Shakespeare Company, Schauspielerin am Londoner National Theatre, in Film und Fernsehen.

Dickens, Charles (mit vollem Namen Charles *John Huffam* Dickens; 1812–70): veröffentlichte unter dem Pseudonym »Boz« im Jahre 1843 die Erzählung *A Christmas Carol* (dt. *Ein Weihnachtsmärchen*, Zürich 1994), als Sherlock Holmes (geb. um 1854) und John H. Watson, M. D. (geb. 1855) noch Adoleszenzträume ihrer Eltern waren. Dickens, der elf Jahre vor Beginn von Dr Watsons Assistenz bei Holmes (Anfang 1881) starb, ging bei einem Anwalt in Gray's Inn in die Lehre.

Dimbleby, David (*1938): politischer Reporter und Live-Kommentator; Kriegsberichterstatter im Golfkrieg.

Donne, John (1572–1631): Prediger und berühmtester der *metaphysical poets*.

Dornford Yates: Pseudonym von Cecil William Mercer (1885–1960), Verfasser farcenhafter Unterhaltungsliteratur.

Duty Free (1984): Britische Sitcom um zwei Paare im Spanienurlaub; eine Art britisches Pendant zu Gerhard Polts *Man spricht deutsh*.

Eddington, Paul (*1927): Bühnen- und Fernsehschauspieler (*The Good Life*, 1971; *Yes, Minister*, 1980–85, → *Yes, Prime Minister*, 1986).

Edmonds, Noel (*1949): Discjockey und professioneller Fernseh-Sunnyboy (*Top of the Pops, The Late Late Breakfast Show, Telly Addicts*) – der Thomas Gottschalk Großbritanniens.

Elton, Ben(-jamin Charles) (*1959): Dramatiker, dessen erste Komödien von studentischen Theatergruppen auf dem Edinburgh Festival in einer Telephonzelle aufgeführt wurden; Co-Autor der Comedy Show *The Young Ones* (1982–84), der Satiresendung *Black Adder* (→ Rowan Atkinson); inzwischen Showmaster einer eigenen Comedy Show. Verfasser dreier Romane: *Stark* (1989), *Gridlock* und *This Other Eden* (1993).

Fleet Street: In der Fleet Street befanden sich die altehrwürdigen Zeitungshäuser Londons, die geschlossen wurden, nachdem Rupert Murdoch gegen den erbitterten Widerstand der Druckgewerkschaft in den frühen achtziger Jahren das britische Pressewesen rationalisiert hatte. Im Ostlondoner Stadtteil Wapping liegen die mit neuer Technik arbeitenden Druckereien, u. a. von ›Times‹, ›Sun‹ und ›Telegraph‹.

Fluck, Peter: Zusammen mit Roger Law Gründervater der satirischen Fernsehserie *Spitting Image*.

Footlights: studentische Theatertruppe in Cambridge.

Forster, E(dward) M(organ) (1879–1970): Verfasser von Romanen (*Howards End*, 1910; *A Passage to India*, 1924, dt. *Auf der Suche nach Indien*), Kurzgeschichten sowie Literaturtheorie und -kritik; teilte in *Aspects of the Novel* (1927) das Spektrum literarischer Figuren in »runde« und »flache« Charaktere auf.

Fowles, John (*1926): Romancier; *The French Lieutenant's Woman* (1968, dt. *Die Geliebte des französischen Leutnants*) wurde 1981 mit Meryl Streep und Jeremy Irons in den Hauptrollen verfilmt.

Francis, Dick (*1920): Ex-Jockey und Kriminalschriftsteller, der seine Romane stets im Pferderennmilieu ansiedelt.

Friedman, Milton (*1912): amerikanischer Wirtschaftswissenschaftler, dessen These, die Koppelung der Geldmengenänderung an die reale Entwicklung des Bruttosozialprodukts führe ein Höchstmaß an Geldwertstabilität und Wirtschaftswachstum herbei, in den achtziger Jahren zum Dogma der Wirtschaftspolitik unter Pinochet, Reagan und Thatcher wurde.

Fry, Christopher (*1907): Dramatiker, der in seiner Verskomödie *The Lady's not for Burning* (1948, dt. *Die Dame ist nicht fürs Feuer*) vor der als heillos empfundenen modernen Welt in elisabethanische Bildersprache flüchtete.

Gale, George (*1927): konservativer Kolumnist für ›Daily Mirror‹ und ›Sunday Mirror‹.

Gatting, Mike: in den frühen Achtzigern Captain der englischen Cricketauswahl.

Geordie: Bewohner Newcastles oder seiner Umgebung.

Gielgud, (Sir) Arthur John (*1904): berühmter britischer Theaterschauspieler und Regisseur; leitete 1937/38 das Queen's Theatre und 1944/45 das Haymarket Theatre in London.

Gilbert & George: britisches Künstlerpaar, bestehend aus Gilbert Proesch (*1943) und George Pasmore (*1942), das seit 1968 auf wandgroßen Photoserien vornehmlich sich selbst darstellt.

Gish, Lillian (1896–1993): amerikanischer Filmstar, der von D. W. Griffith entdeckt wurde und den Rekord über die längste Karriere vor der Kamera hält: *Birth of a Nation* (1914, dt. *Geburt einer Nation*), *Intolerance* (1916), *The Night of the Hunter* (1955; dt. *Die Nacht des Jägers*).

Goldsmith, James (*1933): Eigentümer der Supermarktkette Sainsbury's und Großmäzen, der sich 1990 nach Mexiko zurückzog.

Gooch, Graham: Cricketspieler in den Achtzigern.

The Goon Show (1951–60): legendäre Radiokomödie mit Peter Sellers, Harry Secombe und Spike Milligan (der die meisten Texte schrieb), die 1951 als *Crazy People* gegründet wurde, 1952 ihren späteren Namen erhielt und 1968 kurz ins Fernsehen wechselte.

Grammar School: entspricht in etwa dem deutschen Gymnasium.

Grange Hill (1980): Vorabendserie der BBC über eine Provinzschule.

Grant, Russell: Astrologe im britischen Frühstücksfernsehen *TV-AM*.

Gray, Simon (*1937): Dramatiker, dessen Stücke wiederholt von Harold Pinter inszeniert wurden; *Spoiled* (1968), *The Man in the Sidecar* (1971), *Otherwise Engaged* (1975). Fry spielte eine der beiden Hauptrollen in seinem Stück *Cell Mates* (1995) und verschwand nach heftigen Verrissen seiner Leistung für einige Zeit von der britischen Bildfläche.

Groucho Club: Szenekneipe der Londoner Journaille, die Fry im *Nilpferd* kaum verhüllt als *Harpo Club* porträtiert.

›Guardian‹: linke, ursprünglich in Manchester beheimatete Tageszeitung.

Gummer, John Selwyn (*1939): tief religiöser Landwirtschaftsminister unter Thatcher und Major; 1983–85 Generalsekretär der Conservative Party.

Hailsham, (Baron) Quintin (*1907): 1983–92 Kanzler der Universität Buckingham; Oberhausmitglied.

Haldane, John Scott (1860–1936): philosophischer Schriftsteller und Physiologe, dessen Arbeiten über die Atemorgane besonders im Bergbau Berufskrankheiten vorzubeugen halfen.

Hampton, Christopher (*1946): Dramatiker (*The Philanthropist*, 1970; *Les Liaisons Dangereuses* [nach Choderlos de Laclos], 1985, dt. *Gefährliche Liebschaften*, verfilmt 1988) und Librettist von Andrew Lloyd Webbers Musical *Sunset Boulevard*.

Hancock: Tony Hancock trat von 1954–61 (ab 1956 im Fernsehen) in *Hancock* auf, einer der ersten Sitcoms des britischen Fernsehens.

Harris, Anita (*1942): Sängerin, die im Kinderprogramm ihre Nische fand.

Harris, Rolf (*1930): australischer Entertainer, dessen Shows in den frühen Siebzigern auch im ZDF liefen.

Harrison, Tony (*1937): Lyriker; der inkriminierte Gedichtband *v. and other poems* erschien 1990.

Hart-Davis, Rupert (*1907): Schriftsteller und Verleger, der zwischen 1978 und 1984 seine gesammelte Korrespondenz in sechs Bänden veröffentlichte.

Hartley, Leslie Poles (1895–1972): Schriftsteller (*The Go-Between*, 1953, dt. *Der Zoll des Glücks*).

Hastings, Max (*1945): seit 1986 Herausgeber des ›Daily Telegraph‹.

Healey, Denis (*1917): Politiker des rechten Flügels der Labour Party; 1964–70 Verteidigungsminister; 1974–79 Finanzminister; 1980–87 außenpolitischer Sprecher der Opposition.

Heath, Edward (*1916): konservativer Politiker, der als Premierminister (1970–74) den Beitritt Britanniens zur Europäischen Gemeinschaft durchsetzte.

Heffer, Eric Samuel (*1922): Abgeordneter des linken Flügels der Labour Party.

Henley: Stadt in Oxfordshire an der Themse, seit 1829 Austragungsort zahlreicher, von Glamour Girls, Champagner und Erdbeeren begleiteter Ruderregatten. »Diamond Skulls« heißt die Trophäe des Einerrennens, das erstmals 1844 stattfand.

Heseltine, Michael (*1933): konservativer Politiker, der maßgeblich am Sturz Margaret Thatchers beteiligt war; 1979–83 und 1990–92 Umweltminister, 1983–86 Verteidigungsminister, gegenwärtig Handelsminister.

Hewish, Antony (*1924): Astronom, der für die Entdeckung der Pulsare 1967 zusammen mit Martin Ryle 1974 den Nobelpreis für Physik erhielt.

Hislop, Ian (David) (*1960): seit 1986 Chefredakteur bei → ›Private Eye‹.

Hobbs, (Sir) John Berry (Spitzname »Jack«) (1882–1963): galt zwischen 1905 und 1934 als größter Batsman im englischen Cricket.

Hobson, Valerie (*1917): Film- und Bühnenschauspielerin; heiratete 1954 den Verteidigungsminister John Dennis Profumo, der sie später mit dem Callgirl Christine Keeler betrog, damit im prüden Nachkriegsengland für einen saftigen Skandal sorgte und zurücktreten mußte.

Hopkins, Anthony (*1941): für seine Auftritte in Shakespeare-Inszenierungen berühmt gewordener Bühnen- und Filmschauspieler (*The Silence of the Lambs*, 1991, dt. *Das Schweigen der Lämmer; The Remains of the Day*, 1993, dt. *Was vom Tage übrigblieb; Shadowlands*, 1994; *Welcome to Wellville*, 1994, dt. *Willkommen in Wellville*).

Housmans, A(lfred) E(dward) (1859–1936): Lyriker (*A Shropshire Lad*, 1896, dt. *Ein Junge aus Shropshire*) und Professor für Altphilologie in Cambridge.

Howard, Philip (*1933): seit 1978 Feuilletonchef der ›Times‹.

Hulme, T(homas) E(rnest) (1883–1917): englischer Dichter und Philosoph, theoretischer Begründer des Imagismus.

Hurd, Douglas (*1930): 1983–84 Innenminister unter Margaret Thatcher, seit 1989 Außenminister unter John Major.

Hurt, John (*1940): Filmschauspieler: *The Hit* (1984); *Scandal* (1988).

IAPS: Incorporated Association of Preparatory Schools: Schulaufsichtsbehörde.

Icke, David: Torhüter, später Sportkommentator und prominentes Mitglied der britischen Grünen, deren rasante Talfahrt sein Esoteriktrip (er begab sich auf eine Mission zur Rettung der Welt, die er mit höheren Wesen in Kontakt bringen wollte) noch beschleunigte.

›The Independent‹: liberale Tageszeitung, die 1985 von drei abtrünnigen ›Times‹-Journalisten gegründet wurde.

Ingrams, Richard (*1937): Journalist; 1963–86 Chefredakteur bei → ›Private Eye‹; seit 1992 Herausgeber des ›Oldie‹.

ITMA: *»It's That Man Again«*: populäre Komikserie der BBC über den Zweiten Weltkrieg.

James, Geraldine (*1950): Schauspielerin, die bekannt wurde als taube Protagonistin von *Dummy* (1977) und durch ihre Rolle in *Jewel in the Crown* (1984; dt. *Das Juwel der Krone*).

Jameson, Derek (*1929): Nachrichtensprecher und Kommentator in Rundfunk und Fernsehen.

Jenkins, Roy (*1920): Politiker auf dem rechten Flügel der Labour Party, die er 1982 verließ, die Social Democratic Party gründete und deren Vorsitzender wurde, bis sie 1988 mit den Liberalen fusionierte.

Johns, Capt. W. E.: Verfasser fremdenfeindlicher, chauvinistischer Kinderbücher.

Johnson, Celia (1908–82): Film- und Bühnenschauspielerin.

Johnson, Paul (*1928): 1965–70 Herausgeber der traditionsreichen linken Wochenzeitschrift ›New Statesman‹.

Jones, Inigo (1573–1652): klassizistischer Architekt, der Whitehall (1619–22) und die Covent Garden Piazza (1630 ff.) entwarf.

Jones, Terry (*1942): Mitglied der Komikertruppe *Monty Python*.

Kaufman, Gerald (*1930): seit 1983 Abgeordneter der Labour Party im Unterhaus; 1983–87 innenpolitischer, seit 1987 außenpolitischer Sprecher der Opposition.

Kendal, Felicity (*1946): Schauspielerin u. a. am National Theatre, dem Aldwych und dem Globe Theatre.

Kinnock, Neil (*1942): 1983–92 Vorsitzender der Labour Party.

Kipling, Rudyard (1865–1936): Schriftsteller, dessen Kurzgeschichtenzyklus *Stalky & Co.* (dt. Zürich 1988) – nur wenig verbrämt – die Streiche Kiplings und seiner Mitschüler am United Services College in Devon schildert.

Laurie, Hugh: Komikerkollege von Stephen Fry, mit dem dieser die Sketche für *A Bit of Fry and Laurie* schreibt und in den → P.-G.-Wodehouse-Verfilmungen *Jeeves and Wooster* auftritt.

Lawrence, T(homas) E(dward) (1888–1935): genannt Lawrence von Arabien, führte als britischer Geheimagent im Nahen Osten 1916–18 den Araberaufstand gegen die Türken, worüber er den Bericht *The Seven Pillars of Wisdom* schrieb (1922, dt. *Die sieben Säulen der Weisheit*); durchquerte die Sahara auf einem Motorrad und starb auf einem Motorrad.

Law, Roger: → Peter Fluck.

Lear, Edward (1812–88): britischer Limerickschmied und Landschaftsmaler.

Leavis, F(rank) R(aymond) (1895–1978): einflußreicher Literaturwissenschaftler in Cambridge, der in der von ihm herausgegebenen Zeitschrift ›Scrutiny‹ (1932–53) die moralische Funktion der »großen Tradition« betonte, die für ihn in D. H. Lawrence gipfelte, diesem fleischgewordenen Sedativum der englischen klassischen Moderne.

Leonard, Elmore (*1925): berühmter amerikanischer Kriminalschriftsteller.

Lloyd George, David (1863–1945): 1908–15 liberaler Finanzminister, 1915/16 Munitions- und Kriegsminister, löste 1916 den zauderlichen Asquith als Premierminister ab, der er bis 1922 blieb; später Vorsitzender der zunehmend bedeutungslosen Liberalen Partei.

Lloyd, John: seit knapp 20 Jahren Hansdampf in allen Gassen britischer Fernsehkomik: produzierte *Not the Nine O'Clock News* (1979–82), *The Hitchhiker's Guide to the Galaxy* (1981, dt. *Per Anhalter durch die Galaxis*), → *Black Adder* (seit 1983) und *Spitting Image* (seit 1984).

Lord Gnome: → ›Private Eye‹.

Lord's Cricket Ground: Kultstätte englischen Crickets in London.

Lowe, Arthur (1915–82): Schauspieler, der als Mr Swindley in *Coronation Street*, dem Methusalem unter den Seifenopern, berühmt wurde.

M 25: Ringautobahn um London.

Macmillan, Harold (1894–1986): 1957–63 konservativer Premierminster.

Manning, Bernard: rassistischer und misogyner Komiker der alten Schule, dessen Material nicht sendefähig ist, und der daher fast ausschließlich in nordenglischen Arbeiterpubs auftritt.

Marlowe, Christopher (1564–93): Dem Kneipenrowdy, Agent im Geheimdienst Ihrer Majestät und neben Shakespeare bedeutendster elisabethanischer Dramatiker (*Tamburlaine the Great*, 1587/88; *The Jew of Malta*, um 1590; *The tragical history of Doctor Faustus*, 1588–92), der mit *King Edward II* (um 1591) das erste Thesendrama zur homosexuellen Emanzipation schrieb, wird der Satz zugeschrieben: »Ein Narr ist, wer Tabak und Knaben nicht liebt.«

Maxwell, Robert (1923–92): Labournaher britischer Pressezar (›Daily Mirror‹); beging wegen der Überschuldung seiner Unternehmen Selbstmord, indem er sich vom Deck seiner Luxusjacht in den Atlantik stürzte.

Mayall, Rik (*1958): Fernsehkomiker und Drehbuchautor: *The Young Ones* (1982–84); → *Black Adder; American Werewolf in London; Eat the Rich* (1986). Außerdem Schauspieler, der neben Fry die zweite Hauptrolle in Simon Grays *Cell Mates* (1995) spielte.

McGough, Roger (*1937): Liverpooler Lyriker der englischen *Pop Poetry*, der zusammen mit Adrian Henri und Brian Patten die Gedichtsammlung *The Mersey Sound* (1967) veröffentlichte.

Michell, Keith (*1926): australischer Schauspieler (*The Six Wives of Henry VIII*, 1970).

Millar, (Sir) Ronald Graeme (*1919): Schauspieler und Dramatiker, der bekannt wurde mit *The Bride and the Bachelor* (1956) und *The Bride comes back* (1960).

Miller, Jonathan Wolfe (*1934): Theater- und Filmregisseur.

Mills, (Sir) John (*1908): Schauspieler in zahlreichen Shakespeare-Inszenierungen und Filmen (*Ryan's Daughter*, 1970, dt. *Ryans Tochter*).

Mitford, Unity (†1948): Schwester der Schriftstellerinnen Nancy und Jessica Mitford, die nur durch notorische Hitler-Verehrung auffiel; eine vierte Schwester, Diana, war mit → Sir Oswald Mosley verheiratet, dem weitgehend erfolglosen Führer der englischen Faschisten.

Moore, Dudley (*1935): Komponist von Filmmusiken und Bühnen-, Film- und Fernsehschauspieler (*Ten*, 1978, dt. *Zehn – Die Traumfrau*; wurde damit verantwortlich für die sämtlichen Kinobesuchern antrainierte Assoziation von Ravels »Bolero« und Geschlechtsverkehr); schrieb und spielte in den sechziger Jahren für die und in der Fernsehserie *Not Only But Also* mit → Peter Cook zusammen.

Morecambe, Eric (1926–84): Fernsehkomiker, die bebrillte Hälfte der sagenumwobenen *Morecambe and Wise Show*.

Morley, Sheridan (*1941): 1975–89 Theaterkritiker des → ›Punch‹.

Morrison, Herbert (1888–1965): verstaatlichte als Transportminister der zweiten Labour-Regierung unter MacDonald die Londoner Verkehrsbetriebe (1929–31), war unter Churchill Innenminister (1940–45) und einer der führenden Köpfe der Labour-Nachkriegsregierung unter Attlee.

Mosley, (Sir) Oswald Ernald (1896–1980): Gründer und Führer der *British Union of Fascists* (1932–40).

Mount, Ferdinand (*1939): ehemaliger Leitartikler der ›Times‹; seit 1991 Herausgeber des ›Times Literary Supplement‹.

Murdoch, Rupert (*1931): gebürtiger Australier mit Oxford-Abschluß, wurde 1968 in → Fleet Street aktiv; erwarb 1981 die ›Times‹. Zu seiner *News Corporation*, dem mit 7,5 Milliarden Dollar Jahresumsatz viertgrößten Medienkonzern der Erde, gehören ›Sun‹, ›Times‹ und ›Sunday Times‹.

***Network** 7*: von Janet Street-Porter lancierte und von jungen Moderatorinnen (Sankha und Magenta De Vine) moderierte Fernsehsendung zu allen möglichen Themen aus den Bereichen Jugendkultur; arbeitet soviel mit der Handkamera, daß man sich alt und seekrank zugleich vorkommt.

Newbolt, (Sir) Henry (1862–1938): Lyriker, der mit patriotischen Seemannsgedichten bekannt wurde.

Novello, Ivor (1893–1951): multitalentierter Schauspieler (*The Lodger*, 1926), Sänger und Komponist sentimentaler Musicals sowie der Weltkriegsschnulze »Keep the Home Fires Burning« (1915).

Olivier, (Sir) Laurence (1907–89) Schauspieler, Theater- und Filmregisseur, seit 1944 Mitdirektor der Old Vic Company, 1963–73 Intendant des aus dieser hervorgegangenen National Theatre in London.

Orton, Joe (1933–67): Dramatiker (*The Ruffian on the Stair*, 1964; *Entertaining Mr Sloane*, 1964; *Loot*, 1966; *What the Butler Saw*, 1969); wurde in der Badewanne von seinem Liebhaber Kenneth Halliwell mit dem Hammer erschlagen.

Osborne, John (1929–94): Dramatiker, der zur Gruppe der *angry young men* gehörte (*Look back in Anger*, 1956, dt. *Blick zurück im Zorn; The Entertainer*, 1957).

Owen, Wilfred (1893–1918): neben → Rupert Brooke und Siegfried Sassoon bekanntester englischer Lyriker des Ersten Weltkriegs.

Oxfam: Oxford Committee for Famine Relief: karitative Vereinigung zur Hungerhilfe, die Gebrauchtwarenläden unterhält.

Paisley, Ian (*1926): protestantischer Pfarrer, gründete 1971 die extrem loyalistische Democratic Unionist Party in Nordirland, deren Vorsitzender er seither ist, und die im Unterschied zu den Official Unionists gegen die Wiedereinrichtung einer autonomen Provinzregierung eintritt, wie sie bis 1972 in Nordirland existierte.

Pelagius († nach 418): Mönch und Theologe, der sich gegen die augustinische Gnadenlehre wandte.

Pevsner, Nikolaus (*1902 in Leipzig): nach Britannien emigrierter Architekturhistoriker, 1949–55 Professor in Cambridge.

Philips, Sîan (*1934): walisische Schauspielerin (*How green was my valley* und *I, Claudius*, 1976).

Pitman, (Sir) Isaac (1813–97): entwarf 1837 ein nach ihm benanntes Kurzschriftsystem – heute ungefähr so antiquiert wie die deutsche Gabelsberger.

Plowright, Joan (*1929): von 1963–74 Schauspielerin am National Theatre; im deutschen Sprachraum bekannt durch ihre Rolle in Peter Greenaways *Drowning by Numbers* (1988, dt. *Verschwö-*

rung der Frauen); heiratete 1961 → Laurence Olivier.

Plumley, Brian: Schöpfer und jahrzehntelang Moderator der BBC-Radiosendung *Desert Island Discs*.

Points of View: in den frühen Sechzigern und erneut in den späten Siebzigern zwischen Sendungen eingeblendete Zuschauerzuschriften, die von *Monty Python* in mehreren Sketchen parodiert wurden.

Poll Tax: von den Torys in den Achtzigern geplante, unabhängig vom Einkommen festgesetzte kommunale Kopfsteuer, die nach öffentlichen Protesten wieder zurückgezogen wurde, dennoch aber maßgeblich zum Sturz Margaret Thatchers beitrug. Der Unmut richtete sich u. a. gegen die Tatsache, daß die Steuer in verschiedenen Bezirken verschieden hoch angesetzt wurde; in Westminster war sie auffallend niedrig.

Post, Emily (1872–1960): Verfasserin von *Etiquette: The Blue Book of Social Usage* (erstmals 1922), dem angelsächsischen Knigge.

Powell, Anthony (*1905): Verfasser ironisch-kritischer Gesellschaftsromane.

Powell, Enoch (*1912): Rechtsaußen der Conservative Party. Gab 1942 Thukydides' *Geschichte des Peloponnesischen Krieges* heraus.

›Private Eye‹: Satirezeitschrift, dessen Chefredakteur seine Kolumne unter dem Pseudonym »Lord Gnome« verfaßt; die Kolumne über die → Fleet Street trägt den Titel »Street of Shame«.

Proops, Marjorie (zu alt, um sich an ihr Alter zu erinnern): Kummerkasten mehrerer Tageszeitungen; veröffentlichte 1976 ihre guten Ratschläge unter dem Titel *Dear Marje*.

Psmith: → Wodehouse, P. G.

›Punch‹: 1841 gegründete illustrierte Satirezeitschrift, die 1992 nach langem Siechtum eingestellt wurde.

Rantzen, Esther (*1940): Fernsehmoderatorin, der Leslie Halliwell, der galligste aller Lexikographen, einen »überschwenglichen Überbiß« attestiert.

Raphael, Frederic (*1931): Drehbuchautor und Gelegenheitsschauspieler.

Rattigan, Terence Mervyn (1911–77): Verfasser von Salonkomödien, sozialkritischen Dramen und Filmdrehbüchern.

Rattle, Simon (*1955): seit 1980 Dirigent des City of Birmingham Symphony Orchestra.

Raven, Simon (*1927): Romancier, der in den Sechzigern zahlreiche Fernsehdramen verfaßte.

R. C.: *Roman Catholic*: römisch-katholisch.

Redhead, Brian (*1929): 1975–94 Moderator bei BBC-Radio.

Reed, Oliver (*1938): Filmschauspieler, zunächst in zahlreichen Mantel-und-Degen-Schmonzetten, bekannt geworden durch *The Brood* (1979, dt. *Die Brut*) und *Castaway* (1987, dt. *Castaway – die Insel*).

Rees-Mogg, (Lord) William: Kolumnist und ehemaliger Chefredakteur der ›Times‹.

Richardson, Ian (*1934): bekannter Fernsehschauspieler (*Tinker, Toiler, Soldier, Spy*, 1979).

Richardson, Ralph (1902–83): berühmter Theater- und Filmschauspieler (*Doctor Zhivago*, 1965, dt. *Doktor Schiwago; Greystoke*, 1984).

Ridley, Nicholas (*1929): konservativer Minister in verschiedenen Ressorts (Verkehr, Umwelt, Wirtschaft), der nach der deutschen Wiedervereinigung über germanophobe Sprüche stürzte.

Rigg, (Dame) Diana (*1938): für ihre Shakespeare-Rollen berühmte Theaterschauspielerin; hierzulande am ehesten bekannt als Darstellerin der Emma Peel in *Mit Schirm, Charme und Melone* (1965–67).

Robinson, Robert (*1927): Kolumnist, Fernsehmoderator und Schriftsteller (*Landscape with Dead Dons*, 1956, dt. *Die toten Professoren*).

Roscius († 62 v. Chr.): römischer Komiker, dessen Improvisationsgabe seinen Namen zum Epitheton besonders erfolgreicher Schauspieler werden ließ; lehrte Cicero Rhetorik und wurde dafür in dessen Rede *Pro Roscio Comoedo* unsterblich gemacht.

Ross, Nick (*1947): Fernseh- und Rundfunkjournalist.

Russell, Bertrand (1872–1970): mit Alfred North Whitehead – seinem Lehrer – Begründer der analytischen Philosophie (*Principia Mathematica*, 1910–13); führender Vertreter des Pazifismus in England.

Scargill, Arthur (*1938): Organisator des britischen Bergarbeiterstreiks Mitte der achtziger Jahre, der von Thatcher niedergeschlagen wurde, wovon sich die ehemals starke britische Gewerkschaftsbewegung bis heute nicht erholt hat.

Scruton, Roger (*1944): Ästhetikprofessor, ehemals am Birkbeck College der Universität London, inzwischen in Boston, Massachusetts (*The Aesthetics of Architecture*, 1975; *The Classical*